현대어본 명주보월빙

현대어본

명주보월빙

3

역주

최길용

이 저서는 2010년도 정부재원(교육부 인문사회연구역량강화사업비)으로 한국연구재단의 지원을 받아 연구되었음(NRF-2010-327-A00283)

This work was supported by the National Research Foundation of Korea Grant funded by the Korean Government(NRF-2010-327-A00283)

서문 ● ●

　텔레비전이나 라디오가 없던 시절, 소설은 우리 선인들에게 무료한 일상을 달래며 인간사의 다양한 문제들에 대한 여러 생각들을 공유하게 해주던 매우 유용한 미디어였다. 아낙네들의 길쌈하던 일자리나 밤 마실 자리에도, 고관대가 귀부인들의 침실이나 근엄한 사대부들의 책상위에서도, 길가는 사람들로 붐비던 남대문이나 종로거리에서도, 소설은 오늘의 TV나 라디오처럼 사람들의 눈과 귀를 사로잡았다. 그리하여 아낙네들은 소설 없는 밤을 견디지 못하여 금반지나 쌀자루를 들고 세책가를 뻔질나게 들락거렸고, 먹고살 길이 막막했던 어느 곱상한 총각은 여자 강독사로 변장을 하고 판서대감댁 마님 방을 드나들며 소설을 읽어주다 불륜사실이 들통 나 죽음을 당하기도 했다. 그런가하면 공청에서 소설 삼매경에 빠져있던 어느 대감님은 갑작스러운 방문객에 화들짝 놀라 공문서로 소설책을 덮어놓고 시치미를 떼기가 다반사였는가 하면, 종로의 한 담뱃가게 점원 녀석은 전기수가 들려주던 삼국지에 팔려 있다가, 악한 조조가 착한 유비를 몰아붙이는 대목에서 화가나, 담배 썰던 칼을 들고 나와 애꿎은 전기수를 찔러 죽이는 살인사건이 일어나기도 했다.

　이렇듯 18-19세기 조선사회는 온통 소설열독에 빠져 있었다. 글을 아는 사람이든 모르는 사람이든, 양반이든 평민이든, 남자든 여자든, 노인이든 젊은이든 할 것 없이 삼천리 방방곡곡이 소설열풍에 휩싸여 있었다. 그렇게 될 수 있었던 것은 무엇보다도 소설이란 장르의 문학적 특성 곧 이야기 문학이 갖는 접근의 무제한성에 있다. 우리 모두가 알고 있는 바와 같이, 이야기는 사건의 흐름을 통해서 이해되는 것이지, 꼭 글자를 통해서만 이해되는 것이 아니다. 비록 글자로 쓰인 이야기라 하더라도, 그것을 누군가가 대신 읽어주거나, 먼저 읽은 사람이 읽은 내용을 말해주는 것을 듣고도, 얼마든지 그 이야기의 내용을 이해할 수가 있고 공감을 가질 수가 있다. 이러한 특성 때문에, 당시에는 글자를 모르는 사람이나 책읽기를 고역스럽게 여기는 사람을 위해, 책을 대신 읽어주는 강독사나, 책을 먼저 읽고 그 내용을 구수한 입담으로 풀어 이야기해주는 전기수와 같은 새로운 직업인이 나타나기도 하였다.

그러나 이 시대를 한국문학사에서 소설의 시대로 꽃피우게 한 것은 뭐니 뭐니 해도 한글필사본소설들의 범람이다. 한글필사본소설들은 한글의 쓰기 쉽고 빨리 쓸 수 있다는 장점과, 필사본의 간편하면서도 저렴한 제책 방식이 갖는 장점을 최대한 활용한 것으로서, 가정이나 궁중 세책가 등에서 다투어 소설들을 베껴 돌려가며 읽었었다. 특히 세책가에서는 여러 종의 한글필사본들을 다량으로 확보해 놓고 본격적으로 소설 대여업에 나섬으로써, 이 시대 소설열풍에 더 큰 불을 지폈다.

이 작품 〈명주보월빙〉 연작 235권(〈명주보월빙〉100권, 〈윤하정삼문취록〉105권, 〈엄씨효문청행록〉30권)은 위에서 말한 바의 18세기 말 한국고소설의 전성시대에 나왔다. 그 작품분량은 원문 글자 수가 도합 332만3천여 자(〈보월빙〉1,475,000, 〈삼문취록〉1,455,000, 〈청행록〉393,000)에 이를 만큼 방대하여, 당대 조선조 소설문단의 창작적 역량을 한눈에 보여주는 대작이다. 이 연작은 한국고소설사상 최장편소설로 꼽히는 작품일 뿐 아니라, 동시대 세계문학사에서도 그 유례를 찾아볼 수 없는 대장편서사체이다. 그 분량이 하루에 3–4시간을 들여 하루 한권씩을 꼬박꼬박 읽어낼 수 있는 아주 성실한 독자라고 할 때, 무려 235일간을 읽어야 다 읽어낼 수 있는 분량이니, 이 작품이 당시 궁중에서도(낙선재본), 일반대중들 사이에서도(박순호본: 이것은 세책본이다) 널리 읽혀졌던 사실을 염두에 둔다면, 당대 우리사회의 소설열독 풍조와 세책가의 활황이 어느 정도였을 지를 가히 짐작하고도 남게 한다.

양식 면에서, 《명주보월빙 연작》은 중국 송나라를 무대로 하여 윤·하·정 3가문의 인물들이 대를 이어 펼쳐가는 삶을 다룬 〈보월빙〉·〈삼문취록〉과, 윤문과 연혼가인 엄문의 인물들이 펼쳐가는 삶을 다룬 〈청행록〉으로 이루어져, 그 외적양식 면에서는 〈보월빙〉-〈삼문취록〉-〈청행록〉으로 이어지는 3부 연작소설이며, 내적양식 면에서는 윤·하·정·엄문이라는 네 가문의 가문사가 축이 되어 전개되는 가문소설이다.

내용면에서 보면, 이 연작에는 모두 787명(〈보월빙〉275, 〈삼문취록〉399, 〈청행록〉113)에 이르는 수많은 인물군상이 등장하여, 군신·부자·부부·처첩·형제·친구 등 다양한 인간관계에서 벌어지는 숱한 사건들을 펼쳐가면서, 충·효·열·화목·우애·신의 등의 주제를 내세워, 인륜의 수호와 이상적인 인간 공동체의 유지, 발전을 위한 선적가치(善的價値)들을 권장하고 있다. 아울러 주동인물군의 삶을 통해 고귀한 혈통·입신양명·전지전능한 인간·일부다처·오복향수·이상향의 건설 등과 같은 사대부귀족계급의 현세적 이상을 시현해놓고 있다.

필자는 이 책 『현대어본 명주보월빙』의 편찬에 앞서 『교감본 명주보월빙』(全5권, 학고방, 2014.2)을 편찬 간행한 바 있다. 이 교감본 명주보월빙』은 〈명주보월빙〉의 두 이본, 곧 100권100책으로 필사된

'낙선재본'과 36권36책으로 필사된 '박순호본'을 원문내교(原文內校)와 이본대교(異本對校)의 2단계 원문교정 과정을 거쳐 각 텍스트의 필사과정에서 생긴 원문의 오자·탈字·오기·연문·결락들을 교정하고, 여기에 띄어쓰기와 한자병기 및 광범한 주석을 가해 편찬한 것으로써, 컴퓨터 문서통계 프로그램이 계산해준 이 책의 파라텍스트(para-text)를 제외한 본문 총글자수는 539만자(낙본 2,778,000자, 박본2,612,000자)에 이른다.

이 책은 위 두 이본 중 선본인 낙선재본 교감본(2,778,000자)을 대본으로 하여 이를 현대어로 옮긴 것으로, 그 총분량은 282만자에 달한다. 앞의 교감본이 연구자를 위한 전문학술도서 국배판 전5권으로 편찬된데 비해, 이 현대어본은 중·고·대학생과 일반대중을 위한 교양도서(소설)로 성격을 전환하고, 그 규격을 경량화 하여 신국판 전10권으로 편찬함으로써, 책의 부피가 주는 중압감과 지나치게 작고 빽빽한 글자가 주는 눈의 피로를 해소하기 위해 노력했다.

이 현대어본의 편찬 목적은 고어표기법과 한자어·한자성어·한문문장체 표현 위주의 문어체 문장으로 되어 있는 원문을, 현대철자법과 현대어법에 맞게 번역하거나, 한자병기, 주석, 띄어쓰기를 가해 가독성(可讀性)이 높은 텍스트로 재생산하여, 일반 독자들에게 '읽기 쉬운 책'을 제공하는데 있다. 그리고 이렇게 함으로써 독자들이 누구나 쉽게 우리의 고전문학에 접근할 수 있게 하고, 일찍이 세계 최고수준의 소설문학을 창작하고 향유했던 민족문학에 대한 이해와 자긍심을 높이 갖도록 하는 데 있다.

아무쪼록 이 책의 출판을 계기로 이 작품이 더 많은 독자들과 연구자,

문화계 인사들의 사랑과 관심을 받게 되고, 영화나 TV드라마 등으로 제작되어 민족의 삶과 문화가 더 널리 전파되어 갈 수 있기를 기대한다. 이 작품들 속에 등장하는 앵혈·개용단·도봉잠·회면단·도술·부적·신몽·천경 등의 다양한 상상력을 장착한 소설적 도구들은 민족을 넘어 세계인들의 사랑과 흥미를 이끌어내기에 충분할 것으로 믿어 의심치 않는다.

끝으로 어려운 출판 여건 속에서도 『교감본 명주보월빙』(全5권)에 이어, 전10권이나 되는 이 책의 출판을 흔쾌히 맡아주신 도서출판 학고방의 하운근 대표님과, 편집과 출판을 맡아 애써주신 직원 여러분께 깊은 감사를 드린다.

2014년 4월 20일
최길용
(전북대학교겸임교수)

●● 일러두기

이 책『현대어본 명주보월빙』은 필자가 〈명주보월빙〉의 두 이본, 곧 100권100책으로 필사된 '낙선재본'과 36권36책으로 필사된 '박순호본'을, 원문내교(原文內校)와 이본대교(異本對校)의 2단계 원문교정 과정을 거쳐, 각 텍스트의 필사과정에서 생긴 원문의 오자·탈자·오기·연문·결락들을 교정하고, 여기에 띄어쓰기와 한자병기 및 광범한 주석을 가해 편찬한『교감본 명주보월빙』(全5권, 학고방, 2014.2.)의, '낙선재본 교감본'을 대본(臺本)으로 하여, 이를 현대어로 옮긴 것이다.

그 방법은 원문 가운데 들어 있는 ①난해한 한자어나, ②한문문장투의 표현들, ③사어(死語)가 되어버려 현대어에 쓰이지 않는 고유어들을, 1.현대어로 번역하거나, 2.한자병기(漢字倂記)를 하거나, 3.주석을 붙여, 독자가 그 뜻을 쉽게 이해할 수 있도록 하되, 그 이외의 모든 고어(古語)들은 4.표기(表記)만 현대 현대철자법에 맞게 고쳐 표기하는 방식으로 이 책『현대어본 명주보월빙』을 편찬하였다.

여기서는 위 1.−4.의 방법에 대해 한 두 개씩의 예를 들어 두는 것으로, 본 연구의 현대어본 편찬방식을 간단하게 밝혀두기로 한다.

1. 번역

한문문장투의 표현이나 사어(死語)가 된 고어는 필요한 경우 현대어로 번역하였다.

㉠ '조디쟝ᄉ(鳥之將死)이 기셩(其聲)이 쳐(悽)ᄒ고, 인지쟝ᄉ(人之將死)의 기언(其言)이 션(善)ᄒ다.'ᄒ니, 슉뫼 반ᄃ시 별셰(別世)ᄒ시려 이리 니르시미니

⇒ '새가 죽을 때면 그 소리가 슬프고, 사람이 죽을 때면 그 말이 착하다' 하니, 숙모 반드시 별세(別世)하시려 이리 이르심이니,

㉡ 그대 집 변고는 불가사문어타인(不可使聞於他人)이라. 우리 분명이 질녜 무사히 돌아감을 보아시니, 그 사이 변괴 있음이야 어찌 몽리(夢裏)의나 생각하리오마는

⇒ 그대 집 변고는 남이 들을까 두려운지라. 우리 분명히 질녀가 무사히 돌아감을 보았으니, 그 사이 변괴 있음이야 어찌 꿈속에서나 생각하였으리오마는

㉢ 안비(眼鼻)를 막개(莫開)'라

⇒ 눈코 뜰 사이가 없더라.

㉣ 성각이 망지소위중(罔知所爲中) 차언(此言)을 듣고

⇒ 성각이 당황하여 어찌해야 할지를 알지 못하는 가운데 이 말을 듣고

㉤ 기불미새(豈不美之事)리오?

⇒ 어찌 아름다운 일이 아니겠는가?

ⓑ 사어(死語)가 된 고어는 필요에 따라 번역하였다.

예)써지우다/처지게 하다 떨어지게 하다　　다리다/당기다

　　-도곤/-보다　　아/아우　　아이/아우 동생　　남다/넘다

　　아쳐ᄒ다/흠을 잡다 싫어하다 미워하다　　샌다/뽑다

　　무으다/쌓다 만들다　　흉히(胸海)/가슴　　나/나이

2. 한자병기(漢字倂記)

어려운 한자어 가운데 한자만 병기하여도 그 뜻을 쉽게 이해할 수 있는 말은 구태여 주석을 붙이지 않고 한자만 병기하였다.

ㄱ 신부의 화용월틱(花容月態) 챤연쇄락(燦然灑落)ᄒ여 챵졸의 형용ᄒ여 니르지 못홀디라.

⇒ 신부의 화용월태(花容月態) 찬연쇄락(燦然灑落)하여 창졸에 형용하여 이르지 못할지라.

3. 주석(註釋)

한자병기만으로 뜻을 이해할 수 없는 한자어나, 사어(死語)가 된 고어는, 주석을 붙여 그 뜻을 밝혀 두어, 독자가 쉽게 이해할 수 있게 하였다.

ㄱ 윤태위 빅의소틱(白衣素帶)로 죄인의 복식을 ᄒ여시나, 화풍경운(和風慶雲)이 늠연쇄락(凜然灑落)ᄒ여 농미봉안(龍眉鳳眼)이며 연함호뒤(燕頷虎頭)오 월면단순(月面丹脣)이니

⇒ 윤태우 백의소대(白衣素帶)1)로 죄인의 복색을 하였으나, 화풍경운(和風慶雲)이 늠연쇄락(凜然灑落)ᄒ여, 용미봉안(龍眉鳳眼)2)이며 연함호두(燕頷虎頭)3)요 월면단순(月面丹脣)4)

이니

주) 1) 백의소대(白衣素帶) : 흰 옷과 흰 띠를 함께 이르는 말로 벼슬이 없는 사람의 옷차림을 말함.

2) 용미봉안(龍眉鳳眼) : '용의 눈썹'과 '봉황의 눈'이란 뜻으로, 아름다운 눈 모양을 표현한 말.

3) 연함호두(燕頷虎頭) : 제비 비슷한 턱과 범 비슷한 머리라는 뜻으로, 먼 나라에서 봉후(封侯)가 될 상(相)을 이르는 말.

4) 월면단순(月面丹脣) : 달처럼 환하게 잘생긴 얼굴에 붉고 고운 입술을 가짐.

ㄴ) 촌촌(寸寸) 젼진ㅎ여 걸식 샹경ㅎ니, 대국 인물의 셩홈과 번화ㅎ미 번국과 닉도ㅎㄴ더라.

⇒ 촌촌(寸寸) 전진하여 걸식 상경하니, 대국 인물의 성함과 번화함이 번국과 내도한지라1).

주) 1)내도하다 : 매우 다르다. 판이(判異)하다.

ㄷ) 즈녀를 셩취(成娶)ㅎ여 영효(榮孝)를 보미 극히 두굿거오나 내 스스로 무음이 위황 (危慌)ㅎ니

⇒ 자녀를 성취(成娶)하여 영효(榮孝)를 봄이 극히 두굿거우나1) 내 스스로 마음이 위황(危慌)하니

주) 1) 두굿겁다 : 자랑스럽다. 대견스럽다.

4. 현행 한글맞춤법 준용

고어는 그것을 단순히 현대철자법으로 고쳐 표기하는 것만으로도 그

90% 이상이 현대어로 전환된다. 따라서 현대어본 편찬 작업의 중심은 고어를 현대철자법으로 바꿔 표기하는 작업에 있다 할 것이다. 이 책에서의 현대어 전환표기 작업은, 번역을 해야 할 말을 제외한 모든 고어 원문을, 현행 한글맞춤법을 준용하여, 현대 철자법으로 고쳐 표기하는 방식으로 진행하였다. 그리고 그 작업에는 다음의 몇 가지 원칙이 적용되었다.

① 원문의 아래아 (·)는 'ㅏ'로 적음을 원칙으로 한다.
(ᄌᆞ녀⇒자녀, 잉ᄐᆡ⇒잉태, 영ᄋᆞ⇒영아, 이 ᄀᆞᆺᄒᆞᆫ⇒이 같은, 예외; 업거ᄂᆞᆯ⇒ 없거늘)

② 원문의 연철표기는 현대어법을 따라 분철표기를 원칙으로 한다.
(므어시⇒무엇이, 본바들⇒본받을, 슬프믈⇒슬픔을, 고으믈⇒고움을, 아라⇒알아)

③ 원문의 복자음은 현행 맞춤법 규정을 따라 표기한다.
(ᄡᅣᆼ뇽⇒쌍룡, ᄯᅳᆺ⇒뜻, ᄡᅩ아⇒쏘아, ᄭᆡᄃᆞᆺ디⇒깨닫지, ᄲᆞᆯ니⇒빨리, ᄯᆞᆯ오더니⇒따르더니)

④ 원문의 표기가 두음법칙·구개음화·원순모음화·단모음화 등의 음운변화로 인해 달라진 말들은 현행 맞춤법 규정을 따라 표기 한다.
(뉴시⇒유씨, 녕아⇒영아, 텬죠⇒천조, 뎐상뎐하⇒전상전하, 믈⇒물, 쥬쥬⇒주주)

5. 종결·연결·존대어미 등의 원문 준용

문어체 위주의 원문 문장은 구어체 위주의 현대문장과 현격한 문체적 차이를 갖고 있다. 특히 문장의 종결어미나 연결어미, 존대어미는 글의 문체적 특성을 드러내는 매우 중요한 요소들이기 때문에 역자가 이를 현대문의 문체로 고쳐 표현하는 것은 한계가 있을 수밖에 없다. 그것은 문어체 문장이 갖고 있는 장중(莊重)하고도 전아(典雅)하면서 미려(美麗)하고 운률적(韻律的)인 여러 미감(美感)들을 깨트려놓음으로써, 원전의 작품성을 크게 훼손할 수가 있기 때문이다. 따라서 이 책에서는 원문의 종결·연결·존대어미들을 원문의 형태를 준용하여 옮기되, 앞의 원칙(4. 현행 한글맞춤법 준용)에 따라 철자법만 현대 철자법으로 고쳐 옮겼다. 다만 연결어미의 반복적 사용으로 문장이 매끄럽지 못하거나 지나치게 길어진 경우에는 이를 적절히 교정하였다.

목차 • •

명주보월빙 권지이십일

어시에 신묘랑이 정숙렬의 면전을 벗어나매, 비로소 살 곳을 얻어 다행하여 한번 소리하고 아아(峨峨)히 공중에 치달아 가니, 세월이 짐짓 놓고 여우가 달아남을 보하니, 위·유 흔행(欣幸)하나, 거짓 고장(告狀)하여 저주지[1] 못함을 애달파 하는 체하며, 이미 정씨를 잡혀 보내지 못하니, 어찌 한 때인들 사침(私寢)에 편히 두리오.

위노, 거짓 요악(妖惡)한 일을 꾀한다 하여 꾸짖으며 앞세워 경희전으로 오니, 유씨 소원을 이루지 못함을 통한하고, 또 세월이 오랠수록 명아의 살아난 곡절(曲折)을 모르고, 춘월의 사생(死生)을 몰라 매양 묘랑을 대하여 물으면, 윤씨 팔자(八字) 길하여 존귀함이 만복(萬福)이 무흠(無欠)하고, 춘월은 옥중에서 아직 죽든 않았다 하니, 주야 분분난측(紛紛難測)하여 온 가지로 사량(思量)하나, 형봉의 머리를 베어 들이치고, 명아를 살려내며, 춘월을 옥중 죄수를 삼은 것이, '귀신의 조화인가? 사람의 작용인가?'를 알지 못하니, 정씨는 밝히 알 줄 알되, 차마 그 말을 묻지 못하더니, 이때 태고(太姑)[2] 정씨를 요정(妖精)을 들여와 가내에 작변(作變)한다 조로고 보채는 때를 타, 유씨 존고를 도도아 정씨더러 왈,

---

1) 저주다 : 형신(刑訊)하다. 심문하다.
2) 태고(太姑) : 태부인(太夫人). 고(姑)는 부녀(婦女)의 통칭.

"삼사년 전 질녀가 성혼 후 처음 귀녕하여, 아녀(我女)가 촉지(蜀地)로 가매, 저희 종형제(從兄弟) 별회를 펴고 상공(相公)이 여아를 데리고 촉으로 가신 후, 질아(姪兒) 즉시 돌아갔더니, 질녀가 무슨 화를 만났더라 하되, 그 후 질녀가 귀근(歸覲)치 않음으로 곡절을 자세히 모르더니, 금야에 그대 침실에 이상한 변고를 보니 아니 나는 마음이 없는지라. 실로 그대 집으로 좇아 그런 일이 있어 질녀도 괴이한 변을 만나고, 춘월도 요정에 홀려 질아의 매골3)을 썼던가 싶으니, 그대는 소유(所由)4)를 알 것이라. 모름지기 자세히 일러 알게 하라."

소저 그 말마다 간흉(奸凶)함을 탄하여 자기 등의 비고(悲苦)는 잊혀지고, 도리어 저를 위하여 장래를 근심하며, 윤씨 화란(禍亂)을 물음이 춘월의 사생을 알려 함인 줄 알매, 아조 낙막(落寞)케 대답하려 대 왈,

"모년 월일에 저저(姐姐) 참화사(慘禍事)는 생각할수록 심골(心骨)이 경한(驚寒)한지라. 저저 귀녕(歸寧)하시매 부모 타렴(他念)이 없어 쉬이 돌아오기를 기다렸더니, 가형(家兄)이 마침 성내에 들어왔다가 십자가(十字街) 도중에 큰 농이 버려져 있거늘, 하리 등이 열어 본 즉 사람의 시수(屍首)라 하매, 가형이 무주시신(無主屍身)5)으로 알아 측은지심(惻隱之心)이 발하여 거두어 묻고자 할 차, 그 의형(儀形)을 얼핏 보매 분명한 저저(姐姐)인 고로, 대경차악(大驚且愕)하여 집을 얻어 시신을 방에 들여 두루 살펴본 즉, 만면에 핏빛이요, 다리를 칼로 찢었으며, 입에 독약을 부었으되 오히려 명맥이 걸렸으므로, 지성 구호하여, 겨우 생도(生道) 있은 후, 취운산으로 나오니, 그 사이 거교(車轎)를 존부에 보내

---

3) 매골 : 축이 나서 못쓰게 된 사람의 모습.
4) 소유(所由) : 말미암은 바. 까닭. 이유(理由).
5) 무주시신(無主屍身) : 주인(主人) 곧 상주(喪主)가 없는 시신.

어 저저(姐姐)라 하는 이를 데려오니, 행동거지(行動擧止) 기괴망측(奇怪罔測)하되, 얼굴인즉 추호 다름이 없으니 구태여 의심치 않았다가, 형이 저저를 살리고 나오매, 거교(車轎)에 데려온 것은 저저 아님을 깨달아, 엄히 저주려 외헌으로 나가니, 그 복초(服招)는 모르고 이름이 춘월인 줄 모르되, 입으로 하는 말이 망측(罔測)하여 가살지죄(可殺之罪)6) 라 하고, 그날 장하(杖下)에 마쳤다 하거늘, 들었을 뿐일지언정 첩의 집으로 좇아 요정(妖精)이 있어 그리 변화함은, 천사만상(千思萬想)7)하여도 깨닫지 못할 일이로소이다."

위흉(凶)과 경아 모녀 천흉만악(千凶萬惡)이 구비(具備)하나, 정소저의 말을 들으매, 적년(積年) 아득히 모르고 염려 무궁하던 바, 춘월이 벌써 죽고, 악사 그때 발각하여 정부 상하가 모를 이 없던 바를 생각하니, 낯이 닳아 오르고 말이 막혀, 위태(太)8)는 눈을 뒤룩여9) 좌우를 보고, 경아는 얼굴이 자주 붉어지되, 유씨 십분 강작(强作)하여 혀 차고 왈,

"그대 집 변고는 남이 알까 두려운지라. 우리 분명이 질녀가 무사히 돌아감을 보았으니 그 사이 변괴 있음이야 어찌 몽리(夢裏)10)에나 생각하리오마는, 전설(傳說)을 우연히 들으니, 그대 집에 요정이 있어 사람을 해하고 우리 비자 춘월이 변하여 질녀가 되었더라 하거늘, 측량치 못하였더니, 이제 그대 말을 들으니 놀랍고 한심한지라. 그대 침실에 들었던 요정이 질녀를 해한 무린가 하노라."

소저 다시 말이 없고, 춘월을 죽다 함은 혹자 요정과 모의하여 월을

---

6) 가살지죄(可殺之罪) : 살려둘 수 없을 만큼 큰 죄.
7) 천사만상(千思萬想) : 천번 만번 생각함.
8) 위태(太) : 위태부인(太夫人)의 별칭. ☞위노(老), 위흉(凶)
9) 뒤룩이다 : 크고 둥그런 눈알이 힘 있게 움직이다. ⇒두룩이다.
10) 몽리(夢裏) : 꿈 속.

도적하여 갈까 염려(念慮)하는 고로, 망단(望斷)[11]케 함이라.

유씨 새배[12] 머지 않음을 일컬어 존고 취침을 권하고, 모녀 물러 왔더니, 명일 위방이 밖에서 청알(請謁)하니, 유씨 꾀를 생각고, 존고께 위방을 여차여차 계교를 지휘하소서 하니, 위노(老)[13] 점두(點頭)[14]하고 방을 부르니, 방이 예파(禮罷) 좌정(坐定) 후, 존후를 묻잡고 왈,

"천질(賤姪)이 금선법사와 작일 정부인 데려옴을 언약하고 종야토록 기다리되 종적(蹤迹)이 없으매 괴이하여 이르니이다."

위노 머리를 긁적여 왈,

"법사가 너를 위하여 정씨를 잡으려 그 방에 갔다가 도리어 정씨에게 귀를 베이고 저는 안연 무사하니, 그런 별물이 어디 있으리오마는, 다만 유현부 일계를 이르니, 이는 아무리 신이하나 속으리니, 네 이리 이리 노복을 변용하여 효신(曉晨)에 거교(車轎)를 가지고 와 여차여차 전어하여 정씨를 데려감이 어떠하뇨?"

위방이 청파(聽罷)에 놀라고 깃거함[15]을 이기지 못하니, 놀람은 정씨의 기절(氣節)이 초고(超高)함을 애달아하고, 깃거함은 유씨 계교 기묘함이라. 일어나 칭사 왈,

"태부인은 천질(賤姪)을 위하심이 숙질지정(叔姪之情)을 생각하심이거니와 유부인의 지교하신 은혜(恩惠)는 난망(難忘)이니, 서질(庶姪)이 또한 범사에 힘써 은덕을 갚고자 하나이다."

위노 소왈,

---

11) 망단(望斷) : 바라던 것을 단념하다. 어떤 바라던 일이 실패하다.
12) 새배 : 새벽.
13) 위노(老) : 위태부인(太夫人)의 별칭(別稱). ☞ 위태(太), 위흉(凶)
14) 점두(點頭) : 승낙하거나 옳다는 뜻으로 머리를 약간 끄덕임
15) 깃거하다 : 기뻐하다.

"유현부의 현심은 본디 사람의 일을 가르치매 끝을 여물어[16] 되도록 하나니 어찌 구태여 칭은(稱恩) 하리오."

하고, 개용단(改容丹)을 주며 조심함을 재삼 당부하니, 방이 배사응명(拜謝應命)하고 단약(丹藥)을 낭중(囊中)에 넣고 즉시 돌아가니, 차시 정숙렬이 요정의 자취 이름으로부터 반드시 흉한 징상(徵狀)임을 밝히 지기(知機)하고, 위방이 오는 때면 위노 사 소저를 사침으로 보내는 고로, 차일 홍선으로 잠깐 규시하라 하니, 선이 가만히 후창하(後窓下)에 은신하여 그 문답을 일일이 듣고 심골이 경한하여, 급히 돌아와 소저를 보고 수말(首末)을 고하니, 소저 불승통해(不勝痛駭) 하여, 방을 크게 속이려, 선더러 왈,

"병부 거거(哥哥)의 군관 이곽이 용맹이 절륜(絶倫)하고 위인이 충박(忠朴)[17]함으로 가장 신임하더니, 윤군이 보고 거거(哥哥)께 청하여 데려왔는지라, 네 곽을 가서 보고 전어하되, 명일 위가 거교에 들어가, 여차여차 위방을 속이되 인귀(人鬼)를 분간치 못하게 하라."

선이 수명(受命)이거늘, 소저 우왈(又曰),

"내 때를 타 옥화산에 가 존고께 뵈려 하나니, 계충 등으로 교자를 후문으로 대후하라."

소저 원래 홍선으로 어사께 물어 존고 옥화산에 옮으심을 알고, 진·하·장 삼인으로 더불어 심복 비자를 자주 보내어 존후(尊候)를 아는지라. 효부의 영모지정(永慕之情)이 간절하여 사이를 타 존고께 배현(拜見)하려 하니, 홍선은 일개 충의(忠義)의 비자라. 즉시 나가 그윽한 곳에서 이곽을 청하여 부인 분부를 전하되,

---

16) 여물다 : 일이나 말 따위를 잘 매듭지어 끝마치다.
17) 충박(忠朴) : 충성스럽고 순박함.

"명일 위방 적자(賊者)가 흉심을 발하여 운산 본부 노복의 얼굴을 빌어 거교(車轎)를 가져오리니, 날이 밝지 않아 교자를 내청(內廳) 중문 앞에 놓고, 여럿이 덤벙일 사이 교중(轎中)에 들어가 있다가, 위가에 가 일장을 질책(叱責)하고 죽지 않을 만치 친 후 돌아오되, 차사(此事)를 불출구외(不出口外)하라."

곽이 부복 청교(聽敎)18)하고 스스로 용약(勇躍) 왈,

"내 평생 음황무도(淫荒無道)한 유(類)를 절치 통한하더니, 위방 천인이 어찌 감히 이토록 방자 하리오. 삼가 부인 명을 봉승(奉承)하리라."

선이 재삼 주밀(周密)이 함을 당부하고, 또 계충을 보아 가만히 이르대,

"부인이 여차여차 이관인을 위가로 보내고, 부인은 옥화산으로 가려 하시니, 군 등이 교자를 가져 후문으로 와 대후(待候)하라,"

충 등이 불승분개(不勝憤慨)하나 할 일 없어, 다만 교자를 후문으로 대령하기를 언약하니, 선이 돌아가 소저께 고하니라.

차시 위방이 태부인 가르친 바를 좇아 저의 노복 등을 데리고, 취운산 정부에 가 문외에서 여러 노복이 왕래함을 보고 호주성찬(壺酒盛饌)으로 대접하며, 그 성명을 물어 안 후, 날이 저물기로 흩어져 돌아오니, 방이 개용단(改容丹)19)을 갈아 저의 노복을 먹이며 각각 정부 노자의 성명을 일컬어 얼굴이 같아지기를 축원하니, 제노(諸奴)가 다 정부 노자의 얼굴이 되거늘, 방이 스스로 영행(榮幸)함을 이기지 못하여 하늘에 사례하여, 혹 일어나 춤추며, 노래 부르고, 거울을 들어 제 얼굴을 비추며, 손으로 수염을 어루만져 왈,

---

18) 청교(聽敎) : 윗사람의 말을 새겨들음. 명령을 받음. 가르침을 들음.

19) 개용단(改容丹) : 한국고소설 특유의 서사도구의 하나. 이 약을 먹으면 자기가 되고자 하는 사람과 얼굴을 비롯해서 온몸이 똑같은 모습으로 둔갑(遁甲)하게 된다.

"내 나이 사십 후, 처궁(妻宮)이 이토록 유복(有福)하여, 황상의 정문(旌門) 포장(襃獎)하신 바, 금평후의 천금여아(千金女兒)로 배우(配偶)를 삼을 줄 어찌 알았으리요."

혼잣말로 중얼거려 잠을 자지 않고 새배를 기다리더니, 계성(鷄聲)이 악악함을 듣고, 즉시 일승화교(一乘華轎)로 여러 노복을 메워 보내며, 윤부에 가 할 말을 일일이 지휘하니, 제노(諸奴)가 수명하고 윤부에 가 홍선을 찾아 금평후 말씀을 전하기를, 야래(夜來)에 진부인 환후가 만분(萬分) 위악(危惡)하여 인사를 모르는 지경에 있으니, 존당 태부인께 고하고 바삐 돌아옴을 재촉하니, 선이 불승분에(不勝憤恚)[20] 하나 사색치 않고 짐짓 경황한 거동으로 소저께 전보(轉報)하니, 소저 짐짓 놀라는 체하니, 태부인이 과도히 경동(驚動)하는 빛을 지어 왈,

"진부인 환후가 불의에 그대도록 위악하시니 아부는 어서 가라."

정씨 대 왈,

"자모의 질환이 중함은 경악(驚愕)하오나 가군(家君)이 입번(入番)하였으니 돌아감을 고치 못하여 민박(憫迫)하도소이다."

위노 요두(搖頭) 왈,

"일이 경권(經權)이 있으니, 친환이 위독함을 듣고 어찌 이렇듯 이완(弛緩)하리오. 광애 출번하거든 노모 이 말을 전하리니 아부는 물려(勿慮)하라."

인하여 급급히 재촉하니, 소저 즉시 일어나 숙당(叔堂)게 하직하고자 하니, 추밀은 혼혼불성(昏昏不性)하여 거지 날로 그릇되니 고치 못하고, 오직 태부인께 배사 후, 진·하·장 삼소저의 손을 잡아 청사에 나와 그 사이 무양(無恙)함을 당부하니, 삼 소저 옥누(玉淚)를 뿌려 왈,

---

20) 불승분에(不勝憤恚): 분노(憤怒)를 이기지 못함.

"소제 등은 저저의 신기묘산(神技妙算)이 없으니 어찌 무사함을 바라리오."

숙렬이 손을 저어 말을 그치게 하고, 경아에게 돌아감을 이르고자 하나 또한 깨지 못하였음으로 이별치 못하고, 가중인(家中人)이 채 깨지 못하니, 다행하여 운산서 온 교자를 대청 중문에 놓으라 하니, 이곽이 맞춘 일이라, 거짓 두루 다니며 사람을 치우는 체하고, 홍선 등을 앞에 세우고 분분할 사이, 나는 듯이 교중(轎中)에 들어가매, 선이 소리하여 부인 행차를 모시라 하고, 저는 소저 침금을 거두어 가지고 가만히 소저를 모셔 후원에 가니, 계충 등이 교자를 대령(待令)하였거늘, 소저 교중에 들어 옥화산으로 가니라.

위가 노자 교자를 메어 나는 듯이 가려 하나, 교자가 무겁기 태산이 누르는 듯하니, 제노(諸奴)가 가쁨을[21] 이기지 못하여 겨우 모셔 집에 이르니, 위방이 노복을 보내고 내당 대청(大廳)을 쓸고 금수포진(錦繡鋪陳)[22]을 휘황이 하고 독좌기구(獨坐器具)[23]를 벌이며 시녀(侍女) 양낭(養娘)[24]을 다 새 옷을 입혀 좌우로 향을 들리고 자녀를 딴 집에 옮겨 왈,

"신인(新人)이 불과 십삼사(十三四) 유충한 소저라, 나의 여러 자녀를 보면 경동(驚動)하리니, 사오일 후 하나씩 차례로 와 뵈라."

하고, 즐거움이 극하여 미우(眉宇) 움직이며, 입을 실룩이고 더러운 이를 감초지 못하더니, 교부 땀을 흘리며 들어오니 방이 기쁨이 황홀하

---

21) 가쁘다 : 곤(困)하다. 피로하다. 힘에 겹다.
22) 금수포진(錦繡鋪陳) : ①수놓은 비단으로 화려하게 만든 방석, 요 따위를 통틀어 이르는 말 ②잔치 따위를 할 때에 앉을 자리를 수놓은 비단으로 화려하게 꾸미며 깖.
23) 독좌기구(獨坐器具) : 혼례에서 신랑 신부의 교배례(交拜禮)를 위한 좌석기구.
24) 양낭(養娘) : 여자 종. 주로 혼인한 여종을 일컫는다.

여 높은 섬에 나리다가 앞이 드티어25) 둔탁한 몸이 거꾸러져 낯이 돌
모에 다질려26) 코에 피 흐르되, 아픈 줄도 모르고 전지도지(顚之倒
之)27)하여 교자(轎子)를 붙들어 중계(中階)에 올리니, 모든 시녀 양낭
(養娘)이 주렴을 걷고 소저를 붙들어 내려할 새, 위방이 그 사이를 참지
못하여 주렴으로 들이밀어 보니, 문득 선풍이질(仙風異質)의 부인이 변
하여, 낯빛이 주토(朱土)를 칠한 듯, 긴 수염이 가슴에 서린 일개 장사
가 양안이 횃불 같고 눈썹이 천창(天窓)28)을 떨친 듯, 용맹이 당당한데,
한 손에 방패를 들고 내달아 방의 상투를 잡고, 고성대질(高聲大叱) 왈,
  "천일(天日)이 재상(在上)하고 신명(神明)이 재방(在傍)하니, 네 일개
천인으로 음흉불측(淫凶不測)한 뜻을 두어 상문명부(相門命婦)를 겁탈코
자 하니, 죄역이 관영(貫盈)한지라. 내 이미 상제(上帝)29) 명을 받자와
네 죄를 다스리노라."
  하니, 신장이 구척이요, 상모(相貌) 영한(獰悍)하여 속세인 같지 않을
뿐 아니라, 용맹을 발하여 위방을 끌어 청사(廳舍)에 올라오니, 위방이
여력(膂力)이 과인하되, 차일 술을 미란(迷亂)이 취하고, 또 무심중 이
경광(景光)을 만나 놀라움이 청천에 급한 벽력이 일신을 분쇄하는 듯,
기운이 막힐 듯하니, 어린애같이 끌려 청중(廳中)에 오르매, 이곽이 방
의 옷을 다 벗겨 찢어버리고 그 허리에 걸터앉아, 방패를 들어 힘을 다

---

25) 드티다 : 밀리거나 비켜나거나 하여 약간 틈이 생기다. 또는 그렇게 하여 틈을
  내다.
26) 다질리다 : 부딪쳐 질리다. *질리다; 부딪치거나 넘어지거나 하면서 무겁고 단
  단한 것에 닿아 충격을 받다.
27) 전지도지(顚之倒之) : 엎드러지고 곱들어지며 몹시 급히 달아나는 모양.
28) 천창(天窓) : '눈'을 달리 표현한 말.
29) 상제(上帝) : 옥황상제(玉皇上帝)의 줄임말로, 흔히 도가(道家)에서 '하느님'을
  이르는 말.

하여 결둔(結臀)30)할 새 일장에 피육(皮肉)이 떨어짐을 그음하니31), 방이 황황망극(惶惶罔極)하여 머리를 두드려 애걸 왈,

"천신님아 죄를 아나이다. 그러나 방이 스스로 상문명부를 겁탈코자 함이 아니라, 적숙모(嫡叔母) 위태부인 지휘로써 호색지심(好色之心)에 외람한 뜻을 둠이니, 구태여 방의 혼자 지은 죄 아니로소이다."

곽이 여성(厲聲) 왈,

너의 적숙모 노망(老妄)하여 불의지사를 가르친들 네 일분 인심이 있으면, 어찌 그런 죄를 범하리오마는, 방자무지하고 패악무도함이 '가만한 중 뉘 알리' 하였으나, '천지신지(天知神知)하니 수이부지(誰以不知)'32)리오. 내 너를 죽여 음악(淫惡)한 죄를 다스리리라.

위방이 가없어33) 오직 체읍 애걸하여,

"천신은 살려주소서."

하니, 곽이 기괴하나 아주 죽일 듯이 벼르며 오십 장을 맹타하니, 성혈(腥血)이 옷을 적시고, 위방이 혼혼(昏昏)하거늘, 비로소 그치고, 이르대,

"이제도 불인한 숙모의 달램을 듣고 음흉지사(淫凶之事)를 행할다?"

방이 체읍(涕泣) 왈,

"차후는 적숙모의 말을 이르지 말고, 별세한 부모 환생하여 권하여도 다시 죄를 범치 않으리니, 천신님은 잔명을 살리소서."

---

30) 결둔(結臀) : 볼기를 침.
31) 그음하다 : 작정하다. 끝을 내다. 결판내다. 한계나 기한 따위를 정하여 무슨 일을 하다.
32) 천지신지(天知神知) 수이부지(誰以不知) : 하늘이 알고 귀신이 아니 누가 모르겠느냐?
33) 가없다 : 끝이 없다. 아득하다. 어떻게 하면 좋을지 몰라 막막하다.

곽이 방패로 위방의 머리를 쳐 깨치며 왈,

"네 개과(改過)함을 이르니 내 십분 참아 일명을 빌리거니와, 차후 네 적숙모의 곳에 족적을 끊고 음흉지사를 멀리하라."

위방이 반생반사(半生半死)하여 머리를 조아리며, 차후 죄를 범치 않기를 순순 대답하니, 곽이 방패를 들고 걸어가도, 행보가 신속하여 경각에 간 데 없으니, 위가 비복들이 인귀(人鬼)를 분변치 못하고, 감히 우러러 보지 못하더라.

곽이 간 후, 비복들이 들어와 방을 구호하며 방의 자녀에게 고하니, 모두 대경차악(大驚且愕)하여 방을 붙들어 상처를 보고 방성통곡하니, 방이 비록 혼혼중이나 남부끄러워 손을 저어 울음을 금하고, 약석(藥石)으로 조보(調保)하며, 제 동류와 친척에게도 이런 말을 싼34) 듯이 기이고, 사람의 일인 줄 모르고 귀신의 조화인가 여기니, 원간 위방이 어리고 남활(濫闊)할지언정 잔 꾀 없고 총명치 못하여, 혹자 불미지사(不美之事)가 소문이 날까 근심하여, 숙식간(宿食間)에도 마음을 놓지 못하더라.

차시 정숙렬이 이곽을 위방에게 보내고 자기는 몸을 빼어 옥화산에 이르니, 차시 조공 형제와 합가(闔家)가 다 상경하여 군상(君上)께 총우(寵遇)를 입으니, 영화부귀 지극한지라. 조부인이 남매 숙질이 한 당에 모여 지냄을 만분 희행하나, 위·유의 포악 간흉함을 조공 등이 절치통한 하되, 조부인이 진정으로 듣고자 않으니, 조공 등이 부인을 대하여는 윤부 변고를 이르지 못하고 함구불언(緘口不言)하니, 조부인이 화산에 있음을 타인이 모르고, 어사 형제 틈을 타 조부에 와 모친과 표숙(表叔) 내외께 배알하고, 혹 밤을 머물 적도 있어, 모친이 편히 계심을 행열(幸悅)하나, 직사는 양모(養母)의 허물을 부끄러워 제조(諸曺)의 말이 자가

---

34) 싸다 : 물건을 안에 넣고 보이지 않게 씌워 가리거나 둘러 말다.

변고(自家變故)에 미치면 묵연 단좌하여 춘풍화기 소삭하니, 조공 등이
그 신세 화평치 못함을 애련하더라.

정씨의 행거(行車) 화산에 와 존고와 숙당께 배현하니, 조부인의 반김
은 이르지도 말고 조공 부부 그 출세한 기질을 사랑함이 가득하더라. 조
부인이 데리고 침소에 돌아가 그간 가중 형세를 물으니, 소저 각별 다른
사고 없으되, 위방이 겁측코자 함으로 이곽을 교중에 넣어 보내고, 자기
는 이리 나옴을 고하니, 부인이 듣는 말마다 개연(慨然)코 한심하여 장
래(將來)를 우려하고, 아미(蛾眉)에 수운(愁雲)이 영영(盈盈)하니 소저
이성화기(怡聲和氣)로 위로하고, 홍선을 본부에 보내어 부모께 고하고,
윤부인을 화산으로 보내심을 청하니, 금후 윤씨를 화산으로 가라 한대,
윤부인이 누년 사친하는 회포 간절하다가, 금일 배견(拜見)할 바를 영행
하여 심복 비자만 데리고 화산으로 가며, 양·이 두 부인을 당부하여
'화산 행도를 함구하라' 하고, 손을 나눠 조부에 이르니 부인이 삼거거
(三哥哥)로 더불어 여아를 보매, 반기는 정이 융흡(隆洽)하나, 장래를
우려하니, 조공 등이 대소왈,

"현매는 윤부 화란을 근심하거니와 질녀의 장래는 구태여 염려 없으
니, 성상이 이미 창백의 여러 처실을 허하신 후, 공주 어찌 하리오. 부
질없이 여러 가지로 염려하여 회포를 어지럽게 말라. 작인이 광천 형제
와 질녀 같은 후는 수화중(水火中)에 들어도 근심이 없으니, 일시 운건
(運蹇)하여 뜻과 같지 않음이 많으나, 길운을 기다림이 가하니라."

부인이 탄식 묵연이러라.

윤부인이 모친을 위로하며 피화(避禍)하심을 기뻐하나, 정씨가 재주
를 일컬음을 깃거35) 않는 고로 제기치 않더라.

---

35) 깃거하다 : 기뻐하다.

　조부인이 여부(女婦)36)를 데리고 가득한 정을 이기지 못하나, 정씨 도로 윤부에 들어가려 하니, 부인이 탄 왈,

　"현부의 일이 비록 옳으나, 다시 들어감이 사지를 디딤이니, 아자와 의논하여 이곳에 머물면 화를 면할까 하노라."

　정씨 대 왈,

　"존교 마땅하시나 존고 이에 머무시고 첩이 또 존고를 모시면, 하정에 흔행(欣幸) 하오나 이목이 번거하여 매양 감초기 어렵사오니 혹자 누설한 즉, 한갓 첩에게 유해할 뿐 아니라, 존고께 화액이 미치오리니, 명일 비자를 부려 문후하여 돌아오라 하시면, 들어가려 하나이다."

　부인이 옳이 여겨 말리지 않으나, 자부 위한 염려 일시도 방하치 못하더라.

　위노와 유씨 모녀 정씨 위방에게 간 줄로 알아, 양양 자득하되, 묘랑이 도망하여 간 후 다시 오지 않으니, 유씨 세월을 보내어 병을 무른대, 묘랑이 앓기를 심히 하여 왈,

　"내 액회 비상하여 정씨에게 왼 귀를 베이고 아픔이 심하니 어찌 움직이리오. 차경(差境)한 후 부인께 뵈려니와, 귀 없는 사람이 되어 부끄럽고 애달음이 대인할 낯이 없어라."

　세월이 재삼 위로하고 돌아와 묘랑의 말을 고하니, 유씨 왈,

　"정씨 위관인에게 갔으니 관인이 우리 은혜를 알아, 금백(金帛)을 각별이 줄 것이니, 묘랑에게 많이 보내어 그 마음을 위로하리라."

　하더라.

　유씨 그 선친 기사(忌祀)37)가 임박함으로 위부인께 고하고 경아로 더

---

36) 여부(女婦) : 딸과 며느리.

37) 기새(忌祀) : 기제사(忌祭祀). 해마다 사람이 죽은 날에 지내는 제사.

불어 유금오 집으로 가니, 위노 진·하·장 삼 소저만 데리고 있어 적료(寂廖)하매 보챔이 심하더니, 문득 홍선이 이르러 문후하고, 진부인 환후가 없는 데 와전(訛傳) 되어 급히 나옴을 고하니, 위노 청흘(請訖)에 노분(怒忿)이 충만하여 능히 심신을 정치 못하고, 정씨 분명이 위방의 교자에 담겨 간 바, 무슨 재주로 탈신하여 취운산으로 간고? 그 조화를 측량치 못하여 어린 듯 말이 없더니, 홍심을 강인하여 좋은 듯이 회답하되 진부인 환후 없음을 깃거하며 쉬이 돌아오라 하니, 이는 정부 세엄(勢嚴)을 기탄(忌憚)함이러라.

원래 집금오 유담은 유씨의 형남이라. 부인 영씨 사남이녀를 두어 다 성취하고, 필녀(畢女) 교아 년미십사(年未十四)에 묘질(妙質)[38]이 절승하고 성도(性度) 총민하니, 부모 만내(晚來)에 사랑이 가득하여 같은 쌍을 구하되, 교애 규녀의 삼감이 없고 음일(淫佚) 방자(放恣)하여 매양 부모께 고 왈,

"소녀는 녹발(綠髮)이 희기를 그음하여도 눈에 차는 군자 영준을 가리리니, 부질없이 백면주순자(白面朱脣者)[39]로써 의논치 마소서."

유공 부부 두굿기기를 마지않고, 가중이 추앙하나 유공의 장자 학사 유랑과 필자 유현이 매양 그 행사를 깃거 않아, 규녀의 정정(貞靜)하기를 경계(警戒)하더니, 유씨 이르러 남매 반기며, 윤직사 출번(出番)하여 유부에 와 모부인을 모셔 참사(參祀)하고, 조석 왕래하여 기거를 묻자오니, 유학사 등이 그 효의를 항복하고, 유금오는 중무소주(中無所主)하여 극악이 아니나 어질지는 못한지라, 오직 금오 부인이 간악요사(奸惡妖邪)하여 소고(小姑)와 지기상조(志氣相照)하매 매사를 의논하더니, 유씨

---

38) 묘질(妙質) : 타고난 미모가 뛰어나게 아름다움.
39) 백면주순자(白面朱脣者) : 하얀 얼굴과 붉은 입술을 가진 미남자.

삼사일 머물 사이에 윤어사 출번 환가하는 길에 유부를 지나는 고로, 숙
모 이에 계심을 듣고 과문불입(過門不入)지 못하여 잠깐 들어왔음을 고
한데, 부인이 질녀부(姪女婦)40)를 치고 불러 볼새, 어사 들어와 숙모께
배알하고 근일 존후를 묻자오니, 고운 용화는 추택(秋澤)에 백련(白蓮)
이 성개(盛開)하며, 빛난 풍채는 만조양류(萬條楊柳) 금당(金塘)41)에 휘
날리는 듯, 오사(烏紗)42)는 월액(月額)43)에 빗기며, 홍포(紅袍)는 옥산
(玉山)44)에 엄연하니, 팔척 경륜(經綸)의 언건(偃蹇)한 위의와, 용봉미
목(龍鳳眉目)45)과 호비주순(虎鼻朱脣)46)이 천승(千乘)을 기필(期必)하
며 거세명상(擧世名相)47)이 될지라.

교애 장 뒤에서 엿보고 정혼이 어사 신상에 쏘였더니, 어사 내정(內
庭)이 비편(非便)한 고로 즉시 돌아가니, 교애 무엇을 일흔 듯하여 스스
로 혜오대,

"내 그윽이 윤직사의 풍신용화를 흠앙하여 시속에 표종혼인(表從婚
姻)48)이 없지 않으매 섬기고자 하되, 백형과 사형이 반드시 날을 죽이
려 할 것이므로, 다만 사상지심(思想之心)을 품었더니, 이제 어사를 보
니 신채 기질이 그 아우와 같으나, 발양한 호기는 직사의 위라. 내 부모

---

40) 질녀부(姪女婦) : 질녀(姪女)와 질부(姪婦)를 함께 이르는 말.
41) 금당(金塘) : 연꽃이나 버드나무 등을 심어 아름답게 가꾼 연못.
42) 오사(烏紗) : 오사모(烏紗帽). 고려 말기에서 조선 시대에 걸쳐 벼슬아치들이 관
    복을 입을 때에 쓰던 모자. 검은 사(紗)로 만들었는데 지금은 흔히 전통 혼례식
    에서 신랑이 쓴다.
43) 월액(月額) : 달처럼 둥근 이마.
44) 옥산(玉山) : 외모와 풍채가 뛰어난 사람을 비유적으로 이르는 말.
45) 용봉미목(龍鳳眉目) : 용의 눈썹과 봉황의 눈을 함께 이르는 말.
46) 호비주순(虎鼻朱脣) : 호랑이 코에 붉은 입술을 가진 얼굴 모습.
47) 거세명상(擧世名相) : 온 세상에 명성을 떨치는 재상.
48) 표종혼인(表從婚姻) : 내외종(內外從) 남매사이의 혼인.

께 고하여 죽기로써 윤어사를 섬기리라."

주의를 정하고 차야에 종용함을 타 부모께 고 왈,

"소녀 비록 규녀오나 평생 주의 있어 시속 용우속자(庸愚俗者)에게는 허신(許身)치 않으려 하오니, 이런 소회를 부모께 고치 않고 뉘게 하리까? 향일 윤어사를 잠깐 보오니 용모 풍신이 비범할 뿐더러, 군자의 풍채 흡연 하오니 아무리 부모 널리 구하시나, 이에 지난 자는 없사오리니, 만일 소녀의 정심(貞心)을 좇지 않으시면 평생을 공규에 늙어 실우지탄(失耦之嘆)49)이 없게 하리이다."

그 어리척촉50)한 부모 그 말을 아름다이 여겨 잠소하고, 익일에 부부 유부인을 청하여 여아의 소회를 전하고 아무쪼록 극력 주선하여 겹겹이 인친이 되게 하라 하니, 유씨 역시 대간이나 일점 염치 있는 고로 그리 반갑지 아니하되, 공의 부부 면청(面請)하고, 질녀의 마음이 망부석(望夫石)이 되려 한단 말을 듣고, 빈미(嚬眉) 대 왈,

"혼인은 인륜중사(人倫重事)라. 한번 그릇한즉 후회막급이니, 광천의 풍신이 아름다우나 성정이 강하고 처자에게 각박하여, 정·진 같은 절염도 흔연 후대함이 없고, 공연한 호령이 생풍(生風)51)하여 한 조각 인정이 없을 뿐 아니라, 호주탐색(好酒貪色)이 유달라, 여자 일생이 괴롭기 심하리니, 거거의 농주(弄珠)로써 패자(悖子)의 제삼 부실을 삼음이 불가하매, 차혼(此婚)에 중매 되고자 않나이다."

유씨 이리 이름은 교애 서운하여 망단(望斷)케 함이나, 음녀 불같은

---

49) 실우지탄(失耦之嘆) : 아내를 잃은 탄식.
50) 어리척촉(--躑躅) : 어리석고 결단성이 없음. 척촉(躑躅)은 주저(躊躇)하다의 의미.
51) 생풍(生風) : '매섭게 차가운 바람'이란 뜻으로, 성격이나 행동 따위가 정이나 붙임성이 없이 차갑거나 쌀쌀맞음을 이르는 말.

욕심을 발하였거든 어찌 그치리오. 교애 문득 함루 왈,

숙모 소질의 재용을 불사(不似)히 여기사 짐짓 말씀이 이 같으시나, 소질이 뜻을 결하여 타인은 섬기지 않으려하나이다.

유씨 크게 불행하나, 유(類) 유(類)를 좇으므로, 교아를 사랑하며 경애 또 교아로 정의 후한 고로, 모친을 권 왈,

"표제(表弟)의 정심이 이렇듯 간절하니, 모친은 잔 곡절(曲折)을 이르지 마시고 야야께 고하여 친사(親事)를 이루게 하소서."

유씨 왈,

"내 질아 위한 정이 친녀와 다름이 없어, 기간 사고 좋지 않으므로 깃거 않았더니, 질애 부디 광천을 좇고자 하면 어찌 막으리오. 거거(哥哥) 윤군을 보고 청하면 소매 조언하여 허케 하리이다."

교애 대희하고 금오 부처 깃거 소왈,

"윤광천의 풍채 남달리 기특하며, 기절풍력(氣節風力)과 재덕물망(才德物望)이 세대에 희한하니, 비록 제삼 부실이라도 속자(俗子)의 원비도 곤 나으리니, 현매는 호의(狐疑) 말고 차혼이 성전토록 하라."

유부인이 마지못하여 응낙하고 다른 말하다가 각각 취침하고, 명일 유씨를 먼저 윤부로 돌아 보내어 윤공의 허락을 받으라 하니, 부인이 윤부에 돌아오니, 위노 반기고 진·하·장 삼 소저 배알하매, 존고를 모셔 말씀할 새, 삼 소저 퇴하매, 위노 정씨 운산에 가 편히 있음을 전하고, 기간 조화를 측량치 못하여 불승분에(不勝憤恚)하니, 유씨 모녀 역시 대경 분해(憤駭) 왈,

"그러면 위관인 집에 사람을 보내어 곡절이나 물으실 것 아니니까?"

위노 왈,

"하 애달고 분하매 타념(他念)이 미처 나지 않음으로 물어 보지 못하였도다."

유씨 즉시 노자로 하여금 태부인 명으로 위방을 부르라 하니, 이때 위방은 장처(杖處)가 위중하고, 방의 자녀는 태부인을 미워해, 재보(財寶)만 허비하고 몸이 중상하니, 태부인을 크게 원망하여 방이 모르게 회답하되, '부친이 절도사를 따라 원방에 간 지 사오일이라' 하니, 돌아와 그대로 고한대, 위·유가 의려(疑慮) 백출(百出)하고, 경애 탄 왈,

"사람이 일을 묘히 생각하나 하늘이 돕지 않으시니 어찌 애달지 않으리오. 정씨를 데려간 자가 위관인 노자 아니고 뉘런고? 알지 못하리로소이다."

유씨 왈,

"정녀가 조화 무궁하니 반드시 우리 계교를 먼저 알아 피화하다 일러도, 위방이 정씨를 못 얻고 원방으로 갈 때는 존고께 하직할 듯하되 말이 없으니, 극히 괴이한 일이요, 진부인 병이 중하다 하고 정씨를 데려간 자가 위방의 노복 밖에 나지 않으나, 혹자 '위방이 일을 그릇하여 정씨를 잃고 원방으로 간가?', 아무런 줄 몰라, 가슴만 답답하도다."

하여, 고식모녀(姑媳母女)가 서로 일러 분분 통해함을 이기지 못하더라.

유씨 물러와 추밀을 대하여 유금오의 구혼함과 질아의 재용을 일러 감언미어(甘言美語)로 허혼토록 달랜데, 추밀이 유씨 말인 즉 사사언청(事事言聽)[52] 하는지라, 어린 듯이 소왈,

"광천이 연소한데 삼 처가 과하거니와 유형이 구혼하면 어찌 허치 않으리오."

하더니, 명일 유금오 이르러 추밀로 한훤파(寒喧罷)에 소왈,

"작일 소매로써 내 뜻을 먼저 통하였더니, 오히려 대답이 없으매 굼거

---

52) 사사언청(事事言聽) : 일마다 말하는 대로 잘 들어줌.

워53) 이에 이르렀나니, 오문이 쇠미하나 명강이 옛날 오가 동상(東床)
이라, 영질(令姪)로써 아서(我壻)를 삼지 못하며, 아녀가 불민하나 사원
의 제삼 부빈 됨이 외람치 않으리니 허함을 얻으랴?"

추밀 왈,

"형이 불민한 질아를 과애하여 영애로써 삼취를 구하니, 실로 질아에
게 과할지언정 어찌 사양하리오."

차시 어사 형제 시좌(侍坐)러니, 어사 유공의 구혼함과 계부의 쾌허함
을 보니, 유공의 위인을 불복하며 숙모의 간교 극악을 통해하니 어찌 결
혼할 의사 있으리오. 이에 좌를 떠나 계부께 고 왈,

"유자(猶子)의 용우 불민함을 허물치 않아 옥녀로써 삼취를 허하시니
후의인즉, 감격하오나 유자가 어린 나이에 양처 있고, 자위(慈闈)를 실
산(失散)하와 지금 거처를 모르오니, 유자 등은 천지간 죄인이라, 이미
얻은 처자는 버리지 못하오나, 무슨 호화로 신취(新娶)를 하리까? 복원
계부는 유자 등의 정사를 재삼 살피시어, 차혼을 물허(勿許)하소서."

유공이 행여 혼사 못될까 겁하여 왈,

"사원이 차혼을 고사함은 반드시 내 집을 괴로이 여김이거니와, 영숙
이 나의 매부니 사원이 또 서랑 됨이 무슨 욕이 되리오. 모름지기 거절
치 말라."

어사, 심리에 통완하되 계부 면전이라 사색을 불변하고 사왈,

"합하(閤下) 소생을 동상(東床)으로 유의하시니 어찌 감격지 않으리까
마는, 생이 용우 불민하여 얻은 양처도 능히 잘 거느리지 못하옵나니,
영녀의 일생이 욕될지라. 존문이 세대벌열(世代名門閥閱)54)이시니, 인인이

---

53) 굼겁다 : 궁금하다. 답답하다.
54) 세대벌열(世代名門閥閱) :대대로 나라에 공이 많고 벼슬아치가 많이 나온 집안.

구하여 어찌 못할 바라. 그러나 소생이 자모의 거처 모르는 죄인으로 호화에 뜻이 없으니, 합하 통가(通家)55) 숙질지의(叔姪之義)에 위차(位次) 존엄하시나, 천자도 불탈필부지지(不奪匹夫之志)56)니 혼인은 인륜대관(人倫大關)이요, 양가의 호사거늘 소생이 불감(不堪)하여 사양하는 바를 어찌 욱여 지내려 하시니까?

언파에 사기 씩씩 준열(峻烈)하여, 하일지위(夏日之威)와 상천기상(霜天氣像)이라. 유공은 지극히 용렬함으로써 무류(無聊)하여 말이 없으니, 유씨 왈,

"광천이 변화를 구치 않음이 공근(恭謹)타 하려니와, 저에게 다른 숙부 없고 상공이 숙질지정과 부자의 도를 겸하였거늘, 상공의 허하신 바를 질(姪)애 이다지도 사양하니 불순함을 면치 못하리로다."

어사 천성이 과격함을 참지 못하여 정색(正色) 대 왈,

"숙모 유자의 불순함을 책하시나, 계부의 유자 훈책하심과 유자의 계부 우러름이 구태여 희천과 다름이 없삽나니, 진정 소회를 고하고 신취를 사양함이 무슨 죄리까? 타일은 십 미인을 모아도 시금은 자모 거처 모르는 죄인으로, 유합하 서랑되미 과람(過濫) 번사(繁事)하온지라. 천하에 옥인군자(玉人君子) 하나 둘이 아니요, 명문 귀가의 취처(娶妻) 않은 가랑(佳郎)이 많으니, 구태여 소질의 제삼부빈(第三副嬪)을 간청하실 바이리까? 유자의 문견이 고루하오나 유대인을 위하여 옥인준걸(玉人俊傑)을 스스로 중매될 법은 있거니와, 동상(東床)되기는 원치 않나이다."

추밀이 어사의 사양함을 보니, 일분 옛 마음이면 어찌 강박하리오마는, 유씨 말을 아니 듣지 못하고 어사 자기 말 우김을 미안하여 정색 왈,

---

55) 통가(通家) : 늑인척(姻戚). 혼인에 의하여 맺어진 친척.
56) 천자(天子) 불탈필부지지(不奪匹夫之志) : 천자도 한 사내의 마음을 빼앗지 못한다.

"유형이 너를 사랑하여 혼사를 구하니, 내 그 후의를 감사하여 허혼 (許婚)한 바를 네 어찌 다언(多言)하느뇨? 비록 너의 소원이 아니나 대 사(大事)57)에 네 의견을 세우지 않을 바니 괴이히 굴지 말라."

어사 형세 하릴없어, 반드시 유씨 별물(別物) 요악(妖惡)임을 짐작고, 중심에 분완하나 계부 행사 날로 다름을 한심하여, 염려 다른 데 있지 않고, 계부의 환후를 고치려 하나, 일복(一服) 약(藥)도 써보지 못하고, 일시도 내당을 떠나지 않으니, 어찌 차성(差成)함을 얻으리오. 추연 무 언이요, 직사는 한 말 참여함이 없더니, 날이 늦으매 유금오 돌아갈새 어사는 밉게 여기고 직사는 하당 배송하더라.

차야에 어사 백화헌에서 조모 명으로 새끼를 꼬며,

"금일 유공이 생각 밖 혼인을 뇌정(牢定)하니, 우리집 가도가 더욱 어 지럽기는 보지 않아 알지라. 내 너를 대하여 할 말이 아니거니와, 젊은 여자 숙모 지휘를 좇을진대, 필경 날을 죽이고 말리니, 유가가 우리 집 과 결원이 아니 되랴?"

직사, 차언을 듣고 문득 누수여우(淚水如雨)하여 왈,

"형장이 어찌 차마 소제를 대하여 이 말씀을 하시나니까? 양모 비록 성덕이 부족하시나, 일찍 인명(人命)을 살해하시는 바 없고, 형장께 소 소 부자(不慈)함이 계시나 자질의 도리 이런 말을 아니 하심 즉하니, 차 후 이런 괴이한 마음을 두지 마소서."

어사 아우의 슬퍼함을 보고 자기 실언(失言)을 깨달아 왈,

"우형이 분두(忿頭)58)에 실언하나 차사가 좋은 인연이 아니라. 유광 과 유현은 군자지풍(君子之風)이나, 유안 · 유유는 소인이니, 그 누이 유

---

57) 대사(大事) : 큰일. 여기서는 인륜지대사(人倫之大事)인 '혼인'을 말한다.
58) 분두(忿頭) : 분결. 분한 마음이 왈칵 일어난 바람.

안을 닮았으면 무엇에 쓰리오.”

직사, 표매(表妹)의 위인이 요사함과 상모 불길함을 밝히 아나, 다만 이르대,

“만사(萬事) 다 하늘에 달렸고 인력이 미칠 바 아니니, 되어 감을 볼 뿐이니이다.”

어사 크게 불행하여 말이 없더라.

유부에서 즉시 택일하여 보하니, 길기 신속하여 일삭이 격하였으니, 위노 유씨더러 왈,

“현부 광천 형제를 죽이려 하며 그 질녀로써 정혼함은 어찐 뜻고?”

유씨, 질녀의 소행을 바로 고치 않고 다만 웃고 대 왈,

“차사 실로 망계(妄計)오되, 가형이 광아를 사랑하여 부디 여서(女婿)를 삼고자 하고 상공이 허하니, 뜻같지 못하나 할일 없는지라. 사세를 보아 희천 부부와 정·진 등을 먼저 죽이고 광천을 마저 없애고자 하나이다.”

위노 그러히 여기나, 인정에 거리낌이 있을까 염려하더라.

유씨 위노를 권하여 정씨를 데려오게 하니, 위태 홍선의 왕래에, 어사의 삼취 혼기 다다르니 쉬이 돌아옴을 재촉한데, 정씨 존고 떠나는 정과 조부인의 보내는 뜻이 한가지나, 오래 머물지 못하여 윤부로 돌아갈 새, 윤소저 또 운산으로 돌아가려 하니, 조부인이 유체 왈,

“여아는 급한 근심이 없거니와, 현부는 위험지지(危險之地)에 화란이 아무 곳에 미칠 줄 모르니, 이 심사를 어찌 견디리오. 모름지기 보중하여 몸이 무사키를 바라노라.”

윤·정 양소저 호언으로 위로하여 길이 안강하심을 청하고, 숙당에 하직하고 윤부인은 운산으로 가고, 정씨는 윤부로 가, 위흥과 추밀 부부께 배알하니, 위·유의 미움이 고대 삼킬 듯하되, 겨우 강인하여 진부인

환후 없는 것을 와전함을 일컬으니, 정씨 나직이 대답하고 한설(閑說)59)이 없더라.

정소저 자기 화란이 위방의 유무에 없으되, 방이 차성하면 다시 태부인께 뵙고 음흉지사를 할까 하여, 거거께 소찰(小札)로 통하여,

"호위장관 위방이 경사에 있으매 통완지사(痛惋之事) 많으니, 구태여 논죄치 말고 군정사(軍政使)로 멀리 내어 보내어, 경사 왕래를 임의치 못하게 하소서."

한대, 병부 하령(下令)하여 위방으로 삭방마속도위사(朔方馬粟都尉使)를 보내어 사년을 한하되, 부르기 전 오면 효시(梟示)하리라 하고, 삼일 치행하게 하니, 방이 상체 중하여 원로(遠路) 행역(行役)을 능히 할 길 없으나, 어디라고 장령(將令)을 어기며, 마속도위 금은을 많이 쓰므로 전일 구하여 가려 하던 바라. 방이 양자(兩子)로 더불어 말에 실려 가되, 태부인께 하직치 않고 가니라.

이러구러 유가 길기 이르니, 유씨 연석 기구를 차리니, 어사 괴로이 여겨 유씨께 고 왈,

"유자, 자모 거처 모르는 죄인으로 만사 무흥(無興)하오니, 부질없이 연석을 개장하여 손을 청치 마소서."

유씨 흔연 왈,

"네 부디 말고자 하면 어찌 구태여 빈객을 모으리오. 예만 이루게 하리라."

어사 칭사이퇴(稱謝而退)하니, 유씨 어사의 뜻을 받아 손을 청치 않고, 다만 태부인을 모시어 정·진·하·장 사인과 경아로 더불어 신부 보는 예를 차릴새, 정·진 이 소저 유부인 질녀가 적인(敵人)이 되매, 자기 등

---

59) 한설(閑說) ; 한가로운 말. 쓸 데 없는 말.

신세 위태함이 급함을 지기하나, 외모 자약하여 그 심천(深淺)을 알기 어려우니, 위태 그 어짊을 더욱 밉게 여겨 바삐 없애고자 하더라.

일반(日半)60)에 어사 괴롭고 분함을 참아 내당에 들어와 길복을 입고, 위의를 다 떨쳐 유부에 이르러 전안지례(奠雁之禮)를 마치고, 좌(座)에 드니 그 뇌락(磊落)한 풍신이 차일 더욱 기이하여, 태산의 암암한 기질과 천일의 의의한 상모가 갖추 기이하니, 유공이 흔흔 쾌락하여 집수 애중하나, 어사의 뜻은 내도하여61) 불승분에(不勝憤恚)하더라.

신부 상교(上轎)하매 어사 봉교(封轎) 상마(上馬)하여, 본부에 돌아와 청중에서 합근교배(合졸交拜)를 파하고, 금주선(錦珠扇)을 반개(半開)하니, 어사 투목(偸目)으로 신부를 보매, 흰 낯은 이화(梨花) 춘우(春雨)를 마신 듯, 쌍협(雙頰)이 도화(桃花) 같고, 앵순(櫻脣)이 함홍(含紅)하나, 초월아미(初月蛾眉)에 살기등등(殺氣騰騰)하여 음잡(陰雜)함이 가득하고, 쌍안에 독사의 모짊을 겸하고, 면모에 불길지기(不吉之氣) 어리어 선종(善終)할 상격(相格)이 아니라. 어사 경해차악하여 소매를 떨쳐 외헌으로 나가니, 신부 단장을 고쳐 태부인께 폐백을 헌(獻)하니, 태고62)는 유씨 질녀이므로 높이 들고 그 안색이 교려(巧麗)함을 황홀이 사랑하며, 추밀은 주견(主見) 없는 사람이 되어 어린 듯이 신부를 볼 뿐이요, 구파는 실없는 웃음이 그치지 않아 아주 실성지인(失性之人)이라.

유씨 양양 자득하여 태부인께 고 왈,

"질녀 비록 광천의 제삼부실이나, 경상지녀(卿相之女)로 위인이 하등이 아니니, 정·진으로 어찌 고하 있으리까?"

---

60) 일반(日半) : 하룻낮의 반. 반나절.

61) 내도하다 : 다르다. 판이(判異)하다.

62) 태고(太姑): : 위태부인의 별칭.

위노 소왈,

"현부지언(賢婦之言)이 선(善)하다. 신부의 특이함은 나의 처음 보는 바요, 광천에게 외람한 처자이니, 정·진 등이 어찌 선후를 의논하리오."

이에 정·진 이 소저를 명하여,

"신부와 서로 보대, 피차 사문일맥(士門一脈)이니 선후고하(先後高下)를 다투지 말라."

이 소저 수명하매, 신부 안연(晏然)히 이 소저에게 단배(單拜)하나, 이 소저 천연 답례하여 춘풍화기 볼수록 기이하니, 유씨 정·진·하·장 사 소저를 보매, 시오지심(猜惡之心)이 만복하니, 투현질능(妬賢嫉能)함은 그 숙모에서 세 번 더한지라. 정·진을 미워함은 이르지 말고, 하·장은 적인이 아니로되 시기지심(猜忌之心)을 참지 못하니, 위·유의 간흉을 승시(乘時)하여 난 별물(別物) 대악(大惡)이라. 정씨 조심경(照心鏡)[63]안광(眼光)으로 신부를 보매, 자기 등 화액(禍厄)이 급함을 헤아리되 사색치 않더라.

신부 숙소를 채련각에 정하여 보내고, 유씨 모녀 나아가 그 장복을 벗기고, 집수(執手) 애련(愛憐)하니, 교애 숙모 무릎을 의지하여 누어 왈,

"소질이 윤어사 풍모를 흠모하여 제삼부빈을 혐의치 않으니, 금일 정·진 등을 보매 그 색광 기질이 처음 본 바니 가부의 은정은 묻지 않아 알리러이다."

유씨 요수(搖首) 왈,

"이런 말을 날회라. 금일이 신혼 초일이니 적인붙이[64]를 이르지 말라. 광천이 가장 어려운 위인이니, 행사를 삼가 명예를 모으고, 가부의

---

63) 조심경(照心鏡) : 마음을 비추어 볼 수 있다는 상상의 거울.
64) -붙이 : 일부 명사 뒤에 붙어, 같은 겨레라는 뜻을 더하는 접미사.

은애를 일치 말라."

교애 사왈,

"소질이 비록 불민하나 숙모의 교훈을 준봉(遵奉)하리이다."

하고 숙질이 담화하여 야심하되, 어사 들어오지 않으니, 교애 착급하여 거지 괴이하니, 유씨 민망하여 침소에 돌아와 추밀을 도도아 어사를 신방에 보내게 한대, 추밀이 좌우로 어사를 부르니, 이때 어사 혼정 후 백화헌에 와 옷을 벗고 자리에 누우니, 직사 왈,

"금일이 초혼일이니 신방을 비움이 불가한지라. 어찌 이에 헐숙(歇宿)하시나니까?"

어사 분연 왈,

"우형의 명도 기구하여 한(漢) 여후(呂后)[65)]와 당(唐) 무후(武后)[66)]에게 지난 별물 악종(惡種)[67)]을 취하니, 문호에 큰 불행이요, 얼굴을 보매, 뼈 서늘하니 대코자 의사 꿈에도 없노라."

직사 화평이 위로 왈,

"표매 비록 숙녀 아니나 그리 흉참튼 않으리니, 어찌 괴이한 말씀을 하시나니까?"

어사 왈,

"현제 지감(知鑑)이 어둡지 않으니, 유녀의 불길지상(不吉之相)을 어

---

65) 여후(呂后) : 중국 한고조의 황후. 성은 여(呂). 이름은 치(雉). 고조를 보좌하여 진(秦)나라 말기·한(漢)나라 초기의 국난을 수습하였으나, 고조가 죽은 뒤 실권을 장악하여 유씨 일족을 압박하여 그의 사후에 여씨(呂氏)의 난을 초래하였다.
66) 무후(武后) : 624~705. 중국 당나라 고종의 황후. 성은 무(武). 이름은 조(曌). 중국 역사에서 유일한 여제(女帝)로 고종을 대신하여 실권을 쥐고, 두 아들을 차례로 제왕의 자리에 오르게 하였으며, 스스로 제왕의 자리에 올라 국호를 주(周)로 고치고 성신황제(聖神皇帝)라 칭하였다.
67) 악종(惡種) : 성질이 흉악한 사람이.

찌 모르리오. 한갓 음악 간교함이 만고 일인일 뿐 아니라, 반역지형(叛逆之形)으로 영종지상(令終之相)[68]이 아니니, 그런 놀라운 일이 어디 있으리오."

직사 민망(憫惘)하여 재삼 개유하더니, 추밀의 소명이 이르니 어사 의관을 수렴하고 들어와 응명한데, 추밀 왈,

"야심커늘 어찌 신방에 가지 않았느뇨?"

어사 공수(拱手) 대 왈,

"신방을 비움이 예 아니오되, 유자(猶子)의 정사는 타인과 달라, 부부지락에 뜻이 없사오므로 들어가지 않았나이다."

추밀 왈,

"부질없이 괴로운 말 말고 빨리 신방으로 가라".

어사 혜오대,

"저 찰녀(刹女)를 비록 일실에 대하나 내 뜻이 굳으니 계부 명을 위월(違越)함이 불가타."

하고, 유유히 승명하여 채련각에 이르니, 교애 바야흐로 초조하다가 어사 들어와 좌하니, 연망(連忙)히 맞아 바라보매 옥모영풍이 새로이 음녀의 눈을 놀래는지라. 다만 전일 얼핏 엿보매 춘양화기(春陽和氣) 움킬[69] 듯하더니, 금일은 미우(眉宇) 묵묵(黙黙)하여 설풍(雪風)이 은은하고 한천(寒天)에 상로(霜露) 내린 듯한 거동이, 견자로 하여금 불감앙시(不敢仰視)라.

교애 방자 교악(狡惡)하나, 자연 국축(跼縮)하여 다시 낯을 들지 못하더니, 어사 일언을 않고 자리에 고요히 누었다가, 계성(鷄聲)을 응하여

---

68) 영종지상(令終之相) : 제명대로 살다가 편히 죽을 상모(相貌).
69) 움키다 : 손가락을 오므려 물건 따위를 놓치지 않도록 힘 있게 잡다.

일어나 관소하고 빨리 나가니, 교애 앉아 새와 여산중정(如山重情)[70]을 펴지 못하고, 저의 씩씩 엄렬(嚴烈)함이 저를 미워함이 현저하니, 애달 프고 분하여 소리 남을 깨닫지 못하여 진진이 느끼니, 유씨 이르러 이 거동을 보고 그 팔을 빼어 본즉 주표(朱標) 희미토 않으니, 벌써 어사의 박정한 줄 지기(知機)하고 천만 위로 왈,

"경아는 성혼칠재(成婚七載)[71]에 가부의 박정이 행로(行路)[72] 같으나 오히려 견디거늘, 너는 신혼 초일에 이다지도 할 것이 아니니, 모름지기 괴이한 거조를 뵈지 말라."

교애 비읍(悲泣) 왈,

"소질이 부모의 교애(嬌愛)로 인연이 괴이하여 윤어사에게 돌아오매, 저의 매몰함이 신혼초일에 여차하니, 장래를 볼 것이 없을까 하나이다."

부인이 재삼 위로하고 소세(梳洗)를 재촉하여 단장을 꾸며 위태부인께 문안하니, 위노 새로이 어루만져 사랑함이 경아에게 나리지 않아, 왈,

"유현부의 질녀가 범연할 리는 없으나 이다지도 아름다움은 생각 밖 이라. 광천이 무슨 복으로 이 같은 현처를 취한고?"

유씨 웃고 사례하니, 교애 두리며 거칠 것이 없어 하나, 어사의 박정 (薄情)을 한하여 슬퍼함을 마지않으니, 유씨 도리어 민망히 여기더라.

이때 신묘랑이 정소저에게 왼 귀를 베이고 암자에 돌아와 일삭(一朔) 이나 조리하여 쾌차한 후, 옥누항에 와 유부인께 뵈니, 부인이 크게 반 겨 정씨를 새로이 통완하며, 위방의 집 교부 이르러 정씨를 여차여차 속 여 데려감으로 알았더니, 뜻밖에 정씨 운산에 편히 있다가 오고, 위방은

---

70) 여산중정(如山重情) : 산처럼 무겁고 두터운 정.
71) 성혼칠재(成婚七載) : 결혼한 지 7년이 됨. 재(載)는 해[年]의 의미.
72) 행로(行路) : 행로인(行路人). 길 가는 사람.

그 후 외방을 갔다 하되, 그 연고를 몰라 의심됨을 이르고, 다시 해할 꾀를 물으며, 교아를 뵈어 자기 질녀니 팔자를 무른데, 묘랑이 교아의 생년월일을 물어 팔자를 추점(推占)하다가 사색이 경해하여, 미우를 찡기며 왈,

"팔자 험난하니 차마 바로 고치 못하나니 부인과 소저는 괴이히 여기지 마소서."

유씨 가장 서운하며, 교애 놀라 왈,

"팔자 어떠하여 그대도록 한고? 바로 이르고, 금은을 드려 도액(度厄)할까 보라."

묘랑이 요수(搖首) 왈,

"만금이라도 도액할 길 없고 년이 십칠 세면 아조 인세를 하직할소이다."

교애 본디 성이 독한지라, 대로 질왈,

"어디로서 요악한 니고(尼姑)가 거짓 팔자 길흉을 알은 체하고, 이런 요언을 하느뇨? 내 재상의 만금 필와(畢婑)로 십사 청춘에 명부의 존귀를 가졌거늘 불길한 언참(言讖)을 많이 하나뇨?"

묘랑이 어사 형제와 정·진·하·장 등을 죽일 길은 없고, 가장 울울하더니, 교아의 말을 듣고 역시 대로하여 일어나며, 왈,

"빈도는 본디 소견을 은닉지 못하여 바른대로 고하되, 오히려 다 고치 않았더니 소저의 빈도 책함이 이 같으니, 빈도는 소저 차환이 아니라 어찌 일시나 머물리오."

언파에 발연이 밖으로 나가니 경아 모녀 천만 빌어 머물기를 청하되, 묘랑이 짐짓 빗새와[73] 듣지 않고 돌아가니, 유씨 교아의 성급함을 책한대, 교애 함분(含憤), 왈,

---

73) 빗새오다 : 핑계하다. 구실을 삼다. 토라지다.

"원간 숙모 괴이한 것을 사귀어 계시니이다. 제 어찌 전정(前程) 길흉 (吉凶)을 자세히 알리이까? 허언을 많이 하고 남의 금은을 우려내는[74] 유(類)로소이다."

유씨 왈,

"아해 혬 없음이 이 같으니, 어찌 대사를 이루리오. 묘랑이 모를 재주 없고 과거 미래사를 본 듯이 앎으로, 내 공경하며 범사를 의논하고 금보 를 허비하나 아까움을 모르더니, 오늘 묘랑을 덧내었으니[75] 어찌 불행 치 않으리오."

교애 잠깐 뉘우쳐 왈,

"소질이 연소지심(年少之心)에 일시 실언하나, 그것이 무슨 대사라 그 대도록 노하리까? 명일 시녀를 보내어 부르소서."

유씨 왈,

"묘랑이 발노(發怒)하여 갔으니 경(輕)히 오든 않으려니와 비자로 불 러 보자."

하고, 날마다 세월 비영 등을 연속하여 보낸데, 묘랑이 매매히[76] 사 양하는 체하고 오지 않으니, 유씨 가장 우민하고, 교애 윤부에 속현(續 絃)한 지 일삭이 지나대, 어사의 박대 날로 심하여 중회 중에도 눈 듦이 없고, 미워하는 기색이 현저하니, 유씨 대계를 도모하여 정·진 등을 아 주 서릇고자[77] 함으로, 태부인을 권하여 정·진 이 소저를 각각 그 침 소로 보내 비록 온갖 고역을 시키나, 밤이면 사침에 물러가 자게 하니,

---

74) 우려내다 : 꾀거나 위협하거나 하여서 자신에게 필요한 돈이나 물품을 **빼앗다**.
75) 덧내다 : 덧대다. 마음을 노엽게 하다. 병이나 상처 따위를 잘못 다루어 상태가 더 **나빠지게** 하다.
76) 매매히 : 창피를 줄 정도로 거절하는 태도가 쌀쌀맞게.
77) 서릇다 : 거두어 치우다. 아주 없애버리다. 죽이다. 정리하다.

정·진 이 소저 결단코 좋은 뜻이 아닌 줄 알되, 범사에 태부인 명령을 위월(違越)치 못하여 각각 침소에 돌아오니, 어사는 가장 다행하여 출번하는 날이면 채봉각과 채영각에 빈빈 왕래하여 여산중정(如山重情)[78]을 펴나, 채련각에는 그림자도 임치 않으니, 교애 주야 심장을 태우고 음정을 참지 못하여, 청등야우(靑燈夜雨)[79]에 깁 소매를 적시더라.

유씨 호언으로 위로하고, 매양 정·진 향한 정을 끊으려 하니, 무릇 어사의 먹는 음식에 익봉잠[80]을 화하며 축원하되, 정·진 양인에게 은정이 맥맥하여 미워하는 사이되고 유교아로 화락케 함을 도축(禱祝)하여 어사의 변심함을 죄나, 어사 만일 익봉잠을 복중에 넣은즉 어찌 변심치 않으리오마는, 생성(生成)한 바 천지강산(天地江山)의 수출(秀出)한 정화와 일월정기를 타 낳았으므로, 비록 무심코 먹으나 스스로 아니꼬워 후설(喉舌)을 넘지 못하니, 순순[81] 구토하고 비위 거슬려 요약 내음을 기이히 알아내니, 원간 익봉잠이 음식에 들어가면 각별이 맛을 도와 가장 유미할 뿐이요, 냄새 없으되, 어사는 능히 요약이 섞인 것을 신기히 짐작하고, 조모 권하면 흑 무심히 먹어도 일일이 토하며, 짐짓 알고 먹어도 즉시 나와 토하니, 전후에 익봉잠을 시험함이 그 수를 혜지 못할 바로되 일분도 변심함이 없으니, 유씨 숙질이 더욱 착급하여, 정·진 양인의 글씨를 모떠 간부서(姦夫書)를 만들며, 혹 간부(姦夫)가 정·진에게 보내는 글을 만들어, 어사가 봉각과 영각에 출입할 때, 의심된 서간을 짐짓 보게 하나, 어사 음악한 서찰을 봄이 한 두 번이 아니로되, 벌

---

78) 여산중정(如山重情) : 산처럼 무거운 정.
79) 청등야우(靑燈夜雨) : 비 내리는 밤 외로이 등불 앞에 앉아 있음.
80) 익봉잠 : =도봉잠. 사람을 변심시키는 약. 이 약을 사람에게 먹이면 마음이 변하게 되어 먹은 사람에 마음이 먹인 사람에 뜻대로 조종당하게 된다.
81) 순순 : 매번, 그때마다.

써 유씨 숙질의 작용임을 알아 순순 소화(消火)하고, 정·진 이 소저 중대함이 날로 더하니, 유씨 계교 한 일도 이루지 못함을 애달아 분원(忿怨)이 정·진 이 인에게 다 모이고, 미움이 점점 더하니, 태부인을 돋우며 추밀을 꾀어 어사더러 '유씨를 후대하라' 하고, 정·진 이 인을 책하여 '가부의 은총을 유씨께도 나누라' 하여, 어사 부부의 괴로운 경계와 자심히 보챔은 유씨 취함으로부터 갱가일층(更可一層)이라.

태부인 미친 성이 발하면, 쇠와 돌을 혜지 않고 어사를 난타하여 피나기를 그음하며, 매양 '할미를 박대하고 매달(妹妲)82) 같은 요처(妖妻)를 중대한다.' 수죄(數罪)하며, 정·진 등을 면전에 꿀려 칼로 지를 듯이 서둘러, '가부를 농락하여 적인을 박대케 한다.' 질책하여 못 견디도록 보채고, 추밀이 유씨의 꾐을 들어 어사의 제가(齊家) 공평(公平)치 못함을 책하고, 정·진 양소저를 미안이 여김이 기색에 현현(顯顯)하니, 이 소저 주야 황황전율(惶惶戰慄)하여 치신무지(置身無地)하나, 어사 마음을 철정(鐵鼎) 같이 정하매 요개(搖改)할 길이 없는지라. 조모 비록 혈육이 중상하는 중장을 더하며, 계부 계책(戒責)하나 조금도 회심함이 없어, 지사위한(至死爲限)하여 교아로 부부지정을 맺지 않으려 하니, 유씨 자기 혬 밖에 나지 않음을 아나, 교애 불같은 음심(淫心)을 참지 못하여 매양 비홍(臂紅)으로써, 숙모를 보여 울기를 마지않으며, 정·진 이 인의 침소에 어사 들어가면, 능히 안접(安接)지 못하여, 두 곳으로 다니며 가만히 사어(私語)를 엿듣고, 은정이 중함을 부러워 스스로 정·진의 몸이 되어 어사의 은애를 받고자 하니, 자연 식불감미(食不甘味)하고 침불안석(寢不安席)하여 용모 초췌하니, 유씨 염려하고 위태 과히 근심하여

---

82) 매달(妹妲) : 중국 하(夏)의 마지막 황제 걸(桀)의 비(妃)인 매희(妹喜)와 주(周)의 마지막 황제 주(紂)의 비(妃) 달기(妲己)를 함께 이르는 말.

어사를 죽일 놈 벼르듯 하고, 유씨 정·진 양소저를 대하여,

"광천이 그대 등의 말이면 다 들어 명령(命令)을 중히 여김이 존명의 유(類) 아니니, 모름지기 가부의 총세를 너무 독당치 말고, 질아도 광천의 아내임을 생각하여, 그대 침소에 들어오는 때 채련각으로 가라 권하여, 광천으로 하여금 그대네 투기 없음을 아름다이 여기고, 질녀의 단장박명(斷腸薄命)도 덜게 하라."

양소저 안서(安徐)히 사죄 왈,

"첩 등이 고인의 내조(內助)를 효칙(效則)지 못하여 유부인 단장지회(斷腸之懷)를 모르지 아니하되, 미미(微微)한 말이 군자의 청종(聽從)할 바 아니므로, 감히 토설(吐說)치 않았삽더니, 명교(明敎) 이에 이르시니 황공 불안하와 어찌 순설(脣舌)을 아끼리까? 한번 간하여 보려니와, 군자가 존명도 아니 받드는 지경에 첩 등의 간언이 공이 없을까 민울(悶鬱)하나이다."

위태 대로 질왈,

"이르기 싫거든 아예 발설치 말려니와, 너희 요녀 등이 광천의 은애를 낚아, 유아에게는 비치도 못하게 가부를 총단(總斷)하니, 이 죄로 필경 한 번 죽지 않을 만치 치리라."

정·진 등이 피석 청죄하여 일언을 않으니 태고(太姑) 노기 열화(熱火) 같고, 유씨의 꾐이 연속부절(連續不絶)하여 못 견디게 하나, 이 소저 다만 팔자를 탄하고 조금도 원망치 않아 청죄뿐이요, 물러난 즉, 유씨 이 인을 질욕하되, 금평후 부부와 낙양후 부부로부터 정·진 양문 조선(祖先)을 다 들놓아, 사람이 차마 듣지 못할 욕설이 불가형언(不可形言)이로되, 이 소저 모르는 듯 하여 일양 함구하니, 유씨 참욕(慘辱)을 무궁히 하다가도 이인의 들은 체 않음과 제 기운이 고단하매, 미친 것 같이 제 침소로 돌아가니, 이 소저 못 견딜 경계 한 두 일이 아니더니,

일일은 어사 채봉각에 들어와 촉하에 숙렬을 대하매, 찬란한 용광과 아리따운 태도 천만 기이함을 보매, 풍류 장부의 은애 새로이 유동하되, 소저 흉중에 수한(愁恨)이 뫼 같고, 자기 말이 일분 효험이 없어, 한층 노분이 더할 줄 알되, 유씨 당부를 위월(違越)치 못하고, 어사 침소에 들어오면 유씨 모녀 규시함을 앎으로, 천만 불가하되 마지못하여 천천히 옷깃을 여미고 왈,

"첩이 감히 군자 행사를 시비함이 아니요, 우견(愚見)을 고함이 당돌하나, 성인도 초부지언(樵夫之言)을 선용(善用)하시고, 내조의 공을 일렀으니, 수신제가(修身齊家)는 치국평천하지본(治國平天下之本)[83]이라, 진씨와 첩은 표종형제(表從兄弟)[84]로 쟁총쟁투(爭寵爭鬪)할 바 아니거니와, 유부인이 새로 들어온 서어(齟齬)함이 있고, 용화(容華) 기질(氣質)이 초세(超世)하니, 군자 세 낱 여자를 거느리시매 은애를 공평히 하심이 옳거늘, 족적이 채련각에 임치 않으시니, 첩이 그윽이 군자의 일편되심을 불복(不服)하나이다."

어사 청파에 벌써 위·유의 명으로 마지못함인 줄 지기하며 창외에 규시함도 아는지라, 짐짓 춘풍화기 변하여 미우 묵묵함이 찬 서리 같아서 정색(正色) 위좌(危坐)하니, 엄렬(嚴烈)한 기위(氣威) 추천(秋天)이 음애(陰崖)를 지으며, 빙설(氷雪)에 북풍이 높음 같은지라. 정씨 그 뜻을 모르지 않으나 군자의 이 같은 위풍을 처음 보매, 불승수괴(不勝羞愧)하여 봉관을 숙이고 쌍안을 낮추어 다시 말을 못하니, 그 태도 더욱 절승한지라. 어사 더욱 애련(哀憐)하나 거짓 노분을 지어 정성 왈,

---

83) 수신제가(修身齊家)는 치국평천하지본(治國平天下之本) : 몸을 닦고 집안을 잘 다스리는 것은 나라를 다스리고 천하를 태평하게 하는 근본이다.
84) 표종형제(表從兄弟) : 내외종(內外從) 형제 사이.

"오수용우(吾雖庸愚)나 그대의 가부(家夫)요, 연기 서로 동년이니, 혬과 지혜 가르침을 듣지 않을 바요, 한갓 자의 지휘를 이르지 말고, 대모(大母)와 계부(季父) 유씨 후대를 명하심이 한 두 순이 아니시고, 지어 존당(至於尊堂)85)이 장책(杖責)까지 하신 줄, 그대 중청폐맹(重聽廢盲)86)이 아니니, 이미 들으며 본 바거늘, 나 윤사원이 이 일에 당하여는 존명도 능히 순수(順受)치 못하는 데, 그대 말을 청납하랴?"

하더라.

---

85) 지어존당(至於尊堂) : 존당께서는. 존당(尊堂)은 자당(慈堂) 또는 직계존속(直系尊屬).
86) 중청폐맹(重聽廢盲) : 귀가 어두워서 소리를 잘 듣지 못하고, 눈이 멀어 잘 보지 못함.

명주보월빙 권지이십이

익설 시차(時此)[87]의 윤어사 왈,

"나 윤사원이 차사(此事)의 당하여는 존명(尊命)도 능히 순수(順守)치 못하는 데, 그대 말을 청납(聽納)하랴? 내 그대 앎이 천연(天然)한 여자라 여겼더니, 이제 '유씨 후대하라' 권함을 들으니, 투기 없음을 자랑하여 어진 체함이 심하도다. 원간 내 소원은 홍분(紅粉)[88]으로 집을 메우며 미색을 모으려 하니, 그대 권치 않아도 내 눈에 들고 마음에 찬 즉 열이라도 사양치 않으나, 지금 이 일에 있어서는 자정 계신 곳을 모르고 만사 비황(悲惶)하니, 그대와 진씨는 이미 취한 바라 버리지 못하고 또 정의상합(情誼相合)함이 있거니와, 유씨는 위력으로 친사(親事)[89]를 이루니, 생의 뜻을 앗음이 통해(痛駭)하고, 유씨의 위인이 군자의 정시할 바 아니라. 처신(處身) 동지(動止)가 다 음악교사(淫惡巧詐)할 뿐 아니라, 불길지상(不吉之相)이 현저하니, 그대 유씨의 장래를 보라, 형체를 완전치 못하여 필연 흉사하리니, 군자 어찌 그런 흉참지녀(凶慘之女)로 상대하리오."

---

87) 시차(時此) : 차시(此時). 이때.
88) 홍분(紅粉) : 연지와 분을 아울러 이르는 말. 여기서는 화장을 한 여자를 말함.
89) 친사(親事) : 혼인.

언필에 노기 대발하여 곁에 놓인 연갑을 주먹으로 산산이 빻아버리고, 벽상의 칼을 빼어 좌석을 내려쳐 왈,

"천만인이 권하나 내 고집을 돌이키지 않을 것이요, 이 머리는 베어도 내 천성은 고치지 못하리니, 내 비록 용우하나 음악(淫惡) 발부(潑婦)[90]를 이 자리같이 갈라버리라."

정씨 어사의 과격함을 보매 차라리 자기 유씨께 졸리고 보채여도 부질없는 말을 않음만 같지 못하고, 창외에 규시자(窺視者)는 낱낱이 다 듣고 점점 원이 깊고 한이 쌓일 바를 헤아리매, 불행함이 심하나 미리 초조함이 무익하여, 좌석을 부동하고 홍수(紅袖)[91]를 정히 꽂아, 단순(丹脣)이 맥맥하여 다시 한 말을 않으니, 어사 날호여[92] 홍선을 명하여 침금을 포설하매, 촉을 물리고 소저를 붙들어 나위(羅幃)[93]에 나아가니, 정씨 가부의 은총을 몽리(夢裏)에나 구하리오마는, 화란춘풍(花欄春風)에 미개화(未開花) 부치임을 면치 못하여, 원앙침상에 쌍옥(雙玉)이 완전하니, 백세기봉(百世奇逢)이요, 천정가우(天定佳偶)라. 간인이 온 가지로 모계하나 이 같은 은정을 희짓기 어려울지라.

차시 교아와 경애 창외에 규시하여 사어(私語)를 듣다가, 어사의 분발함을 보매, 교애 전정을 판단하니 무엇을 바라고 견디리오. 악인의 심간이 뛰노라 애달프고 설움이 비할 데 없는지라. 자연이 수족이 떨리고 기운이 막혀 수습기 어려우니, 경애 겨우 붙들어 침소에 돌아오매, 교애 한 소리를 지르고 구러져[94] 인사를 모르거늘, 경애 주물러 깨운데, 교

---

90) 발부(潑婦) : 패역(悖逆)한 여자. 무지막지한 여자.
91) 홍수(紅袖) : 붉은 옷소매.
92) 날호여 : 천천히. 이윽고, 얼마쯤 시간이 흐른 뒤에
93) 나위(羅幃) : 얇은 비단으로 만든 장막.
94) 구러지다 : 거꾸러지다. 쓰러지다.

애 울며 왈,

"윤어사 날 미워함이 차마 입에 못 담을 말로 영종지상(令終之相)이 아니라 하니, 절로 더불어 전세 원수로 금세에 부부 되었는가 싶으니, 처음 그 몹쓸 놈의 풍모를 황홀하여 자원하여 섬기고자 함이 소녀의 탓이라, 누구를 원하리오."

경애 위로 왈,

"광제 실성하여 일시 분두에 그런 말 하였으나, 정·진 두 요녀 없으면 자연 현제에게 은애 돌아오리니, 남자의 마음을 미리 알 바 아니라 타일을 기다리라."

교애 탄 왈,

"비록 정·진이 없다한들 후대할 줄 어찌 기약하리오. 석상서는 결단코 그렇지 않으리라. 윤자가 무슨 수극(讐極)95)이관데 칼로 죽이려 하는고? 그 용심을 생각하니 통원함을 견디지 못 하리로소이다."

경애 탄 왈,

"현제는 오히려 석군이 무고히 날 박대함을 모르나니, 오녀로 더불어 유자생녀(有子生女)96)하여 무흠(無欠)이 즐기고, 나를 보면 미워함이 죽일 듯하되, 칠년을 참고 견디나니 현제 어찌 이렇듯 구느뇨?"

교애 불승비분하되 소리를 못하고 기절할 듯하거늘, 경애 백단 위로하여 겨우 밤을 새울 새, 명조(明朝)에 유부인을 보고 작야 어사 부부의 문답을 고하니, 부인의 총명인즉 출류(出類)하고 지감(知鑑)이 밝아, 어사의 그렇게 여김을 또한 괴이히 여기지 않으나, 다만 교아를 위로 왈,

"정·진 등을 사침에 보내어 광천으로 화락케 함은, 음비한 서찰을 던

---

95) 수극(讐極) : 원수(怨讐).
96) 유자생녀(有子生女) : 아들도 낳고 딸도 낳음.

져 의심된 정적을 보여, 정·진 등을 만고일죄(萬古一罪)[97]로 몰아넣고
자 함이러니, 흉한 놈이 약을 먹어도 변심치 아니하고, 의심된 서간을
보아도 경동(輕動)함이 없어, 정·진 후대 더욱 심하니 통완하거니와,
내 너를 위하여 먼저 정·진으로 강상대죄(綱常大罪)[98]에 몰아넣으리
니, 광천이 비록 양처(兩妻)에 혹(惑)하여 말이 그러하나, 너의 자미운
치(姿美韻致)를 무심치 않으리니, 너무 슬퍼 말라.”

교애 눈물을 거두고 사례 왈,

“숙모 말씀이 지극하시니, 소질은 숙모만 바라나니, 무슨 계교로 이녀
를 죽이리까?”

유씨 소왈,

“당시 정천흥 형제 세력이 장(壯)하나, 정씨를 의법(依法)히 사죄(死
罪)로 몰아넣으면 어이 살 길이 있으리오. 다만 정씨의 시녀 등을 살피
니, 다 충성이 있어 주인을 해치 않을지니, 신묘랑을 청하여 와야 일이
되리라.”

교애 왈,

“묘랑이 소질의 말에 노하여 오지 않으니 청키 어렵도소이다.”

유씨 왈,

“차고로 묘랑을 우리 숙질간 하나가 가서 보고 청코자 하노라.”

교애 마땅함을 일컬으니 경애 왈,

“묘랑은 종용이 불러오고 먼저 태모 침전에 여차여차 작변함이 옳으
니이다.”

---

97) 만고일죄(萬古一罪) : 세상에서 비할 데가 없을 만큼 질이 나쁜 죄.
98) 강상대죄(綱常大罪) : 사람이 마땅히 지켜야 할 도리인 삼강(三綱)과 오상(五常)
  을 범한 큰 죄, 곧 인륜범죄(人倫犯罪)를 이른다. 여기서 오상(五常)은 오륜(五
  倫)을 달리 이른 말.

유씨 즉시 세월을 불러 보수암에 보내어 '묘랑을 보고 흉예지물(凶穢之物)[99]을 구하여 오라' 하고, 모녀숙질(母女叔姪)이 협사(篋笥)의 금은을 떨어 주어 부처기 공양케 하고, 그만하여 해로 하고 예같이 왕래함을 이르니, 묘랑이 금은을 받고 좋이 여기나, 정·진·하·장 사(四) 소저와 어사 형제를 죽일 도리 없음으로 짐짓 견집하고 가지 않으며, 요예지물(妖穢之物)을 가득 얻어 보내니, 유씨 대열하여 정·진 이 소저의 글씨를 모떠 축사(祝辭)를 이뤄 무고(巫蠱)[100]를 행할 새, 태부인 침전 좌우 벽 틈과 해춘루 사면에 요예지물을 묻고 모녀 숙질이 흔흔(欣欣)하여, 다만 묘랑을 불러 악사를 행하려 하되, 묘랑이 순히 오지 않음을 민망하여 교애 친히 가보려 할 새, 금거옥륜(金車玉輪)[101]을 갖추고 시녀 등에 이르기까지 목욕재계(沐浴齋戒)하여 정성을 드리며, 부처 공양할 기구를 차려 거짓 귀녕(歸寧)함을 칭하고 암자로 가니, 당당한 명부(命婦) 행차라. 위의(威儀) 십분 영요(榮耀)하니 암중니고(庵中尼姑) 황황지영(遑遑祇迎)[102]하고, 묘랑이 비록 자중(自重)하기로 으뜸하나, 유녀 저를 청하러 친림(親臨)하매, 암중의 영광이 됨을 깃거하며, 저를 높이 대접함을 양양(揚揚)하여, 제자 등으로 더불어 유씨를 붙들어 교자 밖에 내매, 유씨 묘랑을 향하여 절하고 그릇 실언함을 일컬어 뉘우치는 뜻을 만만 칭사(稱謝)하니, 묘랑은 이상한 요정이라. 교아의 팔자 험하며 상모 불길함을 명명(明明)히 지기(知機)하나, 재상지녀(宰相之女)며 명부지위(命婦地位)로 산문에 와 실언함을 이르고 장래 수복을 축원코자 함

---

99) 흉예지물(凶穢之物) : 흉하고 더러운 물건.
100) 무고(巫蠱) : 무술(巫術)로써 남을 저주함.
101) 금거옥륜(金車玉輪) : 금과 옥으로 치장한 수레.
102) 황황지영(遑遑祇迎) : 높은 사람의 행차를 미처 대비하고 있지 못하다가 놀라 허둥대며 맞이함.

을 보매, 그 팔자를 고치지 못할 줄 알면서도, 아직 그 마음을 달래여 금백(金帛)을 낚으려 하여 바삐 불전에 예배하라 하니, 교애 불전에 나아가 고두배축(叩頭拜祝)[103]하여 부부호합(夫婦好合)과 유자생녀(有子生女)를 청하며, 정·진 등을 죽여 적인 없애기를 원하여 말마다 음악간교하니, 부처가 영(靈)함 곧 있으면 가히 벌할 것이요, 원을 좇을 리 없으되, 묘랑이 거짓 부처를 위하노라 하나, 제 욕심을 위함이요, 부처 받드는 바는 없더라.

교애 불전에 배례를 마치매, 묘랑이 그윽한 당사(堂舍)에 포진(鋪陳)을 배설하여 유씨를 앉히고, 비로소 말을 펴 왈,

"빈도 처음 소저 팔자를 추점하니 실로 놀라움이 적지 않아 진정을 고하였더니, 소저 과도히 노하시니, 빈도 부끄러워 다시 존택을 디디지 말고자 주의거늘, 이제 소저 행차 친림하시어 영광이 무비(無比)하니 감격하여이다."

교애 휘루 왈,

"첩이 부모의 만래(晩來) 필와(畢瓦)[104]로 자애를 띠어 부귀호치(富貴豪侈) 중 생장하니, 세사를 모르고 사람이 나를 나무람을 듣지 않았더니, 구가에 이르러 가부의 박대 태심하고 법사가 팔자를 나무라니, 연소전도한 마음에 우연히 분발하여 말을 삼가지 못하나, 사부 그대도록 노할 줄 어찌 알았으리오. 천만 뉘우치나니, 모름지기 첩의 경도(輕度)함을 용서하고 윤부 왕래를 전같이 하고, 대소사의 지휘하라."

묘랑이 여러 번 빗새우다[105]가 허락하고, 오반을 정히 하여 대접하

---

103) 고두배축(叩頭拜祝) : 머리를 바닥에 조아려 절하며 소원을 빔.
104) 필와(畢瓦) : 막내 딸. '와(瓦)'는 실을 감는 '실패'를 뜻하는 것으로 딸을 비유한 말. *농와지경(弄瓦之慶) ; 딸을 낳은 즐거움. 중국에서 딸을 낳으면 흙으로 만든 실패를 장난감으로 주었다는 데서 유래한다.

니, 교애 즉시 돌아올 것이로되 묘랑을 데리고 오려함으로, 암자에서 일
야를 지내고 명조에 유씨 묘랑으로 더불어 옥누항에 돌아오니, 유씨 묘
랑을 반겨함이 적자(赤子)가 자모(慈母)를 만남같이 하여, 별회 무궁하
니, 묘랑이 감격하여 하는지라. 묘랑을 경아의 침소의 머물게 하고 백사
(百事)를 의논할 새, 유씨 왈,

"사부의 익봉잠 효험이 기특하여 상공과 구파 전후 두 사람이 되었으
되, 광천은 여러 번 시험하나 변심함이 없으니, 그 어찌된 일이뇨?"

묘랑이 침음양구(沈吟良久)에 왈,

"어사의 정명지기 추밀 노야보다 승하시고, 천궁상선(天宮上仙)이매
요약이 범치 못하여 먹을 적마다 필연 토함으로 변심치 않음이니이다."

유씨 근심을 마지않아 왈,

"이러므로 내 일념이 방하(放下)치 못하는 바나, 아직 날회고, 정·진
양인을 해코자 하나니, 이미 무고(巫蠱)를 존당과 내 침소의 베풀었으
니, 사부는 일이 발각한 후 여차여차 하여 제 구구삼설(九口三舌)106)이
라도 발명치 못하게 하라."

묘랑이 소왈,

"부인의 계교 가장 마땅하나 무고를 행하려 하면 정·진 이 소저 시비
를 사귀어, 묻는 때 복초케 함이 옳으니이다."

유씨 왈,

"내 또 이 뜻이 있으되 정·진의 비자가 다 충심이 관일(貫一)하여 주
인 해할 뜻이 없을 뿐 아니라, 천인이 마침내 반복(反覆)하기107) 쉬우

---

105) 빗새우다 : 핑계하다. 구실을 삼다. 토라지다.
106) 구구삼설(九口三舌) : '아홉 입과 세 혀'라는 뜻으로, 유창한 말주변으로 많은
　　　말을 늘어놓는 것을 말함.
107) 반복(反覆)하다 : ①언행이나 일 따위를 이랬다저랬다 하여 자꾸 고치다. ②본

니, 처음은 우리 말을 들어 동사(同事)하다가도, 광천이 정·진 등을 원억(冤抑)히 여겨 부디 신백(伸白)고자 하여, 모진 위엄으로 다시 실상을 구핵(究覈)하여 저주면108), 복초한 비재라도 우리의 가르침을 직고할 것이니, 이러므로 저의 비자를 합심치 못하노라.”

묘랑이 부인 말이 옳음을 깨달아, 다만 교아 등으로 더불어 흉사를 행하니 위태 어찌 모르리오. 요예지물을 묻은 지 오래지 않아, 거짓 칭병하고 상석(床席)을 떠나지 않더니, 문득 극중(極重)한 형상으로 섬어(譫語)109)를 무궁히 하며, 좌우에서 검극(劍戟)든 군사가 자기를 지르려 든다 하여, 병이 나날이 더하니, 추밀이 비록 변심하였으나 모친 환후가 이다지도 심하매 어찌 황황(惶惶)하지 않으며, 어사 형제의 우황(憂惶)함을 또 어찌 비하리오마는, 어사 형제는 ‘사광(師曠)의 총(聰)’110)이라. 조모 맥후를 살핀즉 조금도 위증(危症)이 없으되, 증정(症情)과 섬어(譫語)111)는 괴이하기에 미치니, 가변이 망측함을 깨달아 모발(毛髮)이 송연(悚然)하고, 정·진·하·장 사 소저는 주야 경희전 난함(欄檻)을 지켜 시탕(侍湯)하나, 정씨는 이 환후의 근본을 아나, 진소저는 태부인 흉한 섬어를 듣고 깨닫지 못하여, 숙렬을 향하여 왈,

“존당 좌우 벽간의 검극 든 군사 나온다 하시니, 원간 그 벽에 무엇이 들었는가, 뜯어봄이 무방할까 싶으이다.”

정씨 탄 왈,

래 상태로 되돌리다.
108) 저주다 : 형문(刑問)하다. 신문(訊問)하다.
109) 섬어(譫語) : 헛소리.
110) 사광(師曠)의 총(聰) : 사광(師曠)은 춘추시대 진나라 음악가로, 소리를 들으면 이를 분별하여 길흉을 정확히 점쳤다 하여, 소리를 잘 분별하는 것을 ‘사광의 총명’이라 함.
111) 섬어(譫語) : 헛소리. 잠꼬대.

"현제 이를 뜯어보자 하니, 우리 필연 불측지화(不測之禍)의 걸려 어느 곳에 미칠 줄 모르니, 죄목이 경해(驚駭)하고 부모께 불효를 탄하노라."

진씨 청파에 변색 왈,

"이럴진대 아등의 몸을 장차 어느 땅에 두리오. 현저는 지략이 출범하시니 모르지기 각별 도모하여 피화케 하소서."

정씨 왈,

"성인도 오는 액을 면치 못하시니, 내 무슨 사람이라 화란(禍亂)을 피하리오. 다만 각각 앞이 굽지 않고 지은 죄 없으니, 신명이 밝히 질정(叱正)함을 믿을 따름이니, 미리 근심하여 구구(區區)히 슬퍼함이 가치 아니하니, 사생지제(死生之際)에 요동치 말지니 무익히 굴지 말라."

진소저 역시 그러하게 여기나, 위노(老)에게 졸려 많이 상한 고로 감수할 징조 무수한지라. 정씨의 말을 들으매 강인(强忍)하여 황황한 거동을 않으나, 경황함을 이기지 못하더라.

유부인이 어사 형제를 대하여 태부인 환후 예사 질환이 아니니, 술사(術士)를 불러 망기(望氣)[112]하자 하니, 어사 형제 유부인 작용을 거울 같이 짐작하니, 가변을 경심차악(驚心嗟愕)하나, 일이 되어 감을 보려하여, 오직 추연 대 왈,

"술사가 아니라도, 소질과 희천이 각별 두루 살펴 보온 즉, 알아내리니 금일 종용히 살펴보사이다."

유부인이 돈족(頓足)[113] 혼동 왈,

"너희 어찌 이리 이완(弛緩)하뇨? 존고 환후가 일시에 중하시니, 요얼(妖孽)[114]을 스스로 알아 볼가 싶거든, 어서 두루 살펴 바삐 파내게 하라."

---

112) 망기(望氣) : 엉기어 있는 기운(氣運)을 보아서 일의 조짐을 알아냄.
113) 돈족(頓足) : 발을 구름.

어사 형제 다시 말을 않고, 이미 좌우 벽 사이의 요사(妖邪)가 어리었
음을 밝히 알아 벽을 뜯고 본 즉, 사람의 매골(埋骨)[115]과 괴이한 짐승
과 검극(劍戟) 든 목인(木人)을 넣어, 요예지물이 무수하니, 유씨 이를
보고 손뼉 쳐 왈,

"고금 천하에 이런 일이 어디 있으리오. 존고 침전에 요예지물(妖穢之
物)[116]을 이같이 묻고, 나중이 무사할 것으로 알았더냐?"

정·진 등의 화액(禍厄)이 어느 지경의 미칠꼬?

차설 윤어사 형제 태부인 침당(寢堂) 벽 틈에 요예지물을 무수히 파내
니, 유씨 돈족 왈,

"존당 성덕으로 정·진·하·장 등을 무휼하시어 자애 자별하시니,
원수가 어느 곳에 맺혀 가중에 흉사(凶邪)를 배치하고, 지존을 무고함이
이 지경에 미치리오. 축사(祝辭)[117]를 보건대 말이 흉참하고 글씨 정·
진의 필체니 '강상(綱常)의 변(變)'[118]이라. 너희 사정으로 물시(勿視)하
려 하나, 내 도리 자부항(子婦行)에 있어 존고 위질이 무고지사(巫蠱之

---

114) 요얼(妖孽) : 요악한 귀신의 재앙. 또는 재앙의 징조.
115) 매골(埋骨) : 축이 나서 못쓰게 된 사람이나 짐승의 모습.
116) 요예지물(妖穢之物) : 무속(巫俗)에서 방자를 할 때 쓰는 해골(骸骨)이나 인형
    (人形) 따위의 요사스럽고 흉측한 물건.
117) 축사(祝辭) : ①축하의 뜻을 나타내는 글을 쓰거나 말을 함. 또는 그 글이나
    말. ②소원이나 저주를 비는 글. 여기서는 ②의 뜻.
118) 강상(綱常)의 변(變) : 사람이 마땅히 지켜야 할 도리인 삼강(三綱)과 오상(五
    常)을 범한 변란, 곧 인륜범죄(人倫犯罪)를 이른다. 강상(綱常)은 삼강(三綱)과
    오상(五常)을 아울러 이르는 말로, 군위신강(君爲臣綱)·부위자강(父爲子綱)·
    부위부강(夫爲婦綱)의 삼강과 부자유친(父子有親)·군신유의(君臣有義)·부부
    유별(夫婦有別)·장유유서(長幼有序)·붕우유신(朋友有信)의 오륜(五倫) 곧 오
    상을 이른다.

事)[119]로 비롯된 줄 안 후, 어찌 태연(泰然) 괄시(恝視)하리오."

이에 축사(祝辭)를 가지고 침소에 오니, 추밀이 묘랑의 요약에 정기를
잃어 도봉잠 독이 채 풀리지 않아, 일신을 자통(刺痛)하는 고로 전연 부
지하고, 유씨 침소에 머리를 박고 신음할 뿐이요, 모환(母患)이 위악(危
惡)하심을 모르니, 유씨 때를 타 정·진을 강상대죄(綱常大罪)[120]에 몰
아넣어 죽이려 하니, 희라! 정·진 양 소저 구구삼설(九口三舌)[121]이나
폭백(暴白)[122]지 못할지라.

어사 형제 가변의 빌미가 될 바를 지기하고, 하릴없어 의약으로 치료
한 뿐이러니, 홀연 유씨 혼동으로 좇아 무수한 요예지물과 축사의 흉함
이 차악하니, 심하(心下)에 가변을 슬퍼하나 무가내하(無可奈何)[123]라.
그 흉예지물(凶穢之物)[124]을 파내매 유씨 모녀 따라가며 줍는 것을 보
되, 개구(開口)함이 없어, 다만, 태부인 머리 두는 벽 틈을 다 뜯어 요예
지물을 없이하며, 주사(朱砂)[125]를 약에 섞어 사기(邪氣)를 진정케 한

---

119) 무고지사(巫蠱之事) : 무술(巫術)로써 남을 저주하는 일.
120) 강상대죄(綱常大罪) : 사람이 마땅히 지켜야 할 도리인 삼강(三綱)과 오상(五
　　常)을 범한 큰 죄, 곧 인륜범죄(人倫犯罪)를 이른다. 여기서 오상(五常)은 오륜
　　(五倫)을 달리 이른 말.
121) 구구삼설(九口三舌) : '아홉 입과 세 혀'라는 뜻으로 많은 말을 늘어놓는 것을
　　말함.
122) 폭백(暴白) : 죄나 잘못이 없음을 말하여 밝힘. 또는 그런 말. =발명(發明).
123) 무가내하(無可奈何) : 어찌할 도리가 없음.
124) 흉예지물(凶穢之物) : ①흉하고 더러운 물건. ②무속(巫俗)에서 방자를 할 때
　　쓰는 해골(骸骨)이나 인형(人形) 따위의 요사스럽고 흉측한 물건. =요예지물
　　(妖穢之物).
125) 주사(朱砂) : 수은으로 이루어진 황화 광물. 육방 정계에 속하며 진한 붉은색
　　을 띠고 다이아몬드 광택이 난다. 흔히 덩어리 모양으로 점판암, 혈암, 석회암
　　속에서 나며 수은의 원료, 붉은색 안료(顔料), 약재로 쓴다. =단사(丹沙). 진사
　　(辰砂)

후, 구호하는 정성이 가득하되, 양흉(兩凶)이 이미 의논한 일이라. 독한 소리로 어사 형제를 수죄(數罪)하여, '한미 죽이랴 저주(詛呪)하는 간사(奸邪)를 급히 사핵(査覈)하라' 보채니, 직사는 다만 사죄할 뿐이요, 어사는 이성낙색(怡聲樂色)으로 대 왈,

"가중에 요얼을 장포(藏鋪)126)하고 지존을 저주하는 변이 진실로 공참(孔慘)127)한지라, 왕모 사핵(査覈)지 말고자 하셔도 안연이 물시치 못하오리니, 어찌 성려(聖慮)를 번거롭게 하리까? 성후(聖候)128) 가복(可復)129)하신 후 사핵하리이다."

위흉은 오히려 잠잠하되, 경애 소왈,

"범사 급격물실(急擊勿失)130)이라. 왕모 침전의 대변을 천연하리오."

발연이 일어나 침소에 돌아가, 신묘랑으로 더불어 석상서의 변심할 약류(藥類)를 의논하고, 유씨는 요예지물과 축사를 시아(侍兒)로 들리고 추밀을 향하여 가로되,

"군자 유질하시므로 존당 질세(疾勢)를 살피지 못하시고 가변을 모르시거늘, 광천 등이 각각 처자에 고혹(蠱惑)하여 존고 환후는 일분 고렴(顧念)함이 없고, 첩이 백사를 친집하여 질통(疾痛)하시는 증세를 지향치 못하더니, 귀매(鬼魅) 장난하여 존고 신상을 침노하여 섬어(譫語)를 주야 하시거늘, 금일이야 첩이 망기자(望氣者)를 얻어 살피려 하니, 질아 형제 벽 틈에 저희가 넣은 듯이 뜯어내고, 축사를 소화(燒火)하려 함이 수상하여 앗아 오니, 첩을 미워함이 삼키고자 하리이다마는, 한갓 저

---

126) 장포(藏鋪) : 어떤 물건을 곳곳에다 몰래 감춰 둠.
127) 공참(孔慘) : 매우 참혹함.
128) 성후(聖候) : 임금이나 존귀한 사람의 안부(安否). 또는 그 병증(病症).
129) 가복(可復) : 병이 나아서 회복됨. =차복(差復).
130) 급격물실(急擊勿失) : 급하게 쳐서 때를 놓치지 말아야 함.

희 안면을 구애하여 존고를 저주하는 악사를 묻어두리까? 차아(此兒) 등의 흉패함과 정·진·하·장의 투악(妬惡)이 천고(千古)에 없는 대악발부(大惡潑婦)라. 첩의 질녀(姪女) 광천의 가실(家室)에 처하여 차악한 박대는 예사요, 정·진의 독한 수단과 모진 매에 혼(魂)을 빼앗겨 숨만 걸렸으니, 더욱 질아로 혐의(嫌疑)쩍어[131] 죽은 듯이 지내더니, 금일 보니 그만하여 두어는 점점 창궐(猖獗)하여 가란이 어느 지경의 미칠 줄 모르니, 상공은 명백히 사핵하여 엄히 처치하여 후환을 덜어내소서."

추밀이 도금(到今)하여는 광명직백(光明直白)한 결단이 아주 없어 한 어림장이 되었으니, 유씨의 요언을 언언이 신청(信聽)하는지라. 빨리 어사 형제를 명소(命召)하니, 어사 등이 정당으로서 돌아오지 않아 의약을 의논하고, 정·진·하·장 사 소저는 미죽(糜粥)의 온냉(溫冷)을 맞추어 동동촉촉(洞洞屬屬)함이 신기(神祇)를 감동할 바로되, 명도(命途) 다험하니 무가내하(無可奈何)라.

정소저는 건상(乾象)[132]을 살펴 자기 등의 신수(身數)를 역력(歷歷)히 사무치니[133] 탄할 것이 없으되, 진소저의 약질과 하소저 친가 없는 중에, 시험(猜險)한 고모(姑母)가 모진 솜씨로 조르고 보채다가, 그 은은간간(閨閨侃侃)[134]하고 유정유일(惟精惟一)[135]하여 일분 원심(怨心)이 없이 지효(至孝)함을 더욱 미워하여, 아무 일로나 쉬이 죽이고자 하므로, 정소저 더욱 자닝함을 이기지 못하여 보호함을 여린 옥같이 하고,

---

131) 혐의(嫌疑)쩍다 : 혐의(嫌疑)스럽다. ①고 미워할 만한 데가 있다. ②범죄를 저질렀을 것으로 의심할 만한 데가 있다.
132) 건상(乾象) : 하늘의 현상이나 일월성신(日月星辰)이 돌아가는 이치.
133) 사무치다 : ①깊이 스며들거나 멀리까지 미치다. ②통하다. 꿰뚫어 알다.
134) 은은간간(閨閨侃侃) : 온화하고 강직함.
135) 유정유일(惟靜惟一) : 조용하고 한결같음.

장소저 하소저의 지극한 인자성심(仁慈誠心)을 선복(善服)하여 의앙(依仰)하는 정이 골육 같으니 이신일심(二身一心)이라. 유씨의 시키는 바가 당치 못할 바면 한가지로 하소저를 도와 하되 가뭇없이[136) 하니, 사인(四人)은 천의(天意) 유의하심을 알지라.

어사 형제 공의 명을 이어 응명하니, 추밀이 금구(衾具)를 두르고 일어나 앉아 양인을 양구찰시(良久察視)라가, 탄 왈,

"여등이 풍신재화(風神才華)[137) 출인(出人)하고, 내 선형(先兄)의 자취와 광금(廣衾)의 처량함을 느껴 좌우로 품어 숙질과 부자의 정을 아울러, 윤기(倫紀) 남달리 자별(自別)하더니, 행사 점점 불초(不肖)함은 이르지도 말고, 내 병이 오래 고통하고 존당 환후 위경(危境)에 미쳤으되, 증세가 저주(詛呪)로 빌미한 줄을 알고도 살피지 않다가, 부인이 경동(驚動)하여 술사(術士)[138)를 부르자 하매, 문득 스스로 파내되, 일이 중대하고 악사 괴이한데도 사핵(査覈)지 않고, 마음대로 감추어 비자도 추문할 의사 없으니, 내 병이 금일은 잠깐 나은 듯하되 정신이 오히려 혼미하여 중죄를 실핵(實覈)지 못하니, 내 앞에서 정당 시아와 각 당 시아를 다 엄형추문(嚴刑推問)하라."

어사 근래에 계부의 병근이 귀매(鬼魅)의 홀림 같아서 추상같은 기상이 완연한 어림쟁이[139) 되어, 주야 유씨 방중에 잠겨 거지(擧止) 당황(唐惶)함을 깊이 우려하고, 그 삼일 대통(大痛)할 때는 황황송구(惶惶悚

---

136) 가뭇없다 : 가뭇없다. ①눈에 띄지 않게 감쪽같이 하다. ②보이던 것이 전혀 보이지 않아 찾을 곳이 감감하다.
137) 풍신재화(風神才華) : 풍채와 재주. 사람의 겉으로 들어나 보이는 모습과 타고난 재주.
138) 술사(術士) : 음양(陰陽), 복서(卜筮), 점술(占術)에 정통한 사람. =술가(術家)
139) 어림쟁이 : 일정한 주견이 없는 어리석은 사람을 낮잡아 이르는 말.

懼)한 중, 직사의 초황(焦惶)140)함을 호언(好言)으로 위로하며, 형제 띠를 그르지 아니하고 행불이역(行不移易)141)하여, 직사는 형용이 초고(憔枯)142)하더니, 질세(疾勢) 우연(尤然)143)하매 문득 외당 거처를 아니하고, 내실(內室)에서 와상(臥床)을 떠나지 못하여 태부인 환후도 시호(侍護)함을 폐하니, 가중 요얼은 점점 창궐하여, 가란이 아무 지경(地境)의 미칠 줄 모를지라.

형제 위구(危懼)하더니, 유씨 술사를 불러 망기(望氣)144)하자 함은 벌써 안 일이라. 무고를 파내매 숙모 사기(辭氣) 그만하여 두지 않을 줄 헤아리더니, 추밀의 책함을 들으매 그 변심함이 집이 장차 망할 징조라. 입이 쓰니 무슨 말이 나리오. 면관해의대(免冠解衣帶)145)하고, 돈수(頓首)하여 불초무상(不肖無常)함을 청죄하고, 무고지죄(巫蠱之罪)가 존당을 범함을 물시할 바 아니로되, 존당 위질이 가복(可復)하신 후 다스려 사핵고자 함을 고하니, 효순한 낯빛과 공조(恐操)146)한 예모(禮貌)며 나직한 모양이 무엇을 그르다하며, '오관(五官)147)이 공허하고 염통에 쉬슬어148) 이렇듯 어둑하나'149), 전일 자질을 별륜(別倫) 자애(慈愛)하던 바는 없지 아니한지라. 엄한 빛을 거두어 관을 주어 승당함을 명하여 왈,

---

140) 초황(焦惶) : 초조하여 어찌할 바를 모름.
141) 행불이역(行不移易) : 행동을 조금도 달리함이 없음.
142) 초고(憔枯) : 몸이 몹시 마르고 야위어 수척함.
143) 우연(尤然) : 더욱 더함.
144) 망기(望氣) : 엉기어 있는 기운(氣運)을 보아서 일의 조짐을 알아냄.
145) 면관해의대(免冠解衣帶) : 관(冠)을 벗고 옷에 두른 띠를 풂.
146) 공조(恐操) ; 두려워하는 거동.
147) 오관(五官) : 다섯 가지 감각 기관. 눈, 귀, 코, 혀, 피부를 이른다.
148) 쉬슬다 : 파리가 알을 여기저기에 낳다.
149) 오관(五官)이 공허하고 염통의 쉬슬어 이렇듯 어둑하나 : 오관의 지각이 없고 심장이 뛰지 않아 아무런 의식이 없는 모양을 빗대어 이른 말.

"내 너희를 보기 싫은 거동으로 대죄하라 않으니 빨리 죄인을 사핵하라."

어사 승명하여 외실의 나와 하리를 모으고 형위(刑威)를 베풀어 사당(四堂) 시비며 정당 시녀를 잡아내어 추문(推問)하니, 호령이 엄숙하고 위의 광풍제월(光風霽月)150)같으나 홍선 등이 충의 개세(蓋世)하여 '개자추(介子推)의 할고지충(割股之忠)'151)으로 흡사하거늘 백옥무하(白玉無瑕)한 주인을 해하리오. 사기(辭氣) 열렬강개(烈烈慷慨)하여 죽기를 돌아감같이 하되, 아시아(兒侍兒) 교란은 정당이 색책(塞責)152)으로 정소저에게 사급한 바라. 차시 어사의 호령이 엄숙하고 위의 삼엄하니, 교란이 유씨와 경아로 심복이라. 동심처결(同心處結)하여 그 틈을 엿보되, 소저 사사에 민첩하고 비배(婢輩)로 언소(言笑)함이 없으니 모책(謀策)을 못하더니, 묘랑과 유씨의 모계(謀計)로 정·진 양 소저의 글씨를 도적하여, 경애 자획을 모뜨되 능치 못하니, 묘랑의 요술로 옮긴데, 요인이 감히 진체(眞體)를 습(習)지 못하니, 환술로 범인(犯人)을 얼러153) 축사를 의방(依倣)154)하니라.

불하일장(不下一杖)에 복초 왈,

"비자는 태부인 명으로 채봉각 비예(婢隸)에 충수(充數)하나 시키시는 바를 듣자올 뿐이러니, 모일에 진소저 소비로 더불어 여차여차 하시고,

---

150) 광풍제월(光風霽月) : ①비가 갠 뒤의 맑게 부는 바람과 밝은 달. ②마음이 넓고 쾌활하여 아무 거리낌이 없는 인품을 비유적으로 이르는 말.
151) 개자추(介子推)의 할고지충(割股之忠) : 중국 춘추시대 진나라 문공을 섬겨 19년 동안 함께 망명생활을 했던 개자추가 망명생활 중 문공이 굶주리자 자신의 넓적다리 살을 베어서 바쳤다는 고사를 일컫은 말.
152) 색책(塞責) : ①책임을 면하기 위하여 겉으로만 둘러대어 꾸밈. ②체면치레로 선심을 씀. ③ =생색.
153) 어르다 : ①어떤 일을 하도록 사람을 구슬리다.
154) 의방(依倣) : 남의 것을 모방하여 본뜸.

이 약봉을 주시며, '존당 벽 틈에 끼우면 태부인 환후 가복(可復)하실 것이오. 너를 중상(重賞)하리라.' 하시므로, 소비 존당의 신임하던 비자이므로 유익하다 하여 두루 매치(埋置)함이니, 이 일이 이다지도 중대할 줄이야 몽매(夢寐)에나 생각하였으리까? 이 밖에 아뢸 바 업나이다."

어사와 직사 요비(妖婢)의 혀 놀림이 간사하여, 간인의 행계 정·진을 아울러 죽여 자신들의 우익(羽翼)을 없애고, 아주 자신들을 멸망코자 함을 통한하여, 요인의 머리를 베어 가란을 진정코자 하나, 마땅히 어떻게 해볼 도리가 없어, 다만 되어 감을 볼 뿐이라. 불긴(不緊)한 형벌을 애매한 비자에게 더함이 부질없어, 난의 초사(招辭)를 거두어 추밀께 드리니, 추밀이 전일 성정이 있으면, 요비를 오형(五刑)[155]을 가해 정·진을 신원코자 하련마는 이미 요약에 병들어 실성소혼(失性消魂)하였으니 명상(明爽)한 처치 있으리오. 다만 이르되,

"내 신질(身疾)에 침폐(沈廢)하여 가사를 전연 부지함으로, 자정 시봉이 불엄(不嚴)하여 이런 변이 미치니, 장차 어찌 하리오. 양 질부의 행악이 자당을 무고함이 강상대죄(綱常大罪)를 벗지 못할 것이로되, 그 부형의 안면을 아니 보지 못하리니 상량(商量)하여 함이 좋도다."

어사 형제 부숙의 언사 해연(駭然)함이 여지없어, 병입골수(病入骨髓)함을 느껴 간담이 최절(摧折)하니, 어느 겨를에 처실을 근심하리오. 다만 면관 돈수 왈,

"존당 위질(危疾)이 유자(猶子) 양처(兩妻)의 죄악으로 비롯하였삽는지라 어찌 일시나 용서하리까마는, 한 시비의 초사(招辭)[156]로는 사명

---

155) 오형(五刑) : 조선 시대에, 중국 대명률에 의거하여 죄인을 처벌하던 다섯 가지 형벌. 태형(笞刑), 장형(杖刑), 도형(徒刑), 유형(流刑), 사형(死刑)을 이른다.
156) 초사(招辭) : 조선 시대에, 죄인이 범죄 사실을 진술하던 일. =공초(供招).

(死命)을 바야지157) 못하오리니, 당당이 이이(離異) 출거(黜去)하옴이
마땅할까 하나이다.”

유씨 문득 내달아 가로되,

“네 말이 가소(可笑)롭도다. 정·진 양인이 존당을 시역지심(弑逆之
心)을 품어, 무고악사(巫蠱惡事)로 저주하여 존당이 위태하실 뻔했거늘,
여등이 요예지물을 넣은 것같이 파내고, 실성한 아자비 질자와 양자 중
한 줄만 알고, 존고 위질(危疾)은 헐후(歇后)158) 하여, 명명한 초사(招
辭)와 축사(祝辭)를 보고도 악인을 편할 도리로 영출(永黜)하려 함이,
차마 인자(人子)의 도리리오. 너희 저리 포악하여 시역지심(弑逆之
心)159)을 품은 아내를 시켜 저주(詛呪)를 행하고, 일이 난처하매 술사도
시키지 않고, 스스로 파냄은 그 소문을 은닉고자 함이요, 어리석은 아자
비160)를 업신여김이라. 교란의 입으로 직고함을 통하여 죽도록 형추
(刑推)하고, 아내를 내치자 하니, 차는 동심(同心) 교통(交通)하여 우리
를 무찌르고자 함이니, ‘심의(深矣)라. 말지어다!’족히 대역도 하리니
어찌 한심치 않으리오.”

어사 그 뜻을 모르리오마는 일이 이에 이르러 가변이 망측하고, 공이
어림쟁이 같아서 위·유의 입 놀리는 대로 하니, 다만 질아의 대죄하는
양을 정신없이 보다가, 가로되,

“무고 축사 필적이 양 질부의 소작(所作)임을 너희도 목도하였으니 사
죄(死罪) 당연하되, 정·진 양공이 나와 교도 골육 같으니, 혹 요악한
비배(婢輩) 주인을 해하였으면 원앙(怨怏)함이 괴이치 아니하되, 글씨

---

157) 바야다 : 재촉하다. 서두르다.
158) 헐후(歇后)하다 ; 대수롭지 아니하다.
159) 시역지심(弑逆之心) : 부모나 임금을 죽이려 하는 마음.
160) 아자비 : 아저씨. 작은아버지.

분명하니 발명(發明)이 어려운지라. 그 영출(永黜)함은 피차에 요란하니, 지금은 나의 병(病)이 미류(彌留)하니, 아직 수계(囚繫)하여 종용이 사핵함이 양편(良便)할까 하노라. 질아는 엄히 가쇄(枷鎖)하라".

어사 수명이퇴(受命而退)하니, 유씨 공을 도도아 왈,

"명공(明公)이 그 족하를 두려 수계하라 함이 가소롭지 아니랴. 광천이 요처에게 혹하여 질녀로 하여금 한(恨)이 장신(長信)[161]에 미치게 하여, 공규잔등(空閨殘燈)[162]에 홍수(紅袖)를 맺어 차루(嗟淚)[163]하여 호박침(琥珀枕)[164]을 느끼고, 한이 비상(飛霜)[165]의 미쳤으되, 마침 질애 인세 간 다시없는 성덕(聖德)이라. 저의 명도(命途)를 탄할지언정 존당을 지극 효봉하니, 저해를 수계(囚繫)하매 원을 아질(我姪)에게 풀리니, 내 자식의 박명도 서러울 일이로되, 석낭의 마음을 돌이키지 못하여 서럽거늘 질녀의 신세조차 겸하니, 정·진의 학정(虐情)과 시포(猜暴)함이 아니 미친 데 없어, 광천에게 참소하여 나의 십대(十代) 이상을 다 들추어 흉언패설(凶言悖說)이 무수(無數) 부지(不知)라. 상공이 첩을 행로(行路)같이 아는 고로 그러함이라. 발부(潑婦)를 가두기는 가두려니와, 무죄한 질녀를 욕하게 못하리니, 청춘 박명으로 구타를 받고 광천의 질욕을 받아 마침내 명을 마치리로다."

하고 정당으로 가니, 어사는 숙모의 맹랑한 말로 어림쟁이 되어 앉아 있는 추밀에게 '남은 땅이 없이'[166] 참소함을 지원극통하되, 발명(發明)

---

161) 장신(長信) : 장신궁(長信宮). 중국 한(漢)나라 때 장락궁 안에 있던 궁전으로 주로 선황제의 살아 있는 아내인 태후가 살았다.
162) 공규잔등(空閨殘燈) : 깊은 밤 오랫동안 남편 없이 아내 혼자서 사는 방의 꺼질락 말락 하는 희미한 등불.
163) 차루(嗟淚) : 어떤 일을 탄식하며 눈물을 흘림.
164) 호박침(琥珀枕) : 호박으로 꾸민 베개.
165) 비상(飛霜) : 하늘에서 서리가 내림.

할 곳이 없는지라, 계부의 병이 심상치 않음을 각골초전(刻骨焦煎)하고 가란이 아무 지경에 미칠 줄 모르는지라. 어찌 처자를 괘념(掛念)하리오.

유씨 나상을 떨치고 정당에 이르니, 이날 위노(老) 질세(疾勢) 가복하였는지라. 보미[167]를 진음하고 거동하더니, 유씨 왈,

"존당 성후(聖候)가 만분위중하시되, 증세 괴이함을 묻어두고 잠잠잠히 있는 흉의(凶意)를 절분(切忿)하고, 부자(夫子)의 환후가 자리를 떠나지 못하시니, 이때를 당하여 간담(肝膽)이 최절(摧折)하되, 광천의 안면을 보지 못하여 술사를 불러 망기(望氣)하자 하여 상의하니, 광천이 냉연소지(冷然笑之)[168]터니, 저회 '귀 맞춘 일'[169]이라, 첩의 입을 막지 못하여 벽 사이의 요예지물과 축사를 얻은 즉, 정씨의 소작(所作)이라. 진씨 동참하였으니, 그 요악지설을 차마 존전에 아뢰리까? 시비 교란을 저주니 초사(招辭) 여차여차 하거늘, 짐짓 중형을 가해 죽이고 구설(口舌)을 막고자 하되, 상공이 몽롱(朦朧)이 수계(囚繫)하라 하니, 발악이 무궁한지라. 풀어진 추밀이 어찌 죄를 밝히리까? 복망 존고는 명정기죄(明正其罪)[170]하시어 후화(後禍)를 덜기를 바라나이다."

위흉이 가뜩이나 여러 날을 앓아 어사 형제와 정·진·하·장을 너흘고자[171] 하다가, 그 도도를 보매 조각을 얻었다 하고, 벽력같이 소리 지르며, 상(床)을 박차고, 붉은 눈을 뒤룩이며, 나창(羅窓)을 열치고, 급히 정·진을 잡아오라 하니, 이때 정·진 이 소저 대화를 만나, 정소저

---

166) 남은 땅이 없이 : '여지(餘地)없이'의 번역어. '달리 어찌할 방법이나 가능성이 없이'의 뜻.
167) 보미 : 미음.
168) 냉연소지(冷然笑之) : 차게 웃음.
169) 귀 맞춘 일 : 서로 말을 맞추어 짜고 한 일.
170) 명정기죄(明正其罪) : 명백하게 죄목을 지적하여 바로잡음.
171) 너흘다 : 물다. 물어뜯다. 씹다.

는 벌써 짐작한 일이라 당하의 석고대죄(席藁待罪)하였더니, 존당의 흉한 호령이 산악이 울리니 진소저를 이끌어 왈,

"명(命)이 재천(在天)하고 시운을 탄할 따름이니, 새로이 놀랄 바 없으니, 현제 초전(焦煎)하여 약질이 수부(囚俘)[172]함을 놀라나, 금일 아등의 당한 바는 불과 크면 수계(囚繫)요, 적으면 영출(永黜)이건마는 또 영출하는 즐거움이 쉬우리오. 가두고 형극(荊棘)을 쌓으리니 현제는 동심(動心)치 말라. 아등의 액회(厄會)는 소사(小事)니 탄할 바 아니로되, 부자(夫子)의 천금 중신이 어느 지경의 미칠 바를 모르니, 이 마디에 오내(五內)[173] 촌단(寸斷)하되, 윤문의 십년 가화(家禍)를 하늘이 정하신 바니 또 어찌 하리오. 다만 존고는 구조모로 더불어 안안(晏晏)히 피화하시어 차경을 모르심이 만행이로다."

언파에 거적을 이끌어 당하의 복명하니, 위노 양 소저를 보매 고대 삼키고자 양안(兩眼)을 뒤룩이며 팔을 뽐내며 왈,

"너 정·진 양요물(兩妖物)이 내 명(命)을 해하려 대악을 저질렀으니, 내 너희를 인의(仁義)로 거느리니 무엇이 부족하여 간흉(奸凶)을 장포(藏鋪)하여 저주로 죽이고자 하느뇨? 빨리 직고하라."

정소저 복수 사죄 왈,

"첩 등의 '죄 불용주(不容誅)'[174]라. 당하에 사죄를 청하옵나니, 축사와 초사 명명한 바에 구구삼설(九口三舌)이나 발명치 못하오리니, 밝히 처치하심을 바라나이다."

유씨 냉소왈,

---

172) 수부(囚俘) : (죄를 짓고) 잡혀 (옥에) 갇힘.
173) 오내(五內) : 오장(五臟). 간장, 심장, 비장, 폐장, 신장의 다섯 가지 내장을 통틀어 이르는 말.
174) 죄 불용주(罪 不容誅) : 죄가 너무 커서 목을 베어도 오히려 부족함.

"그대 사죄하는 언사가 빛나도다. 나 같은 아자미 한 구석에 있음을 꺼리고, 존당이 어떠하신 몸이리오마는, 농판[175] 추밀은 범백(凡百)을 조씨에게 다 밀어두고 외사는 광천을 맡기니, 양양 자득하여 있는 것을 없이하려 흉모(凶謀)를 수창(首唱)하나, 하늘이 듣지 않아 패루(敗漏)하니 어느 면목으로 발명하리오."

양 소저 환패(環佩)를 그르고 잠이(簪珥)[176]를 빼어 자의(自意)로써 대명하여 죄 내림을 기다리더니, 유씨의 억탁(臆度)과 태부인의 호령이 차악하되, 불변안색하고 석고대죄(席藁待罪)[177]러니, 추밀이 양 질부를 수계(囚繫)하라 하나, 두루 의심됨이 병중에도 없지 않더니, 태부인의 시랑 같은 호령을 들으매, 혹 태장을 하는가 하여, 자질에게 붙들려 겨우 행보를 옮겨 정당에 이르러, 질세(疾勢) 가복(可復)하심이 다행함을 고하니, 위노 추밀의 침병함을 우려하다가 홀연 기동(起動)함을 반기고 놀라 창호를 닫고 가로되,

"나의 병은 저주의 빌미거니와 너의 유질은 지루하되 차성(差成)치 않으니 근심되더니, 기동하니 기쁘도다."

추밀이 흠신 대 왈,

"자위 위질이 쾌소(快蘇)하시나 오히려 방심치 못할 때에 성체 요동을 과히 하시니 강질(强疾)하여 현알(見謁)하나이다."

위노(老) 그 아들의 기부(肌膚) 환탈함을 놀라 소리를 낮추어 왈,

"가내에 요인이 모였으니 이런 변을 지으나, 광아 등이 고당에 편히 두고 흉모를 동모(同謀)하려 하여 영출(永黜)하자 하니, 이는 집을 아조

---

175) 농판 : '멍청이'의 전라도 방언.
176) 잠이(簪珥) : 비녀와 귀고리를 함께 이르는 말.
177) 석고대죄(席藁待罪) : 죄인이 거적을 깔고 엎드려서 임금의 처분이나 명령을 기다리던 일.

망하려 함이라. 분해(憤駭)하여 수죄(數罪)하더니 네 들어왔으니 쾌히 결단하라."

추밀이 이성화기로 대 왈,

"차사가 비록 존당을 저주하는 사죄(死罪)오나, 그 부형의 안면을 보아 혹벌(酷罰)은 못하오리니 아직 후정(後庭)의 가두어 전두(前頭)를 보아 처치코자 하나이다."

하니, 차희(嗟噫)라! 어사 형제와 정·진·하·장 사인의 화액이 어느 곳에 미치며, 간인의 악사 옥누항 윤명천공 가택을 남긴가!

공의 수계명이 내리매, 유씨 모녀 이때는 조부인을 없앤 후라. 가권을 잡아 노복을 호령하여 일호나 어사 형제의 천역을 대행함을 안즉, 혹형(酷刑)을 가하는지라. 여러 장확(臧獲)[178]으로 후원 깊은 곳에 자리한 연원정이란 당사(堂舍)에, 양 소저를 몰아 가두니, 흙바닥이 참혹한데 사벽이 다 떨어졌고 음참(陰慘)하여, 백주(白晝)라도 햇빛을 보지 못하고, 귀매(鬼魅)의 자취 은은한데, 어찌 금옥(金玉) 도장[179]의 천금 귀소저의 몸을 안접(安接)할 곳이리오. 요인의 작사(作事)가 지악(至惡)함이 여차하여, 당중(堂中)에 몰아넣으며 포진금침(鋪陳衾枕)[180]도 못 가져가게 하니, 유모 시비 등도 따르지 못하니, 진소저 안색이 여회(如灰)하되, 정소저는 한번 탄식하고 길이 미소하여, 모든 시아와 유모를 물리치고 태연이 갇히니, 홍낭 등 두어 비자가 죽기를 그음하여 양 소저를 붙들어 한가지로 갇히니, 사변으로 가시를 덮어 밖으로 통치 못하게 한

---

178) 장확(臧獲) : 종. 장(臧)은 사내종을, 획(獲)은 계집종을 말함.
179) 도장 : 규방(閨房). 부녀자가 거처하는 방.
180) 포진금침(鋪陳衾枕) : 바닥에 깔아 놓는 방석, 요 따위와 이불, 베개 등을 통틀어 이르는 말.

후, 문을 잠그니, 묵묵(黙黙)한 호천(昊天)이 감동함이 종시 없으시냐? 차후 속죽(粟粥) 한 그릇도 주지 아니하고 물도 금하니, 그 아사(餓死)함이 호흡지간(呼吸之間)이러라.

　양 소저를 처치하매 하·장 이인이 머리 위에 벽력(霹靂)이 임한 듯 서로 보호하더니, 유씨 궁극 획책하여 문틈을 엄히 하여 각부(各府)[181] 사람을 통치 못하게 하니, 생도가 망단(望斷)하고, 하소저는 친당(親堂)을 바라매 잔도(棧道)[182] 끊겨지고 검각(劍閣)[183]이 막히니, 효녀의 의망(依望)하는 회포 가없거늘, 양부모의 은혜로 구약을 성전(成全)하니, 앉은 방석이 덥지 않아 구가 존당과 고모(姑母)의 부자(夫子)를 보채는 형벌은, 그윽한 밤과 암실 가운데 물어뜯으며 응지(凝脂)같은 설부(雪膚)를 너흘어[184], 가만히 죽지 않음을 한하며, 포학한 형벌이 일시 안헐(安歇)함을 얻지 못하여, 밤으로 낮을 이으나, 다 각각 가장(家長)의 급난(急難)을 풀지 못하니, 자신 등의 괴로움은 여사(餘事)라. 좋은 일 보듯 견디나 옥태(玉態) 감하고 약질이 수부(囚俘)하니, 다만 청신야우(淸晨夜雨)[185]에 혹 수매(睡寐)하여 꿈에 넋을 인하여 검각관(劍閣關)[186]을 너머 친위(親位)를 앙배(仰拜)할 뿐이니, 다만

---

181) 각부(各府) : 각 부중(府中). 각 집안. 여기서는 정·진·장부를 말함.
182) 잔도(棧道) : 험한 벼랑 같은 곳에 낸 길. 선반처럼 달아서 낸다.
183) 검각(劍閣) : 검각; 중국 사천성에 있는 현(縣) 이름. 특히 검각현의 대검산 소검산 사이에 난 잔도(棧道)는 험하기로 유명하다.
184) 너흘다 : 물다. 물어뜯다. 씹다.
185) 청신야우(淸晨夜雨) : 맑은 새벽과 비 내리는 밤.
186) 검각관(劍閣關) : 검각(劍閣)의 관문. *검각(劍閣); 중국 사천성에 있는 현(縣) 이름. 이곳에 있는 잔도(棧道)는 길이 험하기로 유명하다.

"척피호혜(陟彼岵兮)여   산 위에 올라

첨망부혜(瞻望父兮)로다.   아버님 계신 곳 바라보네

척피기혜(陟彼屺兮)여   산 위에 올라

첨망모혜(瞻望母兮)로다."   어머님 계신 곳 바라보네[187]

를 읊으며, 장소저로 더불어 주야 난간 밖에 대후하여 복사(服事)[188]하니, 경아의 모질이 꾸짖는 욕이 아니 미친데 없으나, 일양(一樣) 온공승순하여 일호(一毫) 원탄(怨嘆)함이 없음으로, 더욱 꺼려 이완(弛緩)타 꾸짖고, 약질이 당치 못할 일을 시험하면 장씨 아무 천역 이라도 도우니, 이렇듯 춘하(春夏)를 지내고 초추(初秋)를 맞되, 양 소저는 수계하고 하·장은 고역 중 졸리는 죄인이 되어, 영어(囹圄)[189]의 유수(幽囚)함이 아니나, 오악(五惡)[190]의 밥[191]을 구하는 망(網)을 벗어나지 못하니, 의용이 날로 초췌하고, 농(籠) 속의 앵무 아니로되 또 앵무의 편함을 바라지 못하니, 질풍(疾風)에 쓰러질 바로되 일단 견고함은 철옥(鐵玉) 같더라.

---

187) 『시경(詩經)』〈위풍(魏風)〉 척호(陟岵)편에 나오는 시구(詩句). 군역(軍役)에 나간 아들이 고향에 계신 어버이를 그리는 정을 노래한 시. 陟彼岵兮(산위에 올라) 瞻望父兮(아버님 계신 곳 바라보네) 父曰嗟予子(떠나올 때 아버님 말씀, 아아 내 아들아) 行役夙夜無已(군역엔 밤낮 쉴 새도 없겠지) 上愼旃哉(무엇보다 몸조심하여) 猶來無止(적군에게 붙잡히지 말고 돌아오너라) / 陟彼屺兮(산위에 올라 瞻望母兮(어머님 계신 곳 바라보네) 母曰嗟予季(떠나올 때 어머님 말씀, 아아 우리 막내) 行役夙夜無寐(군역엔 밤낮 잠도 제대로 못 자겠지) 上愼旃哉(무엇보다 몸조심하여) 猶來無棄(어미 말 저버리지 말고 돌아오너라)

188) 복사(服事) : 좇아서 섬김

189) 영어(囹圄) : =감옥

190) 오악(五惡) : 위태부인, 유씨. 경아, 유교아, 묘랑 등 다섯 악인.

191) 밥 : 죄인에게 심한 형벌을 가하여 저지른 죄상(罪狀)을 불게 하는 일.

유씨 요약으로 추밀을 잠그고192), 정·진을 서릇고, 하·장을 조르고 보챔을 마음대로 하되, 석공의 구정(九鼎)193)같은 마음은 돌이키지 못하니, 여아를 행로(行路)194)같이 여겨, 재취하매 오소저의 색광재덕(色光才德)이 합사(闔舍)195)에 진동하고, 상서의 중대와 존당 구고의 사랑이 무비(無比)한 소식이 다다(多多)하나, 한갓 모녀 머리를 맞대고 이를 갈아 원망이 철천(徹天)하되, 무슨 수단으로 오소저를 없이하고 석상서를 회심케 하리오.

오직 묘랑을 대하여 좋은 모책을 물으면, 묘랑이 눈썹을 찡기고 한 일을 계교하면 천금을 징색하니, 날마다 나가는 금은이 수를 모르니, 점점 용도 부족한지라. 수다 노복을 내어 놓고, 어사 형제로 뜰을 쓸리고, 풀을 베이고, 말을 먹이며, 새끼를 꼬게 하여, 기괴한 천역을 시키니, 어사 우주를 받칠 기품이라. 직사는 티 없이 맑고 좋음이 옥과 얼음 같으니, 어사 자가의 당한 바는 심상(尋常)하되, 아우의 거동을 차마 보지 못하여 마음이 아프고 뼈가 저리니, 그 수고를 스스로 당하면, 직사 또한 어사의 잡는 바를 따라 조역(助役)하니, 차마 견딜 버리오. 화풍이 소삭하고 경운(慶雲)이 날로 초고(楚苦)하되, 일일 속죽(粟粥) 한 그릇이 변변치 않고, 기아(飢餓)함이 극하여 기진할 때면, 조부에서 가만히 보내는 미시196)로 요기(療飢)하며197) 보명(保命) 하더라.

---

192) 잠그다 : ①여닫는 물건을 열지 못하도록 자물쇠를 채우거나 빗장을 걸거나 하다. ②물속에 물체를 넣거나 가라앉게 하다.
193) 구정(九鼎) : 중국 하(夏)나라의 우왕(禹王) 때에, 전국의 아홉 주(州)에서 쇠붙이를 거두어서 만들었다는 아홉 개의 솥.
194) 행로(行路) : 늑행로인.
195) 합사(闔舍) : 온 집안.
196) 미시 : 미숫가루. 찹쌀이나 멥쌀 또는 보리쌀 따위를 찌거나 볶아서 가루로 만든 식품.

경아 모친께 의논하되,

"소녀 매양 물러 있으매 석군이 가사를 오씨를 맡겨 소녀의 자리를 웅거(雄據)하였으니, 묘랑을 데리고 구가의 가 오씨를 없이하여 설분(雪憤)코자 하나이다."

유씨 탄 왈,

"나도 이 뜻이 있은 지 오래되, 아직 정·진·하·장 등을 없애고 광천 형제를 절제(切除)하여 분을 푼 뒤, 너의 전정을 도모하여 안중정(眼中釘)198)을 없애고자 하니, 아직 너의 부친 마음을 얻은 때 차차 설계하리니, 조급히 서둘지 말라. 나의 주야 불같은 간장이 현아로 영해(嶺海)199) 수졸(戍卒)의 아내를 삼아 간 후 소식도 모르고, 구질(姪)의 말을 들으매, 그 가운데 하랑(郞)의 박대 태심(太甚)타 하니, 데리고 있는 자식은 비록 남편의 박대와 구가(舅家)의 증염을 받으나, 내 안전(眼前)에 있으니 의식기한(衣食飢寒)200)은 근심치 않으나, 현아는 촉지(蜀地) 죄수(罪囚)의 생활이 오죽하랴. 소식채근(蔬食菜根)201)을 잇지 못하는 지경에 현애 어찌 살아있으리오. 구회촌단(久懷寸斷)202)하노라."

경애 탄식 왈,

"소녀 마침 슬하에 있어 한서기포(寒暑飢飽)를 모름지기 아우에서 나을 따름이나, 소천(所天)이 염박(厭薄)하며 강적(强敵)이 득의하여, 명예(名譽) 때때 귀를 놀랠 적, 흉억(胸臆)이 뛰노는 듯하니, 마친 신세 아

---

197) 요기(療飢)하다 : 시장기를 겨우 면할 정도로 조금 먹다.
198) 안중정(眼中釘) ; 눈엣가시. 몹시 밉거나 싫어 늘 눈에 거슬리는 사람.
199) 영해(嶺海) : 바다에 접해 있는 산봉우리.
200) 의식기한(衣食飢寒) : 입고 먹는 것이 여의치 못하여 배고프고 추움.
201) 소식채근(蔬食菜根) : 나물밥과 나물반찬.
202) 구회촌단(久懷寸斷) : 생각할수록 마음이 끊어질듯 아픔

니니까?”

유씨 요수(搖首) 왈,

“네 이르지 않으나 내 어찌 모르리오. 광·희 양인을 다 없애고 이 부중 십만 재산을 다 들여 너의 전정(前程) 계활(計活)을 쾌히 하리니, 아직 참을 지어다.”

경애 탄식하더라,

소(小)유씨 천방백계(千方百計)로 어사의 삼취에 이르나, 신혼 초일부터 그 옷깃도 닿은 일이 없으니, 때때 존당에 시측하였다가 어사의 문안 때를 당하나, 어사의 신기한 쌍광이 요사(妖邪)를 정시치 않으매 시첨(視瞻)이 띠 위에 오르지 않고, 즉시 문안을 파하매 구유[203]에 말을 먹이며 한가한 때 없으니, 어느 겨를에 교아의 음욕을 맞혀 금슬(琴瑟)을 권하며, 또한 어사 형제 위·유의 시키는 바를 기형 괴사(畸形怪事)라도 다 순종하나, 소유씨 후대 두 자에 이르러는 아인(啞人)[204]과 폐맹(廢盲)[205]같으니, 소유씨 어사의 경운화풍을 얼핏 대하면 망혼상담(亡魂傷膽)[206]하나, 어찌 한번 돌아봄을 얻으리오. 하염없이 유몽래(有夢來)[207] 시를 외오니, 이를 갈고, 혹(或) 숙모를 대하면, 누여쌍천수(淚如雙泉水)[208]로 아당(阿黨)하는 언사(言辭) 녹는 듯하니, 유씨 더욱 어사를 골돌하여 위흉을 도도아 형벌이 아니 미친 곳이 없어, 맥죽 일기(一器)도 줄락말락[209]하니, 사람의 견디기 어려울 바로되, 어사는 현인

---

203) 구유 : 소나 말 따위의 가축들에게 먹이를 담아 주는 그릇. 흔히 큰 나무토막이나 큰 돌을 길쭉하게 파내어 만든다.
204) 아인(啞人) : 벙어리.
205) 폐맹(廢盲) : 봉사. 장님.
206) 망혼상담(亡魂傷膽) : 어떤 일에 마음이 팔려 넋을 잃음.
207) 유몽래(有夢來) : 꿈속에라도 찾아오기를 바람.
208) 누여쌍천수(淚如雙泉水) : 눈물을 두 줄기 샘물처럼 흘림.

이라, 요인(妖人)의 독수(毒手)에 마치리오.

그러나 어사 형제 참혹한 학정(虐政)을 가끔 당하나, 추밀이 도봉잠에 혼미하여, 평소 직사를 만금처럼 소중하던 바로되, 유씨 참소에 혹닉(惑溺)하여 때때 불효불경(不孝不敬)함을 책하고, 천자 어사 형제의 추상지도(秋霜之道)와 경운화풍(慶雲和風)의 높은 품질로, 들고 나지 않음을 생각하시어, 자주 행공함을 재촉하시나, 칭병불사(稱病不仕)하니, 조정이 의아하고 친붕이 외헌에 모여 청하되, 병이 깊어 대객(對客)치 못함을 사례하고, 백화헌이 비었는지라. 모두 낙낙(落落)히 돌아가고, 윤부의 문후하는 시비 연속(連續)하였으되 문을 막고 들이지 않아 서간도 받지 않으니, 금후 윤가 변고를 짐작하나, 태부인이 아시면 우환을 삼으실지라. 사색치 않으나 낙양후를 대하면 광미(廣眉)를 찡기고 왈,

"근간 명강이 병들다 하되 보지 못하고, 여아의 귀녕을 청코자 하되, 명강을 보아 청하려 하였더니, 여러 친붕이 가도 보지 못하고, 서랑(壻郎) 형제 병들어 직사(職事)를 폐하니, 연고를 모르리로다."

낙양후 탄 왈,

"조가(朝家)의 가 들으니 사빈이 무슨 병이 가볍지 않다 하더니, 사원도 유질(有疾)타 하니 사고 많아 묻지 못하였다."

하더라.

어시에 정·진을 연원정에 가둔 후 가시로 틈 없이 쌓아, 속죽 맥반도 주는 바 없고, 천일을 불견(不見)하고, 무너진 벽은 풍우를 가리기 어렵고, 초사(草舍)엔 수목이 한 길210)이나 하고, 더러운 초충이 가득하며, 흙내 코를 거스르니, 일시를 견딜 바 아니라. 뒤로 운산이 막혀 천봉만

---

209) 줄락말락 : 줄까말까.
210) 길 : 길이의 단위. 한 길은 사람의 키 정도의 길이이다.

학(千峰萬壑)이 중수(中峀)211)에 등분(等分)하여, 기와 틈으로 우러러 보면 사람이 의관갑주(衣冠甲冑)212)를 하고 서있는 듯, 은은히 무섭고 두려운지라. 양 시비와 진소저는 기진(氣盡)하여 두려움을 이기지 못하되, 정소저는 태연자약(泰然自若)하여 가로되,

"현제는 지란(芝蘭)같은 약질이 이곳의 위태함을 어찌 견디리오마는, 사이이의(事而已矣)213)라. 관억(寬抑)하라, 그러나 부자(夫子)의 위란이 종당(終當)214)엔 호구(虎口)에 떨어졌으되, 아등이 이 가운데나 보호하여 근심을 끼치지 말미 가하니라."

진소저 애읍 왈,

"저저는 천균대량(千鈞大量)215)이시고 애락감고(哀樂甘苦)에 불수성색(不垂聲色)216)하시나, 소저는 협량(狹量)이라, 훈아여217) 혼백이 흩어진데, 일찍 이곳에 옴으로부터 인적(人跡)이 끊겼고, 작수(勺水)를 통치 못하니, 심수(深邃)한 원중(園中)에 취운산 최고봉이 참치(參差)히 서있는 거동이, 억만 군병이 갑주(甲冑)218)를 갖추고 서 있는 듯하여, 희미한 월하(月下)에 두렵고 무서울 적은 휘휘한219) 마음이 저저께 의지하여 진정하니, 어찌 보전함을 바라리오. 소제 죽는 날도 부모께 가없

---

211) 중수(中峀) : 가운데 산봉우리.
212) 의관갑주(衣冠甲冑) : 갓 쓰고 도포 입은 사람의 모습과 갑옷입고 투구를 쓴 사람의 모습.
213) 사이이의(事而已矣) : 어쩔 수 없는 일이다.
214) 종당(終當) : 마지막, 끝내.
215) 천균대량(千鈞大量) : 천균(千鈞)이나 될 만큼 도량이 크다. 1균은 30근
216) 불수성색(不垂聲色) : 어떤 감정이나 기운이 말소리와 얼굴빛에 깃들거나 들어나지 않음.
217) 훈아이다 : 혼(魂)을 빼앗기다. 넋을 잃다.
218) 구갑주(具甲冑) : 갑옷과 투구를 갖추어 입고 씀.
219) 휘휘하다 : 무서운 느낌이 들 정도로 고요하고 쓸쓸하다.

는 불효를 생각한즉 슬픔을 어찌 참으리오."

언파의 추파(秋波) 연협(蓮頰)에 이음차니[220] 정소저 역시 막불시비(莫不是悲)[221]하여 휘루(揮淚) 왈,

"현제 참고 견디라. 아등의 액회 멀었고, 구가 가화 십년 후에야 그치리니, 오는 액은 성인도 면치 못하시니, 과상하여 어찌 하리오. 다만 물길이 끊겼고 속죽일기(粟粥一器)도 주지 않으니, 존당 뜻이 아니라 기간(其間)[222]의 용사(用事)이니, 아등이 힘힘히[223] 아사함이 하늘 뜻이 아니라, 어찌 도리 없으리오."

하고 무너진 벽 틈으로 보니, 후벽 뒤는 심수(深邃)하고 고봉만학(高峰萬壑)이 완연이 성(城)이 되었으므로 가시를 덥지 않았는지라. 정소저 이를 보고 양 시아를 명하여 벽 떨어진 것을 쾌히 트고 산 뒤로 푸른 바위 층층이 덥혀있고 가느다란 틈이 있는데, 푸른 이끼 두터운지라. 시비로 긁어내라 하고 가만히 묵축(默祝) 왈,

"누첩(陋妾) 정·진 양 인이 심벽험처(深僻險處)에 수계(囚繫)하여 불식 수일에 또 작수(勺水) 불통이라. '천작얼(天作孼)은 유가위(猶可違)라'[224] 하신대, 대죄(大罪) 자작(自作)이 아님을 명명(明明)하신 상제(上帝) 조림(照臨)[225]하시고 물길을 주시어 상하 네 낱 인명을 구하소서."

---

220) 이음차다 : 잇따르다. 연잇다.

221) 막불시비(莫不是悲) : 몹시 슬프다. 슬픔을 이기지 못하다.

222) 기간(其間) : 그 사이에 있는 존재들. 곧 존당인 위태부인의 뜻을 조종하고 있는 유씨·경아·유교아 등의 악류들을 뜻함.

223) 힘힘히 : 부질없이.

224) 천작얼(天作孼)은 유가위(猶可違)라 : '하늘이 내리는 재앙은 가히 피할 수 있다. 『맹자』〈공손추장구상(公孫丑章句上)〉의 '天作孼猶可違 自作孼不可活(하늘이 내린 재앙은 피할 수 있지만 자신이 지은 재앙은 피할 수도 없다)'에서 따온 말.

225) 조림(照臨) : 신불(神佛)이 세상을 굽어봄.

빌기를 마치매 암석 사이로 폭포가 솟아, 은하수 한 줄기 솟아 고이니, 정소저 이리 올 적 옥종(玉鍾)226)과 야명주(夜明珠)227)를 나군(羅裙) 속에 감추어 왔던지라. 칠야(漆夜)에의도 누실을 밝히고, 옥종으로 물을 떠 늘 먹으니 감미 청렬(淸冽)하고228), 또 허핍(虛乏)함이 나아 기운이 상량(爽凉) 씩씩하니, 양 시아 기이함을 일컫고, 진씨의 사라지던 정신이 요연(瞭然)하여 기아(飢餓)함이 없으니, 정소저 희왈,

"차(此)는 천의라."

하고, 이후는 배고프면 물을 먹어 기갈을 모르나, 서로 이르대,

"이 가운데 자리 있으면 견딜 바로되, 이 도리 난득(難得)이라. 선이 암석 속으로 말미암아 산을 넘으면 진부 별원이니, 자리를 얻어 오면 좋을 것이로되 삿자리를 수전(輸轉)229)함이 어렵도다."

홍선이 대 왈,

"소비 이만 쉬운 일을 봉행치 않으리까? 즉시 암석 사이로 말미암아 서너 잎 자리를 수운(輸運)하리이다."

하고, 표연히 나서는지라. 소저 탄 왈,

"아 등이 죄여구산(罪如丘山)230)하니, 부모 동기의 존문(存問)도 끊겼으니, 이런 일을 아시면 불초 등을 사념(思念)하시어 숙식이 불안하시리니, 비자 본부에 통할까 염려하노라".

홍선은 소저를 응시(應時)하여 난 영물(靈物)이라. 소저의 뜻을 지기하고 꿇어 고왈,

---

226) 옥종(玉鍾) : 옥으로 만든 종지.
227) 야명주(夜明珠) : 늑야광주(夜光珠). 어두운 데서 빛을 내는 구슬.
228) 청녈(淸冽)하다 : 청렬(淸冽)하다. 맛이 산뜻하고 시원하다.
229) 수전(輸轉) : 물건을 들거나 실어 나름.
230) 죄여구산(罪如丘山) : 죄가 구산처럼 많이 쌓였음.

"소비 소저 장대하(粧臺下)에서 성덕대도를 앙사(仰事)하옵는지라. 부중 어지러움과 양 부인 액회를 고하여 태부인과 노야께 근심을 끼치지 아니하오리니, 어미를 은근이 찾아보고 자리를 얻고, 부중 소식을 듣고 하ㆍ장 양 소저 평문(平問)231)을 알아오리이다."

정소저 흔연 위유(慰諭) 왈,

"여언이 정합아심(正合我心)이라, 이리 함이 절당(切當)하도다."

선이 표연히 암석을 말미암아 칡덩굴을 더위잡고 장원(莊園)을 평지같이 더듬어, 채봉각 후함(後檻)232) 앞으로 안안(安安)히 내려와, 후함에 엎디어 일혼(日昏)233)을 기다리더니 당중에서 탄성이 이음차 가로되,

"양 주모는 가시 속에 감초이신 지 날을 포집고234) 양위 상공은 천역을 주야 하고 맥반(麥飯) 속죽(粟粥)도 그릇을 차게 못 드시나, 어사 노야는 진하시대 직사 상공은 그것을 차마 진치 못하시니, 하늘도 야속할사(事), 아자235)에 들으니, 석ㆍ유 두 부인이 연고 없이 하ㆍ장 양 소저를 구타하시다가, 어사 노야 들어오시다가 이 경색을 목도하시고 여차여차 간하시니, 석부인은 뒤로 닫고 유부인은 두루끄려236) 대답하시고, 양 소저를 풀어 놓으며 정당으로 들어가시니, 또 무슨 일이 날동237) 알리오. 우리 양 소저는 거의 아사(餓死)하시리니, 차라리 죽으시면 아등이 쾌히 원수를 갚고, 황양(黃壤)238) 아래 따르리로다."

---

231) 평문(平問) : 평부(平否). 안부(安否).
232) 후함(後檻) : 집 뒤쪽으로 달아낸 난간.
233) 일혼(日昏) : 저녁. 날이 어두워짐.
234) 포집다 : 포개어 놓다. 거듭되다.
235) 아자 : 아까, 조금 전, 지난 번, 이전.
236) 두루끄리다 : 두루 끌어대다. 둘러대다. 그럴듯한 말로 꾸며 대다.
237) -ㄹ동 : '-ㄹ지'의 뜻을 나타내는 어미로 무지(無知), 미확인의 경우에 흔히 쓰인다.

하고 오열(嗚咽) 비읍(悲泣)하는 소리 명명하니, 자취를 가만히 하여 문을 열고 들어가 모녀 붙들어 일장을 비읍(悲泣)하고, 소저 기거(起居)를 물으니, 낭이 종두(終頭)239)를 설파하고 오열(嗚咽) 불능언(不能言)하더라. 유모 등이 이 말을 들으매 원통한 슬픔을 이기지 못하되, 간인의 엿봄이 될까, 선을 협실의 숨기고 밥을 먹이고, 밖으로 나가 소저 상협(床篋)의 벽옥(碧玉) 두어 쌍을 시상(市上)의 파라 건어(乾魚) 미시를 많이 사고, 산과 미곡 사오 두(斗)를 환매하여 자리에 동여 놓고 선더러 왈,

"악인의 획계(劃計) 궁극하되 여러 사람을 도모하매, 각 당과 원문을 지키지 아니하고 마침 연원정 신칙만 엄히 하니, 낮은 수운할 길 없으니, 오늘 초혼(初昏)240)에 가져다 들이밀리니241), 너는 급히 건어 미시를 가져가 기갈하심을 구하라."

선이 하직고 돌아가 폭포를 떠 미시를 화하여 양 소저께 드리고, 건어를 드리니, 비록 감천수(甘泉水)로 기갈을 면하나, 화식(火食)을 끊은 지 오래니, 진원(眞元)242)이 소진하더니, 미시를 마시고 건어를 먹으매 기운이 씩씩한지라. 간인들을 만나지 않으며 어사 형제 평부를 물으니, 선이 분장(粉牆)을 너머 채봉각의 가 어미를 보고, 어려운 사연을 알고, 양 노야 만상고경(萬狀苦境)을 한 입으로 옮길 바 아니요, 하·장 양 소저의 위란은 연원정 수계에 비할 바 아님을 아뢰고, 눈물이 앞을 가리오고, 일혼(日昏) 때 유랑이 '자리와 쌀을 암상(巖上)에 얹으마.' 하더이다 하니, 양소저 부중 소식을 들으매 악착한 흉계로 어사 등과 양 소저를

---

238) 황양(黃孃) : =저승. 사람이 죽은 뒤에 그 혼이 가서 산다고 하는 세상.
239) 종두(終頭) : 처음부터 끝까지. 자초지종(自初至終), 종두지미(從頭至尾)
240) 초혼(初昏) : 초저녁.
241) 들이밀다 : 안쪽으로 밀어 넣거나 들여보내다.
242) 진원(眞元) : 사람 몸의 원기(元氣).

보채대, 구학(溝壑)의 건저 낼 술(術)이 없으니, 탄아(嘆啞)[243] 수성(數聲)에 옥루(玉淚) 쌍쌍하더라.

과연 일혼(日昏) 때 선이 바위 아래 가 기다리더니, 암석 사이로 새끼로 묶은 것이 넘어오니, 가져다가 방 안에 펴고 떨어진 벽을 가린 후, 야명주를 비추니, 촉광(燭光)을 대하고 아사(餓死)를 면하나, 옹솥[244]을 얻지 못하여 밥 지을 도리 없으니, 소저 탄 왈,

"아등의 당한 바는 오히려 편하거니와, 하·장 양제(兩弟)의 경색이 차악하니, 쌀을 두고 못 익힘을 어찌 근심하리오."

하더라.

어시에 양흉(兩凶)이 어사 형제를 못 견디도록 보채기로 그 괴로움이 아니 미친 곳이 없고, 맥죽도 주락말락하며, 옷이 살을 가리지 못하고, 태장이 일일 십이시에 떠나지 아니하나, 증증예불격간(烝烝乂不格姦)[245]하여 그 감화하기를 바라고 벼슬에 뜻이 없어, 안으로 자모와 처실이 없어 기포한서(飢飽寒暑)에 일신도 주체[246]치 못하니, 어느 낯으로 대인(對人)하리오. 다만 집에 들어 천역으로 날을 보내니, 유씨 존당에 헌계 왈,

"광천 등이 불효불초하여 강상이 중한 줄 모르고, 제 어미와 아내 없다고 '녹봉이라도 존당이 차지하시는가', '첩의 모녀 참예 하는가' 하여 꺼려, 청춘 장기로 사직하고, 그 아자비 병듦을 업신여겨, 높은 당에 안거(安居)하여 아자미를 초개(草芥)같이 여겨 주식(酒食)만 징색하니, 첩

---

243) 탄아(嘆啞) : 탄식하는 소리.
244) 옹솥 : 옹달솥. 작고 오목한 솥.
245) 증증예불격간(烝烝乂不格姦) : 차츰 어진 길로 나아가게 하여 간악한 데에 빠지지 않게 함. 『동몽선습(童蒙先習)』'부자유친(父子有親)'조에 나오는 말.
246) 주체 : 짐스럽거나 귀찮은 것을 능히 처리함.

의 신세 괴롭기 '일일(一日)이 삼추(三秋) 같으나'247) 존당과 상공 환후
로 집에 물러가도 못하나이다."

위흉이 종기언(從其言)248)하여 더욱 조르고 두드리니, 명천공 신주
(神主)가 앎이 있으면 느끼지 않으며, 조부인이 목도한즉 어찌 간장이
끊어짐을 면하리오.

이때 묘랑이 삼청(三淸)249) 위하는 대장(大場)을 별로 치레하여 육폭
(六幅) 수(繡)를 놓으려 유씨더러 왈,

"석소저 단장박명(斷腸薄命)이 자닝하니250) 이 삼청 앞에 수놓으시기
를 공부하면 감동함이 있으리이다."

경애 옥청궁(玉淸宮)251)을 의빙(依憑)하여 수놓을 줄 알리오. 주주야
야(晝晝夜夜)에 어사 형제와 정·진·하·장 등을 서릇고, 또 제 적국
(敵國)을 없이 한 후 석공의 총(寵)을 오롯이 하고자, 그 수를 못 놓으면
핑계로 사죄를 마련하려, 모친을 보채며 조모를 충동(衝動)하여, 양 소
저로 수를 놓게 하되, 날을 정하여 식이라 하니, 그 요음(妖淫)함이 신
기(神祇)에 공을 들여 감응함이 잇기를 바라면, 제 힘을 다하여 발원하
랴 하는 의사는 추호도 없고, 간악이 여차하니, 어찌 앙얼(殃孼)252)이
없으리오. 유씨 존당의 고 왈,

247) 일일(一日)이 삼추(三秋) 같다 : 하루가 삼 년과 같다는 뜻으로, 짧은 시간이
    매우 길게 느껴짐을 비유적으로 이르는 말.
248) 종기언(從其言) : 그 말을 따름.
249) 삼청(三淸) : 도교에서, 신선이 산다는 옥청(玉淸)·상청(上淸)·태청(太淸)의
    세 궁(宮).
250) 자닝하다 : 애처롭고 불쌍하여 차마 보기 어렵다.
251) 옥청궁(玉淸宮) : 도교 삼청궁(三淸宮)의 하나로, 원시천존(元始天尊)이 사는
    곳이라 한다.
252) 앙얼(殃孼) : 앙화(殃禍). 지은 죄의 앙갚음으로 받는 재앙.

"첩이 근래에 기이한 몽사 있으니, 불가에 공을 들여 징험을 바라더니, 신법사의 인진함이 삼청전(三淸殿) 수놓기를 구하되, 첩이 안정(眼睛)이 어두워 못하고, 하·장을 시키고자 하되, 그 심술이 첩이 사속(嗣續)을 바라 저희를 수고하게 한다고 원망하여 정일(定日)에 미치도록 않으리니, 존고 면전에서 시키시되, 상공 환후로 공을 들이노라 하여 시키소서."

위흉이 제 며느리 아들 낳을 공부(工夫)함을 어찌 듣지 않으리오. 명일 하·장 이 소저를 앞에 두고 시킬 새, 그러나 유씨 모녀의 간악만은 못한지라. 제 아들의 아들을 빌고자 하니, 차일은 악설(惡說)을 아니하고, 다만 이르되,

"네 시아비 병으로 노모 불가에 공을 들이고자 하니, 내 협실이 그윽하고 좋으니 여등이 진심갈력하여, 날이 급하니 미치도록 하라."

양인이 배이수명(拜而受命)하고 협실로 퇴하니, 십지섬수(十指纖手)에 바늘이 실을 꿰매, 그 신속함이 신선의 조화라. 그 신출귀몰한 재주 정 소저의 하등이 아니라. 주야 갈녁하여 공경 조심함이 미치지 못할까 두리니, 진실로 감동함이 있으련마는 모질고 악착한 유씨 모녀는 감동함이 없어, 맥반 일기(一器)도 주지 않으니, 그러나 위흉은 굶어 대사를 마치지 못할까 염려하고, 감응함을 바라는 고로, 적선하노라 조석상(朝夕床)을 물려주니253) 아사(餓死)를 면하니라.

이미 필역하여 바치니 태노(太老) 유씨를 보라 한데, 양요(兩妖) 과연 수놓음이 범체(凡體)와 다르니, 능히 미치지 못할 줄 알고 만일 못하거든 죽이려 한 것이, 정일전(定日前)에 바치되, 수품(繡品)의 기이함이

---

253) 물리다 : 재물이나 음식, 관리, 지위 따위를 다른 사람에게 내려주다. 여기서는 윗사람이 먹고 남은 음식을 아랫사람에게 내려주는 것을 뜻한다.

천고(千古)에 없는지라. 백옥경(白玉京)[254] 모꼬지[255] 안저(眼底)의 완연하니, 태을(太乙)[256]과 삼태(三台)[257]는 영소보전(靈宵寶殿)[258]에 조회하며, 노군(老君)[259]은 단사(丹砂)[260]를 받들고, 왕모(王母)[261]는 반도(蟠桃)[262]를 받들며, 작교천손(鵲橋天孫)[263]은 금사(金沙)를 농(弄)하는데, 삼십삼천(三十三天)[264]을 마주 보는 듯, 서애(瑞靄) 총롱(總瓏)하고 오운(五雲)[265]이 어리었으니, 위흉이 푸른 입을 벌리고 불량한 눈망울을 뒤룩이며, 황홀 칭지 왈,

---

254) 백옥경(白玉京) : =옥경(玉京). 옥황상제가 산다고 하는 가상적인 하늘 위의 서울.

255) 모꼬지 : 놀이나 잔치 또는 그 밖의 일로 여러 사람이 모이는 일.

256) 태을(太乙) : =태을성군(太乙星君). 음양가에서, 북쪽 하늘에 있는 별인 태을성(太乙星)의 성군(星君)으면서 병란·재화·생사 따위를 맡아 다스린다고 하는 천상선관(天上仙官).

257) 삼태(三台) : =삼태성군(三台星君). 삼태성은 큰곰자리에 있는 자미성을 지키는 별로 각각 두 개의 별로 된 상태성(上台星), 중태성(中台星), 하태성(下台星)으로 이루어져 있다. 이 삼태성을 문창성이라고도 하며, 이 별을 주재하는 삼태성군은 문장과 벼슬을 얻게 하고 재앙을 소멸시키며 옥황상제를 시종한다고 한다.

258) 영소보전(靈宵寶殿) : 옥황상제가 거처한다고 하는 하늘에 있는 궁전.

259) 노군(老君) : =태상노군(太上老君). 도가에서 교조(敎祖)인 노자(老子)를 신격화하여 이르는 말.

260) 단사(丹砂) : =주사(朱砂). 흔히 덩어리 모양으로 점판암, 혈암, 석회암 속에서 나며 수은의 원료, 붉은색 안료(顔料), 약재로 쓴다.

261) 왕모(王母) : =서왕모(西王母). 중국 신화에 나오는 신녀(神女). 불사약을 가진 선녀라고 하며, 음양설에서는 일몰(日沒)의 여신이라고도 한다.

262) 반도(蟠桃) : 서왕모(西王母)의 요지(瑤池)에서 기른다는 복숭아.

263) 작교천손(鵲橋天孫) : 칠월칠석날 오작교에서 1년에 한 번씩 만난다고 하는 견우와 직녀.

264) 삼십삼천(三十三天) : '도리천'을 달리 이르는 말. 가운데 제석천과 사방에 여덟 하늘씩이 있다 하여 이렇게 이른다.

265) 오운(五雲) : 오색 구름.

"노모 육순을 다하였으되 어린 기재(奇才)를 못 보과라. 여등이 간악하되 재주는 이상토다."

불같은 욕심에 협실의 감추어 놓고 조르며, 수놓게 하여 팔아 금은을 모음을 계교하되, 유씨 경아로 주야 모의함이 빨리 죽이려 하니, 협실에 좋이 넣어 두고 안정한 수질을 시키리오. 공교한 혀를 놀려 천만가지 악사로 보채니 천고(千古)의 별악(別惡)이라. 그 수치(繡致)의 기이함을 대경실색하여 헤오대,

"광·희 양아 각별한 정기를 품수하여 없애려 함이 이리 수고롭거늘, 차인 등이 색광(色光) 성덕(性德)과 문명(文明) 재예(才藝)의 이상한 것이 삼겨[266], 흉한 것들의 우익이 되니 절절이 통한한지라. '천정(天定)이 승인(勝人)이나 인중(人衆)이 역승천(亦勝天)인'[267]즉, 조씨 소생을 터럭도 남기지 않아 마음을 쾌히 하리라.

하매, 문득 입을 비죽이며[268] 냉소 왈,

"존고 안력이 어두우시므로 저의 좀 재주를 기리시니, 교만 방자함이 십배 승하리니, 금일부터는 청하(廳下)에 대령하여 밥 짓고 세답(洗踏)하여 태만치 말라."

양 소저 수명이퇴(受命而退)하니 청상(廳上)에도 못 있어 당하에서 천역을 승순(承順)하더라.

유씨 수를 가져 사침의 돌아와 경아로 더불어 협실에서 보고 탄 왈,

"만고에 사람의 손 가운데 이런 재주도 있느냐?"

경아 역시 황홀하여 대 왈,

---

266) 삼기다 : '생기다'의 옛말.
267) 천정승인(天定勝人) 인중역승천(人衆亦勝天) : 하늘이 사람을 지배하지만, 사람이 힘을 합하면 또한 하늘을 이길 수 있다.
268) 비죽이다 : 비웃거나 언짢거나 울려고 할 때 소리 없이 입을 내밀고 실룩이다.

"차인 등이 이렇지 않으면 그리 환(患)이 되리까?"

유씨 장탄 왈,

"이런 사람이 일인도 흔치 않되 광·희 양아는 쌍득하였으니, 조씨 어인 팔자로 저 같은 양자(兩子)의 네 며느리를 둔들, 한결같은 성녀숙완(聖女淑婉)을 슬하에 두뇨? 당금도 묘랑은 어디를 출몰(出沒) 은복(隱卜)하며 만복을 도모 하는고? 이렇지 않으면 내 심력을 허비하여 도모하며, 여섯 별물이 예사 것들이면 서릇기 이리 어려우랴?"

경애 대 왈,

"모친 말씀이 마땅하셔이다. 차인 등을 당하의 두고 조르는 것이 곁에서 보채는 것만 못하니이다."

유씨 악녀의 말이 옳다 하더라.

묘랑을 기다리되, 묘랑이 구몽속으로 더불어 정부를 도모하여, 구부의 가 규규(糾糾)히269) 의논하고, 또 도문(都門) 밖에 대찰(大刹)을 이뤄 제자를 모으노라 여러 날 소식이 없으니, 경애 더욱 기다림은, 오씨 안색이 백승설(白勝雪)270)이오 숙녀의 품이 있어 효의 출인하니, 구고 사랑하고 석상서의 중대 하해 같고, 금장(襟丈)271) 소고(小姑) 애대(愛待)하니, 경애 통입골수(痛入骨髓)함이 섬분(纖粉)을 만들고자 하되, 보호함이 신중하니, 혹 석부에 가도 감히 발뵈지 못하고, 무류히 돌아오면, 식음을 폐하고 간장의 불이 붙는지라. 묘랑을 천금으로 깃기고 오씨를 없이함을 모녀 획책하려 기다리더니, 차일 황혼에 요도(妖道) 이르니, 유씨 황황히 맞아 추밀의 변심함을 사례하고, 오소저의 가부(可否)

---

269) 규규(糾糾)하다 : 서로 뒤얽혀 있다.

270) 백승설(白勝雪) : (피부 따위가) 희기가 눈보다도 더 흼.

271) 금장(襟丈) : 동서(同壻). 주로 남편 형제들의 아내들 이르는 말로 쓰인다.

를 물으니, 묘랑이 요두 왈,

"묻지 마소서 아조 쉬이 여겼더니, 도리어 낭원선궁(狼苑仙宮)272) 성모낭랑(聖母娘娘) 시녀로 적묵한을 발원하고, 소저의 홍사(紅絲)를 앗아 걸고 남을 알리오. 구한림은 일시를 바빠하되 적묵한이 실중을 눌렀으니 석상공을 치우고야 하수(下手) 하리이다."

유씨 모녀 착급하여 부디 소원을 이룸을 빌고, 순금궤에 수(繡)놓은 것을 주어 불사의 공을 드려 발원하라 하니, 묘랑이 보매 기이한 조화가 오채(五彩) 정기(精氣)를 앗는지라. 과연 천고에 희한한 보배라. 옥경연회가 안저(眼底)에 벌여 있으니, 요정이 반생을 재상 후문을 다니며, 금은을 징색하며 보배를 물같이 보았으나, 이 같은 보배야 구경하였으리오. 연망(連忙)이 칭사 왈,

"빈도 세상에 나 득도하연 지 오래되, 이런 수단(手段)을 못 보았으니, 힘을 다하여 석부인 소원을 이루게 하리이다."

하더라.

---

272) 낭원선궁(狼苑仙宮) : 낭성(狼星)에 있는 선궁(仙宮)

명주보월빙 권지이십삼

　어시에 묘랑이 수품(繡品)의 기이함을 보고 연망(連忙)이 칭사 왈,

　"빈도 세상에 나 득도하연 지 오래되, 이런 수단은 못 보았으니, 힘을 다하여 석부인 소원을 이루시게 하리이다."

　이리 이르나, 공 이룸이 어려움을 알되 그 욕심을 채우려 천도를 거역하니, 천의 어찌 무심하리오. 묘랑이 수일 후 구몽숙을 보아 삼청전(三淸殿) 이룰 금은을 정색고자 하나, 그 미인 구하는 것을 마치기 어려움을 근심하거늘, 유씨 소왈,

　"사부 정씨의 신기한 용광(容光) 색태(色態)를 보지 못하였는 고로, 정말 절색(絶色)을 만나지 못함을 한하는도다. 천강냉우(天降冷雨)에 부거(芙蕖)[273] 목욕하고, 남전백벽(藍田白璧)[274]에 옥수(玉樹) 독립한 듯, 건곤(乾坤)이 사사(私私) 없음과 백태 용광이 영롱하고, 냉담함은 매신(梅信)[275]이 나부천(羅浮泉)[276]에 돌아오고, 한빙(寒氷)이 연지(蓮

---

273) 부거(芙蕖) ; 연꽃. 부용(芙蓉).

274) 남전백벽(藍田白璧) : 남전산(藍田山)에서 난 백옥(白玉). 남전은 중국(中國) 섬서성(陝西省)에 있는 산 이름으로 옥의 명산지.

275) 매신(梅信) : 매화꽃이 전하여 주는 봄소식.

276) 나부천(羅浮泉) : 중국 광동성(廣東省) 혜주부(惠州府) 나부산(羅浮山)에 있다는 샘. 중국 수(隋)나라 때 조사웅(趙師雄)이 나부산(羅浮山)의 한 샘가에서 소

池)에 일어나니, 규리(閨裏)에 제세(濟世)할 기틀이 있고, 가슴에 풍운의 조화를 거두었으니, 사부 이를 득하면 몽숙의 소원을 이루고 금은을 흙같이 취하리라."

묘랑 왈,

"빈도 정소저의 이러함을 익히 알되 문창부(文昌府)[277] 정기를 온전히 가졌으니, 백신(百神)이 호위하였는지라. 빈도 등운가무(騰雲駕霧)[278]하여 천만변화(千變萬化)하나 천상 문창부는 감히 요동치 못하리니 자저(趑趄)하[279]나이다. '천강오괘법'이 아니면 차인을 요동치 못하리이다.

유씨 왈,

"여차여차한 죄를 얻어 후원 연원정에 가두어 절식(絶食) 오륙일이니 그 화식을 않아도 득생(得生)하리까?"

묘랑이 미소왈,

"석가불(釋迦佛)도 하루 한 번씩 공양을 하시고, 옥황상제도 경액(瓊液) 반도(蟠桃)를 맛보시니, 오래면 곤비(困憊)하나 졸연이 아사(餓死)는 아니하려니와, 용이히 착거(捉去)[280]는 쉽지 아니하리이다."

복(素服)을 한 한 미인의 영접을 받고 함께 술집에 가서 즐겁게 노는데 푸른 옷을 입은 동자가 노래를 불렀고 사옹이 취하여 자다가 새벽에 깨어보니 매화나무에 푸른 새가 지저귀고 있었다는 나부지몽(羅浮之夢)에서 유래한 샘이름. 여기서 소복미인은 화신(花神) 곧 매신(梅神)이다. 진(晉)나라 때 갈홍(葛洪)이 이 나부산에서 선술(仙術)을 얻었다고 한다.

277) 문창부(文昌府) : 문창성(文昌星) 또는 문창성군(文昌星君)의 집무소(執務所). 문창성은 북두칠성의 여섯째 별인 '개양성(開陽星)'을 달리 이르는 말. 문장과 학문을 맡아 다스린다고 함.

278) 등운가무(騰雲駕霧) : 구름을 타고 안개를 몰아 하늘을 마음대로 날아다님.

279) 자저(趑趄)하다 ; 주저하다. 머뭇거리며 망설이다.

280) 착거(捉去) : 사람을 붙잡아 감.

시에 어사 형제 위노의 보채므로 남강에 쌀 져 나름을 황혼 때를 맞추어 날마다 구실삼아 하니, 길이 조문(門)을 지나 운산 옆으로 말미암는지라. 어사 형제 삿갓을 숙이고 초리(草履)를 신어 길을 얼핏 지나, 정·진양가 제인을 만날까 빨리 행하니, 본디 용행호보(龍行虎步)라 구태여 만나리오.

금평후의 삼자 세흥이 왕왕(往往)이 유희하여, 그 대인 면전은 안서(安舒) 나직하나, 나간 때는 밖에가 돌을 굴리고 뜀박질을 익히며, 외가 어린 공자 등으로 더불어 어지러이 헤집고 다니는지라. 윤부 아사(衙舍)281) 앞을 지나더니, 양인이 무엇을 지고 바삐 가는 거동이 예사롭지 않아, 용(龍)의 조화같고 인마(麟馬)282)의 모양 같으니, 자가(自家)283) 용신(龍神)이 황금 기둥을 박차고 내닫는 듯, 기기(奇奇)히 유주(幼主)를 안고 금쇄(金鎖)284)를 띠인 모양을, 평후 같으면 일안(一眼)에 깨달으련마는, 세흥은 소활(疎豁)한지라, 이윽히 숙시(熟視)하되 저의 달음이285) 빠른지라, 무심히 돌아와 존당의 시좌(侍坐)하였더니, 금평후 태부인을 모셔 여아 등의 소식 모름을 우려하니, 태부인이 아주를 슬상에 교무(交撫)하여, 기기묘려(奇奇妙麗)함을 탐혹(耽惑)하여 만사를 잊었더니, 홀연 탄 왈,

"윤가 가환(家患)이 위태한 가운데 우리 만금 소교(小嬌)를 솔이(率爾)히286) 가(嫁)하여, 유충한 기질이 독수(毒手)를 벗지 못하여 형해(形骸)

---

281) 아사(衙舍) : 관아(官衙)의 건물. 여기서는 윤부 건물들을 말함.
282) 인마(麟馬) : 하루에 천리를 달린다는 말. 뛰어나게 잘난 자손을 칭찬하여 이르는 말.
283) 자가(自家) : 자기 자체. 자기 자신.
284) 금쇄(金鎖) : 금띠. 금대(金帶). 금으로 만든 줄. 조선 시대에, 정이품의 벼슬아치가 조복(朝服)에 띠던 띠. 가장자리와 띠 등을 금으로 아로새겨서 꾸몄다.
285) 닫다 : 빨리 뛰어가다.

어이 남으리오."

금평후 이성화기로 위로 왈,

"혜주의 작성 기질이 안한유양(安閒悠揚)하여 경운(慶雲)에 감초인 달 같고, 혜풍(惠風)의 춘양(春陽)이라. 선빙춘광(鮮氷春光)287)은 요지벽도 (瑤池碧桃)라. 의의히 성모(聖母)의 습태(襲態)를 얻고, 양양(洋洋)한 문 명(文名)이 윤공규양(潤恭閨養)288)하여 성인의 체(體)를 얻었으되, 너무 비무찬란(非無燦爛)289)하여 홍안(紅顔)의 해(害)를 만나니, 극(極)하매 조물(造物)의 꺼림이 있음이라. 백옥(白玉)엔 창승(蒼蠅)이 간대로290) 앉지 못하고, 송백(松柏)은 상설(霜雪) 가운데 빛나니, 마침내 오복(五 福)291)이 구전(俱全)하오리니, 소소 재앙을 성려(聖慮)에 거리끼지 마소 서. 여애 윤랑이 아니라도 홍안의 해는 면치 못하올진대, 하물며 윤랑으 로 배하여 지극함이 심하오니, 어찌 풍상간액(風霜艱厄)을 면하리까?"

태부인이 아주를 쓰다듬어 왈,

"진현부 단산(斷産)하였다가 의외에 이 아해를 얻어 기화(奇花) 명월 (明月)로 나의 자미(滋味)를 삼았으니, 사위를 가려 일생 나의 슬하에 두게 하라."

금후 대 왈,

"명교대로 하리이다."

---

286) 솔이(率爾)히 : ①생각할 겨를도 없이 매우 급히 ②말이나 행동이 신중하지 못 하고 가벼이.
287) 선빙춘광(鮮氷春光) : 맑은 얼음 위의 봄볕.
288) 윤공규양(潤恭閨養) : 넉넉하고 겸손하며 규수의 법도를 닦음.
289) 비무찬란(非無燦爛) : 훌륭하지 않은 데가 없다.
290) 간대로 : 간대로. 함부로. 마음대로.
291) 오복(五福) : 수(壽), 부(富), 강녕(康寧), 유호덕(攸好德), 고종명(考終命) 등 유교에서 이르는 다섯 가지 복.

세홍 공자 소왈,

"오늘 우연이 강에 거북 뛰는 양을 보러 갔다가, 삿갓을 쓰고 무엇을 지고 가는 이가 저부(姐夫) 사원의 행보 같아서 수상하더이다."

한림 인흥이 경아(驚訝) 왈,

"아해 실혼(失魂)하였나냐? 사빈 등이 강두(江頭)의 미곡을 나름이 어찌 상사(常事)리오."

금평후 광미(廣眉)를 찡기고 왈,

"근래의 명강이 오래 병들어 조회를 불참하고, 사원 등이 사직(辭職)하고 들어있으니 괴이히 여기더니, 별단 거조(擧措)가 있는가 싶으니 여등이 가보라."

윤부인이 공자의 말을 들으매 양제(兩弟) 강정의 미곡을 나르는 줄 알지라. 간장이 전색(塡塞)292)하니, 문안을 퇴(退)하여 사침(私寢)에 돌아와 맥맥히 원천(遠天)을 바라고 애를 사르더니, 병부 들어오니 조참 길에 친우의 집에 가 술을 여러 잔 먹고 취하매, 존당에 못뵈올지라, 부인 침소의 이르니, 부인이 일어나 맞아 관복을 벗겨 걸고, 물러 좌하니, 상에 누우며 왈,

"내 아까 윤태사를 가 본즉 옥누항 윤공의 환후가 중하고, 사원 형제 시병(侍病)하노라 바깥출입을 안 하니, 윤부 가변이 어느 지경에 미쳤음을 모를러라."

하고 잠드니, 부인이 수서를 닦아 자위께 보내고, 계부의 우환을 근심하며, 자기 재액(災厄)이 첩다(疊多)한 바와, 양제(兩弟)의 신세 위란함이 안저(眼底)에 머물었거늘, 소고 등이 누란(累卵) 같음이 묻지 않아 알지라. 가변이 저 지경에 미쳤으나 자위 떠나 계심이 천만 행심하되,

---

292) 전색(塡塞) : 메어서 막힘.

가정(家庭)의 차악함이 만성(滿城)에 모를 이 없고 사린(四隣)에 회자(膾炙)함을 생각하니, 합연(溘然)293)하여 모름이 원이로되, 죽지 못하고 낯을 들어 존당에 뵈올 뜻이 사연하되, 구고의 융융하신 혜택이 협골흡체(浹骨洽體)294)하니 사사(私私)를 세우리오. 다만 잠연(潛然)이 모르는 듯, 성효(誠孝)를 갈진(竭盡)하여 시침(侍寢) 문안(問安)과 조석감지(朝夕甘旨)에 동동촉촉(洞洞屬屬)함이 가득하여 받들며, 메아리295)와 그림자 좇듯 하여, 진효부(陳孝婦)296)에 지나니, 존당 허대(許待)와 진부인의 단엄함으로도 소저를 대하면 아험297)에 화기 아연하니298) 소저 이같으신 융우(隆遇)299)를 받자오매, 더욱 소고(小姑)의 만상고초(萬狀苦楚)를 생각하여 때때 심혼이 놀라오나, 회포를 향인(向人)하여 이르지 못하고 초전(焦煎)하니, 금평후 식부의 심사를 알매 사사에 기렴(記念)300)하며, 위로 보호함이 지극하여 사랑이 아주에 지나니, 소저 감은골수(感恩骨髓)하여 성덕을 갚삽지 못할까 슬퍼하더라.

시에 묘랑이 유씨의 흑석(黑石)저이301) 기리는 말을 듣고 생각하되 "이 부중에서 정·진을 아니 보는 날이 없으되 잘못 보았던가? 자시

---

293) 합연(溘然) : 뜻하지 않게 갑자기 죽음.
294) 협골흡체(浹骨洽體) : 온 몸에 사무침. '골체(骨體)'는 온몸을, '협흡(浹洽)'은 두루 사무침을 뜻함.
295) 메아리 : 울려 퍼져 가던 소리가 산이나 절벽 같은 데에 부딪쳐 되울려오는 소리.
296) 진효부(陳孝婦) : 한(漢)나라 때 진현(陳縣)의 효부. 남편이 변방에 수자리 살러 나가 죽자, 남편과의 약속을 지켜 일생 개가하지 않고 시어머니를 성효로 섬겼다. 『소학』〈제6 선행편〉에 나온다.
297) 아험 : 아협(娥頰)의 변음인 듯. 고운 뺨, 고운 얼굴. ☞ 화협(花頰)
298) 아연하다 : 애연(靄然)하다. 구름이나 안개 따위가 짙게 끼다.
299) 융우(隆遇) : 융숭한 대우.
300) 기렴(記念) : 기념. 잊지 않고 생각하다. 유의하다.
301) 흑석(黑石)저이 : 흑석(黑石)처럼, 비석(碑石)처럼. 흑석은 오석(烏石) 곧 비석을 뜻한다. 비석에는 죽은 이의 행적을 길이는 글이 새겨 있다.

보리라.

하고 곤두처[302] 아아히 날아, 연원정에 이르러 늙은 잣나무에 학이 되어 앉았더니, 두루 보매 사면에 가시를 얽고 쌓았으니 대역죄수 안치 (安置)[303]에서 더 흉악하고, 음참함이 귀문관(鬼門關)[304] 보다도 더 요 괴롭되, 그 가운데 통할 길 없고 속죽도 주지 않았노라 하니, '그 어찌 살았으리요.' 하고, 도로 날아 가니라.

어시에 윤어사 형제, 부숙이 도봉잠에 정혼(精魂)이 사라지니 두 눈이 멀겋게 되어 안상(案上)의 농괴(聾塊) 되었고, 강두의 미곡을 실어 나르 나, 위·유의 포악은 낮과 밤을 이었으되, 일호(一毫) 원심이 없어, 다 만 망유기극(望有紀極)[305]함을 슬퍼할 뿐이라. 일기(一器) 맥반(麥飯)· 속죽(粟粥)도 일일일차(一日一次)가 변변치 않으니, 기아(飢餓)함이 시 진(澌盡)할 듯하되 사색치 않으나, 어사는 양이 너른지라. 종일 만반진 식(滿盤進食) 조석식분(朝夕食分)이 의구하던 바로, 기식(飢食)이 점점 면철(綿綴)하니, 직사 백씨의 거동을 참연하며, 각각 유랑이 존당 모르 게 기갈(飢渴)을 부치나 오죽하리오.

유씨 직사를 간간 질타(叱打)함이 살을 너흘고[306] 씹어, 응지설부(凝 脂雪膚)[307] 성한 데 없으되, 일성을 부동하여 완순(婉順)한 성효 아니 감동할 마디 없으나, 조금도 회심(回心)함이 없어 사생을 그음하니, 천

---

302) 곤두치다 : 곤두박이치다. 높은 곳에서 머리를 아래로 하여 거꾸로 떨어지거 나 내려오다.
303) 안치(安置) : 조선 시대에 죄인을 먼 곳에 보내 다른 곳으로 옮기지 못하게 주 거를 제한하던 일. 또는 그런 형벌.
304) 귀문관(鬼門關) : =귀문(鬼門), 귀관(鬼關). 저승으로 들어가는 문.
305) 망유기극(望有紀極) : 바람이 끊어짐.
306) 너흘다 : 물다. 물어뜯다.
307) 응지설부(凝脂雪膚) : 윤기 있는 하얀 피부.

지 넓어도 용납지 못할 듯, 혈체(血涕) 임리(淋漓)하고 토혈이 무상(無
狀)하니, 어사 자신의 보채임은 여사(餘事)요, 직사의 거동을 차마 보지
못하나, 전에는 추밀이 자상치 않아 유씨의 과악을 자세히 모르되, 자질
(子姪)을 귀중함이 천지간 비할 것이 없어, 그 졸림을 당하지 않을까 살
피던 바가 많았으나, 도금(到今)하여는 송장308)이 되었으니 살핌은 새
로이 때때 불효 불경을 미안함이 없지 않으니, 유씨 무엇을 기탄(忌憚)
하여 형해(形骸)를 남기랴마는, 천도(天道) 도군(道君)309)의 무궁한 복
록을 정한 바니 악인의 손에 마치게 하리오. 백신(百神)이 호위하여 보
전함이 되니, 형제 대하여 오읍(嗚泣)하기를 마지않아 날을 보내니, 만
일 조부인이 일택지상(一宅之上)에서 볼진대 차마 어찌 견디리오.

평남후 때때 악모께 배현하여 존후를 묻잡고 가중 해거(駭擧)를 전하
여, '괴란(壞亂)이 멀었으니 나중이 아무리 될 줄 모르노라' 할지언정,
어사 형제 위급함을 사색(辭色)치 않으니 그 심우(心憂)를 더하지 않으
려 함이라. 각각 화풍(華風)이 소삭(消索)함이 모자의 정리를 사념(思念)
함으로 비롯되었다 하더라.

다만 그 여서(女壻)의 호활(豪豁)한 풍채 헌앙(軒昂)하여 춘풍을 이끄
는 듯, 쇄락한 풍도 광풍제월 같고, 수앙(秀昂)한 격조(格調) 고산(高山)
에 창송(蒼松)이 독립(獨立)함 같으니, 아름다움을 이기지 못하여, 황홀
한 사랑이 탐탐하여 종용이 말씀할 새, 소녀의 산계비질(山鷄卑質)로 성
문(聖門)에 의탁하여 기형괴사(奇形怪事)로 존문을 소요하고, 한 일도
봄 즉한 바 없거늘, 영당(슈堂) 성덕이 자닝한 형세를 연지휼지(憐之恤

---

308) 송장 : 죽은 사람의 몸을 이르는 말. 늑주검. 시체(屍體).
309) 도군(道君) : 윤희천을 달리 이르는 말. 희천의 전신(前身)이 영허도군(靈虛道
君)임.

之)하시어 지자(至慈)하심과, 군자 위지(危地)에 건져 오륜을 두터이 함을 사례하니, 언어(言語) 유법하고 동지(動止) 단일성장(端壹盛壯)하여, 이 어머니가 있어 이 딸이 있음 이러라. 평후 흠신경복(欠身敬服)하여 듣잡고, 화성유어(和聲柔語)로 대 왈,

"실인(室人)이 소서(小壻)로 그 어떤 부부니까? 매양 소서를 대하시면 칭은(稱恩)을 순순(順順)이[310] 하시니, 소서의 깊은 주의를 모르시고, 여러 처첩이 있음은 인연이 기구하여 모임을 모르시고 염려를 두시나, 실인의 정사 비고(悲苦)하고, 악모의 소회 남다르심을 소서(小壻) 일념에 방하(放下)치 못할 새, 실인의 신상을 근심하여 곡경(曲境)과 구차(苟且)를 불피(不避)함이 많은 고로, 전후에 노태부인께 득죄함이 큰지라. 지금 사원 등이 어찌하여 사직하고 들어 있는지 모르고, 또 윤대인을 시병(侍病)하다 하오되, 그 집 거동이 위태하고, 어른이 유질하여 만사를 부지(不知)하오니, 이러면 누의와 양매 등이 누란(累卵) 같사옵고, 사원 등이 불평함이 있을지니, 이럴진대 또 노태부인을 속이고 구하리로소이다.

언파에 주순옥치(朱脣玉齒)[311] 찬연하여 조부인을 위안함이 간측(懇惻)하고 천수만한(千愁萬恨)을 척탕(滌蕩) 하도록 하니, 부인이 남후의 화한 거동을 대하여 그 자녀부(子女婦)의 화란을 근심하던 회포 사라진 듯 사랑하고 귀중하더라. 사양(斜陽)이 옥첨(屋簷)에 내리니 일어나 하직하고 돌아가니, 홀연(欻然)[312]함을 이기지 못하더라.

남후 악모를 하직고 돌아와 부인을 대하여 평부를 전하고, 탄 왈,

---

310) 순순(順順)이 : 그 때마다. 매번(每番).

311) 주순옥치(朱脣玉齒) : 붉은 입술과 흰 이.

312) 홀연(欻然)하다 : 어떤 일이 생각할 겨를도 없이 급히 진행되어, 무엇인가를 다하지 못한 것 같은 서운하고 허전한 마음이 있다.

"악모의 성덕광휘로 악장 생시부터 포악(暴惡)한 존고에게 일생을 보채이시다가, 악장이 학거(鶴車)313)를 돌리시매, 사원 형제를 복중의 품으시어 간고험난 중 쌍린(雙麟)을 얻으시니 악장의 충효대절을 호천이 복우(福祐)하신 바거늘, 그 명도 절절 궁험하여 사원의 충천장기(衝天壯氣)와 사빈의 성현대질(聖賢大質)을 펴지 못하여, 도금하여는 기사(饑死)함이 머지 않으니 이 어찌된 천도뇨?"

장태식(長太息) 타루(墮淚)하니, 부인이 주루(珠淚) 옥협(玉頰)을 적시니, 호언(好言) 관위(款慰)하더라.

명일 조참(朝參)에 석부에 가 상서를 대하여 왈,

"형이 근래 사원 등의 사직한 주의를 아나냐?"

석상서 왈,

"사오일 전 악부 환후를 물은즉, 노래(老來)에 내당 병이 났는지, 안에서 조호(調護)하고 사원 형제도 없으니, 간악한 부녀들과 수작하기 괴로와 그저 돌아왔노라."

남후 소왈,

"연즉 날과 한가지로 감이 어떠하뇨?"

상서

"낙(諾)다.314)"

하고,

"엄정께 방소(方所)를 고하고 가리니 먼저 가라."

남후 쉬이 옴을 이르고 가(駕)를 촉(促)하여 옥누항에 이르니, 직사도 없고 백화헌이 적연(寂然)하고, 안으로부터 흉한 소리 진천(振天)하니,

---

313) 학거(鶴車) : 학이 끄는 수레. '죽음'을 뜻함.
314) 낙(諾)다. : 좋다. 그렇게 하자. '승낙(承諾)'의 뜻을 나타내는 말.

짐작하고 통치 않고, 후원 비운루에 오르니, 이곳은 내당이 마주 보이는데 안에서는 알아보지 못하는지라. 가만히 살핀즉 위태 어사를 철편과 쇠망치로 머리부터 만신(滿身)을 두드리니, 피 도랑을 이뤄 흐르되 일성을 부동하고 맞고 있고, 직사는 왕모의 손을 받들어 만단애걸(萬端哀乞)315)하여 나눠 맞기를 빌되, 흉한 소리를 지르며 점점 더 치다가, 또 돌을 주워 마구 휘둘러 가슴을 치더니, 마침 돌이 굴러 맞지 않으니 성을 이기지 못하여, 이리 날뛰고 저리 뛰며, 승냥이 용쓰듯 한데, 유씨 내달아 직사를 잡아 흔들며 꾸짖되,

"광천 적자(賊子)를 존고가 약간 태벌하시는 데, 네 존당을 원망하고 형의 대신으로 맞아지라 독을 부리니, 너도 맞아보라."

하고 어지러이 돌로 짓찧으나316) 직사 불변안색(不變顏色)하여 그 손을 붙들어 잇브심을317) 말려 왈,

"불초 등이 죄 있어 다스리실지라도 시노(侍奴)로 장책하실지니 친히 잇브시게 하시리까?"

유씨 독사의 성을 이기지 못하여 손으로 뜯으며 이로 물고, 위노는 어사를 거꾸로 매 달고, 유씨 칼을 들어 직사의 팔을 지르니 유혈이 돌지어 흐르는지라.

남후 차경을 보매 분기 두우(斗宇)를 깨트리는지라. 큰 돌흘 들어 위씨의 꼭뒤를 향하여 한번 치니 맞힌지라. 흉한 성을 이기지 못하여 유씨로 더불어 양인을 아조 마치려 어사를 높은 나무에 달고 매를 들더니, 난데없는 돌이 날아와, 노호(老胡)의 머리를 빗발치듯 울리니, 골이 깨

---

315) 만단애걸(萬端哀乞) : 여러 가지로 사정을 말하여 애걸함.
316) 짓마으다 : 짓부수다. 짓찧다.
317) 잇브다 : 힘들다. 피곤하다.

어져 한 소리를 '애고!' 하고 거꾸러지니, 연하여 대여섯 번을 쳐 거의 만신이 빻아지게 되니 아조 기색하고, 석상서 이르러 두루 찾아 서로 만난지라. 양 공이 내려 누 아래 이르러, 어사 형제를 옆에 끼고 백화헌으로 나와 누이고 보니, 기절하였고 만신에 핏덩이 엉기었는지라. 양인이 불각유체(不覺流涕)하여 비루천항(悲淚千行)이라.

한삼(汗衫)을 떼어 직사의 팔에 검흔(劍痕)을 처매고, 금창약을 처매며, 낭중의 회생단을 내어 갈아 입에 흘리고, 남후 침으로 혈맥을 통하니, 반향 후 정신을 차려 눈을 떠 보더니, 태태(太太)를 부르고 진진이 느끼는 소리 끊이지 않으니, 차경을 삼생수인(三生讎人)[318]이라도 슬퍼할지라. 정·석 양인의 의기현심으로 어찌 견딜 버리오. 그 수족을 주무르며 읍(泣) 왈,

"석호(惜乎)라, 사원아! 대순(大舜)은 어떤 성인이시뇨? '우물에 곁 구멍을 두고, 지붕에서 불을 피하신 바는'[319] 부모유체(父母遺體)로 그릇 죽음을 피하심이 아니냐? '소장즉당(小杖則當)하고 대장즉주(大杖則走)'[320]라 하니, 그 혈육이 뉘게서 받자온고? 자고(自古) 영웅군자 시운이 불리한 때, 혹 '진채(陳蔡)에 쌓이시고'[321] '위수(渭水)에 낚시'[322]하며 '신야

---

318) 삼생수인(三生讎人) : 전생(前生), 현생(現生), 내생(來生)의 원수.
319) 순의 완악한 부모가 그를 우물에 들어가게 한 후 우물을 묻어 죽게 하고, 또 지붕에 올라가게 하고는 지붕에 불을 질러 타 죽게 하였으나, 순이 지혜로 이를 잘 피하여 효(孝)를 완전케 하였던 고사. 『맹자』〈만장장구상(萬章章句上)〉에 나온다.
320) 소장즉당(小杖則當) 대장즉주(大杖則走) : 작은 몽둥이로 치면 가만히 맞고 있고, 큰 몽둥이로 치면 도망해야 한다는 말. 효자였던 순(舜) 임금의 고사에 나오는 말.
321) 진채(陳蔡)의 싸이시고 : 공자(孔子)가 초(楚)나라 소왕(昭王)의 초빙을 받고 초나라로 가던 중 진(陳)나라와 채(蔡)나라의 접경지역에서 진·채의 군사들에게 포위된 채, 양식이 떨어져 7일 동안을 굶으며 고난을 겪었던 고사를 이른

(薪野)에 밭갈이'323)함이 있으나, 군의 만난 바는 다시 있지 않으니, 가히 어림이 심치 아니랴? 사빈은 윤강(倫綱)이 정한 후 화(禍)가 당하나 하릴없거니와, 사원은 대종(大宗)을 영(領)할324) 천금 중신이라. 선악장(先岳丈)이 충효대절을 잡으시어 이국에 가 청년 요절하신 후, 후사(後嗣)가 군의 몸에 매었거늘, 몸을 돌아보지 않아 무익한 일에 목숨을 들이밀어 천금 중신을 태연이 마치려 함이 우습지 아니랴? 구래공(寇萊公)325)이 효 없으며 덕이 없으랴마는, 그 부공이 형장을 갖추고 죽이려 하매, 아비 뜻이 아니요, 은모(嚚母)의 요계(妖計)임을 깨달으매, 도주하여 피하였다가 그 부(父)가 대죄에 걸리매, 태종황제 행재소(行在所)326)에 따라가, 아비 부월하(斧鉞下)에 일루(一縷)327)를 구하고, 부자가 단합(團合)하되 공명(功名)이 죽백(竹帛)328)에 드리우고, 오자삼녀(五子三女)를 두어 오복이 구전하니, 시속 사람이 봄직한 고로 후인이 계감을 삼았나니, 의약을 힘써 조호(調護)함이 가치 않으랴?"

것. 이를 진채지액(陳蔡之厄)이라 한다.

322) 위수(渭水)의 낚시 : 중국 주(周)나라 초기의 정치가 강태공(姜太公)이 위수(渭水)에서 10년 동안이나 낚시를 하며 때를 기다려 주 문왕을 만났다는 고사.

323) 신야(薪野)의 밭갈이 : 유신(有莘)이라는 들에서 밭을 갈다 입신하여 은나라 탕왕의 재상이 된 이윤(伊尹)의 고사를 말함.

324) 영(領)하다 : 종통이나 제사 따위를 이어 받다.

325) 구래공(寇萊公) : 송(宋) 태종-인종 때의 정치가 구준(寇準)의 봉호(封號). 구준(? -1023)의 자는 평중(平仲)이고 화주(華州) 출신이다. 진종(眞宗) 때에 동평장사(同平章事)에 올라 거란의 침공을 물리쳤고 무승군절도사(武勝軍節度使)와 평장사(平章事)를 역임했다.

326) 행재소(行在所) : 임금이 궁을 떠나 멀리 나들이할 때 머무르던 곳.

327) 일루(一縷) :한 오리의 실이라는 뜻으로, 몹시 미약하거나 불확실하게 유지되는 상태를 이르는 말. 여기서는 '목숨'을 뜻한다.

328) 죽백(竹帛) : 서적(書籍) 특히, 역사를 기록한 책을 이르는 말. 종이가 발명되기 전에 대쪽이나 헝겊에 글을 써서 기록한 데서 생긴 말이다.

양인이 정·석의 지성을 감오(感悟)하되, 자가 가변이 남이 알까 두려운지라. 그 지성 구호하며 내당 시아를 호령하여 보미329) 온차(溫茶)를 얻어 마른 장위(腸胃)를 적시니, 점점 낫되 낯을 듦이 부끄러워 죽은 듯이 누웠더니, 어사 남후의 도도한 언사 아득한 흉차(胸次)를 널리게 하는지라. 문득 몸을 움직여 돌아누우며, 두 손으로 코를 풀고 길게 한숨을 내쉬며 눈물을 훔쳐, 왈,

"창백 형아, 천하의 소제 같은 궁민(窮民)330)이 또 있느냐? 몸이 세상에 나매 엄안을 모르고, 이에 혈혈(孑孑)하신 편위(偏闈)331)를 모셔 종효(終孝)함이 인자(人子)의 도리거늘, 그를 어찌 못하고 남의 없는 변을 당함이 아등의 불초(不肖)함이라. 존당이 불효를 책하심을 어찌 한하리오. 다만 성노(盛怒)를 풀지 못하니 장차 어찌 하리오?"

말로 좇아 산산(潸潸)한332) 누수(淚水) 백옥 안화(顔華)333)를 잠그니, 영웅의 기운이 줄고 장부의 웅심이 약하니, 직사는 회운(回運)하여 인사를 알되, 석상서의 자가를 참연함이 양모의 대악 간흉을 절분함이 섬분(纖粉)을 만들고자 하는 기색을 스치매, 존당과 양모의 누덕(陋德)이 사린(四隣)에 회자하고, 저저의 전정을 판단하니 사사 불행이라, 망극함이 일신을 사위니334), 접화(接話)할 뜻이 없고, 눈 뜨미 부끄러워 약음(藥飲)이 이르면 먹을 따름이요, 일언을 아니 하니, 석·정 이인이 그 효의를 감동하여 다시 악인의 말을 아니하고, 윤공의 병이 아인(啞

---

329) 보미 : 미음(米飮).
330) 궁민(窮民) : 생활이 어렵거나 딱한 처지에 있는 곤궁한 백성.
331) 편위(偏闈) : 편자위(偏慈闈). 편모. 홀어머니.
332) 산산(潸潸)하다 : 눈물 빗물 따위가 줄줄 흐르는 모양.
333) 안화(顔華) : 아름다운 얼굴.
334) 사위다 : 불이 사그라져서 재가 되다. 늑삭다.

人)335) 폐맹(廢盲)336) 같아서, 요술(妖術)에 빠져 위망(危亡)에 미침을
돌돌하고337), 남후는 두 처남을 살리나 사매(舍妹)의 사생이 어찌 됨을
모르니, 그 유랑 등을 불러 삼 소저에게 왔음을 통케 하니, 유랑 등이
목이 메어,

"하·장 양소저는 존당에 대령하시고, 주모 양위는 존당 무고사(巫蠱
事)로 연원정에 수계(收繫)한 후로 소비 등은 존당 명으로 따르지 못하
고, 각중(閣中)을 지켜 사생존망을 모름이 유명(幽明)338) 같도소이다."

남후 차언을 들으매 봉안(鳳眼)이 두렷하여 격수대탄(擊手大嘆)339) 왈,

"아매를 지악(至惡)히 사지(死地)의 몰아넣어 죽이랴 하니, 심의(深矣)
라, 위흉이여! 빨리 연원정으로 인도하라."

하고 얼핏 사이 연원정에 이르니, 그 처치 어떠하며 양인의 사생이 하
여(何如)오?

차시 정·진 이 소저 수계(囚繫) 후로 몸에 강상대죄를 실어 조석을
끊기니, 수양산(首陽山)340)이 아니로되 채미가(採薇歌)341)를 읊고, 친
당 소식을 끊겼으니 어찌 보전하리오마는, 하늘이 길인을 도와 감천수
(甘泉水)를 얻어 기갈(飢渴)을 면하고, 충비(忠婢)의 보호함으로 죽기를

---

335) 아인(啞人) : 벙어리. 언어장애인.
336) 폐맹(廢盲) : 장님. 시력장애인.
337) 돌돌하다 : 애달아하다. 안타까워하다.
338) 유명(幽明) : 저승과 이승을 아울러 이르는 말.
339) 격수대탄(擊手大嘆) : 손바닥을 내리치며 크게 탄식함.
340) 수양산(首陽山) : 중국 감숙성(甘肅省) 농서(隴西)에 위치한 산 이름. 은말(殷
末) 주초(周初)에 고죽국(孤竹國)의 두 왕자 백이(伯夷)와 숙제(叔弟)가 주(周)
나라 무왕(武王)에게 은(殷)나라를 치지 말 것을 간하였으나, 받아들여지지 않
자, 이 산에 들어와 고사리를 캐먹다 굶어죽었다 한다.
341) 채미가(採薇歌) : 백이(伯夷)와 숙제(叔弟)가 절의를 지켜 수양산(首陽山)에 들
어가, 주나라 곡식을 먹지 않고 고사리를 캐 먹다가, 죽으면서 불렀다는 노래

면하나, 북당훤초(北堂萱草)342)의 신혼모정(晨昏慕情)343)을 차생난득(此生難得)344)이라. '토번(吐藩)의 볼모'345) 아니로되, '남관(南冠)의 갇힘이 되니'346) 속절없이 척호(陟岵)347)를 읊고, 부자(夫子)의 위름(危懍)함을 헤아리매 자신은 여사(餘事)라. 연연(戀戀) 옥장(玉腸)이 때때 놀라워, 신세 명도를 슬퍼하더니, 홀연 인성(人聲)이 훤동(喧動)하며 가시를 뜯고 문 봉한 것을 박차 헤치고, 남후 크게 소리하여 노복으로 두루 얽은 것을 없앤 후, 두어 번 기침하고 홍 비자를 불러 양 소저 생사를 물으며, 거처 위리(圍籬)를 보매, 분기 두우(斗宇)348)를 꿰뚫으니, 바삐 나아가니 양 소저 천만 몽매의 거거(哥哥)를 만나매 도리어 여취(如醉)하여, 예(禮)하고 말이 없더니, 반향 후 각각 부모의 평문을 물으니, 옥성(玉聲)이 불능설(不能說)이라.

---

342) 북당훤초(北堂萱草) : '어머니'를 이르는 말. '북당'은 집의 북쪽에 있는 건물로 집안의 주부(主婦)가 거처하는 곳이어서 어머니를 이르는 말로 쓰였다. 훤초 또한 『시경』〈위풍(衛風)〉'백혜(伯兮)'편의 "어디에서 훤초를 얻어 북당에 심을꼬.(焉得萱草 言樹之背 *背는 이 시에서 北堂을 뜻함)"라 한 시구에서 유래하여, 주부가 자신의 거처인 북당에 심고자 했던 풀이라는 데서, 어머니를 이르는 말로 쓰였다.

343) 신혼모정(晨昏慕情) ; 부모를 떠나 있는 자식이 아침저녁 또는 신성(晨省)혼정(昏定) 때를 당해 부모의 안부를 생각하며 그리는 마음.

344) 차생난득(此生難得) ; 이승에서 이루기 어려움.

345) 토번(吐藩) 볼모 : 당나라 태종의 조카딸인 문성공주(文成公主 : 623-680)가 볼모로 토번국에 보내져 토번왕 송첸감포의 제2왕비로 국혼을 치른 일을 말함.

346) 남관(南冠)의 갇힘이 되니 : '남관차림으로 옥에 갇혀 있다'는 말로 어려운 처지에 몰려 있음을 뜻하는 말. 초(楚)나라 사람 종의(鍾儀)가 포로로 잡혀 진(晉)나라의 옥에 갇혀서도 초나라 사람이 쓰는 관인 남관(南冠)을 쓰고 의연함을 잃지 않았다는 남관초수(南冠楚囚)의 고사를 말한 것.

347) 척호(陟岵) ; 『시경(詩經)』〈위풍(魏風)〉편에 나오는 시(詩)의 제목. 군역(軍役)에 나간 아들이 고향에 계신 어버이를 그리는 정을 노래한 시.

348) 두우(斗宇) : 온 세상.

남후, 부모 일향 안강하심을 전하고 이르되,

"아지못게라!349) 무슨 죄에 걸려 이런 욕을 감심하뇨? 그러나 양 매는 오히려 사원 등의 경상(景狀)으로 의논하매 안소(安所)함이 극진하니라,"

하고, 위·유 고식이 여차여차 어사 등을 마칠 뻔한 수말(首末)을 전하고, 부중 제노(諸奴)로 형극(荊棘)을 치우고, 헐어진 벽을 막고 포진(鋪陳)을 배설(排設)한 후, 시초(柴草)를 쌓으며, 솟과 기명(器皿)을 제제히 갖춰놓고 나서, 탄 왈,

"우형이 만일 실기(失機)하였더라면 소매 부부를 못 구하였으리니, 생각하매 털이 거스르는지라. 위·유를 내 분을 풀만큼 돌로 쳤으니 저도 아픈 줄을 아니 알랴?"

소저 이 말을 듣고 안색을 고치고 가로되,

"존당이 춘추 높으신 바에 거거의 노한 돌을 맞아계실진대, 노래(老來)의 어찌 위태롭지 않으시리까?"

남후 소왈,

"그렇다. 그러나 그리 않고는 사원 등을 마치리니, 물고 뜯는 것을 놓도록 분두(忿頭)에 두드렸으니 터진 데가 아니 아프랴? 저희는 내 수단을 모르느니라. 연(然)이나 유가 요물이 사빈을 칼로 지르는 것을 보고, 석형이 힘껏 돌로 던져 죽이기를 면하고, 그 요물들이 윤가를 업치고 사원 등의 빛난 이름이 죽백(竹帛)350) 드리워 천하 계감(戒鑑)이 되도록 하려니, 아니 죽으리니, 석형이 그 악모의 팔매질조차 내 알냐? 수중에

---

349) 아지못게라! : '모르겠도다!' '모를 일이로다!' '알지못하겠도다!' 등의 감탄의 뜻을 갖는 독립어로 작품 속에서 관용적으로 쓰이고 있어, 이를 본래말 '아지 못게라'에 감탄부호 '!'를 붙여 독립어로 옮겼다.

350) 죽백(竹帛) : 서적(書籍). 특히, 역사를 기록한 책을 이르는 말. 종이가 발명되기 전에 대쪽이나 헝겊에 글을 써서 기록한 데서 생긴 말이다.

보검이 있었더라면 목을 베었을 것이라. 그러나 이런 일을 부모와 존당께는 사색치 못하리니, 아시면 그 용녀(用慮)하심이 어떨까 싶으뇨? 실로 절박도다."

양 소저 각각 부모의 심사와 자기 등 이친지회(離親之懷)를 생각하여 체류(涕流) 첨수(霑袖)351)러라.

남후, 좌우로 수리를 다하고, 군병을 들여 앞으로 굴을 뚫어, 바로 본부 뒤로 통하여, 한(漢) 고조(高祖)352)의 진창고도(陳倉古道)353)에 땅굴 내던 바같이 하여, 만분 급함이 있으면 이 길로 내닫게 하니, 지혜 원래 여차하나, 간인이 어찌 알리오.

이 길을 간인이 모름으로 후일 숙렬이 강도를 만나 피화하여 보명함이 된 바를 본전(本傳)에 번서(繁書)하나, 차전(此傳)은 불긴한 고담(古談)을 많이 하노라 빠짐이 되니, 그 긴요한 말만 밝히노라.

남후 양매의 이곳에 수계한 때가지 용도(用度) 범백(凡百)을 사량(思量)하여 맡기고, 자주 옴을 이르고, 심사를 요동치 말믈 당부하니, 진소저 거거의 금포자락을 붙들어 옥루 종횡하되, 정소저는 사기 태연하나 목금 어사의 신상이 위태함을 근심하는지라, 남후 위로 왈,

"사원 같은 가부는 염려할 바 없으니, 흉인의 독수(毒手) 극하나 명(命)이 아닌 데 해치 못하리니, 양매는 다만 보신지책을 생각하라. 윤공이 농괴(聾塊) 되었다 하니, 보고 여차여차 격동하리라."

---

351) 첨수(霑袖) : 옷소매를 적심.
352) 한(漢) 고조(高祖) : 중국 한(漢)나라를 건국한 유방(劉邦). 재위 기원 전 206-195년.
353) 진창고도(陳倉古道) : 한(漢) 고조 유방(劉邦)이 항우의 군대를 속이고 이 협로(狹路)를 통과해 진창(陳倉)을 점령하고 관중(關中)을 함락하여 한(漢) 제국 건국의 초석을 놓았던 '암도진창(暗渡陳倉 : 몰래 진창을 건너) 고사로 유명한 길.

하고 이별하고 밖으로 나가 추밀을 보려 하더라.

때에 양 흉이 어사 형제를 마치고자 하다가 무심 중 하늘로써 내린 듯한 돌에 머리가 깨어져 엎어지니, 경아는 겁결에 안으로 들어갔고, 하·장은 협실에 넣어 문을 잠그고, 저희까지 작용하여 아득히 모르니, 모든 시아 등이 돌 소리에 내달아 보니, 어사 등은 간 데 없고, 두 시신이 비껴354) 유혈이 만신(滿身)이라. 양당(兩堂) 시아 등이 일시에 달려들어 양흉을 껴들어355) 침소로 돌아가니, 석·정 이인이 쟁그라움을 마지않아, 어사 형제를 구하여 나가나 가중에 알 이 없으니, 악인이 하늘이 벌을 내리므로 알고 아픈 데를 움켜잡고356), 어사 등 종적도 찾을 뜻이 없어, 위태는 신명(神明)의 벌이라 하여, 다만,

"저것들을 죽이려 하면 돕는 것이 저러하니 애달다"

하고, 중주어리니357), 대저 경아의 모녀 아니면 이다지도 하리오.

남후 석상서를 대하여 양매의 아조 기사(饑死)하여 숨만 걸린 바를 전하고 탄 왈,

"국가 죄수도 결사(結辭) 전은 굶김이 없으되 양 흉은 여차하니 통한치 않으리오."

석공이 절치(切齒) 왈,

"나의 실인의 간악은 그 모(母)에 백승(百勝)하니, 이 집이 가화(家禍)로 기강이 무너질 대로 무너지고, 사원 형제를 남북으로 흩어지게 한 후, 악인만 살아 멸망지경이 될 것이니, 이 집 가변에 참예치 않음이 영화(榮華)라, 창백은 삼가라."

---

354) 빗기다 : 가로놓이다.
355) 껴들다 : 팔로 끼어서 들다.
356) 움켜잡다 : 손가락을 우그리어 물건 따위를 놓치지 않도록 힘 있게 잡다.
357) 중주어리다 : 중얼거리다.

남후 그 고명한 식견을 탄복하고, 어사 등이 이때는 정신이 늠연(凜然)하나 몸을 요동하기 어려워, 자는 듯이 누어 양인의 문답을 들으매, 전두(前頭) 가변이 과연 그 말과 같으리니, 합연(溘然)358)하여 모르고 자 하되, 자위를 생각한즉 자기 남매 귀중함이 태산의 무거움이 있는지라. 불효를 슬퍼하여 약이 이르면 마시고, 죽음(粥飮)을 당하면 먹어, 스스로 신상을 보호하니, 정·석 이인이 양인을 보호할 도리를 당부하고, 낭중에 해독약과 금창약을 내어 여러 가지를 맡기고, 윤공께 왔음을 아뢰고 현알함을 청하니, 추밀이 유씨 침소에서 연무중(煙霧中) 같더니, 평남후와 석상서의 통명(通名)함을 듣고, 반겨 전도(顚倒)히 기거(起居)하여 나오니, 이인이 하당하여 붙들어 올리고, 그 거동을 살피니, 면모에 누런빛이 황칠(黃漆)359)을 한 듯하고, 두 눈에 정채(精彩) 없어, 전일 추상같은 기운이 졸변(猝變)하여, 다른 사람이 되었으니, 해연(駭然) 차악(嗟愕)하여 안색을 변하고, 가로되,

"소생 등이 관사(官事) 봉친(奉親)에 다사(多事)하와 존하에 등배(登拜)치 못하오니, 금일 틈을 얻어 이르오나, 사원 등이 없고 문정(門庭)이 적료(寂廖)하오니, 근간은 사원 등이 어디를 갔는가, 사직하고 나지 않음이 존대인 환우로 인함이니까? 하나가 시탕(侍湯)하고, 하나는 국사를 돌아보아도 할 것인데, 너무 한가코자 하여 국사를 경시하는가 하나이다."

추밀이 사사 왈,

"군 등을 오래 보지 못하니 창울(悵鬱)하고, 내 병이 지리하여 국가사를 전연 부지하니, 돈아 등이 사직하도다."

---

358) 합연(溘然) : 뜻하지 않게 갑작스럽게 죽음.
359) 황칠(黃漆) : 누렇게 색칠을 함.

남후 왈,

"가엄이 지독(舐犢)360)의 유유한 정을 금치 못하시어 소매 귀녕을 청하시더이다".

공이 빈미 왈,

"내 근내 유질하여 정당 시봉이 불엄(不嚴)하고, 돈아(豚兒) 등이 시봉함이 없는 때, 간비 등이 존당에 무고(巫蠱)를 행하여 환후 위름하시니, 요예(妖穢)를 다 파내매, 질부의 신상에 침노하니, 간비의 초사(招辭)가 여차여차하고 필체 의구하니, 평일 행사를 추이컨대 진실로 귀매(鬼魅)의 희롱이라. 그러나 간사를 적발치 못한 후는 도리에 안안치 못하고, 피차 안면이 절박하여 잠깐 허물을 자책고자 하고, 내 병이 낫기를 기다려 사핵고자 소당의 머물게 하였으니, 결말이 나야 귀녕을 할 줄, 양가 친정에 고할지어다."

우왈,

"창백은 노부의 말을 괴이히 여기지 말고, 붕우책선(朋友責善)이 있으니, 양아(兩兒)를 대하여 이르라. 전일은 공근 효순하여 사람이 바라지 못하는 바러니, 근래는 조달(早達)하여 그런가, 국은(國恩) 이수(異數)361)를 남달리 받자오므로 문득 방자하여 존당에 불초함이 잦고, 내 병이 때때 더하여도 문약지성(問藥之誠)362)이 없고, 금일은 신성(晨省)함도 없으니, 세상사를 믿지 못하나니, 정·진 양형이 내집 자질의 인물이 크게 남달리 되었음을 모를지라. 내 의괴망측(疑怪罔測)하되, 이에 종용히 묻고자 하나, 질부를 수계하매 원심이 현현(顯顯)하니, 내 입을

---

360) 지독(舐犢) : 지독지애(舐犢之愛). 어미 소가 송아지를 핥는 사랑이란 뜻으로, 자식에 대한 어버이의 지극한 사랑을 비유적으로 이르는 말.
361) 이수(異數) : 특별한 예우. 또는 보통과 구별되는 특별한 것.
362) 문약지성(問藥之誠) : 약을 지어 병을 보살피는 정성.

열고자 한즉 두 귀 닳게 되리니, 창백은 힐문하여 볼지어다.”

병부 공경 대 왈,

“합하의 명쾌하신 품도가 이 같이 변하심을 소생이 그윽이 의아하옵
나니, 소매 등을 이미 죽이지 않으실진대 아직 일명을 보전케 하시어 결
말을 보심이 마땅하거늘, 소매 등의 죄상이 대역부도(大逆不道)와 천하
일죄수(天下一罪囚)363)의 받는 형벌에서 오히려 심하여, 후정 누옥(陋
屋)의 가두시고 형극(荊棘)을 산같이 두르고 돌문을 잠그시어 식음을 주
지 않으심은 괴이치 않거니와, 각각 저의 비자가 있으니 한 그릇 물도
떠주지 못하게 막지르시니까?”

추밀이 병부의 말을 듣고 대답할 말이 없어 다만 묵묵할 따름이라. 병
부 안색을 고쳐 우문 왈,

“합하(閤下), 그는 그러하시거니와, 각각 친부(親府)로 못 가게 명하
심이 너무 박하시고, 죄당주륙(罪當誅戮)인즉 한번 죽임이 가하거늘, 존
문 법령은 죽기도곤 어려이 다스리시니, 그 거처를 보오매 대리시(大理
寺)에 세 번 더한지라. 금일 결단하여 사생을 듣고자 하는 고로, 부끄러
운 낯을 들어 청알함이요, 합하의 명령이 있기 전에 옥문을 깨치고 형극
을 없앰은 소생의 당돌한 죄거니와, 정형죄인(正刑罪人)364)이라도 죽이
기 전에 음식을 줌은 당연하고, 존문의 하시는 바는 사람이 이상히 여길
바라, 소생이 외인으로 묻자옵기 괴이커니와, 사원은 무슨 죄로 혈육이
상하고, 큰 나무에 달아 상토를 풀어 무거운 돌로 눌러 두어 계시니까?
소생 등은 문견이 고루하와 그런 형벌은 듣도 보도 못하였으니, 합하는

---

363) 천하일죄수(天下一罪囚) : 천하에 하나 밖에 없는 죄인이라는 뜻으로, 세상에
    서 가장 큰 죄를 저지른 죄인이라는 말.
364) 정형죄인(正刑罪人) : 사형이 확정된 죄인. 정형(正刑); 예전에, 죄인을 사형에
    처하던 형벌.

그 변고를 이르소서."

석상서 말씀을 이어 가로되,

"소생이 충년(沖年)365)에 동상이 되어 세재(歲在) 칠년이요, 하정(下情)이 범연치 아니하온지라, 구설을 무익이 허비치 아니하오나, 사원 등이 백행에 초출함은 밝히 아실지라. 존문의 변고 차악하며, 정·진 두 부인이 누명을 무릅쓰심을 듣자오니 경참(驚慘)함을 이기지 못하옵고, 존공이 '증모(曾母)의 투저(投杼)'366)함을 면치 못하심이요, 사원의 토혈하여 참혹한 거동을 아시고도 잠잠하시면, '헌공(獻公)의 혼(昏)'367)함이라. 사원 형제 존문을 흥기할 뿐 아니라 국가의 동량이라. 노예(奴隷) 하천(下賤)도 당치 못할 형벌을 임하여 명재수유(命在須臾)368)함을 보니, 경심(驚心)함을 이기지 못하올 바라. 존문이 불행하여 명천 합하 조세(早世)하시나, 사원의 형제 악장을 받들며 후사를 이으니, 그대도록 참혹한 경계를 당하였으되 구치 않으시니, 사원이 죽으면 누대봉사를 어느 곳에 의탁하시며, 악장이 만세 후 하면목으로 명천공 합하께 뵈오며, 소생이 사원 형제만 위함이 아니라, 악장의 변심하심을 의괴하고, 위로 주상이 고굉지신(股肱之臣)을 잃으실까 놀라시나니, 존공은 소생을 괴이히 여기지 마시고, 자질의 망극한 정사를 살피심이 존문 홍복(洪

---

365) 충년(沖年) : 열 살 안팎의 어린 나이.
366) 증모(曾母) 투저(投杼) : 증자의 어머니가 증자가 사람을 죽였다는 말을 듣고, 처음에는 이를 믿지 않았으나, 여러 차례 같은 말을 듣자, 마침내 베틀의 북을 내던지고 사건현장으로 달려갔다는 고사. 누구나 여러 번 말을 들으면 곧이듣게 된다는 말.
367) 헌공(獻公)의 혼(昏) : 중국 춘추전국시대 진(晉)나라 헌공(獻公)이 애첩(愛妾)인 여희(驪姬)의 음모에 빠져 태자 신생(申生)을 자결케 하고 두 아들까지도 축출한 후, 여희의 아들로 태자를 삼았다가, 그의 사후 나라를 내란에 휩싸이게 했던 일을 말함.
368) 명재수유(命在須臾) : 목숨이 잠깐 사이에 달려 있다.

福)이니이다."

추밀이 정·진 등이 연원정에 들어간 바는 알았으나, 그대도록 엄수(嚴囚)하고 절곡(絶穀)까지 함을 어찌 생각하였으리요? 어사 형제는 정신이 혼미하여 찾지 않았으나, 거꾸로 매달리며 죽어가는 줄이야 어찌 알리오. 양인의 말을 들으매 불승차악(不勝嗟愕)하여 두 눈이 두렷하고 낯빛이 찬 재 같되, 전일 마음이 없어 어린 듯이 말을 못하다가, 날호여369) 탄 왈,

"가변이 이상하여 청문(聽聞)의 괴이키는 이르지 말고, 내 병으로 가사를 살피지 못하여 영매 등을 비록 자리를 옮겼으나 무사히 머무는 줄로 알았으니, 쇄문절식(鎖門絶食)함은 생각지 않은 일이요, 광애 매여 달렸다 함은 금시초문(今時初聞)이라. 내 살았음이 죽음만 같지 못하여 연무중(煙霧中) 사람이 되었으니, 정신을 수습지 못하여 노친을 효봉치 못하고, 자질을 잘 거느리지 못하여 가변이 층출(層出)함이 전후 기괴한 일이 무궁하니, 구천타일(九泉他日)370)에 가형을 뵈올 면목이 없을지라. 군 등이 정성으로 이름을 어찌 모르리오마는, 심신이 산비(散飛)하고 기운이 혼혼(昏昏)하여, 괴병(怪病)이 고항(膏肓)371)에 박혔는지라. 이제 영매 등의 죄를 급히 밝힐 조각이 없으니, 창백이 금일이라도 데리고 돌아가 그 몸을 보전케 하라."

병부 심리에 헤아리되,

"사람이 그릇됨이 이렇듯 할 리 있으리오. 일러 쓸 데 없도다."

하고, 인하여 탄식하고, 왈,

---

369) 날호여 : 천천히.
370) 구천타일(九泉他日) : 저승에서의 훗날.
371) 고황(膏肓) : 심장과 횡격막의 사이. 고는 심장의 아랫부분이고, 황은 횡격막의 윗부분으로, 이 사이에 병이 생기면 낫기 어렵다고 한다.

"소생이 동기지심(同氣之心)으로써 소매 등의 거처를 보매 불승참연(不勝慘然)하나, 죄명이 흉참하기를 면치 못하니, 진적할진대 소생이라도 죽이고 싶으니 어이 데려가리까마는, 상시 그 위인이 청정함이 있으니 혹자 애매한즉 죽음이 원통할지라. 이러므로 말씀이 구차하고, 사정의 거리낌을 면치 못하나, 구태여 데려 가고자 함도 아니요, 소매 등이 신설키 전은 귀녕치 않으리니, 합하는 사지의 위태함을 구하소서."

추밀이 변심하였으나, 병부의 안서(安舒)함을 보고, 가장 민박하여 가로되,

"연원정은 내 한 번도 봄이 없으니, 별처를 가려 영매를 있게 하고, 식청비자(食廳婢子)를 엄칙하여 조석 식상을 받들게 하리니 과려치 말라."

병부 사례 왈,

"이같이 관인한 덕을 힘쓰신 즉, 은덕을 백골에 삭이려니와, 연원정을 구태여 옮겨 무엇하리까? 소생이 고인의 나룻³⁷²⁾ 그을리는 우애를 효칙치 못하여, 오래 못 본 연고로 사오일을 절곡하여 진명(盡命)케 되었으되 알지 못하고, 금일이야 본 바 되오니 인비석목(人非石木)³⁷³⁾이라, 그 경상을 보매 심장이 어찌 안안하리까?"

언파의 누수 산산(潸潸)하니, 추밀이 불안하고 수괴하여 자기 불찰임을 모르지 않되, 맹렬한 뜻이 없어 위·유 양인을 애달아 않고, 흐리눅고 풀어져 갱기(更起)를 못하는지라.

석상서 다시 말을 하고자 하다가, 추밀원(樞密院) 공사가 있는 고로 먼저 하직하고 가고, 병부는 하소저를 보려하여 청하니, 위·유 양인이 대담대악(大膽大惡)이나 정·석 양인을 볼 낯이 없어 보지 아니하고, 비

---

372) 나룻 : 수염.
373) 인비석목(人非石木) : 사람이 돌이나 나무와 같은 무정물(無情物)이 아님.

영으로 인사하여 추밀의 하는 말을 낱낱치 들어 고하라 하더니, 이윽고 정병부의 하소저 부름을 들으니, 추밀로 더불어 문답사를 낱낱이 고하매, 유씨 미움을 이기지 못하여, 사오나움을 발뵐 길이 없어 다만 하소저만 나가라 하니, 경애 더욱 분분 왈,

"정천흥 적자가 미치고 어린 석생으로 더불어 이에 이르러, 조모와 모친의 누덕을 첩첩히 대인께 고하고, 광천 등의 기특함을 칭찬하여 야야의 마음을 고치게 하니 어찌 분완치 않으리오. 천흥은 그 누이를 위함이니 괴이치 않거니와 석자의 일이 더욱 가소롭지 않으리오."

유씨 왈,

"석생의 무정함이 점점 이 같고, 한낱 외손도 못 보니 나의 팔자 괴이함을 슬퍼하노라."

위노 정·석 양인을 꾸짖으며 불쾌함을 이기지 못하되, 마음대로 발악치 못하고 통완하여 하더라.

남후 하소저를 대하여 피차 참연함을 이기지 못하나, 엄구 면전이라 십분 강인하여 눈물을 가리오고, 병부는 양매를 보매 참참하니 추밀을 향하여 왈,

"소생이 사정의 절박함을 인하여 품은 바를 은닉지 못하옵나니, 소매와 표매 각각 부모를 모셔 경사에서 부귀를 누리나, 하매의 정사는 촉지 수천여리에 부모를 이측(離側)하고 혈혈히 존부에 의탁하오나, 지란(芝蘭) 같은 약질이 허물을 잘 면하리까? 원컨대 수년을 부모 슬하의 머물게 하신즉, 그 나이 차거든 존문의 보내고자 하옵나니 허하시리까?"

추밀 왈,

"하현부는 행신이 만사에 한 가지도 흠잡을 일이 없으니 창백이 어찌 겸양하느뇨? 군이 이 같지 않으나 내 또 그 이친(離親)한 심사를 슬퍼 여기나니, 조금이나 그 마음을 불평케 하리오. 아직 존당 좌우의 모신 바

하·장 뿐이라. 오래 떠나지 못하리니 수삭이나 잇다가 오게 하리라.”

병부 사사하고 하소저더러 짐짓 추밀이 듣게,

“사빈이 존당의 책벌을 받아 가슴이 중상하고 팔이 칼에 질렸다 하니, 놀라와 봉심정에 가보니 홀로 있으니, 현매 무슨 연고로 가부의 병을 구호치 아니하고 부도를 폐하뇨?”

소제 직사의 중상함을 알았으나, 협실에 넣고 움직이지 못하게 보채거늘, 감히 양흥의 영을 거슬러 구호하리오. 한갓 심장만 살을 뿐이러니, 병부의 말을 들으나 대답할 말이 없고, 추밀은 직사의 상함을 처음 듣고 직사를 불러 그 상처를 보려하니, 직사 실족하여 상함을 고하고 상처를 감초니, 병부 왈,

“사빈이 합하를 기망함이 가장 괴이한지라. 내 분명이 칼에 질림을 알거든, 검독(劍毒)이 중함을 알지 못하고 일어나 다니려 하느뇨?”.

추밀이 또 정색 왈,

“내 그 상처를 봄이 무해하거늘 어찌 감추고자 하느뇨?

하고 그 팔과 가슴을 상고하니, 참혹히 상하였음을 보고, 대경하여 변색하고 가로되,

“여차(如此) 중상하였으되 눕지 않음이 도리어 견고한 일이라. 바람을 들이지 말고 일어나 다니지 말라.”

직사 대단치 않음을 대하고 물러나니, 추밀이 경참하나 태부인이 그 대도록 하였으랴 하고 알려 않으니, 그 성품이 괴이히 되었음을 보매, 병부 순설이 무익하여 하직하고 돌아갈 새, 하소저의 귀녕을 청하여 추밀의 허락을 얻고, 어사의 병을 보고 조리하여 쉬이 나음을 이르고, 참연함을 이기지 못하니, 어사 일어나 앉아 직사로 더불어 상처를 근심하되, 각각 질양(疾恙)으로써 나타내지 아니하더라.

정병부 양매(兩妹)의 시녀를 불러 왈,

"여등이 무상하여 주인이 사지(死地)에 들어가나 따르지 않고, 음식을 보내지 아니하여 소저 등이 기사지경(饑死之境)에 이르게 하니, 노주의 정이 어찌 이러할 수 있으리오. 소저의 금침과 자리를 걷어다가 연원정의 깔고 떠나지 말라."

제시녀 다행하여 회포 가득하나, 감히 태부인 흔극(釁隙)을 고치 못하고, 다만 수명하여 침금과 자리를 챙겨 후정으로 나아가대, 양흉이 감히 막지 못하더라.

정·진 양소저 모든 시녀를 보니 반갑기 극하나 슬픔이 더하여 말을 않으니, 제 시비 자리 깖을 청한데, 양 소저 거거의 지극한 정을 막지 못하여 침석을 겨우 깔게 하고, 홍선과 춘앵은 옥문을 열었으니 대희하여 동산에 기이한 물이 나옴을 깃거하고, 병부 노복으로 누옥(陋屋)을 이게[374] 하여 풍우를 가리니, 처음과는 내도하니 양 소저 그윽이 두려운 염려 깊어, 이곳도 능히 안신치 못할까 근심하니 자닝치 않으리오.

이날 추밀이 태부인 침전에 들어가 문득 탄식하고 가로되,

"소자 근간 질양(疾恙)이 괴이하여 가사를 살피는 바 없사옵고, 내사는 유씨를 믿었더니, 금일 정·석 양인의 말을 듣자오니 놀라움을 이기지 못하옵고, 광천을 거꾸로 매여 달고, 희천을 참혹히 상해와 계시니, 그 어찌된 일이니까? 요사이 광천을 못 보았으나 희아를 보니, 경참함을 이기지 못할 뿐 아니라, 석·정 이인이 자정 실덕을 어찌 차악히 여기지 않으리까? 정·진 등은 죄명이 흉참하오나, 아직 후정에 두어 나중을 보고자 하옵고, 급히 죽이려 함이 아니거늘 수계 후 사오일을 음식을 주지 아니하오니, 차마 그런 노릇을 할 수 있으리까? 진실로 유씨를 믿던 바가 아니로소이다."

---

374) 이다; 기와나 볏짚, 이엉 따위로 지붕 위를 덮다.

하니, 추밀이 전일 같으면 낯빛을 험악히 할 것이로되, 전자와 다른 사람이 되었으니, 조금도 어려이 여김이 없어, 거짓 흉한 말로 두루 꾸며, 어사의 불초함과 직사의 독함을 이르고, 스스로 분발(奮發)한 끝에 몸이 상하였노라 하며, 어사는 이길 길이 없어 나무에 매달았더니, 석·정 이인이 보고 변으로 알아 이르던 바임을 도리어 웃는 체하고, 정·진 이인은 음식 아니 준 일이 없어 갱반과 진찬을 갖추어 보내니, '누명을 부끄러워 먹지 않았더니라' 하고, 유씨의 어짊을 일컬으며, 추밀이 몽롱한 가운데 온갖 음식과 매운 술에 익봉잠으로 장부를 흐리오니, 형용이 환탈하고 기부(肌膚) 수척하여 보기에 위태롭되, 악악한 유씨와 흉험한 위노 그 마음 바뀐 줄만 깃거하고, 몸이 상함을 염려치 않아 요약 쓰기를 갈수록 부지런히 하더라.

차일 정병부 돌아가기를 임하여 순참정 부중에 화교(華轎)를 빌려 하소저를 데려가려 할 새, 위·유 면전에 두고 조르고 보채려 정하였거늘 어찌 보내리오. 위노 굳게 막아 가로되.

"내 병이 오히려 낫지 못하고 '여자유행(女子有行)이 원부모형제(遠父母兄弟)'[375]거늘, 하씨는 더욱 부모도 아닌 금평후 부부를 매양 가서 시봉할 일이 아니니, 우스운 귀녕(歸寧)을 청치 말고 움직일 뜻을 두지 말라."

하소저 하릴없어 거짓 병부에게 전어(傳語)하되,

"소매 서증(暑症)이 경각간(頃刻間)의 발하여 갈 길이 없을 뿐 아니라, 존당에 시봉할 사람이 없어 떠남을 결연히 여기시니, 사정을 감히 고치 못하여 이번은 못가나이다."

---

375) 여자유행 원부모형제(女子有行 遠父母兄弟) : '여자가 시집가면 부모형제와 멀어진다'는 뜻으로, 『시경(詩經)』〈패풍(邶風)〉'泉水'편에 나온다.

하니, 위·유의 용심을 통한하나 대체와 사리를 아는 고로 수일 후 데 려갈 줄 이르고 돌아 가니라.

어사 정·석 양인을 돌아 보내고 어둑한 정신과 아픔을 강인하여 겨 우 걸음을 옮겨 존당에 들어와 태부인께 뵈올 새, 중계(中階)에서 죄를 청하니, 위노 흉험한 말로 이르대,

"석준과 정천흥을 부촉하여 너희 형제 노모를 사지의 몰아넣으려 하 거니와, 노모도 세치 혀가 병들지 않았으니, 성천자 앞에라도 여 등의 죄과를 아뢰어, 죄를 정히 하고 분을 풀 것이니, 이제는 조손간이 원수 되었는지라. 어찌 좋은 낯으로 미운 것을 함인(含忍)하리오."

어사 조모 말씀이 점점 한심하니, 화란을 염려하고 실덕을 크게 슬퍼, 눈물을 흘리고 고두 청죄 왈,

"불초손이 유죄하매 왕모 예의로 책하시고 사리로 개유하심이 옳으시 거늘, 어찌 이런 망극한 말씀으로 조손간 혐극(嫌隙)이 되었음을 이르시 니까? 소손이 팔자 기박하여 엄안을 알지 못하고, 자모의 거처를 모르 며, 우러러 바라는 바 왕모와 숙당이시니, 자닝한 정사를 굽어 살피시면 참연(慘然)치 않으시리까?"

위노 대로 왈,

"너희 날을 원수로 아는 지경에, 내 홀로 너희를 귀중하여 하던 정리 를 생각하면, 너를 한 칼에 결단하여 설분하리니, 정천흥 도적놈과 석준 미친놈이라도 날을 간대로 죽이지 못하리라."

어사 조모의 거동이 일을 내고 말지라. 근심이 가득하나 화안이성(和 顔怡聲)으로 흉완한 노를 풀고자 하나, 어사의 말마다 분을 도도아 팔을 뽐내며 눈을 부릅뜨고 날뛰니, 차환 양낭의 무리 그 복심이 아닌즉 머리 를 흔들어 흉히 여기고, 어사의 견고함이 범류와 다른 고로, 아픈 것을 강인하나 정신이 아득함을 면치 못하여, 조모의 화평한 말씀을 못 듣고

물러나, 계부께 뵈옵고 잠깐 시좌(侍坐)하니, 추밀이 혈맥의 통한 정으로 또한 참지 못하여, 어사의 거꾸로 매달렸더라 말을 경참(驚慘)하여 곁에 나오게 하여 손을 잡고 어루만져 가로되,

"내 병이 사오 삭이 되도록 정신을 수습치 못하니 어찌 괴이치 않으며, 너희 형제 고경(苦境)이 많은가 싶으나 살피지 못하니, 어찌 자닝치 않으리오. 몸을 조심하여 가벼이 상하지 말라."

어사 슬픔을 이기지 못하되, 이성화기로 계부의 마음을 위로하고, 백화헌에 나와 베개를 취하여 몸을 쉬고자 하더니, 태부인 명으로 새끼를 꼬고 우마를 먹이라 하니, 직사 절민하여 하거늘, 어사 탄식하고 왈,

"사정을 청납할 길 없고 우형이 아직 명맥이 끊어지지 않았으니, 그만한 천역을 못 견딜 바 아니라. 다만 너의 질양(疾恙)이 비경(非輕)하거늘, 극열(極熱)을 당하여 혈육이 상하는 중장이 끊이지 않으니, 인세(人世)를 오래 누리지 못할까 근심하노라."

직사 형장 손을 붙들고 체루를 금치 못하여 가로되,

"소제는 비록 죽으나 자위와 양부모께 불효 비경할 뿐이요, 형장은 누대(累代) 종통(宗統)을 영(領)하실 천금중탁(千金重託)이시거늘, 전후에 당하신 경계와 밥의 양(量)이 소제 같지 않아, 만반 진찬을 조석으로 진(進)하시나 염(厭)치 않으시거늘, 모맥(麰麥)의 거친 죽이 아니면, 재강376)도 능히 잇지 못하시니 많이 촉수(促壽)하실 바라. 깊은 염려 놓이지 아니하나이다."

어사 탄 왈,

"자고로 영웅도 초년에 곤궁하여, '한신(韓信)이 빨래하는 여인에게 밥을 얻어먹고, 남의 가랑이 사이로 기어나가는 수모를 겪었으니'377),

---

376) 재강 : 술을 거르고 남은 찌끼. 늑술비지·술재강·술찌끼.

우형이 음식의 불합함을 조금이나 못 견뎌 하리오. 가변이 점점 해이(駭異)하니 외인이 다 앎을 슬퍼하노라. 타일에 아름답지 않은 소문이 파다할지니, 실덕(失德)을 간하지 못함을 슬퍼하노라."

직사 타루하고 야야의 실혼(失魂)하심을 더욱 절민(切憫)하여 하더라. 어사는 오히려 천역을 하여 조모의 명을 준행하나, 직사는 팔을 움직여 새끼를 겯지[378] 못하니, 어사가 모두 하나 가빠함이 없고, 직사는 피를 토하며 정신이 아득하여 신석(晨夕)에 위위(危危)하니, 어사 근심하여 약으로 고치기를 이르되, 직사 한 첩 약을 시험치 않으니, 뻔히 못 고칠 고질(痼疾)에 약을 시작치 아니하더라.

유씨 마지못하여 정·진 등에게 맥죽(麥粥)과 재강을 보내기를 명하고, 소유씨는 어사로 더불어 부부지락을 일울 길이 없고, 연고 없이 원수 같아서 은연이 피하는 모양이니, 소유씨 상사원정(相思冤情)이 질병이 되었으나, 어디 가 감히 사정을 발뵈리오. 애달프고 분함을 이기지 못하니, 숙모를 대하여 눈물을 뿌려 홍수(紅袖)를 높이 걷고 비홍(臂紅)을 내어 뵈며, 가로되,

"소질이 처음 그릇 생각하여 광천의 제삼부실을 혐의치 않았더니, 이제 홍안에 스스로 한(恨)스럽기 짝이 없으니, 성혼 수삼 삭에 주표(朱標)를 없애지 못하고, 규녀(閨女)의 편함 같지 못하니 어찌 슬프지 않으리까?"

---

377) '한신(韓信) 기식어표모(寄食於漂母) 수욕어과하(受欲於跨下)'를 번역한 말. 중국 한(漢)나라 때의 무장(武將) 한신(韓信; ?-BC196)이 출세 전, 곤궁하여 빨래하는 여인에게 밥을 얻어먹던 일과 무모한 싸움을 피하기 위해 그를 조롱하는 폭력배의 가랑이 사이로 기어나가는 수모를 겪었던 고사를 말함.

378) 겯다 : 꼬다. ①대, 갈대, 싸리 따위로 씨와 날이 서로 어긋매끼게 엮어 짜다. ②가는 줄 따위의 여러 가닥을 비비면서 엇갈아 한 줄로 만들다.

유씨 탄 왈,

"나는 처음에 이러할 줄 안 고로 너희 혼사를 기뻐 않았더니, 네 부디 욱여 광천의 배우(配偶) 되니 뉘우치나 어찌 미치리오. 광천의 고집이 너를 염박함이 한결같은지라, 너를 위하여 근심됨이 친녀와 다르지 않으니, 사세를 보아가며 너의 신세를 매몰치 않게 하리라. 정·진 등을 아사(餓死)하는 귓것을 만들고자 하였더니, 천흥이 날마다 와 보고 편토록 한다 하니, 통한하나 그만하여 두지 않을 것이니, 질아는 나의 하는 양만 보라."

하더라.

이때 정부에서 숙렬과 하씨를 윤부에 보낸 후, 그 가사(家事) 요란함을 염려하여 일시를 잊지 못하고, 진부에서 천금 일녀를 구가(舅家)에 보내매, 결울(結鬱)한[379] 정이 비길 데 없고, 진태우 등이 자로 나아가 보기를 청하면, 매양 여가(餘暇) 없어 못나와 본다 하니, 제진이 못 잊는 정이 극하나, 윤부 가정이 그대도록 함을 오히려 알지 못하고, 대화(大禍)에 빠졌음을 금후 부부와 낙양후 부부도 알지 못하니, 이따금 시녀를 보낸즉, 윤태부인이 환후 계시므로 사람을 들이지 않는다 하고, 오직 소저 등은 무양타 하니, 진부인이 의심하여 평후를 대하여 왈,

"너는 다른 이이와 달라 윤부에 내외 없이 출입하니, 질녀와 여아들을 볼지라, 각각 무양하더냐?"

남후 양매(兩妹)의 화란을 부모께도 차마 고치 못하고, 다만 차제 시랑과 종형 진태우더러만 이르고, 비절(悲絶)함을 이기지 못하던 바에, 모친이 물으시니 마침내 은닉지 못할지라. 좌를 떠나 윤부 화란을 세세

---

379) 결울(結鬱)하다 : 답답하다. 보고 싶어 하다. 섭섭하거나 보고 싶거나 하여 마음이 탁 트이지 못하고 답답한 상태에 있다.

히 고하고 왈,

"소자 연일 가 보오니 무죄함이 백일 같사오니, 그 액운이 괴이함을 탄할 뿐이요, 과도히 슬퍼함은 없사오니, 도리어 다행할 뿐 아니라, 윤 추밀이 범사를 기렴380)하고, 사원의 중정이 갈수록 더하여 보전할 도리를 다하니, 소자 이 말씀을 즉시 고치 못함은, 매양 자정이 과려하심을 두려하옵는 중, 숙당이 들으시면 과상하실까 민박(憫迫)하와, 태우형과 의논하고 아직 구씨(舅氏)381)께는 고치 말고자 하나이다.

진부인이 청필에 신색(身色)이 변함을 깨닫지 못하여, 타루 왈,

"여아 등과 질녀가 윤부에 입승(入承)하던 날 이럴 줄 알았거니와, 간 인이 요악한 의사로 여아와 질녀를 죽이려 하는 마디니, 어찌 참연치 않으리오. 질녀의 혼사는 실로 네 탓이 아니라 못할지라. 주형(兄)이 아시면 질(疾)을 이루실 것이니, 영수 등과 의논하고, 아직 모르시게 하라."

언파에 옥루(玉淚) 방방하더니, 금평후 들어와 부인의 슬퍼함을 보고 연고를 물으니, 남후 형제 비로소 매제의 화란을 고하되, 연원정 누옥과 형극 쌓음은 고치 않아, 겨우 머물 만 하던 줄 고하니, 금후 어찌 경해 (驚駭)치 않으리오마는, 엎친 물 같으니 놀라운 사색을 않고, 이연(以然)382)이 가로되,

"윤가에 딸을 결혼시키는 날 벌써 궂길383) 줄 안 바라. 여아와 진애 무고사(巫蠱事)에 범죄하다 하니, 증삼(曾參)의 살인(殺人)384) 같거니

---

380) 기렴하다 : 보살피다. 유념하다.
381) 구씨(舅氏) : 외숙.
382) 이연(以然) : 그러하다고 여김.
383) 궂기다 : 일에 헤살이 들거나 장애가 생기어 잘되지 않다.
384) 증삼(曾參)의 살인(殺人) : 헛소문, 또는 잘못된 소문. 증자의 어머니가 증자가 사람을 죽였다는 헛된 소문을 듣고 베 짜던 북을 던지고 사건 현장으로 달려 갔다는 고사 곧 '증모투저(曾母投杼)'에서 유래된 말.

와, 저희 용안의 수발(秀拔)한 해를 면치 못할 것이요, 호구낭혈(虎口狼穴)385)에 있으니, 어찌 괴로운 일이 없으리오. 천흥이 날마다 가 보아 편토록 하리니, 부질없는 심려(心慮)를 마소서."

하고 제자를 명하여 이 말을 존당에 고치 말라 하고, 낙양후 더러도 이르지 않으려 하나, 일심에 참연함이 맺혔고, 진부인은 큰 우환을 당한 듯하여 사침에 돌아오면 상연유체(傷然流涕) 않을 적이 없으니, 남후와 시랑 등이 그윽이 절민함을 이기지 못하여, 제제 등으로 더불어 주야 위로하더라.

이때 문양공주 정병부로 더불어 성혼한 지 오래로되, 병부 협문으로 좇아 궁중 왕래 빈빈하나, 외친내소(外親內疏)하여 매양 신병(身病)을 일컬어 공주로 더불어 부부지락을 마음대로 못함을 탄하여, 은근(慇懃) 위곡(委曲)한 정이 산해중정(山海重情)이 있음 같으니, 뉘 그 규량(規量)을 탁량(度量)하리오. 부모 존당이 오히려 그 심지를 알지 못하고, 오직 윤·양·이 삼인의 신세를 자닝코 슬퍼, 각별한 정이 강보유녀(襁褓乳女) 같고, 윤부인 아자와 양부인 여아 다 나날이 수발(秀拔) 특이(特異)하니, 합문(閤門) 상하의 기이한 보배 되었고, 시랑의 아자와 일시도 순태부인의 면전을 떠나지 않아, 각각 유모를 맡겨 태원전에서 지내니, 공주 볼 적마다 시심(猜心)이 만복하여, 유아 등을 삼킬 듯 미워하나, 사람됨이 영오총민(領悟聰敏)하고 은악양선(隱惡佯善)하여 명예를 도모하는 고로, 남후의 자녀를 타인소시(他人所視)386)에는 기출(己出) 같이 사랑하여, 그 의복을 다스리며, 자모의 소임을 폐치 아니하고, 존당 구고

---

385) 호구낭혈(虎口狼穴) : 호랑이 입과 늑대의 굴이란 뜻으로 매우 위험한 처지를 나타낸 말.
386) 타인소시(他人所視) : 다른 사람이 보는 곳이나 때.

를 받듦이 갈수록 온순 나직하여 교오자중(驕傲自重)함이 없고, 겸손비약(謙遜卑弱)하여 효성이 동촉(洞屬)함 같으니, 범안(凡眼)의 예사로이 보는 자는 칭선(稱善)하되, 존당 구고는 외모로 흔연하나, 마침내 내외 다름을 짐작하되, 그대도록 악착한 별물인 줄은 모르더라.

정부마 부부 은정은 꿈결에도 없고, 밖으로 작위(作爲)하여 타인의 이목을 가리나, 증염(憎念)하는 뜻이 본 적마다 한 층씩 더하고, 삼부인 생각이 간절하되, 심지 남달리 무겁고 금석 같이 견고하므로, 부질없이 별원에 왕래하여 삼 부인에게 급화를 더하지 않으려 하는 고로, 공주를 취한 후 한 번도 족적이 별원에 임(臨)치 아니하여, 돈연이 잊은 듯하나, 천륜의 지극한 정이 자녀의 교연(嬌然)함을 보면 탐혹(耽惑)히 사랑하여, 그 자모를 더욱 생각하며, 이씨의 산월(産月)이 멀지 않았으니 생남하기를 기다리며, 틈을 타 경부에 왕래하여 소저로 더불어 산비해박지정(山卑海薄之情)387)이 흔연(欣然)하니, 경씨 또한 잉태 삼사 삭이 되매 식음을 거스르고 표연이 우화(羽化)할 듯하니, 참정 부부는 근심하나 부마는 태후 있어 그러함을 일컬어 더욱 즐겨하되, 불고이취(不告而娶)로 근심이 되어 대인의 엄의(嚴意)를 헤아리매, 세구년심(歲久年深)함으로써 죄를 물시(勿施)할 리 없으니, 염려 방하치 못하는지라.

경소저가 남후의 부인이 되었음을 알 이 없으되, 양참정이 그 부인 화씨로 표종지간(表從之間)388)이라, 자연 알아 매양 남후를 대하여 웃고 왈,

"창백이 경씨를 취함을 영존이 모르시게 하였다가, 타일에 저를 어찌려 하느뇨.?"

---

387) 산비해박지정(山卑海薄之情) : 산이 낮고 바다가 얕다고 생각될 만큼 높고 깊은 정.
388) 표종지간(表從之間) : 내외종간(內外從間). 내종사촌과 외종사촌의 사이.

병부 대 왈,

"악장이 이르지 않으시나 이로써 주야 마음을 놓지 못함이라. 부마되기로 처음 정하였던 계교 글렀으니, 이제는 가친께 한 차례 죄책을 면치 못하게 되었으되, 아직 너무 급하여 고치 못하였나이다."

양공이 그 위인을 사랑하여, 금평후께 좋이 도모하여 죄책을 받지 않게 하려 하더니, 경씨 잉태함을 듣고, 소왈,

"경씨로 창백의 제오실(第五室)을 도모하여 사혼은지(賜婚恩旨)를 얻어 신취(新娶)함을 차려 윤보를 기이려 하였더니, 벌써 잉태함이 있은즉 하릴없도다."

하더라.

화설. 공주 최상궁으로 더불어 부마의 행지를 살펴 반신반의하여 능히 탁량치 못하고, 윤·양·이 삼인을 단연(斷然)이[389] 가보지 않음을 더욱 의아하니, 최녀 머리를 흔들어 왈,

"소년 남자가 정실로 은정이 있은 후는 질고(疾苦)가 있어도 염려치 않고 합근지례(合巹之禮)를 이룰 것이로되, 도위 상공은 언언이 신병만 일컬으시고 옥주를 멀리하시며, 삼 부인을 찾지 않으심이 사기(事機) 수상하니, 차라리 존구께 여차여차 고하시어 어진 덕을 나타내시고, 윤·양·이 삼부인을 일궁지내(一宮之內)에 모아, 일찍이 절제하는 것이 옳을까 하나니, 그 가운데 알 도리 있으리이다."

공주 대찬 왈,

"보모의 지혜는 양평(良平)[390]이라. 비록 적인(敵人)이 수풀 같으나

---

389) 단연(斷然)이 : 결연히.
390) 양평(良平) : 중국 한(漢)나라 때의 책사(策士) 장량(張良)과 진평(陳平)을 함께

보모를 두었으니 통일을 어찌 근심하리오."

최녀 요수 왈,

"옥주의 구고(舅姑) 군자 숙녀요, 가법이 숙숙(肅肅)하고, 도위 상공 곤계(昆季) 영준이시니, 행신을 근신(謹愼)할지라. 옥주는 명예를 널리 모아 말째 차두(叉頭)391)와 삼세 아동에게도 겸공비약(謙恭卑弱)하여 합가의 예성(譽聲)을 얻은 후, 기모(奇謀)를 운동하여야 통일하는 쾌함을 얻으리이다".

공주 순순 응낙하고 명일 신성 후 피석(避席) 부복(俯伏)하여 구고께 고하되,

"첩이 감히 구고 처사를 시비함이 아니요, 어린 심폐를 존당 구고께서 사무치실까392) 바람이니, 여자의 투악(妬惡)은 칠거(七去)의 큰 죄라. 첩(妾) 수불혜(雖不慧)나 '갈담(葛覃)의 풍(風)'393)을 배우고자 하옵나니, 초에 상명(上命)이 윤·양·이 삼 부인을 잠깐 치우고자 하심이나, 절혼니이(絶婚離異)하신 일이 아니요, 첩이 비록 만승지녀(萬乘之女)나 군자께는 제사부빈(第四副嬪)이니, 어찌 선후(先後)를 도착(倒錯)하리까? 윤·양·이 삼 부인을 상견함을 얻지 못하고, 별처에 고초를 겪으신다 하오니, 실로써 불안하옵고, 삼 부인과 일궁지내(一宮之內)에서 안항(雁行)을 차려 즐기게 하시면, 존당 구고의 성은일까 하나이다."

존당 구고 공주의 말이 진정이 아님을 지기(知機)하나 흔연 칭사 왈,

이르는 말.
391) 차두(叉頭) : 차환(叉鬟). 주인을 가까이에서 모시는 젊은 계집종.
392) 사무치다 : ①깊이 스며들거나 멀리까지 미치다. ②깊이 깨닫다. ③멀리까지 통하다.
393) 갈담풍화(葛覃風化) : 갈담의 교화. 갈담은 『시경』〈주남(周南)〉갈담장(葛覃章)에 나오는 말로, 주나라 문왕비인 태사(太姒)의 덕을 길이는 말.

"귀주(貴主) 만승지존(萬乘之尊)의 교훈하신 바로, 투기를 배척하여 윤・양・이 삼인을 청하여 '태사(太姒)의 풍(風)'[394]을 이으려 하니, 세속의 희한할 일이로되, 천흥이 문왕(文王)[395]의 덕이 없으니 여러 처실을 잘 거느리지 못할까 근심할지언정, 삼인이 귀주의 성덕을 저버리고 쟁총(爭寵)할 리는 없으리이다."

하더라.

---

394) 태사(太姒)의 풍(風) : 중국 주(周)나라 현모양처(賢母良妻)인 문왕의 비(妃) 태사(太姒)의 덕을 말함.

395) 문왕(文王) : 중국 주나라 무왕의 아버지. 고대의 이상적인 성인군주(聖人君主)의 전형으로 꼽힌다.

명주보월빙 권지이십사

화설. 금평후 공주의 말을 듣고 칭사 왈,

"귀주 태사(太姒)의 풍(風)을 이으려 하심이 세속의 희한한 일이로되, 돈애 문왕(文王)의 덕이 없으니 여러 처실을 잘 거느리지 못할까 근심할지언정, 삼인이 귀주의 성덕을 저버리고 쟁총(爭寵)할 리는 없을지라. 윤씨는 위국사절(爲國死節)한 윤명천의 여(女)니 유시(幼時)에 정혼하여 맹약을 두었던 바요, 명천이 없으나 구약을 성전(成典)하니, 천흥에게 외람한 아내요, 양·이는 또한 친우의 딸이라. 다 명 거족이니, 양씨는 색덕이 겸하고, 이씨는 규합(閨閤)의 사군자(士君子)라. 성상이 아직 윤·양·이를 각각 두고자 하여 계시니, 인신(人臣)의 도리 거스름이 불가하고, 자정이 신석(晨夕)에 잊지 못하시니, 황상께 고하고 데려오고자 하였더니, 이씨 산월이 초추(初秋)라 하는지라. 고로 분산(分産) 후 데려오려 하니, 얼마 하여 보시리까?"

공주 존당구고가 자기를 현숙한 줄로 앎을 기뻐하나, 삼인을 일컬어 성녀(聖女) 철부(哲婦)로 미룸을 보매, 시심(猜心)이 만복하나 온화한 말씀으로 덕을 나토니[396], 합문이 외면으로 칭복하나, 상하 노소의 안

---

396) 나토다 : '나타내다'의 옛말.

고(眼高)함이 무산(巫山)397)과 월궁(月宮)398)을 보았으니 범연한 색덕
은 기특히 여기는 바 없으니, 공주 이러므로 심연박빙(深淵薄氷)399)하
여 부귀를 자랑치 못하더라.

공주 돌아와 최상궁을 대하여 구고의 말씀을 전하니, 최녀가 변색 왈,
"상명이 옥주로 원위(元位)를 누리게 하여 계시거늘, 금후 노야(老爺)가
어찌 윤씨로써 조강(糟糠)이라 하시며, 각각 아름다움을 과찬하여 옥주
위에 있는 줄 알아듣게 함이라, 분완하도소이다. 연이나 겸손하는 덕을
나토시고, 도위(都尉) 들어오실 때 여차여차하시어 성덕을 알게 하소서."

공주 부마의 들어오기를 기다리더니, 차야에 도위 취기(醉氣)를 띠여
궁에 들어와 공주를 대하여, 은근한 말씀으로 심간(心肝)을 어리오는지
라400). 공주 황홀이 낯빛을 우러러 산해(山海) 같은 음정이 불 일 듯하
되, 스스로 몸을 안접(安接)치 못하여 저의 풍신(風神) 용화(容華)를 대
할 적마다 원탄(怨嘆)함을 마지못하다가, 날호여 가로되,

"첩이 사갈(蛇蝎)이 아니거늘, 삼부인이 별처에 피하여 얼굴을 알지
못하고, 선후를 착란케 할 뿐 아니라 고초를 겪음이, 첩의 연고라, 어찌
불안치 않으리오. 군자는 제가(齊家)에 공정 관대하시어, 조강의 중한

---

397) 무산(巫山) : 중국 중경시(重慶市) 동쪽에 있는 현. 무산십이봉(巫山十二峯)이
   솟아 있는데 기암과 절벽으로 이루어진 경치가 아름답기로 유명하다. 소설 등
   에서 신선이나 선녀가 사는 선계(仙界)로 설정되는 경우가 많다. 여기서는 무
   산선녀를 뜻한다.
398) 월궁(月宮) : 전설에서, 달 속에 있다는 궁전. 여기서는 월궁에 살고 있다는 선
   녀인 상아(嫦娥)를 뜻한다.
399) 심연박빙(深淵薄氷) : 조심하기를 깊은 못에 다다른 것처럼 하고 살얼음을 밟
   듯 한다는 뜻으로, 『시경』〈소아(小雅)〉편의 '소민(小旻)'시에 나오는 구절인
   '전전긍긍 여림심연 여리박빙(戰戰兢兢 如臨深淵 如履薄氷 : 두려하고 조심하
   기를 깊은 못에 다다른 듯, 살얼음을 밟듯 하네)에서 온 말.
400) 어리오다 : 어지럽히다. 미혹(迷惑)시키다.

의를 생각하여, 별처의 자로 왕래하여 첩의 곳에 일편되이 머물지 마시고, 삼부인을 일궁에 처하여 즐기게 하시면, 삼부인 성덕을 배워, 군자 내사를 한가지로 받들가 하나이다."

부마 공주가 공교한 꾀로 삼인을 해코자 함을 거울같이 비추되, 오직 미미히 웃으며 왈,

"귀주는 적인(敵人)의 해를 깨닫지 못하시니, 이 마음이 진정있을진대 숙녀의 자리를 웅거하실지라. 생이 귀주를 취한 후 별원에 왕래 없으나, 저 사람이 다 현숙하여 모이지 않는 것을 한하지 않을 것이요, 귀주궁에 이름은 다른 연고 아니라, 귀주 왕희의 존함을 가져 생의 여러 째 부실이 되사, 궁중의 적막히 계심을 위하여 출입이 빈빈하나, 구태여 귀주를 침혹(沈惑)함도 아니요, 삼인 등을 잊음도 아니라. 신병이 나은 후 여러 처첩을 거느려 애증이 없을 것이니 옥주는 타일을 보소서."

공주 부마의 말이 소원(所願)이 아니나, 다만 온화히 손사(遜辭)하고 천교만태(千嬌萬態)로 쌍협에 웃음을 띠어, 온 가지로 부마의 뜻을 마치려 은총을 낚으나[401], 부마 통완하되 흔연 화평하여, 은근 위곡(委曲)하여[402] 옥수를 잡고 무릎을 연(連)하여, 질양(疾恙)이 있음으로 여산중정(如山重情)을 펴지 못함을 한(恨)하고, 상요(床褥)[403]에 나아갈 새, 공주의 편히 눕기를 청하고, 웃옷을 쾌히 벗고 금금(錦衾)을 추켜 덥고 잠을 깊이 드는 거동이라.

공주 불같은 음정을 참고자 하나 어려운지라. 촉을 이미 물렸으니 부마의 자는 거동도 자시 보지 못하고, 경대(鏡臺)에 야명주(夜明珠)를 내

---

401) 낚다 : (속되게) 이성(異性)을 꾀다.
402) 위곡(委曲)하다 : 자상(仔詳)하다. 인정이 넘치고 정성이 지극하다.
403) 상요(床褥) : 침상에 편 요라는 뜻으로, '잠자리'를 말함.

어 들고 부마의 자는 거동을 살피니, 백옥(白玉) 같은 용모에 봉안(鳳眼)
이 그린 듯하며, 반월천정(半月天庭)404)과 녹빈방천(綠鬢方天)405)에 두
발(頭髮)이 흐트러져있고, 깃 거스른406) 봉(鳳)이라. 사금(紗衾)을 가슴
까지 추켜 덮었으나, 옥 같은 살이 비추니 공주 어린 듯이 들이밀어 보
다가, 경각에 베개 위에 한가지로 꿈을 이루고자 하나, 어찌 임의로 하
리오. 온 가지로 음욕을 참지 못하니, 애다는407) 분이 철골(徹骨)하여,
누수 방방(滂滂)하여 천만 시름을 띠였으니, 부마 자는 체하나 밝기만
기다려 공주의 음일(淫佚)한 거동을 보지 말려 하니, 분함이 경각(頃刻)
에 차 던지고자 하나 참고 자는 체하니, 공주는 부마의 깨었음을 모르
고, 그 몸을 자세히 보고자 하여 점점 발치로 내려 사금(紗衾)을 높이
드는지라. 부마 공주의 살이 자기 몸을 두루 더듬어 흉참한 음욕을 참지
못함을 밉게 여겨, 잠깐 속이고자 하여 돌아눕는 체하며, 기지개를 켜면
서 두 발로 모아 굴러 차 던지니, 공주 천만 몽매지외(夢寐之外)408)에
차이는 환을 만나니, 추풍낙엽(秋風落葉)같이 점직하게409) 멀리 떨어지
니, 허리 부러지는 듯, 두 무릎이 벗어졌는지라. 겨우 궁아를 불러 촉을
밝히라 하고, 누수여우(淚水如雨)하여 울기를 마지않으니, 최상궁이 그

---

404) 반월천정(半月天庭) : 반달 모양의 이마. 천정(天庭)은 관상(觀相)에서 양 눈썹
　　의 사이, 또는 이마의 복판을 이른다.
405) 녹빈방천(綠鬢方天) : 푸른빛이 도는 귀밑머리와 이마의 양 옆 가장자리에 난
　　머리털을 함께 이르는 말. 녹빈(綠鬢); 푸른 빛이 도는 고운 귀밑머리. 방천(方
　　天); 방천극(方天戟) 중앙 날 양 옆에 붙여놓은 두 개의 초승달 모양의 날[이것
　　을 월아(月牙)라 함]을 말하는 것으로, 여기서는 이마의 양 옆 가장자리의 머
　　리를 뜻한다.
406) 거스르다 : 곤두서다. 거꾸로 꼿꼿이 서다
407) 애달다 : 마음이 쓰여 속이 달아오르는 듯하게 되다.
408) 몽매지외(夢寐之外) : 꿈속에서 조차도 생각지 못했을 만큼 갑작스럽게.
409) 점직하다 : 부끄럽고 미안하다. *점직하게; 부끄럽게, 겸연쩍게. 멋쩍게.

곡절을 모르고 불승경황(不勝驚惶)하여, 부마 취침하였으므로 가만히 공주 곁에 나아가 연고를 묻거늘, 공주 최상궁더러도 바로 이르기 참괴(慙愧)하여 다만 이르대,

"도위 사금이 벗어졌거늘 추켜 덮고자 하여 앞에 나아가매, 무심결에 매우 차 버리니 하마 죽을 뻔하였으나, 사람을 이리 상케 하고 마음이 안안하여 저렇듯 자는 줄 이상하도다."

상궁이 더욱 놀라 위로 왈,

"주군이 몽중에 알지 못하고 차버릴 법은 있거니와, 어찌 짐짓 옥주를 차 버리리까? 만만 무정지사(無情之事)410)로소이다."

공주 가장 분노하여 그 박(薄)함을 슬퍼하니, 최상궁이 재삼 위로하며 붙들어 상요에 누이는지라. 도위 심중에 우습게 여기나, 공주를 이미 아플 만치 속였으니, 자기 본심이 아닌 줄 뵈고자 하여 다시 기지개 켜고 두 발을 모도 굴러 헛것을 차는 체하다가, 눈을 때 촉화 밝았음을 보고, 공주를 향하여 가로되,

"귀주는 이미 상상의 나아가 계시거늘, 여등이 어찌 모였으며, 무슨 연고로 촉을 다시 밝혔느뇨?"

공주 자기를 업신여겨 이렇듯 차버린 건가? 노하고 분하여, 눈물을 흘려 왈,

"첩이 군자의 사금을 덮고자 하여 나아갔더니, 생각 밖에 차이는 환을 만나 몸이 상하니, 아픔은 이르지도 말고 놀랍기를 이기지 못하나니, 아지못게이다!411) 첩을 무슨 연고로 그대도록 차 버리시니까?"

---

410) 무정지사(無情之事) : 전혀 고의(故意)로 한 일이 아님. 혐의(嫌疑)를 둘 만한 일이 없음.
411) 아지못게이다! : '모르겠소이다!' '모를 일이로소이다! '알지못하겠소이다!' 등의 감탄의 뜻을 갖는 독립어로 작품 속에서 관용적으로 쓰이고 있어, 이를 본

　　부마 거짓 놀라는 사색으로 번연이 베개를 밀치고 이불을 끌어안고 앉아 가로되,

　　"귀주 짐짓 생을 희롱하여 허언을 하심이냐? 진실로 생이 귀주를 차 버리니까?"

　　공주 변색 왈,

　　"첩이 비록 단정치 못하나 군자와 희롱코자 허언을 하리까? 군자 차 지 않았으면 첩이 어찌 공연이 몸이 벽상에 부딪혀 하마 죽을 뻔하였으리까?"

　　도위 또한 정색 왈,

　　"생이 본디 소학(所學)이 비박(鄙薄)하고 식견이 천단(淺短)하나, 평생 에 부부 존경하여 시속의 탕음탕자(蕩淫蕩子)가 아내를 수하라 하여 무 례히 대접함을 본받지 말고자 하는 고로, 귀주를 이르지 말고 다른 처첩 이라도 부박(浮薄)히 희로(喜怒)를 요동하는 일이 없으니, 어찌 귀주를 차버릴 리 있으리까? 생이 혹 잠결에 이불이 벗어졌으나 귀주 발치로서 치끌어412) 덮으실 리 없으니 많이 허언을 하시는도다."

　　공주 부마의 허무히 여기는 기색을 보고, 잠결에 모르고 차버린 건가 하여 도리어 공교한 웃음을 띠어 가로되,

　　"첩이 군자께 차이지 않았으면 상할 리 없을 것이요, 삼경반야(三更半 夜)레 자던 궁녀를 깨와 촉을 밝히고 요란히 굴 리 없으니, 군자 어찌 첩으로써 허언을 하는가 하시나니까?"

　　부마 침음(沈吟) 양구(良久)에 미미(微微)히 소왈,

　　"귀주 아무리 생에게 차이였노라 하시나, 귀주를 거운413) 일이 없으

　　래말 '아지못게이다'에 감탄부호 '!'를 붙여 독립어로 옮겼다.
412) 치끌다 : 위로 끌다. 끌어올리다.

니 몽중에도 생각 밖이라. 귀주 허언을 않기로 치면 생이 찼을 듯하되, 망연히 알지 못하니 괴이하거니와, 원간 생이 잠을 가만히 자지 못하여 발 노릇을 심히 하니, 혹자 귀주 발치에 이르시면 차일 법도 있으되, 잠속에 무슨 힘으로 상하도록 찼으리요."

공주 부마의 만만 무정지사(無情之事)임을 알고, 노색을 낮추어 상한 곳을 앓을 뿐이니, 도위 가장 우습게 여기나 사색치 아니하고, 은근한 말로 중상함을 염려하고, 연침집수(連枕執手)하여 애경(愛敬)하는 정이 지극함 같이 하니, 공주 비록 총명하나 그 심천(深淺)을 엿보지 못하더라.

도위 나올 새, 공주를 돌아보아 병을 염려하며 권권(眷眷)한 중정을 머무르니, 최녀 새도록 기색을 살펴 공주의 차임을 의심하고, 위곡(委曲)한 사색은 소년 부부의 지극한 형상을 다하나, 공주의 비홍(臂紅)이 완연하니, 그 마음을 난측이라. 공주 상아래 나아가, 탄식 왈,

"아무리 생각하여도 주군의 행지를 탁량(度量)키 어려우니, 첩이 옥주를 위하여 절박한 근심이 숙식의 불평하니, 작야에 도위 옥주를 그렇듯 매우 차버리시고 천연이 모르는 체하시니, 진실로 무정지사면 모르거니와, 작심이란 것이 오래지 못하니, 주군은 성혼 육칠 삭에 흔연한 빛을 이루심을 보니, 박(薄)하지 않으신 듯하오나, 합근지례(合巹之禮)를 지금까지 이루지 않으시니, 어찌 괴이치 않으리오. 도위와 금평후 부부 윤·양·이 삼인을 숙녀 철부로 미루어 언언이 칭찬함 곳 들으면, 첩이 분분 통해(忿憤痛駭)함을 이기지 못하나니, 만금을 허비하나 윤·양·이를 없이하면 무슨 한이 있으리오."

공주 누수 방방하여 왈,

"비록 참고 견디기를 위주하나, 정군의 박함이 사정을 펼 길이 없고,

---

413) 거우다 : 집적거려 성나게 하다.

존당 구고며 일가친척의 입 가운데 가득이 일컫는 바는 윤·양·이 등

이요, 그 소생 자녀의 기이함이 나날이 더하여 옥수경화(玉樹瓊花) 같

고, 이씨 산월이 불원하니 남녀 간 골육(骨肉)이 나, 부마의 중정을 낚

으리니, 문양궁 재산을 다 기울여도 삼인을 죽이면 흉금(胸襟)이 시원할

까 하노라."

최녀가 눈썹을 찡기고 침음양구(沈吟良久)에 고 왈,

"첩의 오라비 군문에 출입하여 안면이 너르고, 용사 자객붙이를 사귀

던 것이니, 금일이라도 청하여 윤·양·이를 해할 사람을 얻을까 물어

보사이다."

공주 그리하라 재삼 당부하니, 최씨 즉시 오라비 호문장(護門將) 최형

을 청하여 가만히 계교를 이르고,

"문양옥주를 소매 길러낸 바로 존비 현격하나, 정인즉 모녀에 감치 않

은지라. 만승지녀(萬乘之女)의 혁혁한 부귀로써, 병부의 여러 째 부실이

되어 상명이 비록 부마의 원위를 웅거하게 하여 계시나, 매양 후에 들어

온 서어(齟齬)함이 계시고, 중정을 윤·양·이에게 돌아갔으니, 옥주

괴롭고 통한함을 이기지 못하시는지라, 거거는 안면이 너르고 용사협객

(勇士俠客)을 많이 사귀어, 일을 족히 도모함 즉하니, 삼부인을 다 별원

(別園)이란 곳에 머물게 하였으나, 밖에 정시랑 형제 돌려가며 지킬 뿐

이요, 안에 시녀배 모셨다 하니, 하수(下手)하기 어렵지 않을지라. 한낱

자객을 얻어 주면, 만금으로써 예폐(禮幣)를 삼을 것이니 거거는 착실히

듣보414)소서"

최형이 본디 질독첨사(疾毒諂邪)415)하여 요악(妖惡)함이 제 누의와

---

414) 듣보다 : 듣기도 하고 보기도 하며 알아보거나 살피다.

415) 질독첨사(疾毒諂邪) : 마음이 몹시 사납고 독하며 아첨을 잘하고 사악함.

같고, 궁중에 빈빈(頻頻) 왕래하여 금은을 욕심대로 얻어 쓰는 고로, 범사를 공주의 명인즉 위월치 않는지라. 흔연 응낙 왈,

"현매의 이름이 아니라도, 우형이 힘을 다하여 옥주를 위한 정성으로 종신토록 귀 궁에 왕래하여, 옥주의 명령을 준행하리니, 한낱 자객 얻음이 무엇이 어려우리오. 사오일 후의 용사를 데리고 올 것이니 이 뜻을 옥주께 주(奏)하라."

상궁이 대열(大悅)하여, 날이 늦으매 최형이 돌아가니, 최녀 흥심이 공주의 위니, 이 또한 삼부인의 액회(厄會) 괴이하여 공주의 과악을 도울 별물이 생겼더라.

최형이 자객을 광구하니, 영천인 장후걸이 효용(驍勇)이 절륜(絶倫)416)하여, 몸을 공중에 감추어 칼을 쓰는 법이 소향무적(所向無敵)417)이라. 최형이 즉시 데리고 문양궁의 와 최상궁더러 후걸의 재주 비상함을 이르니, 최녀 대희하여 공주께 고하고, 먼저 황금 일정(一錠)을 주어 주채(酒債)418)를 하라 하고, 성공 후 부귀를 무궁히 누리리라 하여, 별원에 나아가 삼인을 죽이되, 일시에 다 마치고, 시신을 아주 치워 여차지사(如此之事)를 영영 타인이 모르게 십분 조심하라 당부하니, 후걸이 크게 깃거, 제 재주를 믿고 언언(言言)이 응낙하고 별원 근처의 가 들어갈 길을 일일이 헤아리고, 최상궁과 날을 맞추어 수일 후, 후걸이 비수를 끼고 별원으로 나아가니라.

어시에 윤·양·이 삼부인이 별원에 옮은 지 칠 삭이 거의라. 서로 그림자를 조차 적인 두 자를 잊고 좌와(坐臥)에 떠나지 않으며, 지극한

---

416) 절륜(絶倫) : 이를 데 없이 뛰어남.
417) 소향무적(所向無敵) : 어지를 가든지 대적할 만한 사람이 없음.
418) 주채(酒債) : 술값. 술값으로 진 빚.

정으로 피차에 믿고 바람이 골육자매(骨肉姉妹) 같으니, 비록 적막한 별원의 고초를 탄하나, 급한 근심과 당한 염려는 적으므로, 양·이 두 부인은 각별한 시름이 없으되, 오직 윤부인이 친정 화란을 부끄러워하고 슬퍼, 쌍아(雙蛾)419)에 시름이 풀릴 길이 없는지라. 매양 소고(小姑) 등의 전정을 근심하던 바로, 문득 상부(上府)420)로조차 양낭의 전어를 들으매, 정숙렬과 진소저 참참(慘慘)한 죄루를 실어 후당에 수계(囚繫)하였으므로, 진부인이 상도(傷悼)하여 주야 침식이 불안타 하니, 윤부인이 본부 변괴 아니 미친 곳이 없을 줄 지기하던 바에, 참연(慘然) 통석(痛惜)하여 천 가지 비한(悲恨)과 만 가지 애닯이421) 교집(交集)하니, 촉사(觸事)422)에 야야(爺爺)께서 아니 계시므로 화란이 상생함을 새로이 슬퍼, 화기(和氣) 소삭(消索)하고 염려 무궁하매, 식음이 맛이 없어 옥모화풍(玉貌和風)이 수경(瘦勁)423)하니, 양·이 두 부인이 또한 소고(小姑)의 화란을 염려하나, 윤부인의 과애(過哀)함을 위로 왈,

"숙렬과 진부인의 인효(仁孝) 청혜(淸慧)한 성덕이 수복을 누릴 바니, 초년 소소재액(小小災厄)을 과려(過慮)할 바 아니요, 각각 운수 불리한 때를 인하여 굿김이요, 부인의 탓이 아니니, 소고 등의 액화를 스스로 지은 듯이 부끄러워하고 슬퍼하시니까?"

윤부인이 척연(慽然) 하루(下淚) 왈,

"피차 심담(心膽)이 상조(相照)하니, 첩의 소회를 부인네 들어 알 바 아니거늘, 이렇듯 말씀하시니까? 첩이 불혜누질(不慧陋質)424)로, 성문

---

419) 쌍아(雙蛾) 미인의 고운 두 눈썹.
420) 상부(上府) : 부모나 시부모가 계신 집. 본부(本府). 본댁(本宅).
421) 애달다 : 마음이 쓰여 속이 달아오르는 듯하게 되다.
422) 촉사(觸事) : 일마다. 당하는 일마다.
423) 수경(瘦勁) : 극도로 야위어서 뼈만 앙상함.

(聖門)에 의탁하여 한 일도 사람을 들림직 한 바 없으되, 존당 구고의 혜택이 일신에 젖어, 뼈를 빻으나 갚지 못할 바거늘, 사제(舍弟)로써 소고(小姑)의 배우를 삼으니, 요행 부부의 기질이 천정배우(天定配偶)라. 첩의 집이 예사로울진대, 소고의 위인을 흠복하고 일신을 편토록 대접하는 것이 은혜를 갚는 바거늘, 소고가 성혼한 지 기년(朞年)이 못되어서 원앙(怨怏)한 죄루(罪累)를 실어 누옥(陋獄)에 곤하니, 지란(芝蘭) 같은 약질이 보전키 어려울지라. 소고의 화란을 첩이 지은 일이 아니나, 내 집으로 좇아 난 변괴라. 존당이 첩의 죄를 삼지 않으시나, 하면목(何面目)으로 존하(尊下)에 뵈올 뜻이 있으며, 숙당(叔堂)이 진소저를 그 어찌 사랑하시관대, 빙옥(氷玉) 신상에 누얼(陋-)425)을 무릅쓰고 옥리(獄裏)의 곤함 곧 들어 계시면, 상회(傷懷) 과도하실 뿐 아니라, 오가(吾家)를 통완 절치하시리니, 첩이 염치 안안하리까? 여러 가지로 심기 차악하니, 촉처(觸處)에 가엄(家嚴)이 안계시기로 변란이 망극하기의 미치니 더욱 통절(痛切)하이다."

양·이 두 부인이 탄 왈,

"부인의 회포 어찌 그렇지 않으시리까마는, 불행함이 그 지경에 미친 후는 염려하여 미칠 바 아니니, 모름지기 심사를 상해오지 마소서."

윤부인이 홀연 상석(床席)에 일어나지 못하니, 양·이 두 부인이 그 만월(滿月)426)인 고로 각별 보호하더니, 이날 불평함을 보고 좌우를 떠나지 않아 구호할 새, 홀연 윤부인이 좌비(左臂) 떨려 오래 진정치 못하니, 스스로 심정이 영(靈)하여 양·이 두 부인을 보아 왈,

---

424) 불혜누질(不慧陋質) : 슬기롭지 못한 비천한 자질.
425) 누얼(陋-) : 사실이 아닌 일로 뒤집어쓴 더러운 허물. 얼; 겉에 들어난 흠이나 허물. 탈.
426) 만월(滿月) : 만삭(滿朔). 아이 낳을 달이 다 참. 또는 달이 차서 배가 몹시 부름.

"첩의 팔이 이렇듯 떨려 진정치 못하니 마음이 놀라운지라, 의혹하건 대 무슨 액회 당두(當頭)한 듯하이다."

두 부인이 공주의 현불초(賢不肖)를 몰라 그윽이 근심하던 바에, 윤부 인의 말을 듣고 가장 놀라, 양부인 왈,

"첩 등이 부인을 의지하여 별원에 안향(安享)할까 바라나, 혹자 첩 등 이 이 별원에도 머물지 못하게 작해(作害)하는가 두려우니, 무슨 일을 당할지 세사난측(世事難測)이라. 부인의 성현지풍(聖賢之風)으로 첩 등 을 가르치소서."

이소저 쌍미를 찡그려 이윽히 사량(思量)하다가 왈,

"첩이 역시 아픈 가운데 경심(驚心)하여 진정키 어려우니, 정히 괴이 함을 이기지 못하나니 부인은 방비하소서."

부인이 즉시 주역(周易)의 묘한 곳을 인하여 한 괘(卦)427)를 얻으니, 자기 등의 액회 가장 급하여 방비함이 없을진대, 참화를 만나기 쉬운지 라. 윤부인이 본디 통치 못할 재주 없으니, 여공지사(女工之事)와 문장 재화(文章才華)는 이르지도 말고, 의술(醫術) 방서(方書)428)와 점리(占 理)429) 상법(相法) 길흉(吉凶)을 앎이 신명(神明)한지라. 단엄(端嚴) 침 정(沈靜)하여 재주를 나타냄이 없더니, 이날 의심이 동하여 점사(占辭) 로 액화를 깨달으니, 비록 방비하여 면하나 자기 등의 대액이 없지 않으 니, 심리(心裏)에 추연(惆然) 불락(不樂)하여 침사(沈思) 양구(良久)에,

---

427) 과(卦) : 괘(卦). 중국 고대(古代)의 복희씨(伏羲氏)가 지었다는 글자. 《주역》 의 골자가 되는 것으로, 한 괘에 각각 삼 효(爻)가 있고, 효를 음양(陰陽)으로 나누어서 팔괘(八卦)가 되고 팔괘가 거듭하여 육십사괘(六十四卦)가 된다.

428) 방서(方書) : ①신선의 술법인 방술(方術)을 적은 글이나 책. ②약방문을 적은 책.

429) 점리(占理) : 점술(占術). 특수한 자연 현상이나 인간 현상을 관찰하여 미래의 일이나 운명을 판단하고 예언하며, 감추어진 초자연적인 세력의 의사를 알려 는 방술(方術). 소극적이고 수동적인 점이 주술과 다르다.

주영과 현앵 등을 명하여 자기 침전(寢殿) 밖의 사람이 왕래하는 곳을
깊이 파게 하니, 주영 등이 비록 여자나 용력이 유여(裕餘)하여 잠깐 사
이에 지게430) 밖을 두어 길이나 되게 팠는지라. 부인이 친히 살펴 깊이
파고난 후, 날카로운 쇠 꼬치와 적은 칼을 세워, 서리 같은 날이 위로
가게하고 적은 나무를 들여 가로지르고 약간 흙을 덮어 두니, 여러 시녀
배 부인 침당(寢堂)으로 들어가는 앞을 이같이 허방431)을 놓았으므로
능히 다니지 못하여, 후창으로 돌아다니며 연고 없이 허방을 놓음을 괴
이히 여기되, 감히 묻지 못하더라.

윤·양·이 삼 부인이 한 방에 모여 이씨의 병을 구호하며, 소고 아
주의 절세함을 사랑하여 각각 유치(幼稚)를 떠난 슬픔을 잊어, 아주소저
를 가차하여 일월을 보내며, 밤인즉 심회 적료(寂廖)함을 인하여, 시사
를 창화하여 아주 소저를 가르쳐 울울함을 잊더니, 차야에 이소저는 먼
저 상요에 나아가고, 윤·양 이부인은 아주를 재운 후 촉을 도도고432)
예기를 잠심하더니, 밤이 깊은 줄 깨닫지 못하고, 시녀 등은 여름 잠이
곤하여 곳곳에 쓰러저 자는지라.

이때 후걸이 옆에 비수를 끼고 별원에 돌입하니, 본디 용맹이 절륜하
여 유리(琉璃)를 밀(密)친433) 듯한 장원(牆垣)이라도 자취 없이 넘는지
라. 이에 담을 넘어 자세히 살피니, 시아(侍兒) 양낭(養娘)의 무리는 다
잠들고, 큰 당의 촉화 명멸하고 이따금 담화하는 소리 들리거늘, 문틈으
로 엿보아 삼인이 한데 있는가 보려하여, 발을 움직여 지게 앞을 향하다

---

430) 지게 : 지제. 지게문. 옛날식 가옥에서, 마루와 방 사이의 문이나 부엌의 바깥
　　　문. 흔히 돌쩌귀를 달아 여닫는 문으로 안팎을 두꺼운 종이로 싸서 바른다.
431) 허방 : 땅바닥이 움푹 패어 빠지기 쉬운 구덩이.
432) 도도다 : 돋우다. 정도를 더 높이다.
433) 밀(密)치다 : 벽 따위를 빽빽하게 둘러서 세우거나 쌓다.

가, 문득 평지로 알아 무심히 디딘 바, 썩은 나무 부러지는 소리 나며 몸이 함정의 떨어지니, 비록 공중에 솟는 용이 있으나 천만 무심 중 허방을 디뎌 빠지니, 온몸에 쇠 꼬치와 칼날이 깊이 박히는지라, 어디 다시 움직여나 보리오. 자연 '애고!' 소리 천지 진동하니, 삼부인이 함정에 빠짐을 알고 놀랍고 흉히 여기며, 모든 시녀는 도적의 소리에 깨어 촉을 들고 나와, 함정에 도적이 들었음을 알고 부인의 지모를 탄복하여,

"부인이 연고 없이 함정을 파는 것을 괴이히 여겼더니, 원간 이럴 줄 미리 아셨닷다!434)"

하니, 삼 부인이 일시에 시아를 분부하여 외루(外樓)에 가 도적이 함정에 빠졌음을 고하라 하니, 시녀 등이 즉시 나가 시호(侍護)하는 서동을 불러 소유를 시랑께 고하라 하니, 시랑과 유흥공자 잠이 깊었다가, 가장 놀라 바삐 일어나 의관을 수렴(收斂)하고, 모든 노복을 거느려 내루에 들어가, 난간 밖에서 먼저 이수(李嫂)의 병을 묻고, 버거435) 윤·양 이수(二嫂)의 놀라시믈 일컬어 왈,

"소생 등이 밖을 지킴이 여차지경(如此之境)이 없게 하고자 함이러니, 문득 흉적이 내루에 돌입하니, 요행 함정에 빠지지 않았던들 삼위 존수께서 하마 대화를 보실 뻔 하니, 어찌 놀랍지 않으리까? 이 다 소생의 암매 불찰한 연고로소이다."

윤·양·이 부인이 대 왈,

"숙숙이 밖에 계시고 첩 등이 안에 있어, 다만 시녀 노복 따름이니, 재보 없음을 모르지 않을 것이로되, 반야의 이곳의 돌입하는 뜻이 각별

---

434) -닷다 : 동사, 형용사 어간 뒤에 붙어 '-더구나'의 뜻을 나타내는 옛말의 감탄형 종결어미.

435) 버거 : 버금. 다음.

한 흉계라. 숙숙은 엄히 다스리시어 간정을 물으시려니와, 혹자 처치 난안(赧顔)한 마디 있을진대, 차라리 적을 죽여 말을 아니 냄만 같지 못할까 하나이다."

시랑 등이 수수(嫂嫂)의 원녀(遠慮)를 항복하고, 함정을 미리 만들어 도적을 방비한 바를 가장 깃거, 오직 대 왈,

"도적을 저주어436) 죄상이 죽임직 하면, 명일 대인께 고하고 죽이려니와, 소문 없기를 잘 믿으리까?"

윤부인 왈,

"차적이 재보(財寶)를 탐하여 들어왔으면 구태여 죽일 죄 아니거니와, 이곳에 재보 없는 줄은 알 것이니, 이미 금보(金寶)에 욕화(慾火)를 두지 않은 후는 인명을 상해오려 함이니, 전후에 사람을 많이 해한 도적이니 한번 죽임이 무방할지라, 이제 그 말이 괴이한 데를 범하여 다스림도 어렵고, 일이 요란할 듯하거든, 비록 처사 몽롱하나 부질없이 여러 사람을 잡혀 대면(對面)하는 거조(擧措) 없도록, 다만 죽여 소문 없게 하심을 바라나이다."

시랑이 사례 왈,

존수(尊嫂)의 명대로 하리이다.

하고 노자를 명하여 함정을 헤치고 철삭으로 후걸을 동여매니, 처음은 소리나 지르더니 점점 만신에 쇠 꼬치와 칼이 박혀 고대 죽을 듯 간간하니437), 능히 소리도 못하고 달아날 마음도 없어, 철삭에 매인 바 되어 외루로 나오니, 시랑이 당상에 높이 앉아 소리를 가다듬어 물어 왈,

"네 재보를 도적하라 들어온 도적이 아닌 줄, 물어 알 바 아니라. 아

436) 저주다 : 형문(刑問)하다. 심문(審問)하다.
437) 간간하다 : 아슬아슬하게 위태롭다.

지못게라!438) 상부(相府) 후문의 내당을 혼야(昏夜)에 돌입함이 어찐 뜻이뇨? 부질없이 형벌을 받지 말고 간정(奸情)을 직초(直招)하라.”

후걸이 만인부당지용(萬人不當之勇)439)이 있으나, 만신(滿身)에 쇠 꼬치 꽂혀 성혈(腥血)이 낭자(狼藉)하고, 저의 품은 바 비검(匕劍)에 가 슴이 중상하여 경각의 죽을 듯한지라. 앙천 탄 왈,

“내 전후에 비수를 끼고 혼야 왕래를 무수히 하되, 한번 패한 적이 없 더니, 금야에 이곳에서 죽게 되니 막비천명(莫非天命)440)이라. 수원수 한(誰怨誰恨)441)이리오. 대장부 일을 이루지 못하나 어찌 말을 허비하 여 여러 곳에 미루리오. 스스로 죽기를 바랄 뿐이라.”

정시랑이 후걸의 상모 흉장(凶壯)하고 언어 공순치 아니하여, 포악이 무궁함을 보매, 평생의 인현화홍(仁賢和弘)한 덕이 사람을 형벌을 가하 며 혈육이 상함을 보고자 아니하되, 마지못하여 시노를 명하여 형벌 기 구를 갖추어 간정(奸情)을 엄문(嚴問)할 새, 좌우에 횃불이 낮 같고, 벌 같은 사예(私隸)442) 전후에 나열하여, 후걸을 끌어 간정을 직고하라 재 촉하니, 후걸이 헤오대,

“죽음을 면치 못하리라.”

하여, 차라리 형벌이나 받지 말고 죽기를 쉬이 함을 구하여, 이에 꾸

---

438) 아지못게라! : ‘모르겠도다!’ ‘모를 일이로다! ’알지못하겠도다!’ 등의 감탄의 뜻을 갖는 독립어로 작품 속에서 관용적으로 쓰이고 있어, 이를 본래말 ‘아지 못게라’에 감탄부호 ‘!’를 붙여 독립어로 옮겼다.

439) 만인부당지용(萬人不當之勇) : 만 사람이 덤벼도 당하지 못할 용맹.

440) 막비천명(莫非天命) : 천명(天命)일 따름임. 막비(莫非)는 ‘아니 것이 아니다’라 는 뜻의 이중부정어.

441) 수원수한(誰怨誰恨) : ‘누구를 원망하고 누구를 한하겠느냐’는 뜻으로, 남을 원 망하거나 한할 것이 없음을 이르는 말.

442) 사예(私隸) : 사노(私奴). 권문세가에서 사적(私的)으로 부리던 노비.

러 고하되,

"스스로 윤·양·이 삼 부인을 해하려 일시에 세 목숨을 끊고자 들어온 바니, 구태여 재보를 노략고자 한 바 아니로소이다."

시랑이 더욱 흉히 여겨 정성엄문(正聲嚴問) 왈,

"네 본디 상한천류(常漢賤流)로 공후(公侯)의 부인이 성씨가 아무인 줄 모를 것이거늘, 해하려 들어왔다 함은 어찌된 말인고? 그 가운데 반드시 곡절이 있으니 모름지기 은닉(隱匿)지 말라. 감히 일일이 직고치 아니할다?"

시랑이 언색이 동일지애(冬日之愛)[443]와 춘양지화(春陽之和)[444]가 있으나, 불쾌지사(不快之事) 있으면 미우에 설풍(雪風)이 늠름함 같고, 엄숙한 위의 추천(秋天)이 뇌정(雷霆)을 동(動)함 같으니, 후걸이 우러러 보매 심신이 경황하여, 간정을 물음을 당하니, 처음 장기 줄어져 이에 부복 고 왈,

"소인은 본디 영천 백성이라. 나이 십여 세부터 칼 쓰기를 배워 자객(刺客)으로 생업(生業)하는 바이더니, 호문장 최형을 사귀어 문양궁에 이르니, 옥주 황금 일정을 내어 보내시고, 궁비로 분부하시대, '여차여차하여 윤·양·이 삼부인을 한 칼에 죽여 시신도 없이 하면, 여러 길로 도모하여 벼슬을 시키고, 금은옥백(金銀玉帛)을 일생 호거(好居)[445]토록 주마.' 하는 고로, 욕심에 이끌려 비수를 품고 귀부에 돌입하여 삼부인을 해하려 하였사옵더니, 생각 밖 허방을 디뎌 함정에 빠짐이 되니, 하늘이 악사를 돕지 않으신가 하옵나니, 이 밖에 고할 말이 없나이다."

---

443) 동일지애(冬日之愛) : 겨울 햇살의 다사로움.
444) 춘양지홰(春陽之和) : 봄볕의 온화함.
445) 호거(好居) : 살림이 넉넉하여 잘 살아감.

시랑이 적(賊)의 초사를 듣지 않아서 의심이 문양궁에 돌아가더니, 및 적의 말을 들으매 차악하여, 백씨의 가사(家事) 흐트러지고 숙녀 철부의 무사치 못할 바가 크게 불행하고 근심되어, 미우를 찡기고 제노(諸奴)를 명하여, 도적을 엄히 지켜, 일시도 떠나지 말고 명일 찾을 때를 기다리게 하고, 날이 새기를 기다려 상부에 신성(晨省)하고 부공을 모셔 외헌에 나오니, 작일 남후 관(官)에 들어감을 고하고, 경부에 가 지내므로 미처 오지 못하고, 금평후 좌우에 제 공자 뿐이라. 시랑이 좌우 고요함을 타 피석 부복 왈,

"해아(孩兒) 제노(諸奴)로 더불어 별원을 누월(累月)을 지키오나 별로 일이 없삽더니, 작야(昨夜)에 윤·양·이 삼수의 침당에 여차여차한 적변(賊變)이 있어, 소언(所言)이 여차여차하오니, 일이 극히 해연(駭然)[446]하온지라. 해아(孩兒) 자단하올 길이 없사와 고하나이다."

금평후 청필에 화우(和宇)를 찡기고 오래도록 말이 없더니 날호여 길이 탄식 왈,

"천흥이 젊은 나이에 만사 과람(過濫)하여 조달영귀(早達榮貴)함이 바람 밖이라. 삼처를 취하여 각각 그 위인이 현숙하여, 가도 화평하며 자손이 창성할까 믿음이 중하더니, 불행하여 문양공주 하가하매, 삼부의 일생이 괴롭고 위태함을 염려하여 근심이 깊으나, 자객의 환이 이다지도 급이 올 줄은 오히려 생각지 못한 바라. 이제 차사를 들춰내나, 간계 점점 더하여 악심이 방자하여 두려워할 것이 없는 후는, 변괴 더하고 악사 무궁하리니, 아직 이런 일을 물시하고, 자객을 이제 죽여 없이하면, 소문이 나지 않으며 도처에 행악(行惡)하던 화근을 더는 바라. 천흥의 성도 과격하니 자객의 곡절을 들은즉, 사기 요란하고 공주와 화락치 않

---

446) 해연(駭然) : 몹시 이상스러워 놀라움.

으리니, 여등은 이런 말을 불출구외(不出口外)하라. 전혀 부귀 남다르므로 조물이 시기하여 가변(家變)의 해이(駭異)함을 짓는지라. 윤·양·이 삼부는 한 차례 대화를 면치 못할 것이니, 각각 팔자를 믿거니와 어찌 근심되지 않으리오."

시랑이 성교 마땅하심을 일컫고, 물러와 노자 경필 등을 불러, 여차여차하여 자객을 죽여 시신을 없이 하라 하고, 또 분부하되 지난 밤 일을 누설하는 자 있으면, 사죄를 면치 못하리라 하니, 제노가 청령(聽令)하고 종용히 수명(受命)하더라.

어시에 경필이 거짓 흔연 왈,

"그대 혼야(昏夜)에 비수를 끼고 내정에 돌입함이 사죄를 지었으나, 아직 대노야 처결이 죽이지 맒을 이르시니 그대 음식을 힘써 먹고 장래를 보라."

후걸이 경필의 뜻을 알지 못하고, 종야 애쓰고 앓아, 음식의 사미(奢味)함을 깃거 일분 타의 없이 서르저 먹기를 못 미칠 듯이 하니, 후걸의 사생이 하여오?

어시에 경필이 독으로써 후걸을 먹이며, 소행을 알고자 하여 흔연 문지 왈,

"그대 전후 칼로써 사람을 해함이 몇이나 되느뇨? 용맹을 듣고자 하노라."

답 왈,

젊어서부터 칼 쓰기를 숭상하여 사람의 지극히 청한 바를 자연 떼치지 못함으로, 내 손의 마친 재 사십여 인이라. 향하는 바에 패함이 없더니, 귀 궁에 이르러 허방의 빠져 잡혔노라.

필이 극히 흥히 여겨 왈,

"차적(此賊)의 죄상이 천살무석(千殺無惜)[447]이거늘, 노야는 어이 그 머리를 베지 않으시고 약으로 마치게 하시는고? 알지 못하리로다."

하더니, 이윽고 후걸이 칠규(七竅)로 피를 토하고 거꾸러져 즉시 죽거늘, 필이 그 요패를 떼어 시랑께 드리고 죽음을 고하니, 시랑 왈,

"그 놈의 죄악이 당당이 머리를 벨 것이로되, 종용키를 위하여 약으로 죽였으니, 혹자 후일 시신을 찾는 이 있어도 주검을 삿[448]에 싸 가까운 데 묻어 두라."

경필이 수명하여 동류로 더불어 시신을 삿에 말아 십리정(十里程)[449]에 묻되, 시랑의 분부 엄함으로 차사를 불출구외(不出口外)하라 하니, 정부 법령이 숙연함으로 감히 언두(言頭)에 올리지 못하여, 제 부모 처자도 알지 못하는지라. 고로 후걸 죽임을 전연 부지하고, 윤·양·이 삼부인은 안연 무사하며, 밖으로 엄히 지켜 불의지변(不意之變)을 방비하되, 침단(沈端)[450]함이 남다른 고로 자객지사(刺客之事)를 종시 부마에게 고하지 않으니, 병부도 아득히 알지 못하나, 공주의 불량(不良)함을 명지(明知)하여 증분이 날로 더하되, 외면에 흔연함을 고치지 않으니, 합문(閤門)이 전연 부지라.

문양공주 후걸을 별원으로 보내고 최상궁으로 더불어 즐겁고 기쁨을 이기지 못하여, 윤·양·이 삼부인을 일검(一劍)에 베어 시신도 없이하고 돌아오기를 양양히 죄어, 희보(喜報)를 종야 기다리되, 걸의 그림자도 오는 일 없으니 의괴막측(疑怪莫測)한 바에, 최형이 밖에 있어 후걸의 안 옴을 초조하여 별원 근처에 가 탐문하되, 기척이 없으니 크게 경

---

447) 천살무석(千殺無惜) : 천 번을 죽여도 아깝지 않음.
448) 삿 : 삿자리. 갈대를 엮어서 만든 자리.
449) 십리정(十里程) : 십리쯤 되는 거리.
450) 침단(沈端) : 침중(沈重)하고 단엄(端嚴)함.

아(驚訝)하여 상궁을 보아 괴이함을 일컬으니, 상궁 왈,

"후걸이 황금만 가지고 도망치지나 않을 위인 일런가? 믿지 못할러라."

최형 왈,

"기인을 갓 사귀었거니와 내실(內實)함이 남다르고 재주 비상하니, 옥주 소원을 이뤄 적인을 소멸할까 하여 정성으로 후길을 천거한 것이니, 무소식하나 결단코 도망할 염려는 없고, 근본이 영천 사람이니 제 아들 둘이 재주를 이어, 지금 데리고 상경하여 장자는 태학사 구몽숙의 서기(書記)를 삼고, 차자는 대도록 소환의 군관이 되어있으니, 어찌 달아나리오."

최씨 역경(亦驚) 왈,

"연즉 달아나든 않을 것이나, 사기 패루(敗漏)하여 잡히지 않았다면, 어찌 기척이 없으리오."

최형 왈,

"후당에 삼부인이 있다 하니, 여자 무슨 지략으로 후길의 용맹을 당하여 잡으리오. 현매 의심이 괴이하도다."

상궁 왈,

"차사(此事)가 난측(難測)이니, 저의 양자를 찾아 거처를 알게 하소서."

최형이 연기언(然其言)451)하여, 두루 돌아 길의 상시 다니던 곳을 아니 찾음이 없고, 양자를 보아 그 부친의 거처를 물은데 다 모름으로 대하니, 최형이 어두운 후 문양궁의 와 종시 만나지 못함을 이른데, 최상궁이 낙담상혼(落膽喪魂) 왈,

"연즉 후길이 작석(昨夕)에 사기 패루하여 벌써 우리 일이 나타났도다."

최형 왈,

---

451) 연기언(然其言) : 그 말과 같이 하겠다고 함.

"후길이 일을 그릇하여 힘힘히452) 죽을 유(類)는 아니로되, 아무리 후길의 거처를 찾으나 다시 얼굴을 보지 못하니, 그런 괴이한 일이 업도다."

상궁이 혹자 사기 패루한가 근심하나, 오히려 후길이 별원 내정에 들며 바로 함정에 빠지는 화를 만나, 몸이 칼과 쇠 꼬치에 찔리고 독약에 마침을 알지 못하여, 분분 초조함을 마지않으니, 최형이 또한 심회 불평하여 두루 듣보되453), 별원에 도적 든 줄 아는 이도 없으니, 종시 사생 거처를 몰라 울울불락하니, 공주와 최씨의 초전(焦煎)함은 일필난기(一筆難記)라. 숙식이 무미(無味)하나 부마의 은근함은 일양(一樣)이니, 공주 최씨더러 왈,

"만일 후길이 패루(敗漏)하였은즉, 간정을 엄문(嚴問)하여 우리 허물이 발각되었을 것이요, 복초로조차 궁중 비자를 저주어 물을 것이나, 더욱 최형은 정군 수하 장졸에 있으니, 최형을 삭직하여 엄치할 것이로되, 부마 차사를 전연 부지할 뿐 아니라, 존당 구고 언단(言端)에 별원에 자객이 든 바를 일컫지 않으니, 아마 후길이 무재(無才)하여, 거짓 별원의 들어가 윤·양 등 해(害)키를 기약하고, 황금을 탐하여 도망한가 하노라."

최씨 빈미(嚬眉) 왈,

"황금 일정이 비록 아까우나 도주하였으면 작하리까마는454), 혹자 사기 패루한가 날로 근심되나, 상공의 흔연한 사색과 정당 기색이 여전하니, 혹자 후길이 옥주의 이르심과 같아서 도주한가 하나, '천장수심(千丈水深)은 알아도 일장인심(一丈人心)은 불가탁(不可度)'455)이오니, 정

---

452) 힘힘히 : 부질없이. 헛되이.
453) 듣보다 : 듣기도 하고 보기도 하며 알아보거나 살피다.
454) 작하다 : 오죽하다. *작하리까마는; (그렇게 되었으면) 오죽이나 좋겠습니까마는.
455) 천장수심(千丈水深)은 알아도 일장인심(一丈人心)은 불가탁(不可度) : "천 길

당과 도위 노야의 기색인들 어찌 믿으리까?"

공주 왈,

"보모의 말도 옳거니와, 작심삼일(作心三日)이라. 내 정문에 입승(入承)한 지 달포 되나, 구고 존당의 자애 한결같이 공경하고, 도위 은근 유열하여 일호 불평한 기색이 없으니, 이성(二姓)의 합친지례(合親之禮)를 폐함이 괴이하나, 작위(作爲)함은 아니라. 하물며 정군의 기운이 충천하고, 위인이 준열하여, 만세(萬歲)456) 면전에서도 언론(言論)의 격앙(激昻)함이 천위를 두려워하지 않으니, 그 뜻으로써 홀로 나를 두려워하여 없는 정을 가식(假飾)하리오?"

최씨 또한 소왈,

"마땅하신 명교(明敎)시나, 첩은 실로 주군의 행사를 수상히 여기오니, 매양 신병(身病)을 일컬어 세월이 오래 지나야 나음을 이르시나, 본디 실정이 아니시니, 윤·양·이 삼 부인께는 생산하신데 어찌 옥주 취하신 후야 신환이 계시어 비홍(臂紅)457)이 그저 있게 하리까? 비록 조심하는 뜻이나 삼부인께는 조심함이 없고, 옥주를 원거(遠居)하시니 종시 후정(厚情)이 있다 못할지라, 하물며 주군의 용모 홍년(紅蓮) 같으시고, 침식(寢食)이 여일(如一)하시니 질환이 핑계시요, 혹 여색에 상(傷)

물속은 알아도 한 길 사람의 속은 모른다"는 속담으로, 사람의 속마음을 알기란 매우 힘듦을 비유적으로 이르는 말.

456) 만세(萬歲) : 귀인, 특히 천자나 임금의 죽음을 이르는 말. 여기서는 '황제'를 대신 이른 말.

457) 비홍(臂紅) : 팔에 있는 붉은 점이라는 뜻으로, '앵혈'을 달리 이른 말. *앵혈; 중국의 '수궁사(守宮砂)'를 한국고소설에서 창작적으로 변용하여 쓴 서사도구의 하나. 도마뱀의 피에 주사(朱砂)를 섞어 만든 것으로, 이것을 팔에 한번 찍어 놓으면 성관계를 맺기 전까지는 절대로 없어지지 않는 속설 때문에, 고소설에서 여성의 동정(童貞)이나 신분(身分)의 표지(標識) 또는 남녀의 순결 확인, 부부의 합궁여부 판단 등의 사건 서사에 다양하게 활용되고 있다.

하다 하나, 전일은 여러 희첩과 즐기시고, 당차시(當此時)하여 여관(女官)을 괴로워하심이 옥주를 증념(憎念)함 같으니, 삼부인을 청하여 일궁(一宮)에 두고 보면 알리이다. 옥주 존귀로써 적인(敵人)을 보시며, 구가 일문이 삼부인을 먼저 일컫고 버거 옥주를 칭선(稱善)함을 들으면, 첩의 심간(心肝)이 뛰노나니, 윤·양 등의 색덕(色德)이 어떠하관데, 천상을 통하여 다시없으므로 일컬으니, 첩이 옥주를 위하여 통일천하(統一天下)하고, 평정구주(平定九州)458)하는 쾌함을 도모하여 주주야야(晝晝夜夜)의 마음이 편함을 얻지 못하나이다."

공주 그 충의를 감사하여 본디 귀비 버금으로 정이 깁고, 사부 한상궁은 본이 사족(士族)이요, 위인이 정정(貞正)한지라. 매양 최녀의 불미지사(不美之事)로 공주를 그릇 도움과, 공교한 꾀로 가부의 은정을 낚으려 함을 아니꼬워하여, 자주 어진 말씀으로 숙녀의 부덕을 이르고, 최녀의 간험함을 배척하되, 공주 최녀의 간교를 애지(愛之)하고, 한씨의 간언을 오지(惡之)하여 궁중 범사를 상의함이 없어, 다만 서책만 가음알게459) 하고, 최씨는 금은(金銀)과 필백(疋帛), 보화(寶貨)를 차지하며 공주 좌우를 떠남이 없어, 부마 들어오면 잠깐 피할 따름이요, 불연즉(不然卽) 흉모를 행하노라 일시 물러나지 않으니, 한씨 심내(心內)에 개탄하여 공주를 불의에 넣을까 근심하되, 간언이 무익하여 도리어 함구(緘口)함을 일삼더라.

---

458) 평정구주(平定九州) ; 구주(九州; 온 천하)를 평정함. *구주(九州) : 중국 고대에 전국을 나눈 9개의 주. 요순시대(堯舜時代)와 하(夏)나라 때에는 기(冀)·연(兗)·청(靑)·서(徐)·형(荊)·양(揚)·예(豫)·양(梁)·옹(雍)이며, 은(殷)나라 때에는 기·예·옹·양·형·연·서·유(幽)·영(營)이고, 주(周)나라 때에는 양·형·예·청·연·옹·유·기·병(幷)이다.

459) 가음알다 : 관장(管掌)하다. 다스리다.

여름이 다 지나고 초추(初秋)를 만나, 이씨 일척(一尺) 백옥(白玉)을 낳으니, 산실(産室)에 기이한 상서(祥瑞) 있어, 경운(慶雲)이 만실하고 이향(異香)이 암암(暗暗)하여 생애(生兒) 초세(超世)한 귀인(貴人)임을 알지라.

윤·양 이부인이 좌우로 붙들어 무사 분산하매, 신아의 소리 청고 웅건하여 집이 울리는지라. 겸하여 일척백옥(一尺白玉)이 일월정기(日月精氣)와 성신지정(星辰之精)을 오로지 가져 산천의 맑은 광채를 실중의 토하니, 윤·양 이부인이 희출망외(喜出望外)[460]하여 신아를 구경하며[461] 산모(産母)를 붙들어 갱반(羹飯)을 권할 새, 시랑과 공자 등이 소저의 불의(不意) 순산생자(順産生子)함을 만심환희하여 구호함을 극진히 하더라.

금평후 자객의 변이 있은 지 날포[462] 될수록 차악함을 이기지 못하고, 차후 삼식부(三息婦)의 위태함을 깊이 염려하여, 공주의 흉독을 분해하나 사색을 흔연하여, 자정께는 미리 염려하실 고로 고치 못하나, 부인을 대하여 좋은 말씀으로 여아의 화란을 거리끼지 않는 듯하나, 천륜지독(舐犢)[463]의 지극한 자애로써, 빙옥신상(氷玉身上)에 망측(罔測)한 죄루(罪累)를 실어, 누옥간초(陋獄艱楚)[464]의 비상함을 참연 통석하여 탄식(歎息) 단우(慱憂)[465]러니, 일일은 남후 옥누항에 나아가 누이를 보고 와, 대단한 질양(疾恙)이 없음을 부전의 고하니, 공이 탄 왈,

---

460) 희출망외(喜出望外) : 기대하지 아니하던 기쁜 일이 뜻밖에 생김.
461) 구경하다 : 구경하다. 흥미나 관심을 가지고 보다.
462) 날포 : 하루가 조금 넘는 동안
463) 저독(舐犢) : '소가 제 새끼를 핥는다.'는 뜻으로, 자식에 대한 어버이의 지극한 사랑을 비유로 나타낸 말. 지독지애(舐犢之愛).
464) 누옥간초(陋獄艱楚) : 좁고 더러운 감옥에서 괴롭고 힘든 옥살이를 함.
465) 단우(慱憂) : 매우 깊이 근심함.

"여아 생어부귀(生於富貴)하고 장어호치(長於豪侈)하니 누지냉옥(陋地冷獄)에 일시나 견디리오마는, 명도 완(頑)함이라. 이미 삼하(三夏) 진하고 점점 추랭(秋冷)하니, 필연 기한(飢寒)을 면치 못하리로다."

남후 복수 왈,

"옥중이 비록 누추(陋醜)하오나 해아(孩兒)가 일일(日日) 왕래(往來)하여 보오니, 부지(扶持)할 도리 있사온지라. 설마 엄한(嚴寒)을 만난들 기한을 못이겨 죽는 지경에 이르리까?"

공이 추연 불락이요, 병부는 부공의 색우(色憂)를 민박(憫迫)하여 춘양화기(春陽和氣)로 염슬시좌(斂膝侍坐)러니, 문득 오공자 필흥이 이수(李嫂)의 순산 생자함을 고하니, 공이 희동안색(喜動顏色)하여 바삐 산모의 기운을 알아오라 하며, 내당에 가 태부인께 고하니, 부인이 만심 환열하여 왈,

"노모의 지리(支離)466) 명완(命頑)함으로써 증손을 보니 살았음이 영행한지라. 삼부를 별처에 두고 노모의 못 잊음이 극하던지라. 신아를 바삐 보고자 하니, 노모 친히 가 보리라."

금평후 소이대 왈(笑而對曰),

"자위 가 보신즉 소자 막으리까마는, 이씨 분산을 기다려 데려오려 하더니, 남아를 낳았으니 영행하온지라. 삼칠(三七) 후 옛 침소에 옮겨오리니, 별원 왕래 극난(極難)하와 성체(聖體) 가쁘시리니 기다리소서."

병부 역간(亦諫)하니, 부인이 자손의 말을 우겨 가지 못하고, 심히 굼거워467), 윤부인 아자와 양씨 여아 벌려 있으니 어루만져 가로되,

---

466) 지리(支離)하다 : 지루하다. 시간이 오래 걸리거나 같은 상태가 오래 계속되어 따분하고 싫증이 나다.

467) 굼겁다 : 궁금하다. 알고 싶어 마음이 몹시 답답하다.

"이씨 비록 용모 현미치 못하나, 성행 사덕은 숙녀 제일좌(第一座)를 압두하니, 천흥의 풍채를 품수하면 가히 비속(非俗)할지라. 차아 등과 같은가 즉시 못 보니 궁금하도다."

진부인 소이대왈,

"남녀간 외모는 신채를 빛낼 따름이요, 행사에 유익함이 없사온지라. 세 손아가 각각 모습(母襲)하여 용채 찬란하니, 남자는 풍신(風神)의 해 (害)가 없사오나, 여자인 즉 색용(色容)의 황홀함을 인하여 홍안(紅顔)의 해를 당하는 유(類) 있으니, 첩은 외모를 불긴히 여기나이다."

태부인이 소왈,

"현부의 말도 옳으나, 천흥의 자녀와 인흥의 아들이 진정 인아봉추(麟兒鳳雛)468)라 노모는 이씨의 생애 차아(次兒) 같기를 바라노라."

인하여 병부더러 왈,

"네 공주를 취하고 삼부 등이 별원에 옮은 후, 한 번 가 봄이 없으니, 인정에 가하리오. 모름지기 이제 별원의 가 삼부의 고초를 위로하고, 신아를 보아 부자 반기라".

부마 삼부인을 사상함이 극하나, 경부는 공주 모르는 고로 임의로 왕래하나, 별원은 가라 하심이 없으니 왕래하면 득죄할까 두려워하고, 공주의 의심을 없애고자 절적(絶迹)하더니, 금일 조모 말씀을 듣잡고 유유부대(儒儒不對)하니 금후 왈,

"상명이 계신 고로 내 또 너를 별원의 보내지 못하더니, 자교(慈敎) 계시고 신아가 났으니 가서 보라."

병부 배사 수명하고 별원에 이르니, 외당에 시랑과 공자 모여 수수의

---

468) 인아봉추(麟兒鳳雛) : 기린의 새끼와 봉황의 새끼라는 뜻으로, 아직 세상에 들어나지 아니한 영웅을 비유적으로 이르는 말.

생남함을 깃거하더니, 병부를 보고 일시의 맞아 희기 미우를 돌렸으니, 휘 흔연 문왈,

"산모 산후 별증이나 없느냐?"

시랑 왈,

"존수 기운을 묻자오니, 반갱(飯羹)을 때로 나오시고[469] 기운이 여상(如常)타 하시니, 약은 아니 쓸소이다."

부마 깃거 날호여 입실하니, 신아의 울음소리 청건(淸健)하여, 단혈(丹穴)[470]에 봉이 울고, 구고(九皐)[471]에 학려성(鶴唳聲)[472]이라. 비상함을 깨달아 다시 살피매, 산실의 향취 옹비(邕飛)[473]하고 서광이 찬란한지라. 부자(父子)의 유년(留連)한 정을 이르리오.

윤·양 이부인이 일어 맞아 좌정하매, 두 부인을 보니, 찬란한 광채 더욱 새로워, 윤씨의 선풍옥안(仙風玉顔)과 양씨의 기려교용(奇麗巧容)이 어깨를 연하매, 추천양일(秋天陽日) 같고 벽공신월(碧空新月) 같아서, 구목(瞿目)[474]이 황난(恍爛)[475]한지라. 부마 양부인을 대하매 더욱 공주를 증염(憎念)하여 왈,

"요인(妖人)이 아니런들 삼 부인으로 더불어 화락이 온전하고, 경씨를 사취(四娶)하여 대인께 죄책을 면하고 쾌락할 것이거늘, 생각 밖 공주

---

469) 나오다 : (음식을) 내오다. (음식을) 드리다. (음식을) 들다.

470) 단혈(丹穴) : 예전에, 중국에서 남쪽의 태양 바로 밑이라고 여기던 곳.

471) 구고(九皐) : 깊고 넓은 못의 수심이 깊은 곳. 『시경』〈소아(小雅)〉'鶴鳴'시의 "학명구고(鶴鳴九皐 : 깊은 못에서 학이 울어) 성문우야(聲聞于野 : 그 울음소리 들에 퍼지네)"에 나온다.

472) 학려성(鶴唳聲) : 학의 큰 울음소리.

473) 옹비(邕飛)하다 : (향기 따위가) 물씬 풍기다.

474) 구목(瞿目) : (무엇인가를) 바라보는 눈.

475) 황난(恍爛) : 황홀하여 눈이 부심.

하가(下嫁)로 금슬이 헛되니, 나의 몸이 팔척장부로 군전(君前)에도 마음을 두 가지로 못하거늘, 홀로 요악한 공주를 두려워하여, 아니 나는 희소(喜笑)를 지어 거짓 정을 나토니[476] 어찌 분해치 않으리오. 화복길흉이 공주에게 있을 리(理) 없으니, 쾌히 박대하고 요조현처(窈窕賢妻)로 화락하리라"

하고 바삐 신아를 보니, 이 문득 강산의 정기와 일월정화를 타고났으니, 미목(眉目)이 수려하고, 귀복(貴福)이 현출하여, 기골이 석대(碩大)하고 비범하여, 수삼세(數三歲) 해아(孩兒)로 같고, 말을 능히 옮길 듯하니, 기이함을 이기지 못하여 만안화기(滿顔和氣) 미우(眉宇)에 넘치니, 산모를 갱반(羹飯)을 권하고, 윤·양 이 부인에게 이르대,

"거년에 부인 이별시에 존명을 받자오미 있으나, 어찌 생에게 알리지 않으시뇨?"

이 부인이 존당구고 성후를 묻잡고 나직이 대 왈,

"첩 등이 이에 올적에 마침 군자 나가시고, 존교(尊敎) 가기를 재촉하시니, 존명을 지류(遲留)치 못함이로소이다."

부마 흔연 소왈,

"부인 등이 고초를 겪으니 필연 의용이 수척할까 하였더니, 금일 보매 풍염윤택(豊艶潤澤)하여 백만 근심을 몽외(夢外)의 던졌으니, 시름이 없으려니와, 일분 인정이 있을진대, 위로 존당을 염려하며 아래로 유치를 생각함이 없어, 자녀를 데려다가 보지도 아니하시뇨?"

이 부인이 염임(斂衽) 대 왈,

"첩수불민(妾雖不敏)[477]이나 구고 존당 우로혜택(雨露惠澤)[478]을 잊

---

476) 나토다 : 나타내다. 드러내다. 표하다.
477) 첩수불민(妾雖不敏) : 첩이 민첩하지 못하지만.

자오며, 유치(幼稚) 생각이 없사오리오마는, 일이 이에 미쳐 별원 거처도 존구의 명이라, 지어(至於) 유아를 못 데려옴은 존당이 일시도 떠나게 못하시는 고로 그러하오나, 조석의 평부를 아오니 각별한 염려는 없더이다."

부마 삼부인 위한 정이 금석 같으므로 반년 이정(離情)이 침좌(寢坐)에 경경(耿耿)하나, 공주의 간험함이 심화(心火) 된지라, 유아를 무마(撫摩)하여 윤부인을 향하여 왈,

"우리 남매 부모 자애를 받자와 생어호치(生於豪侈)[479]하여 일찍 괴로움을 알지 못하더니, 근간 소매 등 누명과 화액이 차악하니, 생의 동기를 위한 정이 고인을 미치지 못하나, 저의 누명 신설함이 위·유 두 부인 시비를 저주면, 간정을 거울같이 발각할 것이로되, 사원 등이 생의(生意)치 못함으로, 외인(外人)이 누이를 위하여 사가(査家)[480]에 만홀(漫忽)[481]치 못하고, 간인이 독을 발하매 천흉만계(千凶萬計)로 아매(我妹) 등을 해(害)하고 말리니, 어찌 하리오. 좋은 듯이 왕래하나 영숙(令叔)이 흐리고 용렬함이 연무중(煙霧中) 같으니, 아무리 알아듣게 이르나 깨닫지 못하여, 가사를 영영(永永)이 살피지 못하고, 자질의 정사를 모름이 되어, 윤가를 엎쳐 두 날 자질을 보전치 못하게 되었으니, 세간에 그런 몹쓸 사람이 있으리오. 악모는 옥화산에 안과(安過)하신다 하나, 사원 등의 효우(孝友) 출천(出天)하니, 시랑(豺狼)[482] 같은 위태부인을 혹 감화하여 자손의 정이 온전함을 바라거니와, 부인 남매 위부인으로

---

478) 우로혜택(雨露惠澤) : 비와 이슬과 같은 한없는 은혜와 보살핌.
479) 생어호치(生於豪侈) : 호화롭고 사치스러운 가운데 자라남.
480) 사가(査家) : 사돈(査頓)의 집.
481) 만홀(漫忽) : 한만하고 소홀함.
482) 시랑(豺狼) : 승냥이(=들개)와 이리(=늑대)를 아울러 이르는 말.

명위조손(名爲祖孫)이나 실위구적(實爲仇敵)483)이라."

언필에 위·유를 통완(痛惋)함이 각골(刻骨)하기에 미치고, 숙렬과 진씨의 참화를 자닝484)하여함이 극한지라. 윤씨 부마의 말을 듣지 않으나 저를 대하매 조모의 허물을 부끄러워, 처연(悽然) 왈,

"첩의 집 변고는 남이 알까 두려운지라. 소고 등의 성덕으로써 몸이 죄루에 떨어짐은 액회 차악함이라. 군자의 말씀을 어찌 한하리오마는, 조손(祖孫)을 구적(仇敵)으로 이르심은 그릇한 말씀이로소이다. 소고의 액경을 들음으로부터 황황(惶惶) 차악(嗟愕)하고 무안(無顔)함이 머리를 들 안면(顔面)이 없나이다."

언파에 성안(星眼)에 추파(秋波) 동하니 수려한 용광과 쇄락한 풍채 실중에 조요(照耀)하여, 시름하는 아미(蛾眉)와 척척(慽慽)한 안모(顔貌)가 더욱 금석(金石)을 농준(濃蠢)하는지라. 병부의 태산 같은 무거움으로도, 잠소(潛笑) 왈,

"부인이 위부인 친손이요, 유부인 친녀 같을진대, 옥누항으로 보낼 것이로되, 흉인이 역시 부인을 해코자 하니 부인을 출(黜)함이 흉의(凶意)를 맞춤이라. 이런 고로 윤부 허다 악사를 부인께 연좌(連坐)치 아니하나니, 일호(一毫) 노(怒)하는 뜻을 두지 말라."

부인이 사기(辭氣) 안서(安舒)하여 오직 슬픔을 띠어 친정 화란을 근심하고, 남후는 이씨 산후 여상(如常)함을 깃거, 신아의 기이함이 윤씨 생자(生子)에 내리지 않음을 행희(幸喜)하여 귀중함을 이기지 못하더니, 일모(日暮)에 상부(上府)로 돌아올 새, 윤·양 등더러 왈,

---

483) 명위조손(名爲祖孫)이나 실위구적(實爲仇敵) : 이름은 조모와 손자 사이이지
　　만, 실제로는 원수사이나 같음.
484) 자닝하다. : 애처롭고 불쌍하여 차마 보기 어렵다.

"평상시(平常時)는 한 당(堂)에 있음이 좋으나, 지금은 산실(産室)에 동처(同處)키 어려우리니, 각각 머물다가 삼칠(三七)[485] 후 정당으로 와 태모와 부모께 뵈옵고, 옛 침소에 머물지라. 그 사이 생이 다시 오리라."

부인네 부마의 절적(絶迹)을 좋이 여기고, 고요히 별원의 머물기를 원하더니, 자객의 변을 안 후는 더욱 공주의 사나움을 알아, 동렬(同列)의 정으로 군자 건즐(巾櫛)을 같이 받들지 못할 줄 알고, 장래 화란을 더욱 염려하더라.

남후 돌아와 존당 부모께 뵈오매, 태부인과 부모 시비의 전어로 이씨 산후 무사함을 아나, 신아의 작성(作成)을 몰라 남후더러 물으니, 남후 복수(伏首) 대 왈,

"비록 유아나 윤·양의 생아(生兒)에 내리지 않더이다."

남후의 흔연함이 신아의 기이함을 알지라. 즉시 보지 못함을 한하나 쉬이 데려올 고로 태부인이 가지 않고, 윤·양의 구호함을 믿어 소성(蘇醒)[486]함을 원하더라.

공주 이씨 순산 생남함을 듣고 분한(憤恨)하여, 일천 잔나비[487] 흉중을 요란하나, 최녀의 말을 들어 좋은 낯으로 구고께 나아가, 이부인 생자(生子)함을 치하하나, 구고(舅姑) 자객의 변고 후 더욱 증염하되, 사색(邪色)치 않고, 흔연 왈,

"삼부인 자녀 곧 귀주의 자식이라, 어찌 기쁘지 않으리오."

공주 사사(謝辭)하고 퇴하매, 금후 그 위인을 깊이 염려하여 아자를 새로이 경계하니, 부마 수명하고 밖에 나와 생각하되,

---

485) 삼칠(三七) : 삼칠일(三七日). 세이레. 아이가 태어난 후 스무하루 동안. 또는 스무하루가 되는 날. 대개는 이날 금줄을 거둔다.
486) 소성(蘇醒) : 병을 치르고 난 뒤 다시 회복함.
487) 잔나비 : =원숭이.

"이미 신병을 일컬어 공주를 원거(遠居)함은, 암사(暗邪)한 정태를 군자가 차마 대면치 못함이라. 삼처를 별원에 두었으니, 나 또한 마음을 정하여 행여 그림자도 별처(別處)에 미치지 않았더니, 이제 대인(大人)이 삼인을 데려오려 하시며, 날을 계칙(戒飭)하시어 어지러운 일이 없게 하라 하시니, 인자지도(人子之道)에 친의를 어기지 않음이 옳으나, 나의 당한 바 자못[488] 난처하니, 공주의 위인이 가부(家夫)의 후박(厚薄) 가운데 적국(敵國)을 시애(猜礙)[489]하여 필경 윤·양 등이 한 번 화를 면치 못할 것이니, 대인은 나의 뜻을 모르시고 애증(愛憎)만 고르게 하라 하시니, 공주 나의 후대를 받는 날이면, 교오방자(驕傲放恣)하여 윤·양 등을 절제(切除)하며, 나의 만금 자녀를 해하고 집을 엎치리니, 큰 우환이라. 공주 보기 싫음이 일일(一日)이 삼추(三秋) 같으니, 이 뜻을 강작(强作)하여 화기를 나토고자[490] 하니 상성(喪性)할 듯하고, 장부가 실우(室憂)[491]로 근심을 삼으니, 어찌하면 공주를 없애고 윤·양·이·경 사인으로 종고지락(鐘鼓之樂)을 이룰꼬?"

천사만념(千思萬念)이 백출하더니, 웃으며 왈,

"고인이 이르기를, '오늘 술을 취하고 내일 일이 있으면 당하라' 하였으니, 공주 간교하나 사람을 간대로 죽이진 못하리니, 미리 심려할 바 아니요, 경씨 취함은 대인이 아직 모르시니, 공주 더욱 모를지라. 명년은 생산하리니, 골육을 끼친 정중한 처자를 공주가 안다 한들, 어찌 하리오."

하여, 화연(譁然)히[492] 만려(萬慮)를 잊어, 혼정 후 별원에 나아가 이

---

488) 자못 : 생각보다 매우.
489) 시애(猜礙) : 시기하고 방해함.
490) 나토다 : 나타내다. 드러내다. 표하다.
491) 실우(室憂) : 배우자로 인한 걱정.

부인과 신아를 보고 윤부인 침소에서 잘 새, 구정을 이으니 팔구삭 사상(思想)하던493) 뜻을 펴 산비해박지정(山卑海薄之情)이 무궁하여, 공주 아니라 월궁항아(月宮姮娥)가 강림하나 윤씨 향한 은애는 변치 아니할지라. 윤부인은 그 정을 채납(採納)하지 않아 공주의 한독(旱毒)을 그윽이 두려워하대, 병부는 여자의 사정을 살피지 아냐 더욱 진중하니, 삼부인이 대하면 송연(悚然)하여 상대여빈(相對如賓)하더라.

병부, 공주를 외친내소(外親內疏)하여 자주 공주궁에 왕래하나, 틈을 타 별처에 가 삼부인과 구정을 이어 흔연한 중, 일념에 경경(煢煢)함은 소매와 진씨라. 조회 길에 옥누항에 아니 가는 날이 없고, 연원정 누처(陋處)를 살펴 소저 등 보전할 도리를 극진히 하나, 흉악한 것들이 못 견디도록 보채믈 분완(憤惋)하여 하더라.

금후 신아(新兒) 난지 삼일(三日)에 제자를 거느려 가 볼 새, 일월광채(日月光彩)와 용봉자질(龍鳳資質)이 녕형쇄락(英形灑落)하여 구각(軀殼)이 석대(碩大)하고, 풍모 당당하여 완연이 남후의 초생지시(初生之時)와 다르지 않으니, 부자의 같음이 한 판에 박은 듯하여 출범(出凡)특이(特異)함이 윤씨의 생아에 내림이 없는지라. 금평후 일견에 아름답고 비상함을 이기지 못하여, 웃는 입이 열리이고 즐거운 미우(眉宇)가 춘풍에 화(和)하여, 시랑을 돌아보아 가로되,

"자식이 나는 아이마다 승어부(勝於父)라. 오문이 이로조차 흥기함을 알리로다."

시랑과 공자 등이 아질(兒姪)의 출범(出凡)함을 일컬어 기쁨을 이기지 못하고, 금평후 이씨 산후 병이 없음을 깃거, 친히 시녀를 명하여 갱반

___

492) 화연(譁然)히 : 떠들썩하게. 호탕(豪宕)하게.
493) 사상(思想)하다 : 남녀가 서로 마음에 둔 사람을 사랑하고 그리워하다.

을 가져오라 하여, 이씨를 전하여 먹이고, 삼칠(三七) 후 옛 침소에 돌아옴을 명하매, 엄구의 자애함이 친부에 감치 않아, 윤·양·이 삼 식부를 면면이 무애하여 귀중함이 극진하니, 삼 부인이 각골 감은하나 윤부인은 친정 변고를 참수(慙羞)하여 낯을 들지 못하니, 금평후 그 뜻을 알고 더욱 연애(憐愛)하여 각별 무애하고, 여아의 화란을 구태여 언두(言頭)에 이르지 않더라.

금평후 돌아와 태부인께 뵈옵고 신손(新孫)의 기이함을 고하고, 두긋거움을 이기지 못하니, 태부인이 들을 적마다 화열하여 삼칠일이 지나면 삼부를 데려오려 하더라.

문양공주 부마의 별원 왕래 잦음을 알고, 가슴을 두드려 눈물이 비 같아서, 최씨더러 왈,

"정군이 나를 취한 후 별원 왕래를 영영 아니 하니, 혹자 그 정이 박함인가 일분 바라는 바 있고, 나를 볼 적마 다 흔연한 빛이 있으니 그 신병이 나으면 좋이 화락할까 주야 원하며, 정군의 병이 쾌차함을 기다리더니, 이제 이씨 흉물이 옥동을 생하여 구고 존당의 한없는 깃거하심을 돕고, 가부의 은총을 낚아 모애자포(慕愛自飽)[494]라. 정군이 본디 윤·양·이 등의 아름다움을 칭찬하던 바로, 그 자식이 나매 사랑하는 정을 물어 알 바 아니라. 점점 그 정이 윤·양·이 삼인에게 온전하고 나에게 박함이 심하면, 이 애달프고 분한 것을 어찌 견디리오. 일검(一劍)에 삼인을 죽이고 내 또 죽어 설분하리라.

최녀 요수(搖首) 왈,

"소불인즉난대모(小不忍卽難大謀)[495]라, 옥주 어찌 과급(過急)히 구

---

494) 모애자포(慕愛自飽) : 서로 사모하고 사랑함이 절로 넘침.
495) 소불인즉난대모(小不忍卽難大謀) : 작은 일을 참지 못하면 큰일을 꾀할 수 없음.

시나뇨? 첩은 후길의 거처를 모르므로, 옥주의 허물이 혹 나타날까, 두
려워하나니 옥주는 삼가고 조심하여, 상공 은정을 잃치 마소서."

공주 읍하(泣下) 왈,

"내 만승지녀로 왕희의 귀함을 가졌으되, 삼생원가(三生怨家)를 상사
(相思)함이 도리어 해(害) 되어, 황야 위력으로 정가에 하가하나, 성의
(聖意) 불열(不悅) 미안(未安)하심이 조현지시(朝見之時)에 엄렬(嚴烈)하
시니, 사정을 고치 못하고, 모비(母妃) 범사를 임의로 못하시니, 부마를
엄치하지 못하시므로, 정군의 만모(慢侮)함이 극한지라. 사세를 보아 삼
녀를 중대하고 날을 능멸하거든, 큰 결단을 하리니, 인분(忍憤)함이 일
월이 과의(過矣)라. 장차 어찌 하리오."

최씨 백단 위로하여 왈,

"금평후께 고하여 삼부인을 데려와 궁에 머물게 하여, 황영(皇英)의
고사(故事)496)를 효칙하여 서로 화우하는 덕을 원근이 알게 하소서."

권하니, 흉휼(凶譎)한 말이 은악양선(隱惡佯善)을 누누이 가르치니,
공주 눈물을 거두고 왈,

"보모의 지모(智謀) 가즉한497) 말을 들으니 잠깐 흉금이 시원하나,
정군이 삼녀에게 왕래함을 들으면 오관(五官)498)에 불이 일어 참기 어
렵도다."

최씨 재삼 개유하니, 공주 언언이 탄복이러라.

부마 이의 이르러 지게를 의지하여 공주의 우는 소리를 듣고, 의아하
여 족용을 중지하여 들으매 더욱 증분한지라. 본디 공주의 음비(淫鄙)를

---

496) 황영(皇英)의 고사(故事) : 중국 요(堯)임금의 두 딸인 아황(娥皇)과 여영(女英)
　　이 함께 순(舜)에게 시집 가, 서로 화목하며 순임금을 섬겼던 일.
497) 가즉하다 : 가지런하다. 고루 갖추다. 구비하다.
498) 오관(五官) : 다섯 가지 감각 기관. 눈, 귀, 코, 혀, 피부를 이른다.

알던 바에, 황야 위력으로 하가하시니, 허다 불미지사(不美之事)를 차악
하고, 장후길은 어떤 것을 두고 무슨 작사를 하는고? 의괴하나 입실하
니, 최씨 퇴하고 공주 맞이하되, 강인(强忍)하여 언소도 아녀, 옷을 벗
어 걸고 자리의 쓰러져 자는 체하고 누었으니, 공주 이성지합(二姓之合)
을 날로 바라나 무가내하(無可奈何)라. 일일(日日) 골돌 분개하더라.

이씨 삼칠이 지나니 삼부인이 돌아올 새, 공주 승간(乘間)하여 구고께
고하여, 세 부인을 궁에 서로 의지하여 지내기를 간걸(懇乞)하니, 부인
은 잠잠하고, 금후 최녀의 지휘(指揮)임을 알고, 더욱 통완하되, 강인하
여 왈,

"옥주가 식부 등을 일궁에 모아 서로 화우(和友)하고자 하심이 미사(美
事)나, 유치(幼稚) 등을 떠나 팔구 삭 만에 겨우 옛 침루(寢樓)에 돌아오
니, 각각 자녀를 보고자 하리니, 어찌 졸연(猝然)이 각거(各居)하리오."
하더라.

명주보월빙 권지이십오

어시에 평후, 공주의 말을 듣고 분완하나 강인(强忍)하여, 왈,

"옥주가 식부 등을 일궁(一宮)에 모아 화우(和友)하고자 하심이 미사 (美事)이나, 식부 등이 유치(幼稚)들을 떠나 팔구 삭에 겨우 옛 침루(寢 樓)에 돌아오니 각각 자녀를 보고자 할 것이요, 이씨 또 신아를 데려와 존당이 윤양의 기출(己出)과 같이 보호하실지라. 비록 격장(隔墻)이나 삼칠 안 아해(兒孩)를 이곳에 두고 산모가 어찌 떠나리오."

남후 왈,

"소손이 궁에 가 날마다 있지 못하고, 시봉(侍奉) 여가(餘暇)에 대객 (對客) 주찬(酒饌)을 매양 자정께 근심을 끼치옵고, 옷이 한서(寒暑)에 미치지 못하여, 이따금 아우의 여벌옷499)을 입사오니, 어찌 집을 떠나 리까? 더욱 자정이 봉친(奉親) 봉사(奉祀)와 대객(對客) 수응(酬應)에 번 거로우심이 극하시니, 이씨 좌우에 대행하고, 윤씨 암용(暗庸)하나 총부 (冢婦)로 마침내 물러 있지 못할지라, 어찌 궁에 가 일없이 머물리까?"

태부인이 가장 쾌하여 공주의 덕을 일컫고, 이곳에 조석 왕래하여 화 우하는 덕을 이루면 경사라 하니, 공이 공주를 향하여 이르대,

---

499) 여벌옷 : 입고 있는 옷 이외에 여유가 있는 남은 옷.

"옥주의 소청을 듣고자 하더니, 사세(事勢) 가아(家兒)의 말과 같은지라, 이곳에 있으려니와, 귀주 상두(上頭)에 거하여 태사(太姒)500)의 덕을 힘쓰시면, 윤·양 등 삼부가 감은하여 적자(赤子)가 자모(慈母)를 바람 같을지라."

공주 소원을 이뤄 삼 부인을 도탄(塗炭)치 못함을 한하나 오직 나직이 대 왈,

"궁이 정당에서 불원하고 삼 부인으로 동열의 의와 '황영(皇英)의 미사(美事)'501)를 감히 효칙고자 하더니, 첩의 위인을 염려하시어 불허하시니 참황불승(慘況不勝)하이다."

금후 그 불공한 말을 불열하여, 미소 왈,

"무슨 일로 옥주를 미심(未審)하여502) 아니 보내리오. 자의(慈意)를 어기오지 못하고, 가아(家兒)의 대객지절(對客之節)로 허치 못하나, 귀주 적료(寂廖)하시면, 삼부로 조왕모래(朝往暮來)하여 자주 즐김이 무방하리이다."

공주 다시 청치 못하고, 윤·양 등이 수명하여 돌아오는 마음이 편치 않으나, 아주소저와 신아를 데리고 시비로 더불어 동산 길을 말미암아 정당에 현알하니, 태부인이 공주가 있음으로 반기는 사색을 못하나, 가득이 반겨 보니, 삼인이 연보(蓮步)를 자약히 옮겨 배례할 새, 태부인이 참지 못하여 윤씨의 손을 잡고 양·이의 머리를 어루만져, 웃는 입을 주리지 못하니, 금후 간인의 시오(猜惡)를 두려 사랑하는 뜻을 나토지 못하고, 다만 모친의 좌를 청하고 삼인이 배례를 파하매, 금후 공주를 가

---

500) 태사(太姒) : 중국 주(周)나라 문왕의 비. 현모양처(賢母良妻)로 추앙되는 인물.
501) 황영(皇英)의 미사(美事) : 중국 요(堯)임금의 두 딸인 아황(娥皇)과 여영(女英)이 함께 순(舜)에게 시집 가, 서로 화목하며 순임금을 섬겼던 아름다운 일.
502) 미심(未審)하다 : 일이 확실하지 아니하여 늘 마음을 놓을 수 없다.

르쳐, 왈,

"옥주 현부 등을 상수(相隨)하여 태사(太姒)의 덕을 빛내니, 처음으로 뵈는 예를 행하고, 여염(閭閻) 여자 귀주와 동렬함이 불안하나, 천은으로 귀주와 여등이 어깨를 갈와 오아(吾兒)의 내사를 빛내게 하여 계시니, 모름지기 화우를 힘쓰라.'

삼인이 배사하고 일시에 공주께 재배하니, 어시에 공주 삼인을 보매 이씨의 박색흉면(薄色凶面)은 이르지 말고, 윤·양의 백미천태(百美千態) 선연작약(嬋妍綽約)503)하여 금고(今古)에 무쌍(無雙)한 명염(名艷)이라. 팔자청산(八字靑山)504)에 산천수기(山川秀氣)505)를 거두었고, 추파쌍안(秋波雙眼)506)에 일월정채(日月精彩)를 감추었으며, 성덕문질(聖德文質)이 출어외모(出於外貌)507)하여 천화(天華)508) 두 송이 옥호(玉壺)에 꽂혔으니, 맑은 골격은 백옥을 교탁(巧琢)509)하고 수정(水晶)이 다사(多奢)510)한 듯, 윤씨의 찬란한 광염(光艷)과 양씨의 아리따운 태도(態度) 눈이 황란(恍爛)511)커늘, 봉관(鳳冠)은 설액(雪額)512)에 한가하고, 패옥(佩玉)은 의수(衣袖)에 쟁연(錚然)하니, 검소한 단장이 금수(錦

---

503) 선연작약(嬋妍綽約) : 몸맵시가 매우 날씬하고 아름다움.
504) 팔자청산(八字靑山) : '두 눈 위의 화장한 눈썹'을 비유적으로 나타낸 말. '팔(八)'자는 '두 눈두덩 위에 나 있는 눈썹'의 모양을 나타낸 말.
505) 산천수기(山川秀氣) : 산천의 맑고 빼어난 기운.
506) 추파쌍안(秋波雙眼) : 가을 물결처럼 맑고 아름다운 두 눈.
507) 출어외모(出於外貌) : 외모에 나타남.
508) 천화(天華) : 천상계에 핀다는 영묘한 꽃. 또는 천상계의 꽃에 비길 만한 영묘한 꽃.
509) 교탁(巧琢) : 공교하게 쪼아 만듦.
510) 다사(多奢) : 화사(華奢)함. 호사(豪奢)함. 매우 사치스러움.
511) 황란(恍爛) : 황홀하고 찬란하여 눈이 부심.
512) 설액(雪額) : 눈처럼 하얀 미인의 이마.

繡)에 더하고, 천연(天然)한 동작이 성행(性行)을 전하는지라. 지분(脂粉)513)을 물리쳐 아미(蛾眉)를 맑혔으니, 천생특용(天生特容)514)이 진애(塵埃)515)를 씻어냈고, 쇄락한 풍채는 중추소월(中秋素月)516)이 옥누(玉樓)에 바애는517) 듯, 윤씨는 성자기맥(聖者奇脈)의 여중군자(女中君子)요, 양씨는 숙녀의 덕과 열부(烈婦)의 교결(皎潔)518)함을 겸(兼)하여 만고진색(萬古眞色)519)이라.

　공주 자기 교용염태(巧容艶態)를 자긍(自矜)하여 만고(萬古)에 독보(獨步)한가 하더니, 구가에 입승(入承)하여 존고 진부인의 천향이질(天香異質)과 소고(小姑) 등의 만고무쌍(萬古無雙)한 용의(容儀)며, 더욱 숙렬은 궁중 삼천분대(三千粉黛)520) 가운데서도 특출(特出)턴 바에, 정군의 너무 안고(眼高)함을 불열(不悅)하여, 소이씨의 옥태화용(玉態花容)이 기려수이(奇麗秀異)함까지 미워하던지라. 금일 적국(敵國) 등을 대하매, 오내분붕(五內分崩)521)하고, 흉장(胸臟)이 촌촌(寸寸)하여 자기 감히 우러러 보지 못할 색태(色態)이니, 분(忿)이 하늘을 꿰뚫듯 하되, 중목소시(衆目所視)에 강인(强忍)하여 답례하고, 구고께 시좌(侍坐)할 새, 삼 부인이 공주와 가루되522) 동좌(同坐)함을 불안하여, 은연히 방석을

---

513) 지분(脂粉) : 연지(臙脂)와 백분(白粉)을 아울러 이르는 말.
514) 천생특용(天生特容) : 타고난 특출한 용모.
515) 진애(塵埃) : ①티끌과 먼지를 통틀어 이르는 말. ②세상의 속된 것을 비유적으로 이르는 말.
516) 중추소월(中秋素月) : 가을 하늘에 뜬 밝고 흰 달.
517) 바애다 : 빛나다. (눈이) 부시다.
518) 교결(皎潔) : 마음씨가 맑고 깨끗함.
519) 만고진색(萬古眞色) : 세상에 비길 데가 없는 진정한 미인.
520) 삼천분대(三千粉黛) : 삼천 명이나 되는 화장한 미인들.
521) 오내분붕(五內分崩) : 오장(五臟)이 무너져 흩어짐.
522) 가루다 : 자리 따위를 함께 나란히 하다.

피하여 존경함이 적첩(嫡妾)같으니, 남후가 보고 분연하되, 상명(上命)
이 공주를 원위(元位)를 주라 하여 계시니, 삼인을 먼저 취한 바로 하위
에 굴하고, 원치 않은 음부(淫婦)를 취하여 가내 온전치 못할 바를 생각
하매, 분노(忿怒) 극하여 제제로 더불어 밖으로 나가니, 금평후는 기색
을 스치고 또한 공주를 불긴히 여기나 사색(辭色)치 않더라.

　태부인이 이씨 신생자를 나오게 하여 볼 새, 골격이 비상하니 용봉(龍
鳳)의 미목(眉目)이요, 강산영기(江山靈氣)라. 높은 코와, 옥 같은 이마
가 반월(半月) 같고, 구각(軀殼)이 석대하고, 기상이 당당하여, 부풍(父
風)을 전수(專受)하니, 부인이 희출망외(喜出望外)523)하여 평후 부부를
돌아보아, 왈,

　"자식이 아비를 아니 닮으리오마는, 전탁(全-)524)하기가 쉬우리오.
이 아이가 제 아비 어렸을 제와 같은지라. 내 무슨 복으로 여차 기린이
연하여 나, 노모의 슬하에 재미를 돕고, 문호를 흥기하는고? 이 소부(小
婦) 색용(色容)이 없으나, 성행숙덕(性行淑德)이 현미(賢美)함으로 생휵
(生慉)525)이 비상함이니, 아해 아비 외모를 탁하고526), 어미 어짊을 품
수(稟受)527)한즉, 세상에 특출나리라."

　금후 웃음을 띠여 윤씨 소생 현기와 시랑의 아들 석기와 양씨 소교(小
嬌) 재염으로 태부인 앞에 두어, 신생 아손(兒孫)의 기상이 현기에게 승
함을 깃거하니, 합문 화기 춘풍을 이끌어 낙극중(樂極中)이나, 진부인의
참연함은 여아의 화란이요, 태부인이 숙렬의 굿김을 부지(不知)하고, 다

523) 희출망외(喜出望外) : 기대하지 아니하던 기쁜 일이 뜻밖에 생김.
524) 전탁(全-)하다 : 온전히 닮다. 탁하다; 닮다.
525) 생휵(生慉) : 생육(生育). 낳아서 기름.
526) 탁하다 : 닮다.
527) 품수(稟受) : 품부(稟賦). 선천적으로 타고남.

만 귀녕치 못함을 결연(缺然)하고, 윤·양 등을 면전에 두매 든든함이 중보(重寶)를 얻은 듯한지라. 누월(累月) 이회(離懷)를 이르며, 공주 성덕으로 모이게 됨을 갖추 베풀어 공주의 마음을 편케 하니, 원래 정부 가도(家道), 합사(闔舍)528)가 태부인을 의앙(依仰)함이 엄부를 겸함 같은지라. 태부인이 공주께 부탁하여 왈,

"노인의 자손 위한 뜻이 구구한지라. 귀주 지존(至尊)의 생기(生氣)529)로 천가(賤家) 예의를 법칙하시니, 천흥이 문왕(文王) 같지 못하나, 옥주(玉主) 태사(太姒)의 덕을 따라 동렬(同列)을 동기(同氣)같이 하시면 오문(吾門)이 창성하리이다."

공주 재배 복수 왈,

"첩이 비록 황녀나 군자의 처실 차례 넷째라. 어찌 조강을 하위에 굴하는 거조 있으며, 첩이 무슨 덕으로 중궤(中饋)530)를 소임하며, 삼부인을 화우할 덕이 있으리까? 상명이 계시나 인신(人臣)의 가사를 구중(九重)에서 아실 바리까? 오직 첩은 바람이 삼부인이 동기 같이 화우(和友)키를 원하나이다."

태부인이 흔연 왈,

"현재(賢哉)라! 귀주의 겸손하시는 덕이 여차하시니, 손아의 가사(家事) 화(和)할 것을 가히 알지라. 경사가 이 밖에 없도다".

진부인이 공주를 역찬(力贊)하여 동렬의 화우함을 당부하니, 공주 사사(謝辭)하고 삼인이 온유(溫柔)히 후의(厚意)를 사례하되, 존전에 설만(褻慢) 다언(多言)치 못하나, 온유한 성덕이 기이하니, 공주 시오(猜惡)

---

528) 합사(闔舍) : 합가(闔家). 전가(全家). 집안 전체.
529) 생기(生氣) : 생신(生身). 부모가 낳아준 몸.
530) 중궤(中饋) : 안살림 가운데 음식에 관한 일을 책임 맡은 여자. 늑주궤(主饋).

하되 작기(作氣)하매 낯이 절로 붉은지라. 진부인이 그윽이 아처하더라531).

날이 늦으매 이씨 먼저 퇴하고, 공주 궁으로 돌아가니, 태부인 고부(姑婦)가 윤·양 이 소저를 앞에 두어 새로이 연애하되, 공주를 염려하여 근심하되, 부인 등이 자객지언(刺客之言)을 고치 않아 무사무려(無思無慮)하니, 부인이 전연 부지(不知)터라. 진부인이 양식부로 차야를 동침(同寢)할 새, 윤씨 피석 복수(伏首)에 함척(含慽) 공수(拱手)532) 왈,

"아해(兒孩) 등이 소고(小姑) 등 화액을 듣자오니 골경신해(骨驚身駭)할 뿐 아니라, 소고 등의 백옥무하(白玉無瑕)함으로써, 누명이 전혀 첩의 집 허물이라. 첩이 존전에 뵈옴이 황공 불승하와 다스리시믈 바라나이다."

부인이 처연 왈,

"여아와 질녀의 굿기미 팔자소관(八字所關)533)이라. 사람을 원치 않나니 현부의 청죄할 바이리오. 다만 자모지심(慈母之心)에 유죄 무죄 간 누옥 험난(險難)을 당하니, 심장이 촌촌하나 능히 벗을 길 없는지라, 장래를 볼 뿐이나, 거거(哥哥) 내외는 이 말을 들으면, 과상하여 질아를 죽음같이 알 것이므로, 천흥이 영수 등과 상의하고, 질아의 화란을 기였나니534), 천흥이 성염의 혼인을 거간(居間)535)하여 성례한 기년의 참혹히 굿기니, 거거와 주형에게 뵈올 낯이 없도다."

---

531) 아처하다 : 싫어하다. 안타깝게 여기다.
532) 공수(拱手) : 절을 하거나 웃어른을 모실 때, 두 손을 앞으로 모아 포개어 잡음. 또는 그런 자세. 남자는 왼손을 오른손 위에 놓고, 여자는 오른손을 왼손 위에 놓는다. 흉사(凶事)가 있을 때에는 반대로 한다.
533) 팔자소관(八字所關) : 타고난 운수로 인하여 어쩔 수 없이 당하는 일.
534) 기이다 : 어떤 일을 숨기고 바른대로 말하지 않다.
535) 거간(居間) : ① 사고파는 사람 사이에 들어 흥정을 붙임. ②거간꾼.

윤씨 감은 함루(含淚)하여 말을 못하더라.

문양공주 궁에 와 침석에 머리를 던져 기운이 막힐 듯하니, 최녀 공주를 따라 삼부인 성자광휘(聖姿光輝)를 보고, 공주 능히 채[536]를 못 잡을 위인임을 알아 앙앙(怏怏)하여, 공주의 손을 잡고 울어 왈,

"하늘이 옥주를 내사 옥태월광(玉態月光)이 금고의 무쌍하거늘, 만승(萬乘) 농주(弄珠)[537]로 왕희의 존귀를 띠어 하가하매, 구고 존경과 소천의 중대를 물어 알 바 아니라. 상부 소이부인(小李夫人)을 보매 앙망불급(仰望不及)이러니, 금일 윤·양 이 부인께 섞이매 천만충이 떨어지니, 더욱 윤씨 옥 같은 기린을 껴 부마의 조강의 위를 띠고, 양·이 등으로 화우하는 덕이 임사(姙似)의 어짊을 가져, 구가일문의 갈채칭도(喝采稱道)와 부마의 하해중정(河海重情)을 보지 않아 알지라. 도위 어려움이 명염숙완(名艷淑婉)을 별처에 옮겨두고, 반년을 끊어 잊은 듯하다가, 이씨 분산 후 비로소 한집에 모이매 기쁜 기색도 없고, 옥주로 흔연하신 색과 내도하니, 첩은 의심이 깊고 두려우니, 첩의 일념은 삼인을 없애고 삼개 자녀를 다 멸하여 씨를 없이한 후, 옥주께서 도위로 더불어 유자생녀(有子生女)하여 백수해로(白首偕老)하는 즐거움을 누리도록 도모함이니, 옥주는 갈수록 덕화를 빛내시고 삼인을 화우하시면, 부마가 옥주 심폐를 어찌 알리까? 적은 분을 못 참아 큰일을 그르치지 마소서."

공주 눈물을 흘리고 가슴을 어루만져 가로되,

"구가(舅家)에 입승(入承)한 후 주야 여좌침상(如坐針上)[538]이라. 혹

---

536) 채 : 가마, 들것, 목도 따위의 앞뒤로 양옆에 대서 메거나 들게 되어 있는 긴 나무 막대기. *채를 잡다; 주도적인 역할을 하거나 주도권을 잡고 조종하다.

537) 농주(弄珠) : '손 안에 놓고 놀리는 구슬'이라는 뜻으로 '귀염둥이 딸'을 달리 이르는 말.

538) 여좌침상(如坐針上) : 바늘 위에 앉은 것처럼 불안함.

자 정군의 그릇 봄이 있을까 존전에 시립함과 같이 하되, 정군이 추호
(秋毫) 가애(加愛)함이 없고, 언단(言端)에 윤·양 등을 칭도(稱道)하니,
내 기인 등이 어떤가 하더니, 금일 보니 이녀는 흑살천신(黑煞天神)[539]
과 우두나찰(牛頭羅刹)[540]같으나, 윤·양은 절세명염(絶世名艶)이라.
나도 눈을 옮기기 아까우니 정군을 이르랴. 보모 충심이 간절하나 무슨
지략으로 삼인을 없이할 술(術)이 있으며 현기 등을 죽이리오."

　최씨 흉계로 공주의 마음을 위로하고, 윤·양 등을 화우(和友)하라 하
니, 공주 일마다 옳이 여겨, 차후 더욱 어진 것을 나토며 인심을 취합하
노라, 비단과 보화를 두루 흩어 나누어 주기를 아끼지 않아, 구가(舅家)
의 하천비배(下賤婢輩)들도 흔연 후대하여, 무고히 상을 주고, 친척에
널리 통하여, 기이한 찬품과 빛난 능라(綾羅)를 보내며, 태후(太后)와 제
후(帝侯)의 사송(賜送)하시는 것을 다 흩어주어 하나도 머무르는 것이
없으니, 인인이 사랑치 않는 이 없고, 형세를 붙좇아 정가 일문이 저마
다 공주의 어짊을 칭찬하고, 보내는 것을 감사하며, 차환의 무리는 노주
(奴主) 존비(尊卑)를 천지같이 하는 고로, 순태부인과 진부인이 인자화
순하나 비복에게 위엄을 잃지 않아, 상벌이 분명하고 은혜로 거느리며,
한유(閒遊)치 못하게 각각 소임을 맡겨 진심(盡心)케 하여, 각각 주모를
두려워하며 조심하여 여림심연(如臨深淵)하는지라.

　이에 비하면, 공주의 어진 말씀과 감언리어(甘言利語)는 '무른 떡'[541]
이요, '솜에 바늘'[542]이라. 일호(一毫) 위엄이 없고, 보는 이마다 흔연

---

539) 흑살천신(黑煞天神) : 검은 살기를 띤 흉한 모습의 귀신.
540) 우두나찰(牛頭羅刹) : 쇠머리 모양을 한 악한 귀신.
541) 무른 떡 : '너무 물러서 쫄깃한 맛이 없는 떡'이란 뜻으로, 말이나 행동이 원칙
　　이나 강단이 없어 야무지지 못하거나 위엄이 없음을 나타낸 말.
542) '솜에 바늘' : '솜에다 바느질하기'란 뜻으로 '모래 위에 집짓기'처럼 아무런 보

하여 생각지 않은 보물을 흡족히 주는지라. 천견무식(賤見無識)으로 간교(奸巧)를 모르고 어짊으로 알아, 대소비복(大小婢僕)이 승간(乘間)하여 문양궁에 와 매양(每樣) 성덕(盛德)을 칭하(稱賀)하니, 공주 낭랑(朗朗)이543) 청아(青蛾)544)를 드리워 그 간고역사(艱苦役事)를 불쌍히 여기는 듯, 진미를 포복토록 먹이고, 의자(衣資)를 주며 양미(糧米)를 주어 이어545) 쓰게 하니, 복부(僕夫)546)들이 감은각골(感恩脚骨)하여 공주를 으뜸으로 붙좇아 '물이 동으로 흐름'547) 같으니 예성(譽聲)이 인리(隣里)를 풍동(風動)하여 부마의 처궁(妻宮)이 유복(有福)하다 하더라.

어시에 운남공주 운영이 정병부의 풍모를 탐애(耽愛)하여, 부모를 기이고 만리(萬里)를 겯보듯548) 여겨, 정후를 위하여 망부석(望夫石)이 되고자, 시녀 경향을 데리고 경보(輕寶)를 수습하여 여화위남(女化爲男)549)하고 집을 나, 천신만고(千辛萬苦)끝에 전당(錢塘)550)을 건너니라.

연(然)이나 중도에 두역(痘疫)을 얻어 사오 삭을 사생(死生) 가운데 신고(辛苦)하더니, 향의 위주충심(爲主忠心)이 과인하여 지성으로 구호

람이 없는 헛일을 함을 이르는 말.
543) 낭랑(朗朗)이 : 낭랑(朗朗)하게. 소리가 맑고 또랑또랑하게.
544) 청아(青蛾) : 푸르고 아름다운 눈썹. 미인을 비유적으로 이르는 말.
545) 잇다 : 끊어지지 않게 계속하다.
546) 복부(僕夫) : 사내 종.
547) 물이 동으로 흐름 : 중국의 하천은 대부분 서쪽에서 발원하여 동쪽으로 흐른다. 여기서 '물이 동으로 흐른다'는 말은, '물이 낮은 곳으로 흐른다.'는 말과 같이 '자연스러움' 또는 '순리'를 비유로 표현한 말로, 물이 동으로 흐르듯, 인심이 자연스럽게 공주의 금품공세에 쏠리고 있음을 표현한 말이다.
548) 겯보다 : '겯다+보다'의 합성어. (몸에 익은 일처럼) 쉽게 여기다. 대수롭지 않게 여기다. 겯다; 일이나 기술 따위가 익어서 몸에 배다. 보다; 여기다.
549) 여화위남(女化爲男) : 여자가 남자로 변장함.
550) 전당(錢塘) : 전당강(錢塘江). 중국 절강성(浙江省) 동부를 흐르는 강. 절강(浙江)이라고도 한다.

하매, 향차(向差)하여 황성으로 오던 중, 대국 수토(水土)가 남방과 다르고, 남복(男服)으로 필마(匹馬)에 의지해 만리를 구치하매, 두역 지낸 여증(餘症)이 겸하여, 소주(蘇州)551)에 이르러는 운영이 물 한 술도 못 마시고 병세 위악한지라.

향이 망극하여 일간 초옥을 얻어 백방으로 구호할 새, 보배 비록 많으나 달포 구병(救病)에 다 쓰고 능히 죽음(粥飮)을 잇지 못하니, 향이 두루 다니며 빌어 먹일 새, 기사(饑死)를 겨우 면하고, 수월 후 노주 걸식(乞食)하여 경사로 오다가, 한 무리 강도를 만나 천리마(千里馬)를 빼앗기고 노주의 옷을 마저 벗기려 하는지라.

운영이 과의(袴衣)552)를 벗기는 지경이면 본색이 탈루(脫漏)할까 두렵고, 또 본디 곱기는 천태만색(千態萬色)553)이라, 강도가 겁탈할까 두려, 정생을 바람이 비첩항(婢妾行)에도 용납하지 않으면 죽어 넋이라도 따르고자 함으로, 타인은 반악(潘岳)554)의 풍채라도 결(決)하여 불원(不願)하는지라. 죽기로 애걸하여 면하여 한 절에 가니, 도사 그 미색을 고련(顧憐)555)하고 인생을 가애(可愛)하여 관대(款待)하니, 노주 각골감은(刻骨感恩)하고, 또 한 가지로 경사로 데려감을 언약하니, 경사가 몇 날 길이나 남아 있는가 물으니, 도사 왈,

"경사가 십여 일 격(隔)하였으니 여주(汝主)를 조호(調護)하여 가게 하라."

언파에 동자를 데리고 몸을 돌이켜 송죽간(松竹間)으로 가니 다시 보

---

551) 소주(蘇州) : 중국 강소성(江蘇省)에 있는 도시.
552) 과의(袴衣) : 고의(袴衣). 남자의 여름 홑바지. 한자를 빌려 '袴衣'로 적기도 한다. ≒중의(中衣).
553) 천태만색(千態萬色) : '천 가지 아름다운 자태와 만 가지 고운 빛'이란 뜻으로, 온갖 아름다움을 다 갖춘 미인이란 말.
554) 반악(潘岳) : 중국 서진(西晉)의 미남자.
555) 고련(顧憐) : 마음에 안쓰럽게 여겨 돌보아 줌.

지 못할러라.

원래 화도사는 윤이부 명천공의 친위라. 도행이 높고 술법이 신기하여 자취 아니 미치는 곳이 없고, 사람의 급함을 구제하여 적선을 일삼더라.

향이 도사가 준 은자를 가져 노주 남의(男衣)를 사 입고, 인가를 차자 일순(一旬)을 조리하고, 상처가 나은 후 촌촌(寸寸) 전진하여 걸식 상경하니, 대국 인물의 성함과 번화함이 번국과 내도한지라556). 노주 두루 경물을 완상하니 인인이 향암(鄕闇)557)됨을 웃더라. 운영이 거년 추(秋)에 운남 국토를 떠나 금년 칠월에 황성에 이르니, 십생구사(十生九死)558)하여 여자의 만리행역(萬里行役)이 극난함을 알러라. 운영이 정병부 택상으로 가고자 하니, 향 왈,

"옥주 비록 정원수를 위하여 조차지경(造次之境)559)이나 정원수는 옥주 정리를 괘념(掛念)560)치 않으리니, 찾아가나 본 체 않으면 무류561)하리니, 아직 종용한 곳을 얻어 사세(事勢)를 봄이 가하니이다."

영이 옳이 여겨 서화문 밖 청벽산 보수암에 이르러 신묘랑과 사귀니, 묘랑이 남자 아님을 알아 연고를 물으니, 영의 노주가 기이고저 하다가, 묘랑의 신기함을 항복하여 사실 대로 고하니, 묘랑이 금수나릉(錦繡羅綾)을 내어 노주의 여복을 고치게 하고, 이르되,

"공주를 위하여 일생을 도모할 것이니 번뇌치 말려니와, 다만 정원수 운남을 평정하고 봉후하여 금전여서(禁殿女壻) 된 지 오래지 않으니, 공

---

556) 내도하다 : 다르다. 판이(判異)하다.
557) 향암(鄕闇) : 시골에서 지내 온갖 사리에 어둡고 어리석음. 또는 그런 사람.
558) 십생구사(十生九死) : 아홉 번 죽을 고비를 넘기고 열 번 살아남.
559) 조차지경(造次之境) : 매우 급박한 상황.
560) 괘념(掛念) : 마음에 두고 걱정하거나 잊지 않음.
561) 무류 : 부끄럽고 열없음. 낯부끄러움.

주 정낭을 취함이 도리어 타처 풍류랑을 가림만 못 하리이다."

공주 앙천 탄 왈,

"만리를 결보562)듯 달려와, 정원수 위한 정이 비첩(婢妾)이라도 원하나니, 소원을 이루면 함환결초(銜環結草)563)하리이다."

묘랑이 양구(良久) 침사(沈思)에 소왈,

"빈도가 공주의 원을 이루고 몸이 영화롭게 하리이다."

영이 대열(大悅) 작배(作拜)564)하고 정원수로 인연을 이루기를 비니, 묘랑이 상부 후문과 제실지친(帝室之親)의 허랑한 부인과 간악한 여자의 유를 사귐이 무수하니, 일일 고요함이 없어 동서로 분주하여 악사를 행하며, 길흉을 아는 고로 명예 자자하여, 찾는 자들로 문이 메었으되, 예단이 적은즉 빗새우고565) 가지 않으니, 금은옥보(金銀玉寶)와 필백(疋帛)이 뫼같이 쌓였더라.

이로써 묘랑을 모르는 이가 없어, 어매(御妹)566) 경선공주는 부마 위

---

562) 결보다 : 대수롭지 않게 보다. *결; 본줄기가 아니거나 대수롭지 않은 뜻을 더하는 접두사.

563) 함환결초(銜環結草) : '남에게 입은 은혜를 꼭 갚는다' 의미를 가진 '함환이보(銜環以報)'와 '결초보은(結草報恩)'이라는 두 개의 보은담(報恩譚)을 아울러 이르는 말로, '남에게 받은 은혜를 살아서는 물론 죽어서까지도 꼭 갚겠다.'는 보다 강조된 의미가 담긴 뜻으로 쓰인다. 두 보은담의 유래를 보면, '함환이보'는 중국 후한 때 양보(楊寶)라는 소년이 다친 꾀꼬리 한 마리를 잘 치료하여 살려보낸 일이 있었는데, 후에 이 꾀꼬리가 양보에게 백옥환(白玉環)을 물어다 주어 보은했다는 남북조 시기 양(梁)나라 사람 오균(吳均)이 지은 『속제해기(續齊諧記)』의 고사에서 유래한 말이다. 또 '결초보은'은 중국 춘추 시대에, 진나라의 위과(魏顆)가 아버지가 세상을 떠난 후에 서모를 개가시켜 순사(殉死)하지 않게 하였더니, 그 뒤 싸움터에서 그 서모 아버지의 혼이 적군의 앞길에 풀을 묶어 적을 넘어뜨려 위과가 공을 세울 수 있도록 하였다는 『춘추좌전』〈선공(宣公)〉15년 조(條))의 고사에서 유래하였다.

564) 작배(作拜) : 예(禮)를 갖추어 절함.

565) 빗새우다 : 핑계하다. 구실을 삼다. 토라지다.

숙에게 하가하여 성혼 칠팔재(七八載)에 일남을 생하나, 부마 기세하매 공주 과거(寡居)하여 삼종(三從)567)에 아들 하나라. 수복을 기도하여 불공을 후히 하니, 이때 공주의 아들 위첨이 이십 전 명사로 간의태우더니, 강주 순무사로 나가고 위어사 부인 조씨 친상(親喪)에 분곡(奔哭)568)하매, 공주 어린 손자 등만 데리고 광전(廣殿)에 처하여 새로이 비회(悲懷)를 정치 못하더니, 묘랑이 와 뵈고 종용이 말씀하다가 소왈,

"옥주 적막하신데 위회(慰懷)할 군주 없으시니, 어찌 일가에 구슬 같은 소저를 양녀(養女)하지 않으시니까?"

공주 탄 왈,

"정합오심(正合吾心)이로되, 아자(兒子) 매양 양녀하는 것이 불긴함을 이르매, 제 뜻을 욱이지 못하나 이런 때는 뜻이 잇노라."

묘랑 왈,

"기이한 여자를 암중에 길러 두었으니, 본이 사족이라. 남주 선비 목생의 딸이니, 부모 구몰하고 친척이 희소하여 사고무친하니, 빈도 참연하여 부디 아름다이 길러 성혼코자 하오되, 소저 산문에 있음을 슬퍼하오니 옥주 데려다가 그 위인을 보시고, 고의(高意)예 가하시거든 양녀를 정하소서."

공주 가장 깃거 왈,

"사부, 나의 고적함을 염려하여 아름다운 여자를 천거하니 은혜 깊도다."

인하여 궁비와 교자를 주어 소저를 데려오라 하니, 영이 순순 사례하

---

566) 어매(御妹) : 황제의 누이동생.
567) 삼종(三從) : 삼종지도(三從之道). 예전에, 여자가 따라야 할 세 가지 도리를 이르던 말. 어려서는 아버지를, 결혼해서는 남편을, 남편이 죽은 후에는 자식을 따라야 하였다.
568) 분곡(奔哭) : 먼 곳에서 부모나 친지의 죽음 소식을 듣고 달려가 곡함.

고 경향으로 더불어 궁에 이르러 공주께 현알하니, 공주 눈으로 보매,
흰 낯이 교결(皎潔)하고, 양안(兩眼)이 별 같으며, 눈썹은 초월(初
月)569)같고, 단사주순(丹砂朱脣)에 옥치(玉齒) 기묘하여, 민첩 영오하며
아리따운지라.

공주 크게 사랑하여 가향(家鄕)을 묻고 모녀의 의를 결하여, 정의(情
誼) 간간(懇懇)570)하고 체체하니571), 금은 필백을 아끼지 않아 묘랑의
욕심이 차도록 상사하니, 묘랑이 흥낙(興樂)하여 돌아가고, 경선공주 운
영의 근본을 모르고 무탁무의(無託無依)함을 가긍(可矜)하여 친녀같이
하니, 궁중이 추앙하여 재산이 누거만(累巨萬)이요, 보화 고중(庫中)에
썩으니, 영의 노주 운남에 있을 적과 다르지 않아, 금수(錦繡) 무거움을
자랑하고 진미를 염어(厭飫)하나, 오직 정랑을 사상함이 간절한지라. 묘
랑으로 가만히 의논하니, 묘랑 왈,

"빈도 변신하여 정부 사기를 살펴 부마의 패식지류(佩飾之類)를 얻어
오리니, 소저는 옥주를 공동(恐動)하여 사혼(賜婚)하시는 전지(傳旨)를
얻어 성혼하소서."

영이 순순(順順) 사례하고 정군의 수중지물(手中之物)을 얻어 오라 하
니, 묘랑이 몸을 흔들어 작은 새 되어 취운산에 가니, 남후는 경부에 가
고 시랑은 내침(內寢)하니, 공교하여 삼 공자 세흥이 촉하에 독서할 새,
야명주(夜明珠)572)를 얻어 놓고 글을 읽는데, 궤를 보니 어사(御賜)하신
금선(錦扇)과 옥선초(玉扇貂)573)가 있어 금광이 찬란하니, 이는 정후(鄭

---

569) 초월(初月) : 초승달.
570) 간간(懇懇) : 마음이 매우 정성스러움.
571) 체체하다 : 행동이나 몸가짐이 너절하지 아니하고 깨끗하며 트인 맛이 있다.
572) 야명주(夜明珠) : =야광주(夜光珠). 밤에 빛을 내는 희귀한 보석.
573) 옥선초(玉扇貂) : 옥으로 만들어 부채고리에 단 장식품. 선초(扇貂); 부채고리

侯)의 심장(深藏)한 바라. 공자 형제 이르되,

"성상이 형장에게 하사하시며 왈, '백옥의 티 없음은 경의 청렴함이요, 여수(麗水)574)의 정금(精金)은 단련하매 경의 견확(堅確)한 심지(心志)라, 고로 사(賜)하노라.' 하시니, 심장(深藏)함이러라."

묘랑이 몸을 감추어 낱낱이 듣고 금선(錦扇)과 선초(扇貂)를 도적(盜賊)하여 운영을 주니, 영이 대희하여 하니, 공주 공동할 일을 가르치매, 영이 명일 날이 낮 되도록 낯을 싸고 일어나지 않으니, 공주 와 보고 왈,

"어디 아파 누웠느냐?"

영이 오열 부답하니, 공주 더욱 의아하여 답언을 재촉하니, 영이 눈물을 흘려 왈,

"소녀의 고혈무의(孤子無依)한 인생이 천우신조(天佑神助)하와 옥주의 모녀지의(母女之義)를 받자오니, 각골감은하와 손복(損福)할까 하옵더니, 작야에 괴이한 변이 신상에 있으니, 박명(薄命)을 원(怨)하올 밖, 남자가 소녀를 욕할 줄 뜻하였으리까? 두 가지를 주고 가며 성명은 정천흥이라 하오니, 옥주 자위 일찍 차인을 아시니까? 소녀 결항(結項)하여 욕을 풀고자 하옵더니, 생각하니 불가하여 사고를 다 아뢰고 일을 해석하온 후, 종시(終是) 죽으려 하나이다."

공주 청파에, 본디 허랑한 위인이라, 눈이 두렷하여 창황히 영의 팔을 보니 주표는 의구하거늘, 잠깐 진정하여 왈,

"정천흥은 병부상서 용두각태학사 평남후 문양도위 대장군 방어사 죽청선생이라. 연소하나, 위엄이 해내(海內)를 기울이고, 덕망이 산두(山

에 매어 다는 장식품.

574) 여수(麗水) : 중국의 지명. 〈천자문〉 '금생여수(金生麗水)'에서 말한 금(金)의 산지(産地)로 유명.

斗)575)에 의의히 높음을 가져, 금전여서(禁殿女壻)로 총권(總權)이 백료 가운데 제일이니, 어찌 행실의 음비함이 여차할 줄 알았으리요. 더욱 궁중이 적막한 줄 알고, 야반에 돌입하여 욕이 너에게 미칠 줄을 어이 알았으랴. 천흥이 문양도위 되기 전 삼 처와 첩잉이 무수하여 호색하는 것을, 상이 부마를 삼으시니, 문양이 문후하는 궁비를 부렸거늘, 내 저희 금슬을 물으니, 정부마 신병이 있어 아직 합친을 않았다 하니, 괴이히 여기더니, 네 침소에 돌입함은 음패불측(淫悖不測)한 의사요, 나를 업신여김이 여염과모(閭閻寡母)로 앎이라. 내 너를 양녀하였으니 즉시 데려가 제후께 조현하고, 군주의 위호를 얻어 주려 하였더니, 궁중 사고(事故) 많아 못한지라. 황상께 아뢰고 처치하리니 부질없이 심사를 상해오지 말라."

인하여, 금선과 선초를 찾으니, 서안 위에 있음을 고하고, 공주를 놀래고자 하여 자문(自刎)코자 하니, 공주 급히 붙들어 말리고, 천만 위로하고, 즉시 입궐하여 제후께 조현하니, 상이 지극하신 우애로써 경선의 일찍 과거(寡居)함을 자닝히 여기시고, 슬하 적막하여 위첨 일인 뿐임을 더욱 잊지 못하시는지라. 공주로 말씀하시다가, 웃으시고 왈,

"짐이 위첨의 위인을 사랑하여 강주 어지러움을 위첨 곧 아니면, 안무(按撫)하기 어려움으로 멀리 보내었으나, 어매(御妹) 슬하 적막하니 궐정에 있으라."

공주 눈물을 뿌려 주 왈,

"첩을 멀리 보내고 너른 궁중에 한낱 자질이 없삽기로, 우연이 부모 구몰(俱沒)하고 혈혈무의(孑孑無依)한 여자를 얻어 모녀 된 지 일망(一

575) 산두(山斗) : '태산북두(泰山北斗)'의 줄임말로 태산과 북두칠성을 아울러 일컫는 말. 세상 사람들로부터 존경받는 사람을 비유적으로 이르는 말.

望)이러니, 거야(去夜)에 괴이한 변을 만나 어린 여자 놀라고, 분하여 죽고자 하오니, 이런 우민(憂悶)한 일이 어디 있으리까?"

상이 놀라 연고를 물으시니, 공주 정부마의 행사를 갖추 아뢰고, 금선과 옥선초를 드리니, 상이 처음은 곧이듣지 않으시다가, 금선과 옥초를 보시매 만심경해(滿心驚駭)하시어, 변색 왈,

"세사난측(世事難測)이라. 짐이 천흥을 사랑하여 차물을 주었더니, 월장규벽(越牆竅壁)576)하매 미녀의 신물(信物)이 될 줄 알았으리오. 다만 천흥이 호신(豪身)하나 위인이 비의불법지사(非義不法之事)는 않을 품(品)이러니, 어찌 어매의 궁중에 작변하리오. 기간 곡절을 알지 못하리로다."

경선이 주왈,

"일마다 신의 명도 기구하와 양녀까지 괴이한 변을 만나오니, 일편 되이 천흥을 원(怨)치 아니하옵거니와, 다만 신을 업신여김이 여지(餘地)없어, 핍박하여 저의 가인을 삼으려 함을 생각하오매, 통분토소이다."

상 왈,

"짐은 차마 천흥이 그런 일을 하였다 못하리니, 짐이 그 일생을 매몰케 않으리라."

하시고 명일 조회에 금평후를 인견하시어,

"천흥이 짐이 사급한 바 금선과 옥초를 가지고 경선궁에 돌입하여 여자의 신물을 삼다 하니, 짐이 천흥 앎을 비록 연소하나 비의불법지사(非義不法之事)는 원수같이 하는 줄 알았더니, 사이지차(事已至此)577)하여 귀신의 희롱 같아서 아무런 줄 모르니, 경이 차물(此物)을 가지고 돌아

---

576) 월장규벽(越牆竅壁) ; 담장을 넘고 벽에 구멍을 내어 침범함.
577) 사이지차(事已至此) : 일이 이미 이 지경에까지 이름.

가 저더러 종용이 물어, 일호(一毫) 애매커든 빨리 사핵(査覈)하여 신설
(伸雪)하라. 혹자 범함이 있어도, 경이 경계하여 짐이 중사로 묻는 날
회보하라."

하시고 선초를 주시니 평후 부복 청교에 쌍수로 받자와 어이없어 하
니, 아자를 못 믿음이 아니라, 일이 황홀난측(恍惚難測)함을 한심하여,
면관 청죄 왈,

"신이 교자(敎子)치 못함으로 불초 패자(悖子)를 두어 경선궁에 사죄
를 지었사오니, 흉패함이 여러 가지라. 진실로 자식이 중죄(重罪)를 지
었을진대 죽여 사죄하오리니, 신의 교자(敎子) 못한 죄를 다스리소서."

상이 처치 난안(難安)하시어 왈,

"허실(虛實)을 모르니 청죄를 그치고 허실을 명핵(明覈)하라."

하시어, 환시(宦侍)로 관을 주시니, 금후 상의 남후 앎이 밝으심을 감
은(感恩)하여 사왈(謝曰),

"신자(臣子)의 인물을 밝히 알아주시니 신의 부자가 간뇌도지(肝腦塗
地)[578]하오나 다 갚삽지 못할소이다."

상이 재삼 위유(慰諭)하시고 명핵(明覈) 회주(回奏)하라 하시니, 금후
수명이퇴(受命而退)하여 본부로 오니라.

시에 병부 경부에 가 밤을 지내고 마침 신기 불평하여 집에 와 윤부인
침소에서 아자를 유희하더니, 거울을 비추고 대경 왈,

"미간(眉間)에 푸른 기운이 어리고, 액성(厄星)[579]이 어렸으니 대액이
당전(當前)토다."

---

578) 간뇌도지(肝腦塗地) : 참혹한 죽임을 당하여 간장(肝臟)과 뇌수(腦髓)가 땅에
　　　널려 있다는 뜻으로, 나라를 위하여 목숨을 돌보지 않고 애를 씀을 이르는 말.
579) 액성(厄星) : 사람의 재앙을 주재한다고 하는 흉한 별.

윤씨 가군(家君)의 신명함을 아는지라 경아 왈,

"액이 오면 방비치 않으시고 놀라시나니까?"

남후 미소왈,

"성인도 오는 액을 면치 못하시니, 서백(西伯)580)이 유리(羑里)581)의 갇히시고, 공자(孔子) 진채(陳蔡)582)에 싸이시어 곤하시니, 내 무슨 사람이라 면액(免厄)하리요, 다만 죽을 액은 아닌가 하노라."

언미(言未)에 부명으로 부마를 부르시니 급히 나온대, 금후 궐정으로 나와 태부인께 뵈옵고 서헌의 좌하였으니, 병부 추진 승명하매, 금후 불승불열(不勝不悅)하여 양구숙시(良久熟視)라. 부마 황공 전율하여 청말(廳末)에 부복하여 불감앙시(不敢仰視)하고, 제자(諸子)가 막지기고(莫知其故)583)하여 한출첨배(汗出沾背)하니, 금후 가장 오랜 후 소매로 좇아 금선과 옥선초를 내어 왈,

"차물이 어사(御賜)하신 것이거늘, 의외 경선궁 궁녀의 손의 돌아갔다 하니, 너더러 이르랴 하매 입이 더러운지라. 황친 국척(皇親國戚)의 집에 돌입하여 득죄함은 생각지 못할 바라, 성상이 여차여차 물으시니 내 한심 극의(極矣)라. 너더러 물어 기간 사고를 아뢰고, 진가를 핵실(覈實)하여 애매함이 있을진대 경선궁 궁녀의 무상(無常)함이요, 범죄함이

---

580) 서백(西伯)이 유리(羑里)의 갇히시고 : 서백(西伯)은 BC 12세기 중국 주(周 : BC 1111~256/255)의 창건자인 무왕(武王)의 아버지 문왕(文王). BC1144년 은의 마지막 왕인 주왕(紂王)에게 포로로 잡혀 유리(羑里)에 갇혀 3년간 갇혀 있으면서 유교의 고전인 주역의 괘사(卦辭)를 지었다.

581) 유리(羑里); 은나라의 주왕(紂王)이 주나라의 문왕(文王)을 가두었던 곳, 전(轉)하여 감옥의 뜻으로 쓰인다.

582) 진채(陳蔡) : 공자(孔子)가 초(楚)나라 소왕(昭王)의 초빙을 받고 초나라로 가던 중, 진·채의 군사들에게 포위된 채, 양식이 떨어져 7일 동안을 굶으며 고난을 겪었던, 진(陳)나라와 채(蔡)나라의 접경지역.

583) 막지기고(莫知其故) : 그 까닭을 알지 못함.

있으면 음황무도한 자식을 천륜을 끊어 부자의 이름을 없애리라."

부마 복수 청교의 대경하여 선초를 본즉 자기 것이라. 의괴 망측하여 '사광(師曠)의 총(聰)'584)이나 요물(妖物)의 작사(作事)를 어찌 알리오. 부복 주왈,

"소자 행실이 비박(鄙薄)하오나 여차 비례를 몸소 행하리까? 결연이 비례 불의를 행치 아니 하였사오니, 황친 국척을 널리 사귐이 없고, 위첨이 외조로 처신하와 소자로 면목이 서의585)치 아니하되, 경선공주의 아들임을 깃거 않아 한 번도 가 봄이 없어, 경선궁이 어디에 있는 줄 알지 못하옵거늘, 이런 망측한 일이 있음을 몽리에나 생각하였으리까? 다만 흉괴(凶怪)하온 바는 금선과 옥초를 궤중(櫃中)에 깊이 두었던 것이, 저 곳에 갔음은 심상치 않은 변괴라. 소자 명조에 파조 후 천정에 주달하와 경선궁 좌우 시녀를 잡아 명백히 다스려 일을 핵실하게 하리이다."

사기 태연하여 조금도 구겁(懼怯)함이 없고 삼공자 세흥이 대경 왈,

"소자 작일 독서시의 야명주를 얻으려 궤를 뒤적이더니, 금선과 옥초를 양제(兩弟)로 돌려보고 공경하여 넣었더니, 차물(此物)이 경선궁에 갔더라 함은 재작일(再昨日)이요, 백형이 경시랑과 야화(夜話)하라 간 후 차물을 보았사오니, 일로 보아도 형의 애매함을 아시리이다."

사공자 유흥과 오공자 필흥이 또한 놀라 세흥과 같이 아뢰고, 금선과 선초 분명 작야에 봄을 고하니, 금휘 눈으로 병부의 기색을 보고 귀로 제자의 말을 들으매 사세(事勢) 그러한지라. '지자(知子)는 막여부(莫如父)'586)니 금후 어찌 자식의 현우를 모르리오마는, 다만 선자(扇子)와

---

584) 사광(師曠)의 총(聰) : 사광(師曠)은 춘추시대 진나라 음악가로, 소리를 들으면 이를 잘 분별하여 길흉을 점쳤다 한다. 따라서 사리(事理)를 잘 분별하는 것을 '사광의 총명'이라 한다.

585) 서의하다 : 서먹하다. 낯이 설거나 친하지 아니하여 어색하다.

선초(扇貂)가 저 곳에 감을 가장 의아하니, 사광(師曠)의 총(聰)이나 실로 난측(難測)이라. 저두침사(低頭沈思)러니, 문득 좌우로 병부를 밀어 '옥에 가도라' 하고, 왈

"명조(明朝)에 천정에 아뢰어 성명 처치를 보아, 패자(悖子)의 작악(作惡)이 분명하면 쾌히 다스리고 용사(容赦)치 못하리라."

병부 엄교를 듣자오매 각별 작죄 없으나, 자연 송황하여 방심치 못하고, 옥중에 들어 종야불매(終夜不寐)하여 경선궁 작변을 탁냥(度量)하나 변을 지은 자를 깨닫지 못하더라.

시에 천자께서 파조하고 내전에 들어오시어, 경선공주를 대하여 차사를 이르시니, 공주 왈,

"천흥의 연소지사(年少之事)가 괴이치 아니하옵고, 신의 양녀(養女) 또한 타문을 생각지 못 하리니, 자고로 부마의 양처(兩妻) 없사오나, 지어(至於) 천흥은 여러 처첩이 있사오니 어찌 일 여자의 평생을 그르게 하리까? 복원(伏願) 성상은 호생지덕(好生之德)을 드리우시어 신의 소녀로 천흥에게 사혼하심을 바라나이다."

상이 그처럼 여기시어 소왈,

"남자의 처첩 여럿은 자고상사(自古常事)라. 짐이 어찌 문양을 구애하여 경녀를 무심하리오마는, 천흥이 어린 나이에 위고금다(位高金多)하고 화옥(花玉) 같은 처첩을 가득이 두고 농촉(籠燭)587)을 무염(無厭)함이 있어, 성색(聲色)을 지내보지 않으니 어찌 밉지 않으리오. 수연(雖然)이나 어매(御妹) 말이 유리하니, 짐이 만민의 부모 되어 일 여자의

---

586) 지자(知子)는 막여부(莫如父) : 아들을 알기는 아버지만한 사람이 없다.

587) 농촉(籠燭) : 늑등촉(燈燭). 대오리(댓조각) 등으로 살을 만들고 종이를 씌워 원형 또는 정방형의 등을 만들어 그 속에 촛불을 켜는 기구. 여기서는 '화촉아래 미인과의 잠자리'를 비유적으로 표현한 말.

평생을 심규(深閨)의 함원(含怨)케 하리오."

공주 재배 사은이러라.

명일 조회를 파하신 후, 금후를 인견하시어 곡절을 무르시니, 휘 제자의 말을 갖추어 주하고 왈,

"신이 우암(愚暗)하와 자식의 소행을 모르오니, 다만 성명 처치를 바라나이다."

상이 소왈,

"지자(知子)는 막여부(莫如父)니 기부(其父) 모르거늘 짐이 어찌 알리오. 연(然)이나 사이이의(事而已矣)[588]니 경선궁 여자 타문을 생각지 못할지라. 천흥의 죄를 물시(勿視)하고, 차녀로 천흥의 제오부인을 삼아 문양의 교화를 빛내고, 경의 자손이 창성케 하노라."

금후 부복 청교(聽敎)에 불행히 여겨 고사(固辭)하되, 상이 종불윤(終不允)하시고 파조하시니, 금후 앙앙(怏怏)이 퇴하여 돌아오다.

상이 즉시 정·오 양왕(兩王)으로 중매를 삼아 취운산에 가 금후를 보고 개유(開諭)케 하고, 중사(中使)를 보내실 새, 경선공주 양왕을 촉하여 혼사가 성전(成全)토록 함을 이르더라.

양왕이 중사로 더불어 정부에 이르니, 차일 금후 태부인께 문안하고 나오니, 사관이 조지를 받자와 오고 양왕이 들어오니, 금후 일어나 맞아 빈주(賓主) 좌정하매, 양왕 왈,

"황상과 옥주께서 과인으로써 선생을 보아 월노(月老)를 자임하라 하시매, 내시와 같이 왔으니, 선생이 사양하여 미치지 못할 바를 너무 고집하지 말고, 허하여 성의를 역(逆)지 마소서."

금후 정색 왈,

---

588) 사이이의(事而已矣) : 이미 벌어진 일임.

"이 어찌된 말씀이뇨? 법은 왕자가 세운 바라. 자고로 부마의 양처 없거늘, 성상 은덕으로 허다 처첩을 용납하시니, 돈아(豚兒)589)가 일분 인심이면 황은을 감격지 않으리까마는, 불초아(不肖兒)가 무상하매 갈수록 탐색(貪色)이 무염(無厭)하여 도처에 미녀 가인을 지내보지 않음은 이르지 말고, 경선옥주는 당당한 제실지친(帝室之親)으로 일찍 과거(寡居)하시어 다른 궁으로 다르거늘, 천흥이 심야에 방자히 돌입하여 규녀를 희롱하니, 그 음황패악지죄(淫凶悖惡之罪)가 만사유경(萬死猶輕)이거늘, 법률로 다스리지 않으시고, 도리어 패자(悖子)의 음욕을 채우리까?"

설파에 시노(侍奴)로 병부를 착내(捉來)하여 보건대, 부마 관영을 해탈하고 완연이 죄수의 형상이거늘, 완순(婉順)한 낯빛과 축척한 거동이 더욱 수려(秀麗) 동탕(動蕩)하니, 금후 아자를 보매 분노가 더욱 발하여 사졸을 호령하여 병부를 결장(決杖)할 새, 휘 진목여성(瞋目厲聲) 왈(曰),

"이제 성명(聖明)590)이 불초의 음욕을 채와 사혼은지를 내리오시고, 정·오 양왕 전하 옥주 명으로 월로를 소임하여 이르시니, 너의 즐겨 도모함을 내 어찌 간예하리오. 매사를 임의로 하고 경선궁 규녀를 취하나 내 눈에 뵈지 못하리니, 약간 태장 함은 내 위인부(爲人父)하여 훈자(訓子) 불엄함을 남이 알까 두려운 까닭이라. 고로 다스려 패자(悖子)로써 아비 있음을 알게 하노라."

하여, 답언이 나기를 기다리지 않고 매를 재촉하니, 엄렬함이 설천(雪天)에 상로(霜露) 내리고, 음운(陰雲)이 폐색(閉塞)이라. 좌우 한출첨배(汗出沾背)러니 양왕이 사세 불호(不好)함을 보고 급히 말려 왈,

"이 곧 풍류남자의 연소호신지사(年少豪身之事)라. 황상과 옥주 책

---

589) 돈아(豚兒) : '돼지'라는 뜻으로, '아들' 겸손하게 이르는 말. =가아(家兒).
590) 성명(聖明) : 황제. 임금.

(責)지 않으시고, 다만 혼사를 성전하여 화기를 상치 맑을 명하시거늘,
선생이 어찌 견집(堅執)하시느뇨?"

금후 화(和)히 대 왈,

"학생이 훈자함이 불엄하여 허물이 많거늘, 이제 불초를 다스리지 않
으면 이후 여러 자식을 징계치 못하리니, 원컨대 양위 대왕은 소려(消
慮)하소서."

하고, 치기를 재촉하니, 사예(私隷) 황황 전율하여 매를 더하니, 일장
에 옥부(玉膚) 으처져591) 유혈이 돌지하되592), 병부 일성을 부동하고
고요히 장책을 밧더니, 문득 벽제(辟除) 훤괄(喧聒)593)하며 낙양후 삼
곤계(昆季)와 경시랑이 들어오니, 정시랑이 맞아 승당하여 양왕과 금후
한훤(寒暄) 파(罷)에, 낙양후 삼 곤계 대경 문 왈,

"창백은 도학군자(道學君子)로 반생 행신의 미진함이 없으니, 여차 음
패지사(淫悖之事) 있으리오. 부자의 친(親)으로 종용이 힐문(詰問)하여
순편(順便)키를 생각지 않고, 이렇듯 분난(紛亂)하여 사기 요란하뇨?"

금후 탄(嘆)하여 소유를 실고(實告)하니, 경시랑이 역경 왈,

"이 필연 요매(妖魅)의 희롱(戲弄)이라. 재작야(再昨夜)에 창백이 관부
로 나와 연질(緣姪)594)과 동숙하니, 자취 문을 남이 없고, 연질과 창백
이 지기로 허하여 익우(益友)의 성사(盛事)를 미치지 못하나, 또한 관포
(管鮑)의 사귐595)을 효칙(效則)하여 '폐부(肺腑)의 친(親)함'596)이 있는

---

591) 으처지다 : 상처, 옷 따위가 헐어서 떨어져 나가다. 늑무너나다. 문드러지다.
    '으+처지다'의 형태, 유사한 형태로 '으+깨지다'가 있다.
592) 돌지하다 : 액체 따위가 방울방울 솟아나오다. 특히 살갗이 터져 피가 돌돌 솟
    아나오는 것을 이르는 말로 쓰인다.
593) 훤괄(喧聒) : 떠들썩하다. 요란하다.
594) 연질(緣姪) : 조카뻘 되는 친척.
595) 관포(管鮑)의 사귐 : 관포지교(管鮑之交). 관중(管仲)과 포숙(鮑叔)의 사귐이란

지라. 비록 연소호신(年少豪身)으로 호색지심이 있으나, 비례를 원수 같
이 하고 권귀(權貴)를 아처하며597), 예의를 심사(深思)하던 바로, 음사
(淫邪)에 미치지 않을 것이요, 더욱 경선옥주의 자녀 없음을 모를 이 없
는지라. 창백이 어찌 궁에 규녀(閨女) 있어 아름다움을 알고 반야에 비
례를 행하리오. 창백의 근실(勤實) 주밀(周密)함으로써, 신물을 구태여
사급(賜給)한 물건으로 불미지사(不美之事)에 끼치리까? 만만 맹랑함이
요, 재작야에 영랑 삼 형제 분명 금선과 옥초를 보았다 하고, 거야에 창
백이 연질(緣姪)로 폐사(弊舍)에 머물었으니, 측량치 못할 바니, 창백의
백옥무하(白玉無瑕)함을 명찰하시어 원통함이 없게 하소서.”

금후 침음 위좌(危坐)하여 그 말을 들음이 유리하여 아자의 무죄함을
아나, 황명이 진가(眞假)를 알아 고하라 하시고, 정·오 양왕이 공주의
양녀 혼사를 자임월로(自任月老)하매, 분완(憤惋)이 깊어, 짐짓 아자를
중치하여 원통함을 설(雪)코자 함이라.

경시랑더러 왈,

“불초의 경선궁 작난하던 날이 현계(賢契)로 야화한 날일시 옳으나,
금선지사 귀신의 조화니, 현계 돈아를 신백(伸白)고자 하나 미치지 못하
리로다.”

경시랑이 순순(恂恂) 왈,

“합하 생의 말을 믿지 않으시나, 영윤의 혈육지신(血肉之身)이 견디지
못할 바라. 존공의 관인하시므로 홀로 창백에게 준급(峻急)하시니 명찰
하소서.”

뜻으로, 우정이 아주 돈독한 친구 관계를 이르는 말.
596) 폐부(肺腑)의 친(親)함 : 마음속 깊이 사귀는 데서 우러나는 친함.
597) 아처하다 : 싫어하다. 미워하다.

정·오 양왕과 낙양후 일시의 그 말이 옳음을 일컬어 사함을 청하니, 이십여 장에 이른지라. 옥골 설부에 유혈이 임리(淋漓)하니, 정시랑 인흥이 죄를 나눠 입기를 애걸하되, 금후 안연부동(晏然不動)하니, 낙양후 정색하고 친히 사예(私隸)를 즐퇴하고 맨 것을 그르니, 양 왕이 금후께 병부를 사하여 조리함을 간청하는지라. 금후 칭사 왈,

"저의 죄 베는 것이 당연하니, 음사(淫事) 분명하면 쾌히 죽여 풍화를 가다듬으리니, 양 전하는 과도히 여기지 마소서"

진태상 왈,

"윤보의 모짊이 고수(瞽瞍)598)에 더하도다. 아등이 윤보로 더불어 정의 골육 같아서 조모상종(朝暮相從)하되 일찍 하천비배(下賤婢輩)도 즐타(叱打)함을 못 보았더니, 금일 거조는 의외로다."

낙양후 혀차 왈,

"윤보의 금일 과급함이 어찌 평일로 다르뇨?"

하고, 병부로 조리함을 이른데, 병부 엄하(嚴下)에 사명을 얻지 못함으로 감히 퇴치 못하여, 안서히 대 왈,

"소질이 비록 연소하오나, 약간(若干) 수장이 대단치 아니하오니 물려 하소서."

언파의 사기 유열(愉悅)하니, 보는 이들이 그 효순(孝順)함을 탄복하더라.

금후 명하여 아자를 하옥하여 성명(聖明) 처분을 기다리라 하니, 양 왕 왈,

"영윤을 중장 후 하옥하여 조호(調護)치 못한즉 중병을 이룰지라. 과

---

598) 고수(瞽瞍) : 중국 순임금의 아버지의 별명. 어리석고 사리에 어두웠기 때문에 붙여진 이름이라 한다.

인이 천정에 주달하여 경선궁 규녀 시비를 저주어 죽청의 허실을 알아 내리니, 청컨대 사(赦)하여 조호케 하소서."

금후 미급답(未及答)에 진각로 정색 왈,

"윤보의 금일 새 비인정(非人情)이라. 분명치 않은 일로 타장(打杖)하고, 그도 부족하여 하옥 죄수를 하리오. 사하여 성명 처치를 기다리라."

금후 각로의 말을 좇아 양 왕을 향하여 왈,

"전하 여차 권유하시니 사하거니와, 음사(淫事) 적실한즉 성상이 죽이지 않으시나 당당이 패자를 죽이려 하노라."

하고, 명하여 사하니, 병부 의대를 갖추어 엄전에 다시 재배 사죄하고 퇴하나, 기거(起居)가 평상하니 좌우 그 기상을 장히 여기더라.

금후 중사(中使)더러 왈,

"욕자(辱子)를 장책 힐문함은 중사의 친견한 바로되 종시 불복하니, 천문의 회달할 말이 없는지라. 다만 성상이 엄형 추문하여 복초를 받으시리니, 이대로 회주하라."

중사가 응낙하고, 궐정에 복명하여 병부가 수장(受杖)하여 중상함을 아뢰고, 양 왕이 또 부마의 애매함을 고하고, 금후의 과도함을 주하여 그날 경춘기로 야화하고 움직이지 않았음을 계주(啓奏)하니, 상이 양 왕의 주사를 들으시고 병부의 애매함을 깨달으시어, 춘기를 인견하시어 물으신 후, 경선궁 시녀를 다 잡혀 사핵하라 하시니, 양 왕이 우주 왈,

"차사가 국가에 간섭함이 아니오나 궐정에서 신 등이 다스려지이다."

상이 허하시어 금의관(禁衛官)으로 경선궁 양녀의 시아를 다 잡혀, 오형(五刑) 기구를 베풀고 국문 왈,

"부질없이 학형(虐刑)을 밧지 말고 일일(一一)이 복초하라."

원래 공주 시아 열흘 뽑아 운영을 주었더니, 다 잡혔고 경향이 또 잡힌지라. 일시에 주 왈,

"모야에 소저께 시침(侍寢)하였으되 외간 남자가 들어옴은 모르고, 서화문 밖 보옥암 금선법사가 와 주모로 밀밀(密密)히 세어(細語)를 나누되, 금선(錦扇)·옥초(玉貂)란 말만 듣고, 자세한 소유(所由)는 모르나이다. 날이 밝으매 주모 일어나지 않으니, 옥주 친림하여 문지(問之)하신데, 소저 울며 '외간 남자가 돌입하다' 하오대, 소비 등은 남자를 못 보았으니 그 밖에는 죽어도 아뢰올 바 없사오나, 주인이 부모하여 보옥암의 의탁하였던 바니, 금선법사를 차자 물으신즉 근본을 아실 것이요, 주인의 골경지신(骨鯁之臣)599)인 경향을 엄문하소서."

위관이 경향을 엄문 왈,

"일호(一毫) 은닉한즉 참형(斬刑)으로 저주리라."

경향이 본디 간사치 못하여 실고(實告)할 새, 운영이 운남왕의 애녀(愛女)로, 옥주께 부모 구몰(俱沒)하다 속인 일을 그릇 여기고, 또 근본을 기임이 불가할 뿐 아니라, 노주(奴主)가 니고의 도움을 받아 정가에 가려 한 것이 정대한 일이 아니므로, 처음 나오던 곡절을 사실대로 천정에 고하여, 혹자 천자가 주인의 정리(情理)를 가긍(可矜)히 여겨 정원수의 비첩(卑妾)에나 충수(充數)한 즉 다행할까 여겨, 의사 이에 미치매 문득 함루(含淚) 고 왈,

"소비 경향은 운남 궁비러니, 시운이 불리하와 천조에 번신지례(藩臣之禮)를 폐한 고로 정원수 운남을 정벌하시니, 사직이 망하고 성명(性命)을 멸할까 하였더니, 정원수 성덕이 남왕의 명을 꾸이시어600), 종묘(宗廟)를 보전하고 백성(百姓)을 편안케 하시니, 남왕이 원수의 대덕을

---

599) 골경지신(骨鯁之臣) : 말 듣는 이를 두려워하지 아니하고 입바른 말을 잘하는 사람을 비유적으로 이르는 말.
600) 꾸이다 : 남에게 다음에 받기로 하고 돈이나 물건 따위를 빌려 주다.

흠탄하시어 대연을 개장하여 삼군 장졸을 대접하실 새, 정원수의 옥골 영풍이 동탕 쇄락함을 황홀하여, 번국 예의 중국과 달라 여자 자원(自願)하여 섬기고자 하는지라. 아주(我主)는 운남왕의 제 삼녀 운영공주라. 재정(才情)이 총민하고 용모 절세하니, 남왕이 사랑하여 보주(寶珠)의 비기더니, 연차(宴遮)에 원수를 몰래 엿보고 흠앙(欽仰)하여 비첩(卑妾)되기를 자원(自願)하오니, 원수 소매로 차용(遮容)하고 물리치매, 세자가 즉시 아주를 잡아 가두시고 남왕이 원수께 사죄하여 회군하신 후, 비로소 세자가 공주를 사하시니, 공주 원수를 사랑하여 부모를 버리고 원수의 뒤를 좇아, 천신만고하여 남의를 개착하고 소비로 더불어 도주하여 강을 건너고, 도중에 주인이 두역(痘疫)으로 사오 삭 위중타가 요행 회생하고, 촌촌 전진하여 소주에 이르러 또 중병으로 월여를 신고하고, 요행 차성(差成)하여 경사로 오더니, 적화(賊禍)를 만나 노주 옷을 빼앗기고 말을 잃으니, 그 간고가 비할 데 없는지라. 행인이 주인의 색모를 지내보지 않으니, 주인이 정원수 위한 정심(貞心)이 쇠와 돌이 되어 도적(盜賊)의 욕을 면코자 자문(自刎)타가, 빗 찔려 명이 끊어지지 않았으므로, 도사 주인을 보호하여 살려내고 은전(銀錢)을 주어, 옷을 사 몸을 가리고, 촌촌걸식하며 만고풍상을 경력하여, 거년(去年)에 경사(京師)에 오니, 사고무친(四顧無親)601)하여 정원수 부중으로 가고자 하거늘, 소비 간하여 청벽산 보옥암 금선법사를 만나, 법사가 노주를 은혜로 무휼하고 경선 옥주를 뵈옵고 양녀로 천거하여, 거짓 남주 유생 목가(家)의 여(女)라 칭하여 속이고, 위궁의 여로 부귀호화 극하오나, 정원수 사상은 날로 더하여 금선을 촉하여 인연을 갈구하오니, 법사가 모야에 화하여 새 되어 취운산 정부로 가서 금선과 옥선초를 도적하니, 정병

---

601) 사고무친(四顧無親) : 사방을 둘러 보아도 의지할 만한 사람이 아무도 없음.

부 아우 등이 마침 야명주를 얻노라 궤중을 뒤지다가 금선과 선초를 내어놓고 병부의 것이라 함을 듣고 훔쳐다가, 아주(我主)를 지휘하여 경선 옥주를 여차여차 혼동하여 병부와 인연을 이루라 하니, 주인은 일동을 금선이 이른 대로 함이라. 소비는 전후 원정이 이러하오니, 옥주를 정병부 취(娶)치 않으실지라도 비첩(卑妾)의 열(列)에나 용납하소서."

형부 정관(正官)602)과 금의(禁義)603) 관원이 경향의 말을 들어 천정에 고하니,

용안이 미미(微微)히 함소(含笑)하시고, 인하여 위사(衛士)를 명하시어 청벽산 보옥암 수승(首僧) 금선니고(尼姑)를 잡아 들이라 하시니, 위사 나는 듯이 보옥암의 가 금선니고를 잡으려 하니, 묘랑의 요술(妖術) 신행(神行)으로 어찌 다시 잡힐 리 있으리오. 법당에서 송경(誦經)하다가 몸을 흔들어 변하여 나는 짐승이 되어 수목 사이에 숨으니, 위사 무엇을 묘랑이라 하여 잡아 가리오. 암자를 싸고 잡으려 하다가 그림자도 보지 못하고, 통완함을 이기지 못하여 그 제자 사오 인을 다 잡아 천문에 보 왈,

"금선 요리(妖尼)604)를 종일 잡으려 하되 잡지 못하고, 제자 사오 인을 잡아 와 천정에 연유를 고하나이다."

상이 통해하시어, 요리를 두어서는 상문(相門)의 변이 무수하리니, 그 자취를 심방(尋訪)하고 소혈(巢穴)을 불 지르라 하시고, 금후에게 하조(下詔)하시어 의약을 사급하시고, 파조하여 내전의 들으시니, 공주 운영의 근본과 황상 처치를 들으매 놀랍고 한심하여 사죄 왈,

---

602) 정관(正官) : 일정한 부서에서 가장 높은 지위에 있는 관리. 그보다 낮은 지위
　　 의 관리에 상대하여 쓰는 말이다.
603) 금의(禁義) : =의금부(義禁府).
604) 요리(妖尼) : 요사스러운 비구니(比丘尼 : 여승).

"신이 심궁(深宮)에 요적(寥寂)함을 참지 못하와, 그 총오낭정(聰悟朗情)605)함을 사랑하여 모녀의 의를 맺아 외로움을 위로하옵고, 근본을 모르더니, 이제 알매 정자의 지원(至冤)함을 가지(可知)요, 도시 신첩의 불명하오미라. 불미한 일에 성심을 번거롭게 한 죄를 청하나이다."

상이 대소왈,

"운남녀의 간음지행(姦淫之行)이 무상하나, 어매(御妹)인 즉 무정지사(無情之事)라. 번국지녀(藩國之女)가 예의를 모르고 정천흥의 소년 풍채를 사모함이 괴이치 않은 고로, 천흥의 소성(小星)으로 정하여 소원을 이루게 하였나니, 정가에 간 후나 요란함이 없게 목녀를 경계하라."

공주 배사하고 즉일 궁으로 오다.

경향과 궁비는 무죄하여 노여 돌아와 운영더러 일이 발각함을 이르니, 영이 면여토색(面如土色) 왈,

"노주 상의하여 만리발섭(萬里跋涉)606)에 천신만고(千辛萬苦)하여, 법사의 지휘로 정가의 돌아갈 계교를 궁극히 하였거늘, 네 어찌 나의 전정을 파탈(擺脫)하여 일을 거칠게 하였느뇨?"

향이 추연 왈,

"소비 비록 충심이 없사오나, 어찌 옥주 허물을 거세(擧世)가 알게 하리오마는, 일이 정대(正大)치 못하매 발각키 쉽고, 교사(狡邪)하매 죄를 더하는 근본이라. 정원수 어떤 사람이라 누명을 신고, 벙어리 아니니 어이 잠잠하리까? 소저는 괴이함을 모르시나, 소비는 자초로 니고의 암밀(暗密)함을 애달아하였나니, 금일 형위지하(刑威之下)에 참형을 당하매,

---

605) 총오낭정(聰悟朗情) : 영리하고 쾌활함.
606) 만리발섭(萬里跋涉) : 만리(萬里)나 되는 아주 먼 길을 떠나 산을 넘고 물을 건너고 하며 길을 감.

마지못하여 실고(實告)함이니, 일층(一層) 간계를 덜 뿐 아니라, 정원수 엄정(嚴庭)께 중장을 받아 피육이 후란(朽爛)타 하니, 옥주 만리에서 바라고 오신 바는 원수를 바라시미라. 허무지사(虛無之事)로 병부를 상해오며, 누얼(陋-)[607]을 끼침이 도리어 저를 해함이니, 연즉(然則) 저 곳에 입승(入承)하시나 어찌 은애를 득하리오. 원컨대 옥주는 개과책선(改過責善)하여 전사(前事)를 뉘우치소서."

운영이 대참수괴(大慙羞愧)하여 누었더니 경선공주 돌아와 차경을 보고, 그 암밀부정(暗密不貞)함을 한심하나, 본디 굳세지 못한 중 그 정(情)이 처의(悽矣)라. 오직 사리로 개유하고 상교(上敎)를 전하여 소성(小星)으로 돌아감을 이르니, 만분 행열(幸悅)하여 스스로 식음을 나오고[608], 희색을 감추지 못하니, 공주 애달아하되 지성으로 단아(端雅) 정순(貞順)하기를 이르고, 병부의 차복(差復)기를 기다려 돌려보내려 하더라.

어시에 금후 아자를 중장하고 출퇴(黜退)하나, 겉으로 엄렬(嚴烈)함을 지으나, 스스로 일신이 아픈 듯 종야 불매하고, 엄연 위좌러니, 문득 중사가 이르러 운남공주의 작변을 일일히 이르고, 의약이 낙역(絡繹)하는지라. 금후 심내(心內)의 해악(駭愕)하나, 아자의 장처를 근심하여, 시랑더러 왈,

"여형이 작죄(作罪) 분명할진대 부자가 대면치 말려 하더니, 들으니 음녀의 작사가 여차하니 저의 무죄(無罪)함을 백탈(白脫)할지라. 성명(聖明)이 장처를 염려하시어 의약을 주시니 각별 조섭케 전하라."

---

607) 누얼(陋-) : 사실이 아닌 일로 뒤집어쓴 더러운 허물. 얼; 겉에 들어난 흠이나 허물. 탈.
608) 나오다 : (음식을) 내오다. (음식을) 드리다. (음식을) 들다.

시랑이 수명하여 죽서당의 이르니, 병부 평생 처음으로 중장을 당하여 침석(寢席)에 위돈(委頓)하니[609], 시랑이 부명을 전하고, 중사와 의자(醫者)가 왔음을 고한데, 병부 몸을 동하여 부명을 듣자오나 근심이 만복하여, 누명 신백(伸白)함이 기쁜 줄도 모르니, 이는 경씨를 불고이 취(不告而娶)한 연고라. 부훈의 엄함이 자기 방일한 죄를 물시(勿視)치 않으실 바를 예탁하매, 원치 않는 문양을 취함이 자기 뜻과 다름을 새로이 애달와 한하고, 운남공주의 음일(淫佚)함을 절치 왈,

"음녀의 간음지행이 여차(如此) 궁극하리오. 내 본디 음악(淫惡)을 가랍(加納)지 못하는 바니, 한 칼을 들게 가라 머리를 베어 후세 음부를 징계하리라."

시랑이 웃고, 어의로 간병함을 청하니 병부 소왈,

"일시 수장하나 장부 어찌 의자를 보리오."

즉시 돌려보내고, 아픔을 참아 의대를 수렴하고 행보하여, 제제로 더불어 서헌의 이르러 감히 오르지 못하고, 중계에 부복 청죄하니, 공이 그 기운을 장히 여겨 왈,

"너의 흰 낯으로 누얼을 무릅써 음녀의 소작(所作)이 해연(駭然)하나, 이미 신백하니 행이거니와, 저의 주체[610] 난감(難堪)한지라. 다만 너의 제가가 공변[611]되이 화함을 보리로다."

드디어 병부의 오로기를 명하니 병부 수명 승당하여 종일 시좌러니, 석양에 공이 제자를 거느려 태부인께 혼정할 새, 부인은 차사를 모르는지라. 공이 종시토록 은휘치 못할 고로, 운남녀의 작변사를 고하고, 천

---

609) 위돈(委頓)하다 : 힘이 빠지다. 기진(氣盡)하다. 자리에 쓰러져 있다.
610) 주체 : 짐스럽거나 귀찮은 것을 능히 처리함.
611) 공변되다 : 행동이나 일 처리가 사사롭거나 한쪽으로 치우치지 않고 공평하다.

홍의 소성으로 마지못하여 맞음을 주(奏)하니, 태부인이 공주의 음황함을 놀라며, 천홍의 고운 얼굴로 운남녀의 황홀하여 좇아오미 괴이치 아니타 하니, 진부인은 일언을 간예치 아니하나 아자의 장처를 근심하고, 윤·양·이 삼부인과 문양이 사기 안정하여 못들은 듯하더라.

명일 병부 신성(晨省)하고 인하여 엄전에 고 왈,

"여러 날 공사를 폐하였사오니 금일은 종야토록 결하고 명일 오리이다."

공이 장처를 염려하여 왈,

"마지못하려니와 달야(達夜)는 마라, 우명일(又明日) 돌아오라."

병부 감히 청치 못하나, 이 곳 원이라. 수명 배사하고 즉시 조회하니, 상이 그 거지(擧止) 평상함을 괴이히 여기사 왈,

"자고로 홍안(紅顔)이 박명(薄命)타 하나, 경은 남자로되 용화(容華)의 빛남이 도리어 액경(厄境)을 당하니 가소(可笑)로다. 운남녀의 행사가 음일 무상하나, 경을 위한 정이 족히 금석을 녹일지라, 차고로 사죄(赦罪)하여 경의 소성으로 돌아 보내나니 사양치 말라. 중장 후 조호(調護)치 않아 염려 없으랴?"

병부 돈수 왈,

"신의 행사가 미쁘지 않으므로 불미한 누얼을 무릅써, 금선과 선초가 저곳에 있으니 신이 구구삼설(九口三舌)이나 발명무지(發明無地)[612]하온 고로, 작죄 없사옴만 믿삽더니, 좋이 신백하오나, 왕법은 명정함이 으뜸이라. 어찌 소소(小小) 사정(私情)으로 음녀의 죄를 물시하시어 도리어 소원을 마치심이 가하리까?"

상이 소왈,

"수연(雖然)이나 군부 되어 '일부함원(一婦含怨)이 오월비상(五月飛

---

612) 발명무지(發明無地) : 죄나 잘못이 없음을 밝힐 길이 없음.

霜)'613)임을 염려함이요, 운남녀의 경을 위한 정이 금석 같으니, 짐이 은혜로 경의 잉희(滕嬉)614)를 허하였나니, 경은 그 긍측(矜惻)615)한 정(情)을 살펴 제가(齊家)를 공평이 하라."

병부 돈수(頓首) 무언(無言)이러니, 상이 염려하시어 물러가 조리하라 하시니, 병부 황공 감은하여 상처 무방함을 주하고 퇴하니, 모두 그 모짊을 일컫더라.

병부 관부에 와 삼사일 밀린 공사를 처결하고 경부에 이르니, 시에 경공 부부 여서의 장책(杖責)을 듣고 크게 우려하더니, 왔음을 듣고 바삐 청하여 볼 새, 병부 예필 좌정에 존후를 묻자오니, 경공이 집수 왈,

"창백이 큰 액경을 지내니 놀라운지라. 돈아의 소전(所傳)을 들으매, 결단코 쉬이 일어나지 못할까 하였더니, 무슨 일로 조리치 않고 이르렀느뇨?"

병부 미소 왈,

"인자(人子)가 엄하(嚴下)에 수장(受杖)이 상사라. 누었어야 하리까?"

경참정이 그 기상을 두굿겨 왈,

"장재(將材)라. 그 사오십 장책을 심상(尋常)히 여기니, 우리는 그 혈육이 상함을 차마 듣지도 못하였나니, 영존의 훈자의 엄하심을 두려워함은 여아의 불고이취지사(不告而娶之事)라. 타일 난처함을 어찌 하리오. 더욱 차처(此處)에 머물고자 함을 겁내노라."

부마 함소(含笑) 왈,

---

613) 일부함원(一婦含怨) 오월비상(五月飛霜) : 한 여자가 원한을 품으면 한여름(5월)에도 서리가 내린다.

614) 잉희(滕嬉) : 잉첩(滕妾). 예전에, 귀인에게 시집가는 여인이 데리고 가던 시첩(侍妾). 주로 신부의 질녀와 여동생으로 충당하였다.

615) 긍측(矜惻) : 불쌍하고 가엾음.

"존교 마땅하시나 영녀를 불고이취한 죄로 엄하의 일백장책(一百杖責)을 받자올 줄 모름이 아니오나, 가엄의 엄노(嚴怒)를 두려워하지 않음이 아니라, 주야 방심치 못하니 어찌 자주 왕래하리까? 마침 조회 길에 들어옴이요, 영윤과 소서의 교도가 각별함은 가친이 아시는 바니, 구태여 의심치 않으실지라, 모름지기 잔 염려를 마소서."

공이 흔연 소왈,

"말은 쾌하나 나는 여아의 장래를 은우(隱憂)를 삼나니, 창백은 구구(區區)하다 웃지 말라."

시랑 왈,

"네 장기를 자랑하나 내 차언을 영존께 고하리라."

병위 소왈,

"형의 언변이 유여하거든 가엄께 차사를 고하려니와, 가엄이 불초를 죽이든 않으시리니 우습게 굴지 말라."

공이 소왈,

"군언이 영존을 오히려 쉬이 여기거니와, 만금 중신(重身)이 혈육이 상함을 염려치 않으니, 내두(來頭)를 염려하매 불평한지라, 모름지기 조리하여 장처를 덧내지 말라."

정병부 염슬(斂膝) 왈,

"소생이 수불초(雖不肖)나 어찌 엄부를 쉬이 여기는 무식함이 있으리까? 영녀를 취하고 공교히 문양이 하가하매, 처음 계교와 같지 못하여, 지금 고치 못함이 엄하의 큰 작죄라. 스스로 발설치 못하나, 실인(室人)이 분산 후, 엄전에 고하고 죄를 청하려 하나이다."

경공 부재 웃고 주찬을 권하니, 부마 태연(泰然)이 먹더라.

일모에 경공이 침소에 가 쉼을 이르니, 병부 수명이퇴(受命而退)하매, 소저 서연이 일어나 맞아 부부 좌정하니, 부마 베개를 취하여 눕는지라.

소저 부마의 왕래를 실로 깃거 않더니, 금일 더욱 근심하여 홍수(紅袖)를 정히 꽂고, 단순(丹脣)이 맥맥하여 말이 없으니, 냉담함이 한월(寒月)이 빙설(氷雪)에 바애는 듯, 청수함이 일호 진애(塵埃)에 물들지 않은지라. 부마 첨시(瞻視) 양구(良久)에 왈,

"자의 거동이 생을 보매 시호(豺虎)를 대한 듯 증념(憎念)하니, 무슨 주의뇨? 외람하나 듣고자 하나니 숨기지 말라."

소저 봉관을 숙이고 말이 없으니, 부마 일어나 앉아 정색 왈,

"내 그대 수하인(手下人)이 아니요, 소천(所天)616)의 묻는 말을 대치 않음은 어찌된 일이뇨?"

소저 심내(心內)에 괴로우나 몸에 중상 후 조리치 않음이 깊이 두려워, 나직이 대 왈,

"첩이 본디 암약(暗弱) 소졸(小拙)하여 넘나지 못함은 군자 아실지라. 마음에 없는 담소를 짓지 못하고, 화기를 가작(假作)지 못하니, 이 또 첩의 허물이로소이다."

부마 눈을 쏘아 날호여 왈,

"자의 복 없는 거동이 단정(斷定)617)코 길(吉)치 못하리니, 하고(何故)로 미우(眉宇)를 펴지 못하며, 천수만한(千愁萬恨)을 품어 매양 울고자 하는 거동이 심상치 않고, 나 정창백이 비록 수복이 장원하나, 그대 살기(殺氣)를 맞을진대 급히 죽을지라. 모름지기 공교롭고 단박(短薄)한 정태를 다시 말라."

부마의 여차함은 그 심폐(心肺)를 사무쳐618) 자기를 괴로이 여기는

---

616) 소천(所天) : 아내가 남편을 이르는 말.
617) 단정(斷定) : 딱 잘라 말하여.
618) 사무치다 : ①깊이 스며들거나 멀리까지 미치다. ②깊이 깨닫다. ③멀리까지 통하다.

줄 알고, 경공 부녀가 자기 행도(行道)를 막지 못하게 함이라. 소저 공연한 준책으로 보챔을 괴로워하여 다시 말을 아니 하니, 부마 원비(猿臂)[619]를 늘여, 소저를 이끌어 가까이 앉히고, 장처를 뵈여 왈,

"생이 유죄 무죄 간 액경(厄境)으로 엄하(嚴下)에 수장(受杖)하여 혈육이 상하매, 그대 일분 인심이 있으면 생의 액경을 놀랠 것이요, 내 이미 왔으면 상석(床席)을 바로 하여 편히 조리케 함이 옳거늘, 모진 거동이 무서우니 실로 측량치 못하리로다."

소저 비록 눈을 들지 않으나, 잠깐 보니 피육이 후란(朽爛)하여, 피 엉기고 청화(靑華)[620] 같으니, 차악(嗟愕) 경심(驚心)하여 낯을 돌이키고, 팔자아황(八字蛾黃)에 수색(愁色)이 첨가(添加)하니, 부마 미소 왈,

"그대 나의 장처를 보아 경려(驚慮)하니, 알지 못 하리로다. 내 살아 있은즉 그대 무엇이 유해(有害)하뇨?"

언필에 옷을 벗어 던지고 침금(枕衾)을 포설하라 하더라.

---

619) 원비(猿臂) : 원숭이의 팔이라는 뜻으로, 길고 힘이 있어 활쏘기에 좋은 팔을 이르는 말.
620) 청화(靑華) : 중국에서 나는 푸른 물감의 하나.

명주보월빙 권지이십육

익설. 정부마 옷을 벗어 던지고 소저로 침금을 포설하라 하니, 소저 욕되고 분하나 마지못하여 포설하니, 부마 손을 잡아 앉히고 즉시 상요에 나아가, 팔을 주무르라 하니, 소저 강인하여 팔을 주무르매, 매였던[621] 자리 벗어졌으니, 소저 더욱 경아하여, '혈육지신이 이렇게 하고 다니는고?' 하나, 말을 않으니, 부마 화기 없다 온 가지로 책하여 야심하매, 소저 신기 불안할까 하여 편히 누움을 청한데, 소저 자리에 나아가지 않으니 촉영지하(燭影之下)에 수려한 용광과 절승한 태도 금분(金盆)에 화왕(花王)[622]이 조로(朝露)를 떨친 듯, 쇄락한 골격은 신월이 광휘를 만방의 흘리는 듯하니, 어리로운[623] 거동이 볼수록 기이한지라. 풍류 남자의 환흡지정(歡洽之情)이 이끌릴 뿐 아니라, 경씨 취한 후 여산지정(如山之情)으로 화락이 뜻 같지 못함이 한이요, 부모의 모르심이 숙야(夙夜)[624] 은우(隱憂)이거늘, 경공 부부 자기 왕래를 절박이 여김을 모르지 않으나, 짐짓 모르는 듯, 혹 소저 침소에서 밤을 지내나 부공

---

621) 매다 : 끈이나 줄 따위로 풀어지지 않도록 묶다.
622) 화왕(花王) : 화중왕(花中王). 모란꽃을 달리 이르는 말.
623) 어리롭다 : 아리땁다. 귀엽다.
624) 숙야(夙夜) : 이른 아침과 깊은 밤.

을 두려 경부에 자주 머물지 못하여, 매양 제부인 중 경씨를 각별 애중하나, 무궁한 정은 윤씨에게 오를 이 없으니, 경씨의 자기 괴로워함을 옳이 여기되, 맹렬함을 꺾어 자기 피할 의사를 내지 못하게 하려, 즉시 눕지 않음을 책하고 한가지로 금리(衾裏)에 나아가려 하니, 소저 염임(斂衽) 탄식하고 왈,

"첩이 불능(不能) 누질(陋質)로 군자 빈실(嬪室)에 모첨(冒添)하나, 감히 구고의 자부항에 들지 못하여 지금에 이르도록 존당에 현알치 못하고, 존구(尊舅) 자주 오시나 가친이 붕우지정(朋友之情)으로 하실 뿐이요, 인친지도(姻親之道)로 못하시고, 군자 매양 민우(憫憂) 중 있으니, 첩이 무슨 마음으로 즐거움이 있으리오. 군자 액경으로 엄하의 수장하시매 장처 대단하신지라, 마땅히 조호(調護) 하심이 옳거늘, 이에 임하시어 인심에 차마 못들을 말씀을 하시니, 갈수록 가치 않도소이다."

설파에 퇴좌(退坐)하니 병부 그 옥성낭음(玉聲朗吟)의 쇄연함과 기이한 태도를 애중하되, 겉으로 정색 왈,

"불고이취(不告而娶)한 죄 내게 있고 그대에게 있지 않으니, 그대 수우(愁憂)함이 불가하고, 악장이 아녀(兒女)의 설설(屑屑)함으로[625] 문양을 두려 인사 모르는 그대를 격동하고, 악모 자애 구구하시어 당치 않은 일을 과념(過念)하시며, 합문 기색이 내 왕래를 막고자 하나, 생이 팔척 장부로 군부(君父) 외에는 기탄(忌憚)이 없으니, 무엇을 두려 그대 숙소 출입을 저어하리요[626]. 영존이 훈자지도(訓子之道)를 모르시고, 그대더러 날을 피하라 하여도, 여자는 소천(所天)이 으뜸이니 그대 나를 만일 외대(外待)한즉 좋지 않은 거조 있으리라."

---

625) 설설(屑屑)하다 : 자잘하게 굴다, 구구(區區)하다.
626) 저어하다 : 염려하거나 두려워하다.

인하여 상요에 나아가 흔흡(欣洽)한 정이 유출(流出)하니, 소저 순설(脣舌)이 무익하여 잠잠하나 은애는 능히 막지 못하더라.

경시랑이 매양 부마 부부의 문답을 부모께 고하여 웃으시게 하고, 병부의 기롱으로 표문(表文)627)을 삼는지라. 차일 그 사어(私語)를 듣고 웃음을 띠여 돌아왔더니, 소저 명일 모친 침소에 오고, 병부는 늦도록 일어나지 않으니, 강인하나 상처가 아픔이라. 시랑이 들어와 웃어 왈,

"네 아무리 장기(壯氣)628)나 목석이 아니라, 누우매 어찌 일어날 길이 있으리오. 영존이 부질없이 중타(重打)하니 영존의 허물이요, 소매의 탓이 아니라, 말 못하는 소매를 보채니 무슨 도리뇨? 네 엄장(嚴杖)을 받자오대 오히려 삼갈 줄 모르니, 모름지기 나의 변수(便水)나 받아먹고 백행을 온전케 하라."

병부 화답희언(和答戲言)이 낭자하니, 경공 부부 두굿겨 진찬을 차려 보내고, 여아의 평생을 근심하여 민민하더라.

병부 수일을 머물며 금슬우지(琴瑟友之)629)와 종고낙지(鐘鼓樂之)630)하다 취운산에 돌아가 요악한 공주를 대하매, 점점 염증이 층가(層加)하니, 집에 들어있을 뜻이 없는지라. 경공 부부 도리어 연측(憐惻)하여 가기를 이르지 않으나, 엄교(嚴敎)를 봉승하여 본부로 올 새, 스스로 경홀(輕忽)하여631) 연연(戀戀)하니, 경공이 애련하여 집수 왈,

---

627) 표문(表文) : ①마음에 품은 생각을 적어서 임금에게 올리는 글. ②상대편을 공격하는 발언.
628) 장기(壯氣) : 건장한 기운. 또는 기운이 왕성함.
629) 금슬우지(琴瑟友之) : '거문고와 비파를 타며 서로 사귄다'는 뜻으로 『시경』 〈국풍〉 '관저(關雎)'편에 나오는 시구.
630) 종고낙지(鐘鼓樂之) : 종과 북을 치며 서로 즐긴다는 뜻으로 『시경』 〈국풍〉 '관저(關雎)'편에 나오는 시구.
631) 경홀(輕忽)하다 : 말이나 행동이 가볍고 탐탁하지 않다.

"여아 취함을 영존과 문양공주 모르시미 마땅하니 조회 길에 왕래하라."

병부 소이대왈,

"아무리 자주 오라 하셔도 출입을 금하시니 자주 오지 못하려니와, 문양이야 두려워하리까?"

정언간의 금후 이르니 부마 본부로 가려하는 하리 문외의 대령하였는지라, 부마의 송률(悚慄)함이 재기중(在其中)632)이라. 연망히 나아가니, 금후 이미 중계에 이르렀으니 부마 재배하고, 엄정의 승당을 기다리고 섰더니, 경공이 맞아 예필 좌정에 금후 눈을 드니, 아자(兒子)는 말석에 시립(侍立) 궤좌(跪坐)하여 완순한 용화와 경근하는 법도가 가즉하거늘633), 그 장처를 염려한 바로, 우연이 경공을 보고자 오미더니, 이에 머무는 곡절을 물으니 하리 등이 관부로부터 작일 이리 와 유하심을 고하는지라. 공이 아자의 행지(行止)를 괴이히 여겨 매양 관부에 감을 칭하고 경부의 머무는 것을 의아하나, 경공의 여서(女壻)로 있는 줄이야 뜻하였으리요. 다만 즉시 집에 오지 않음을 미온(未穩)하여 왈,

"네 관부로 간다 하더니, 하고(何故)로 이에 와 있느뇨?"

언필에 사기 엄숙하니 병부 불승 황공하여 부복 왈,

"공사를 결(結)하고 가는 길에, 경형을 만나 위력으로 청류(請留)하여 마지못해 수일 머무니이다."

경시랑이 이어 고 왈,

"재작일(再昨日) 길에서 창백을 만나니 가장 불평하와 허한(虛汗)이 나옵거늘, 소생이 장처를 염려하와 간권하여 데려와 수일 조리하과이다."

금후 미소왈,

---

632) 재기중(在其中) : 그 가운데 있음.
633) 가즉하다 : 가지런하다. 고루 다 갖추다.

"현계 돈아 위한 정온 다감하나, 해아의 이곳 왕래함이 무상하여, 자식 된 도리를 잃으니 통해(痛駭)치 않으리오."

드디어 아자 보는 눈이 엄하니 병부 부복 송황하여 하는 거동이 보암직한지라. 경공이 소왈,

"창백이 비록 여러 날 묵음은 잘 못하였으나, 지위 재상의 아들을 무죄히 장책함이 과격치 않으리오."

금후 미소 왈,

"형언이 무식하도다. 돈애 연소미재(年少微才)로 외람이 작위 숭고하나, 미세한 척동(尺童)과 다를 수록 책망은 준절히 하리니, 유죄 무죄간 들어난 죄 있은즉 치죄(治罪)치 못하리오."

경공이 일후 불고이취를 안 후 중책할 고로 짐짓 가로되,

"형과 소제 다못634) 죽마붕우(竹馬朋友)635)로 관포(管鮑)의 지기(知己)를 허하여, 평일 앎이 매사(每事)가 관홍후덕(寬弘厚德)한 줄 알았더니, 교자어하(敎子御下)636)에는 준급(峻急)하고 비인정(非人情)이니 의려하노라. 창백의 풍채로 운남녀의 변으로부터 액회 잦으니, 혹자 소년 방탕으로 월장규벽(越牆竅壁)의 방일지사(放逸之事) 있은들 자식을 다 죽이이랴? 형의 제자는 불초한 자 없으매 소제 우회(憂懷)를 펴노라."

금후의 총명이 과인한지라, 경공의 말을 크게 의혹하되, 여서를 삼고 자기를 시험함은 모르니, 잠깐 웃고 왈,

"형은 무타자녀(無他子女)637) 고로 천유를 계후하여, 아름다움이 경

---

634) 다못 : 다만.
635) 죽마붕우(竹馬朋友) : 늑죽마고우(竹馬故友). 대말을 타고 놀던 벗이라는 뜻으로, 어릴 때부터 같이 놀며 자란 벗.
636) 교자어하(敎子御下) : 자식을 가르치고 아랫사람을 통솔하고 지도함.
637) 무타자녀(無他子女) : 다른 자녀가 없음.

문을 흥기하리니 형의 복경을 하례하노라."

이에 색을 거두어 말씀할 새 좌우 불감앙시요, 경공 부재 심히 불평함이 있으니, 금후 우왈(又曰),

"자식의 음패(淫悖)함은 화급문호(禍及門戶)638)요, 필망자신(必亡自身)639)이라, 오직 한 짐승의 아비 된 자로서 이를 용서하리오. 형은 소제의 말을 과도하게 듣지 말라."

원래 금후 단엄(端嚴) 침위(沈威)640)하여 언실(言實)641)이 같고 정대한 고로, 경공 부자 부마의 불고이취를 가장 근심하고, 부마는 궤좌(跪坐)하여 한출첨의(汗出沾衣)러라. 이는 장책의 과함을 두려워함이 아니라, 무슨 별거조(別擧措)642) 있을까 경겁(驚怯)함이라 경시랑은 가만히 쟁그라이643) 여김이 있으니, 그 장기(壯氣) 최절(摧折)644)함을 본 때문이라. 웃음을 띠어 병부를 찰시하되, 부마는 시첨이 나직하여 흡흡(洽洽)히 성현군자의 틀이 있고, 호기(豪氣)로움이 일호도 없으니, 경공 부자 그 능려(凌厲)645)함을 웃더라.

이윽고 금평후 돌아올 새, 병부 엄정을 모셔 돌아오니, 공이 대서헌(大書軒)에 앉아 계전(階前)에 병부를 꿇리고 엄책하여 공사 처결을 청탁하고, 무고히 경부에 가 임의로 묵기를 아비 없음같이 함을 수죄(數

---

638) 화급문호(禍及門戶) : 화(禍)가 그 가문에까지 미침.
639) 필망자신(必亡自身) : 그 자신을 반드시 망하게 만듦.
640) 침위(沈威) : 침중(沈重)하고 위엄이 있음.
641) 언실(言實) : 말과 행실.
642) 별거조(別擧措) : 별난 조치.
643) 쟁그랍다 : 재미있다. 고소하다. 미운 사람이 잘못되는 것을 보고 속이 시원하고 재미있다.
644) 최절(摧挫). 마음이나 기운이 꺾임. ⇒최찰. 최찰.
645) 능려(凌厲)하다 : 아주 뛰어나게 훌륭하다. 어떤 일에 아주 재빠르게 대처하다.

罪)하고, 추후는 조회 밖은 공사 처결도 집에서 할 줄로 일러, 다시 출입지 말라 하니, 부마 낙담상혼(落膽喪魂)하나, 감히 사정을 펼 길이 없어 울울이 퇴하여, 존당과 모부인께 뵈옵고 윤부인 침소에 가, 아자를 유희하다가, 홀연 탄 왈,

"명년이면 경씨도 자식을 낳을 것이나 존당 부모 알지 못하시니 이를 장차 어찌 하리오."

원래 삼 부인이 경씨 취함을 알되 부자를 대하여 묻지 않았더니, 금일에야 윤씨 경씨의 잉태 삭수(朔數)를 물으니, 부마 오뉵삭(五六朔)임을 이르고, 또 왈,

"조회 길에 때로 만나더니 이후는 출입을 엄금하시니 무가내하(無可奈何)라. 경씨 그리는 정을 어찌 참을꼬."

하더라. 윤씨 비록 말을 않으나 장처를 극념(極念)하더라.

금평후 차후 아자의 동정을 일시도 무심히 보지 않아 출입지 못하게 하니, 부마 삼부인과 화락하고 공주궁에 왕래하나, 기여는 부전에 일시도 떠나지 못하고, 아픔을 강인하나 장처가 날로 더하여 참지 못할 것이로되, 부전 신임646)의 동동촉촉(洞洞屬屬)함이 못 미칠 듯하니, 금후 심내에 두굿기고 애중하나 구태여 장처를 아른 체 않더니, 일일은 진태상 탄일 연차(宴遮)에 나아가 부공을 모셔 종일 즐기다가, 야심 후 주준(酒樽)을 놓고 낙양후 곤계 남후의 먹기를 권하되, 부마 엄전(嚴前)임으로 사양한데, 진태상이 위력으로 주호(酒壺)를 부마의 입의 내리 부으니, 뱉지 못하여 다 마시고, 또 진태우 등이 이끌어 난함(欄檻)에 나와 수준(數樽)을 다시 먹으니 대취한데, 야심하매 금후가 협문으로 제자를 거느려 집에 와 취침할 새, 시랑은 처병(妻病)으로 내당에서 밤을 지내

---

646) 섬김. 윗사람을 잘 모시어 받듦.

고, 부마와 세흥 공자가 시침한데, 병부, 장창(杖瘡)이 극중한 가운데 술이 취하여 은은이 앓는 거동이라. 금후 촉을 물리고 거짓 자는 체하고, 아자의 장처가 대단함을 근심하고 자닝하여 잠들기를 기다리더니, 병부 비로소 잠들되 통성이 잦으니, 금후 금구(衾具)로 몸을 두르고, 야명주를 내어 아자의 장처를 상고하니, 살이 푸르고 검어 능히 보지 못할지라. 고이 덮어 누이고 고요히 누어 염려 측량치 못하여 그 손을 어루만지되 잠을 깊이 들어 모르더라.

명일 신성 후 금후 병부를 명하여 독서당에서 제아(諸兒)에게 글을 짓게 하라 하니, 부공의 자기 장처 상고하심은 모르고 장처 조리치 못함을 절박하더니, 삼공자로 글을 지으라 하고 자기는 고요히 누어 글을 보며 약을 붙이고 조호하나, 신혼성정(晨昏省定)을 불폐(不廢)하니, 진부인 왈,

"너의 장창이 대단한대 조호치 않으니, 악정자(樂正子)647)는 하인(何人)야요, 너는 어떤 사람이관데, 네 몸이 네 스스로 둔 바 아님을 생각지 못하느뇨? 모름지기 부모유체(父母遺體)648)를 돌아보아 조리하여 쉬이 완합(完合)게 하라."

병부 소이대 왈(笑而對曰),

"소자 비록 불초하오나 부모유체를 불관이 알리까? 장처는 거의 완합 지경이오니 과려치 마소서."

진부인이 추연 왈,

---

647) 악정자(樂正子) : 악정자춘(樂正子春). 중국 노나라의 효자. 성(姓)은 악정(樂正), 이름은 자춘(子春). 증자(曾子)의 제자. 마루를 내려오다 발을 다치자, 부모로부터 온전하게 받은 몸을 순간의 방심으로 상하게 하여 효(孝)를 잃은 것을 반성하며, 여러 달 동안을 문밖을 나오지 않고 근신(謹愼)하였다. 『소학』 〈계고(稽古)〉편에 나온다.
648) 부모유체(父母遺體) : 부모로부터 받은 몸.

"네 비록 기골이 장대하나 자유(自幼)로 달초도 당함이 없더니, 음녀의 요계(妖計)로 장책(杖責)의 중함을 당하니, 너의 아픔은 이르지 말고 자모지심(慈母之心)이 끊는 듯하지 않으랴? 너희 오인(五人)을 두어 인·유 양아는 행신이 염려 없으나, 너는 이십이 거의로되 경박함이 없지 않아, 삼가는 일이 없으니 민울(悶鬱)하고, 너의 대인의 관흥대도(寬弘大道)하시므로 사람 책망이 과엄(過嚴)하시니, 내 매양 불복(不服)하노라. 내 여러 자녀를 혼취(婚娶)하였으되 주야 방심치 못함은, 너의 대인께 허물을 뵐까 함이니, 너의 조심이야 이르랴? 방자호일(放恣豪逸)한 풍(風)을 버리고, 섭행수신(攝行修身)하여 도학(道學)을 이루라."

하니, 부마 모교(母教)를 듣자오매 근심이 더욱 많으니, 오직 돈수 배사 왈,

"소자 등이 불초 무상하오나 거의 부모께 불효는 않을까 하옵나니, 자위(慈闈)는 물우소려(勿憂消慮)하소서."

부인이 탄식 무언이러라. 병부 소매 아주를 어루만져 모부인께 고 왈,

"소자의 자녀 부모의 장처(長處)를 습(襲)하니 우리 집이 흥기할 줄 아올지라. 명년의 또 해아의 골육이 나리이다."

부인이 의아하여 묻고자 하더니, 금후 드리오니 병부 하당하여 맞아 시좌(侍坐)하니, 부인이 묻지 못하고 말을 그치다.

어시에 경선공주 택일하여 운영을 정부로 보낼새, 금은보패(金銀寶貝) 흙 같으나 소성(小星)의 위의를 어찌 시러곰 성비(盛備)하리오. 다만 두어 쌍 시아(侍兒)와 사오 개 비자를 호위케 하여 정부로 보내니, 순태부인이며 공의 부부 비록 깃거 않으나, 상명을 준봉(遵奉)하고 정리(情理)를 가긍(可矜)하여, 정도로 경계하여 거느리려 할새, 합가(闔家)가 태운전에 교의(交椅)를 높혀 삼부인과 공주로 더불어 볼 새, 천승국군(千乘國君)의 여자(女子)649)나 적서존비(嫡庶尊卑)를 엄히 하여, 감히

중청(中廳)에 좌를 정치 못하게 하니, 운영이 정부 시녀의 인도함을 좇아 청하(廳下)의 이르니, 태부인이 이르대,

"소성(小星)650)이 처음으로 뵈매, 반드시 당상의 올라 예배를 못할 것이로되, 차인(此人)은 다른 첩잉(妾媵)과 다르니, 청말(廳末)에서 행례(行禮)케 하라."

시녀 등이 운영을 청말에서 모든 데 배례하고, 공주와 윤·양·이 삼부인께 희첩(姬妾)이 정실께 뵈는 예를 파하니, 윤·양·이 삼부인은 그 근본이 귀함을 생각하여, 행실을 비록 더럽게 여기나 대접함을 천첩(賤妾)과 달리 하려, 그 예배를 받고 날호여 답읍(答揖)651)하니, 금후 웃으며 왈,

"현부 등이 운영의 근본이 천누(賤陋)치 않음으로써 그 예배를 받고 답읍함이 있으니, 적첩존비(嫡妾尊卑) 합격(合格)하나 운영은 천인과 달라, 당당한 천승지녀(千乘之女)거니와, 이미 돈아의 소성이라, 편히 거느려 은혜로 무휼(撫恤)할지언정, 존비지례(尊卑之禮)를 엄히 하라."

윤·양·이 삼부인이 일시에 일어나 절하여 명을 받잡고, 태부인으로부터 제부인이 한가지로 운영을 보매, 용모 절세하여 화월(花月)의 색광이 있고, 미목이 그린 듯하여 예모(禮貌) 행동이 총오민숙(聰悟敏熟)652)하

---

649) 여자(女子) : 딸.
650) 소성(小星) : '첩(妾)'을 달리 이르는 말.
651) 답읍(答揖) : 절을 받고 읍(揖)하여 답례(答禮)함. 읍(揖); 인사하는 예(禮)의 하나. 두 손을 맞잡아 얼굴 앞으로 들어 올리고 허리를 앞으로 공손히 구부렸다가 몸을 펴면서 손을 내린다. 장소관계나 기타 사정으로 절을 해야 할 상대에게 절을 할 수 없을 때에 간단하게 공경의 뜻을 나타내는 동작이다. 따라서 어른을 밖에서 뵙고 읍례를 했더라도 절을 할 수 있는 장소에 들어와서는 절을 해야 한다. 상읍례(上揖禮)·중읍례(中揖禮)·하읍례(下揖禮)가 있다. 여기서는 문양공주와 3부인이 윗사람으로서 교의[의자]에 앉아 절을 받는 위치에 있기 때문에 읍례로 답한 것이다.

며 요라작약(姚娜綽約)653)하여 아름답고 향기로운지라. 태부인이 소왈,

"운영이 정문에 들어옴은 이 또 적은 연분이라 이르지 못할지라. 모름
지기 개과천선하여 원군(元君)을 시봉(侍奉)하고, 외월(猥越) 참람(僭濫)
함이 없으면, 가히 네 몸에 영종지경(令終之慶)654)이 있으리라."

영이 엎드려 엄교(嚴敎)를 듣자오매 배한(背汗)이 첨의(沾衣)라. 말씀
이 화하나 심히 엄려(嚴厲)하더라. 영이 저의 작죄여산(作罪如山)하니
축척송률(踧踖悚慄)655)하여, 가만히 살피건대, 제위 부인이 열좌하였으
니 태부인과 진부인 이하로 색염월채(色艷月彩)656) 조요(照耀)한지라.
스스로 저의 용모 절색으로 자긍(自矜)턴 바, 일조(一朝)에 흩어져 낙담
상혼(落膽喪魂)하여, 병부의 풍광(風光)을 일세기남(一世奇男)으로 알던
바로 시랑과 제공자의 백년용화(白蓮容華)와 세류풍채(細柳風彩)가 일양
(一樣)이니, 너른 전상(殿上)에 남좌여우(男左女右)657)를 분(分)하여,
남자는 신선 같고 여자는 선아(仙娥) 같으니, 완연이 옥경선관(玉京仙
官)과 요지선녀(瑤池仙女) 같더라. 몸이 천궁(天宮)에 임한 듯, 스스로
참황육니(慙惶忸怩)658)하여 치신무지(置身無地)하거늘, 금후의 엄교를
듣자오니 면여홍광(面如紅光)659)이라. 태부인이 웃으며 가로되,

---

652) 총오민숙(聰悟敏熟) : 총명하고 민첩하며 숙성함.
653) 요라작약(姚娜綽約) : 얼굴이 예쁘고 몸매가 가냘프며 아리따움.
654) 영종지경(令終之慶) : 고종명(考終命)의 복을 누림. *고종명(考終命); 오복의
    하나. 제명대로 살다가 편안히 죽는 것을 이른다. ≒고종(考終)·영종(令終).
655) 축척송률(踧踖悚慄) : 매우 조심하고 두려워함.
656) 색염월채(色艷月彩) : 고운 얼굴이 달빛처럼 아름답게 빛남.
657) 남좌여우(男左女右) : 음양설(陰陽說)에서, 왼쪽은 양이고 오른쪽은 음이라 하
    여 남자는 왼쪽이 소중하고 여자는 오른쪽이 소중함을 이르는 말. 맥, 손금,
    자리 따위를 볼 때 여자는 오른쪽을, 남자는 왼쪽을 취한다.
658) 참황육니(慙惶忸怩) : 더할 나위 없이 부끄럽고 두려움.
659) 면여홍광(面如紅光) : 부끄러움으로 얼굴이 빨갛게 변함.

"속담에 아들의 처첩은 다 귀타 하니, 손아의 처궁이 좋아 옥주와 삼부(三婦)의 초출함과 또 소성이 하등이 아니니, 비록 정도(正道)가 아니나 고침이 귀하다 하니, 이 곳 성현의 경계라. 신인은 모름지기 원군부인(元君夫人)의 교화를 법칙하여 정도의 나아가라. 전과(前過)는 '엎친 물'660)이니 조금도 불평(不平)치 말라."

영이 협배(俠拜)661) 수명하매 금후 소당(小堂)을 명(名)하여 주고,

"오가 법이 정실(正室)도 소년배는 두어 쌍 시녀(侍女)요 의복이 검소하니, 범사에 근신공검(謹愼恭儉)하고 시아 수인만 머무르라."

영이 사치지심(奢侈之心)을 어디 가 발뵈리오. 즉일 비자를 다 돌려보내고, 경향과 두어 시아로 소당에 물러온데, 진부인은 일언불개(一言不開)662)하니, 원래 천성이 단묵(端默)한 밖에도 영의 부정함을 미온함이로되, 태부인은 미세지사(微細之事)도 덕화(德化)를 널리니, 영의 허물을 쓰리쳐663) 가내 비배(婢輩)에게 목낭자라 부르게 하고, 손아를 달래어 침석지정(寢席之情)을 끼치라 하되, 병부 그 음황함을 더럽게 여겨 죽일 뜻이 있고, 조모 명을 봉승치 않고, 영의 입문 날 얼굴을 아니 보고, 소당에 두어 회과 후 보려 하니, 어찌 아른 체나 하리오. 영이 비록 정부에 오나 병부를 못 봄은 일양(一樣)이니, 상사(相思)함이 극하여 시시로 옥장(玉腸)을 살라 신혼성정시도 얼굴을 얻어 보지 못하니, 날로 음심(淫心)을 사르더라. 문안시에 영의 무리는 청말에서 행례하고, 즉시

---

660) 엎친 물 : '엎질러진 물'이란 뜻으로 어떤 일이 이미 벌어졌거나 이루어져 돌이킬 수 없는 상태에 있음을 나타낸 말.

661) 협배(俠拜) : 두 번 절함. 혼인례 등의 의식에서 남자가 한 번 절하는데 대해 여자가 두 번 절하는 것.

662) 일언불개(一言不開) : 한마지 말도 하지 않음.

663) 쓰리치다 : 쓸다. 쓸어버리다. 쓰레기 따위를 한데 모아서 버리다. 부정적인 것을 모조리 없애다.

퇴하니 어디 가 정인의 그림자나 얻어 보리오. 상사하는 눈물이 마를 적이 없더라.

어시에 운영이 병부 위한 뜻이 죽기를 돌아감같이 하여, 천신만고를 경력하여 왕희의 존귀로 소성의 낮음을 감심하여 정문에 입현(入見)한 지 날이 오래되, 화락은 새로이 가부의 얼굴을 보지 못하고 수미(愁眉)를 펴지 못하니, 경향이 위로하고 윤부인이 가애하는지라. 비록 투기 않음을 나토지 않으나 인자하고 은위(恩威)를 겸하여, 영의 만리 이친(離親)하여 좇음을 궁측(矜惻)하여664) 의식지절을 극진히 고념(顧念)하고, 마음을 편토록 하여 기한(飢寒)을 극념(極念)하니, 영이 감골(感骨)하고, 문양은 은악양선(隱惡佯善)하여 영을 대접함이 자못 과도하기에 미쳐, 자로 불러 진찬을 포식하이고, 본 적마다 청아(靑蛾)를 드리워 덕을 나토며, 가군의 박정을 일컬어 불쌍히 여기니, 영이 공주의 내외 다름은 모르고, 감은골수(感恩骨髓)하여 자주 저의 정회를 고하고 눈물을 뿌리니, 공주 혀 차 왈,

"남도 희첩이 있으나 천승지녀로 소성을 삼으리오. 정군이 유달라 만승교아(萬乘嬌兒)를 제사부인으로 하고, 번국 천승교녀로 소성을 삼되 과한 줄 모르니, 어찌 분치 않으리오. 마음을 널리 하여 박명을 한(恨)치 말고, 필경 정군의 감동함을 기다리라."

영이 체루(涕淚) 배사하고 매양 궁에 왕래하여 회포를 펴다가, 두어 순(巡)665) 부마의 출입을 장(帳) 사이에 숨어 얼굴을 구경하고 눈물을 머금거늘, 최상궁은 남의 단처(短處)를 잘 밝히는지라. 영더러 일러 가로되,

---

664) 궁측(矜惻)하다 : 불쌍하고 가엾다.
665) 순(巡) : 번. 차례.

"낭자의 거동을 보니 주군을 상사(相思)하여 슬퍼하니, 차후는 삼부인 침소의 가 상공을 눈이 시도록 보고, 삼부인과 하시는 수작을 들어 날더러 이르라."

영 왈,

"가르치지 않으나 내 평생 소원이니, 삼부인 침소와 정당을 살펴보고자 하나, 이목이 번거하니 혹 알가 저허하노라."

최상궁이 소왈,

"한 몸 피하여 보기 무엇이 어려우리오. 윤·양·이 삼부인 침소는 사후(伺候)하는 시아가 많지 않고, 야심 후 고요하리니, 사어를 엿들어, 노야 신채(身彩)를 보아, 회포를 위로치 않으리오."

영이 비록 총민하나, 최녀의 가르침을 듣고, 정인을 보고자 하여, 윤부인 침소에 가는 때를 타 가만히 몸을 감추고 엿보니, 시에 윤·양 이 부인이 다 잉태 삼사 삭이로되, 가중이 알 리 없고 병부도 모르더니, 차야에 윤씨 신기 불평하여 신음하는 거동이니, 병부 이에 좌우수(左右手) 맥도(脈度)[666]를 보고 우어 왈,

"태휘(胎候) 분명하고 양맥(陽脈)이 동하니 생남하려니와, 극히 촉상(觸傷)[667]함이라, 조호하소서."

윤부인이 오직 봉관을 숙여 말을 않으니, 기려(奇麗)한 용광이 봄 즉하고, 오채상광(五彩祥光)이 바애니, 아리따운 거동이 철석간장이라도 농준(濃蠢)할지라. 병부 흔연히 웃고 부인 손을 잡아 가로되,

"생이 부인을 위하여 앉아 있음이 우스운지라. 침금이 있으나 오히려 부인 무릎만 못하다."

---

666) 맥도(脈度) : 맥박이 뛰는 정도. 보통 어른은 1분에 70회쯤 뛴다.

667) 촉상(觸傷) : 찬 기운이 몸에 닿아서 병이 일어남. 늑촉감(觸感). 감기(感氣).

하고, 손을 잡고 은정이 비할 데 없으니, 양인의 신광(身光)이 일월이 쌍으로 밝으며, 한 쌍 보벽이 비추는 듯, 영이 엿보매 기이코 부러움은 이르지 말고, 윤부인 용화를 탄상하여 일대가우(一代佳偶)임을 일컬어 눈이 뚫어질 듯, 한없는 은정이 실성(失性)하기에 미쳐, 자연 가슴에 적은 잔나비 뛰노니 숨소리 나는지라, 병부의 신명함으로 엿보는 줄을 모르리오. 혹자 문양의 시아(侍兒)인가, 문을 열치고 규시자(窺視者)의 머리를 끌어 촉하에 본즉, 이 운영이라. 면여토색(面如土色)하고 일신을 떨어 즉각에 죽고자 하는지라. 이는 저의 비천한 행사를 또 발각함을 부끄러워 땅을 파고 들고자 함이라.

부마 영의 얼굴을 몰랐다가 오늘 보매, 미녀성색(美女盛色)이요, 극히 길(吉)한 상모(相貌)라. 그 궁측(窮惻)한 정리를 가긍(可矜)하고 연측(憐惻)하여, 자세히 살피건대 사광지총(師曠之聰)으로 그 심천(心泉)668)을 꿰 보니, 어찌 짐작치 못함이 있으리오. 음일(淫佚)한 행사가, 저의 근본으로서 소성의 천함을 감심하고, 갈수록 비루히 규시하여 자기를 탐청(探聽)함을 꺾고자 하여, 시녀로 운영을 계하(階下)여 꿇리고 수죄(數罪)하여 한 일도 사람 같지 않음을 이를 새, 만면 화기 변하여 잠미(蠶眉)를 거스르고 봉안(鳳眼)을 높이 떠 꾸짖으매, 동천열일(冬天烈日)에 설풍(雪風)이 소소(瀟瀟)하고669) 구추청야(九秋淸夜)670)에 백월(白月)이 높았는 듯, 공산(空山)의 맹회(猛虎)가 파람671)하고, 창해(蒼海)의

---

668) 심천(心泉) : 마음 됨됨이의 바탕이나 근본.
669) 소소(瀟瀟)하다 : 비바람 따위가 세차다.
670) 구추청야(九秋淸夜) : 음력 9월 가을의 맑은 밤. 구추(九秋); 음력 9월을 '가을'이란 뜻으로 이르는 말.
671) 파람 : ①짐승의 울음소리나 울부짖는 소리. ②센 바람을 맞아 나뭇가지 따위가 흔들리면서 내는 소리. ③휘파람.

교룡(蛟龍)이 노(怒)를 발함이라. 좌우 견시자(見視者)가 불승전율(不勝戰慄)이라. 수죄(數罪)하기를 마치고, 장검을 빼어 왈,

"운남서 음녀를 베고 왔던들 저런 흉패지사(凶悖之事)가 있었으리오."

언필에 칼로 바로 영의 머리를 취하니, 윤부인이 급히 일어나 병부의 칼을 멈추어 가로되,

"첩이 감히 군후의 위엄을 범함이 아니라, 성인도 광부(狂夫)의 말을 취신(取信)한다 하니, '지자(知者)가 천 번 생각하매 반드시 한 번의 그릇함이 있고, 우자(愚者)의 천 번 생각에 반드시 한 번은 얻음이 있다'[672] 하니, 목녀의 행사가 비록 한심하나, 이 또 인연이 없지 않음이라. 사자(死者)는 불가부생(不可復生)이니, 인명이 지극히 중하거늘, 살인을 가벼이 하리까? 청컨대 일명을 꾸이시어[673] 호생지덕(好生之德)을 드리오소서. 청춘 원혼이 차석(嗟惜)지 않으리까?"

옥성이 화열하여 화기를 돌이키고, 광염(光艶)이 찬란하여 좌우에 쏘이니, 병부 부인의 말을 듣고, 본디 죽일 뜻은 아니므로 칼을 놓고, 미소 왈,

"'충간(忠諫)이 귀에 괴로우나 행실에 이(利)하고 약이 입에는 쓰나 병이 낫는다.' 하니, 내 음녀를 죽이려 하거늘 부인이 어찌 말리시느뇨? 부인의 덕으로 일명을 빌리나니, 차후 다시 음일(淫佚)한 행사가 있으면 사치 않을 뿐 아녀, 금일 부인의 구하심이 무안(無顔)치 않으랴?"

부인이 염용(斂容) 왈,

"제 비록 토목(土木)이나 이런 경계를 보고 두 번 그름이 있으리까?

---

672) 『사기(史記)』 회음후열전(淮陰侯列傳)에 나오는 '지자천려필유일실, 우자천려필유일득(知者千慮 心有一失, 愚者千慮 必有一得)'을 번역한 말.
673) 꾸이다 : 남에게 다음에 받기로 하고 돈이나 물건 따위를 빌려 주다.

다시 그릇함이 있거든 첩이 사죄(謝罪)하리이다."

병부 부인을 방의 들기를 권하고 영을 후정 옥중의 가두라 하니, 부인 왈,

"첩이 어짊을 자랑함이 아니라, 영이 생장하기를 호화히 하였으므로, 냉옥에 갇힌즉 죽기 쉬우리니, 연즉 검하경혼(劍下驚魂)만 같지 못하리니, 세 번 생각하소서."

병부 미우를 찡겨 가로되,

"부인은 인의만 주하나, 음녀의 간음이 가두지 않았다가 무슨 변을 지을 줄 알리오. 연(然)이나, 부인의 진정(陳情)을 쾌허할 것이로되, 전일 요도를 시켜 선초(扇貂)·금선(錦扇)을 도적하여 내 몸에 수장(受杖)함과, 금일 엿본 죄를 사하여 방석(放釋)하나니, 모름지기 부인은 적첩(嫡妾)의 분을 엄히 하여 가르치실지어다."

부인이 온유히 손사(遜辭)하고 운영을 침소로 가라 하니, 영이 기약하지 않은 부마의 엄노(嚴怒)를 당하여, 수괴(羞愧)함이 만 번 죽고자 하던 차, 머리를 베려 하니 정혼이 비월(飛越)터니, 의외에 부인이 극력 신구(伸救)[674]하여 뇌정(雷霆)의 급화를 면하나, 어찌 무사할 줄 알리오마는, 부인 덕화로 소당의 있게 하니, 감은골수(感恩骨髓)하나 오히려 떨리기를 마지않으니, 한낱 주검이 시녀 등에게 붙들려 이르니, 시비 마침 유질(有疾)하여 누었더니, 주모의 형상을 보고 대경하여 연고를 물으나, 영이 말을 못하고 시녀 등이 그 광경을 전하니, 경향이 차악하여 붙들고 허물을 간(諫)하니, 영이 역시 울고 죽고자 하는지라. 경향이 위로하며 개심수행(改心修行)함을 청하고, 누어 취침하라 권하니, 영이 가로되,

"내 정군을 사상(思想)하나 엿보기는 내 하고자 함이 아니라, 문양궁 최상궁의 지휘니, 그대도록 사죄될 것이 아니나 정군의 사나움이라. 윤

---

674) 신구(伸救) : 죄가 없음을 사실대로 밝혀 사람을 구원함.

부인의 구활함이 아니런들 어찌 살기를 얻었으리오."

경향이 가로되,

"매양 공주궁에 왕래하심을 소비 상(常)해675) 깃거 않던지라. 공주의 후대함은 감격하나, 최상궁은 곧 간힐(奸黠)한 사람이라. 다시 저의 참언을 듣지 마소서."

운영이 경괴(驚愧) 부답(不答)이러라.

선재(善哉)며, 기특다! 경향이 해외(海外) 번국(藩國)에 천류(賤流)의 인물이로되, 위주충심(爲主忠心)이 지극할 뿐 아니라, 능히 부덕(婦德)으로써 규간(規諫)676)하고 주인을 보과(補過)677)하여 허물을 고치게 하니, 최녀의 공주를 간교(奸巧) 패악(悖惡)으로 인도함으로 비컨대 '소양(霄壤)이 불모(不侔)'678)러라.

시의 병부 영을 박축하고 소왈,

"운영의 작인이 흉사(凶死)할 것도 되지 못하나, 부인이 극구(極求)함으로 내 베지 못하여, 후일 작폐함이 없지 않을까 하노라."

부인이 탄 왈,

"목녀의 위인을 보니 험요(險妖)한 인물은 아니나 무례함이 심하니, 이미 구차히 군후의 소성에 이르렀으나, 그 정(情)인즉, 가히 처량(凄凉)하다 이를지라. 관후지덕(寬厚之德)을 드리우심이 옳거늘, 구태여 죽여야 좋으리까?"

병부 흔연 왈,

"야심하니 한담을 그치고 자사이다."

---

675) 상(常)해 : 늘. 항상.
676) 규간(規諫) : 옳은 도리나 이치로써 웃어른이나 왕의 잘못을 고치도록 말함.
677) 보과(補過) : 잘못을 고쳐 바로잡음. 늑보과습유(補過拾遺).
678) 소양불모(霄壤不侔) : 하늘과 땅처럼 큰 차이가 있음.

하고 금리의 나아가니 여산중정(如山重情)이 새롭더라.

어시에 문양공주 정부에 하가한 지 일월이 오래대 부마의 외친내소함이 여일하나, 궁중 왕래는 빈번하여 언소(言笑) 화평하여 화락하는 부부 같으나, 이성지친(二姓之親)은 약수(弱水)679)가 가렸으니, 공주 불승번민(不勝煩悶)하여 화용이 수척한지라. 최상궁이 공주를 볼 적마다 심간(心肝)이 초갈(焦渴)하고 오장(五臟)이 끓는 듯한지라. 윤·양·이 등을 해치 못하고, 매양 궐중의 들어가 귀비께 공주의 비홍이 완연하고 삼부인은 구고 자애와 부마의 총세를 겸하여 화옥같은 자녀를 쌍쌍이 두어, 합가의 추앙함이 공주의 바라지 못할 바임을 갖추 고하니, 귀비 청필에 절치통한(切齒痛恨)함을 이기지 못하되, 황상이 그 금슬후박(琴瑟厚薄)을 물시(勿視)하시고, 공주의 상사지질(相思之疾)로 정문에 하가함을 통해하시어, 공주를 매양 계책(戒飭)하시더니, 공주 입궐하매 상이 미온(未穩)하시던 바로, 흔연히 정부 풍속과 부마의 후박을 문지(問之)하시고, 가라사대,

"네 거의 잉태지경(孕胎之慶)이 있으리니 옥동을 낳아 여모(汝母)의 마음을 위로하라."

공주 함루(含淚)하여 불감대주(不敢對奏)하니, 상이 의아하여 가라사대,

"내 너를 정천흥의 원위(元位)를 주라 하였더니, 정연 부자는 충현지신(忠賢之臣)이라. 짐의 딸을 경대(敬待)하리니 네 하고(何故)로 비척(悲慽)하느뇨?"

공주는 말이 없으나, 귀비 주표(朱標)로써 뵈오며 척연 탄 왈,

"감히 미세지사(微細之事)로써 천안의 번극(煩劇)680)하옴이 황공하오

---

679) 약수(弱水) : 신선이 살았다는 중국 서쪽의 전설 속의 강. 길이가 3,000리나 되며 부력이 매우 약하여 기러기의 털도 가라앉는다고 한다.

나, 신첩의 명도 괴이(怪異)하와 문양 일 골육을 두온지라. 불행이 정가에 하가하여 먼저 취한 바 윤·양·이 삼녀로 화락하고, 정재 부부의 도를 하나, 실은 약수 격하니, 일호(一毫) 만승지녀(萬乘之女)로 대접지 않는지라. 문양이 삼오청춘(三五靑春)681)에 홍안박명(紅顔薄命)을 스스로 한(恨)하오니, 차라리 신이 저와 한가지로 궐중에서 늙고, 닷궁682)에 외로이 있어, 허다 궁비의 박소(薄笑)683)함과 무정가부(無情家夫)의 천대를 받지 말고자 하나이다."

상이 문양의 주표를 보시고 귀비의 비사고어(悲辭苦語)684)를 들으시매 비록 행사는 부족히 여기시나 천륜(天倫)의 유유(幽幽)한 정으로 부마를 통해(痛駭)685)하시어 왈,

"부마 저적 운남녀의 말로 분완하여 할 제, 문양을 거들어 상사(相思)로 제게 하가함으로 알았나니, 비록 만승의 위엄이나 참괴하여 할 말이 없어 무안하더니, 이제 문양을 보니 염박(厭薄)함이 심함을 묻지 않아 알지라. 정자가 범인이 아니니 세쇄(細碎)한 일에 아는 체함이 불가하고 금슬 후박은 위세로써 핍박지 못할지라. 스스로 주의(主意) 있으리니, 너는 모름지기 개과수행(改過修行)하여, 가부의 염박함을 한(恨)치 말고, 황녀의 존함을 자랑하여 죄 위에 죄를 더하지 말라."

공주는 수괴만면(羞愧滿面)686)하여 능히 머리를 들지 못하고, 귀비는

---

680) 번극(煩劇) : 몹시 번거롭고 바쁨.
681) 삼오청춘(三五靑春) : 15세의 젊은 나이 또는 그런 시절.
682) 닷궁 : 따로 떨어져 있는 궁. 별궁(別宮). 닷; 다른, 달리, 따로.
683) 박소(薄笑) : 푸대접하며 비웃음.
684) 비사고어(悲辭苦語) : 슬프고 괴로운 말.
685) 통해(痛駭) : 뜻밖의 일이나 행위에 대해 몹시 놀라 원통하여 하거나 분하게 여김.
686) 수괴만면(羞愧滿面) : 부끄러운 빛이 얼굴에 가득함.

정연 부자를 한입골수(恨入骨髓)하니, 상이 김귀비 모녀를 총애 하시는
고로, 그 정리를 자닝히 여기시나, 재삼 부덕을 경계하시고 궐중에 있음
을 허치 않으시어, 쉬이 나감을 이르시니, 공주 감히 회포를 펴지 못하
고, 모비께 윤·양 등 해할 모계를 고하고 제후께 하직하니, 상이 재삼
경계하시어, 부도만 차려 다시 허물을 뵈지 아니면 정자는 관인군자(寬
仁君子)니 화락함이 있으리라 하시니, 공주 부복 주왈,

"근수교의(謹守敎義)687)리이다."

하더라.

공주 이에 궁을 나와 정부로 오니, 존당 구고 흔연이 반겨하여 애대
(愛待)함이 윤·양·이 삼부인께 추호 다름이 없더라. 공주 세월이 갈수
록 홍안박명(紅顏薄命)을 느껴 삼부인을 해할 뜻이 시시로 급하나, 은악
양선하여 운영을 부르니, 때에 운영이 병부의 위엄을 당한 후로, 뇌정
(雷霆)에 떨어진 잠충(蠶蟲)688)같이 머리를 방문 밖에 나오지 못하고,
신혼성정도 참예치 못하니, 존당이 부마더러 그 연고를 무른데, 부마 실
로써 고하니 존당 구고 더욱 해연(駭然)이 여기더라.

공주 경향을 불러 무른대, 향이 실로써 고하니 공주 가장 쟁그라이 여
기나, 양경(佯驚)하여 주과(酒果)로써 먹이니, 영이 감사하나 병부의 사
명 전이라 감히 나다니지 못하고, 윤부인 교화로 점점 회과자책(悔過自
責)하여, 예의를 숭상하여 상사지심이 끊겨 소당에 잠겼으니, 태부인 후
덕으로 남후더러 일러 신혼에 참예케 하나, 영이 수괴하여 욕사무지(欲
死無地)하여 하는지라. 경선궁에서 부름을 고하고 나아가기를 고하니,
태부인이 가애(可愛)하여 허하더라.

---

687) 근수교의(謹守敎義) : '가르침을 삼가 받들겠다'는 말.
688) 잠충(蠶蟲) : 누에.

공주 매양 부마 신질(身疾)을 칭하여 원거(遠居)하니, 공주 반신반의
(半信半疑)하여 가만히 삼인의 시녀를 사귀어 사기를 탐지코자, 금은을
주고 부부 사정을 물으니, 시녀 일일이 고하매, 최상궁이 분완(憤惋)하
여 귀비께 통하니, 귀비 상께 일일이 고하온데, 상이 금후 부자를 통
(痛)해하시어, 일일은 정병부를 명초하시어 고금사(古今事)를 물으시고,
옥배에 향온(香醞)을 주시니, 금후 황감불승(惶感不勝)하여 여러 잔을
거울렀으니[689], 공이 취함으로 고사(固辭)하온데 상이 가라사대,

"경은 위국충절이 고금에 무쌍함으로 짐이 한 고조의 소하(蕭何)[690]
와 당 태종의 위징(魏徵)[691]같이 알고, 다시 인친의 정을 겸하며, 천흥
같은 기자로 문양의 배우를 삼아 화락하여 유자생녀하기를 바라며, 천
흥을 총애함이 부마 중 제일이거늘, 문양을 속탁(屬託)[692]하여 원위(元
位)를 주라 하교하였거늘, 부부 후박이 어찌 하관데 문양이 매양 설움이
있으니, 짐이 심히 의심하노라."

금후 성교(聖敎)를 듣자오매 무슨 묘맥이 있음을 짐작하고, 부복 계수
하여 주왈,

"성교 이에 미치시니, 신이 불승황공 전율하여 알욀 바를 알지 못 하
리로소이다. 신이 박덕 부재로 성은이 여천(如天)하시어, 부자의 몸에
우로혜택(雨露惠澤)이 젖었사오니, 죽기로써 천은을 보답함을 생각하옵
는지라. 다시 미문(微門)에 옥주의 하가하시는 외람함을 받자와, 천한

---

689) 거우르다 : 속에 든 것이 쏟아지도록 기울이다.
690) 소하(蕭何) : 중국 전한의 정치가(?~B.C.193). 유방을 도와 한(漢)나라의 기틀
　　을 세웠으며, 율구장(律九章)이라는 법률을 만들었다.
691) 위징(魏徵) : 중국 당나라 초기의 공신·학자(580~643). 자는 현성(玄成). 현
　　무문의 변(變) 이후, 태종을 모시고 간의대부가 되었다. ≪양서≫, ≪진서≫,
　　≪북제서≫, ≪주서≫, ≪수서≫의 편찬에 관여하였다.
692) 속탁(屬託) : 남에게 사람이나 물건 따위를 맡기고 잘 보살피도록 부탁함.

자식이 역시 송황(悚惶)하옴을 모르지 아니하오니, 어찌 옥주께 박정함이 있으리까? 금슬 후박은 알지 못하오나, 제 무슨 사람이라 감히 소대(疏待)함이 있으리까?"

상이 공의 주사를 들으시고 다만 웃으시며, 아는 체함이 임금의 체면에 불가하신지라, 또 가라사대,

"경이 공주 부부의 금슬 후박을 모르노라 하니, 짐은 더욱 알 길 없으나, 경이 범사에 살펴 문양으로써 설움이 없게 하라. 문양을 별례(別禮)로 적인총중(敵人叢中)에 보내고 못 잊는 바라. 경은 짐의 구구함을 웃지 말라, 애자지심(愛子之心)은 인개유지(人皆有之)[693]니라."

하시니 금후 배수(拜受) 계수(稽首)하나, 상명이 졸연(猝然)이 여차하심을 의괴하더니, 퇴조할새, 상이 공주의 신세(身勢)[694] 부탁을 재삼하시고 내시로 붙들어 보내시니, 은영이 날로 더으시더라.

상이 내전에 들으시어 김귀비더러 금후의 문답을 이르시니, 귀비 불승분앙(不勝憤怏)하여 황상 기망함을 고하고, 심복 궁인 관씨를 진부인께 보내어 여차여차 하라 하니, 궁인이 정부에 이르매, 금후 바야흐로 퇴조 환가하여 태부인께 뵈오니, 바로 내청에 들어와 진부인께 귀비 말씀으로 고 왈,

"문양이 비록 정궁낭랑 탄생이 아니나, 이 곧 만승지녀라. 구가 대접이 자못 다를 것이거늘, 모두 외대함이 심하고 입현조알지시(入見朝謁之時)[695]에 보매, 비홍(臂紅)이 완연하니, 지금 규녀(閨女)라. 모녀지정(母女之情)에 신세를 느끼나니, 아지못게라! 문양이 하가 후로 무슨 들

---

693) 애자지심(愛子之心) 인개유지(人皆有之) 자식을 사랑하는 마음은 사람이면 누구나 가지고 있음.
694) 신세(身勢) : 주로 불행한 일과 관련된 일신상의 처지와 형편.
695) 입현조알지시(入見朝謁之時) : 입궐하여 알현할 때.

어난 큰 허물이 있어 부마의 박정이 여차하미냐? 부인이 부마의 연고 없는 박대를 살펴, 부마를 책함 즉하니, 이 곳 나의 천금농주(千金弄珠) 라, 빈실로 대접하여 정가 일문이 행로(行路)같이 한다 하니, 내 비록 용잔하나 설분(雪憤)치 아니랴? 하시더이다.”

금후 황상의 여러 번 부탁하신 바에 차언을 들으니, 해연하여 분기 일 어나되, 잠잠하고, 태부인을 모셔 손아를 가차(假借)하니696), 아자의 마음을 탁냥(度量)치 못하고, 태부인의 유화(柔和)함으로도 전어(傳語) 를 듣고 정색(正色) 양구(良久)에, 상궁을 대하여 가로되,

“내 집이 본디 도의지가(道義之家)라. 불초 손아 등이 행혀 얼굴이 더 럽기를 면하되, 초방승택(椒房承擇)697)을 바라지 못하던 바로, 장손의 이르러 여러 처자가 있고 작위 후백에 미치니 다시 바랄 것이 없거늘, 뜻 밖에 부마간선(駙馬揀選)에 참예하여 옥주의 하가하실 줄은 천만의 외라. 불감황공(不敢惶恐)함이 극하니, 성만(盛滿)한 환(患)이 있을까 두려워할지언정, 옥주의 기질이 고왕금래(古往今來)에 희한하시고 성덕 이 초출하시므로, 금지옥엽(金枝玉葉)의 존귀를 껴 애경(愛敬)함이 극하 거늘, 심회 불평하실 바 없는지라. 낭랑 하교 의외요, 비홍이 완연타 함 은 살피지 못함이니, 오늘이라도 손아를 계책하려니와, 부부 후박은 명 운(命運)에 있으니 인력으로 못할 바라, 위엄에 있지 않으니, 궁인은 차 언을 귀비낭랑께 아뢰라.”

진부인이 가로되,

“공주 하가하신지 기년(朞年)이 거의로되, 하자(瑕疵)할 일이 없으니

---

696) 가차(假借)하다 : ①정하지 않고 잠시만 빌리다 ②편하고 너그럽게 대하다.
　　③가까이 하여 어루만지다.
697) 초방승택(椒房承擇) : 왕실의 부마(駙馬)나 비빈(妃嬪)으로 간택됨.

행열함은 이르지 말고, 천가(賤家)에 복이 손(損)할까 하더니, 낭랑 전교를 들으니 놀라옴을 이기지 못 하옵나니, 돈아의 박정을 깨달아 계책(戒責)하려니와, 다만 옥주를 행로(行路)같이 한다 하심은 의외니, 이는 궁중에서 와전을 들으시고 깊이 분노하심이나, 본디 가법이 공근(恭謹) 겸퇴(謙退)하오니, 홀로 옥주께 불경(不敬)하리까? 이는 낭랑이 공주 말씀을 못 들으심이로소이다."

언필의 기위(氣威) 단엄하여 추상열일(秋霜烈日) 같으니, 상궁이 비록 담대하나 감히 다시 말을 못하더니, 평남후 부전에 시좌(侍坐)라가 공경함이 '가득한 것을 밧든 듯', 예(禮)답고, 시랑 등 제공자 어깨를 나란히 하여 시측(侍側)이러니, 상궁의 불손한 전어에 미처, 분기 충돌하여, 기색이 삼엄하여 상궁을 냉안으로 장시(長視)하더니, 남후 문득 해탈의대(解脫衣帶)하고 계하의 내려 청죄 왈,

"해애 여러 처실을 잘 거느리지 못하여, 공주의 무단(無斷)한 원망이 대내(大內)698)에 사무쳐, 귀비의 벼르는 말씀이 해악(駭愕)하오니, 소자 공주 박대함이 없사옵고 설혹 금슬의 불합(不合)하옴이 있으나, 해아의 득죄함이 국가에 범치 않은 전 공주 박대로 사죄의 나아가지 아니하오리니, 귀비의 방자함이 외조 재상의 부인을 능경모욕(凌輕侮辱)하고, 소자의 사생을 임의로 처단하기로써 저히니, 이는 이웃나라가 듣게 될까 두려운지라. 소자가 제가(齊家)를 잘못하고, 공주의 어질지 못한 연고로 불평한 사단(事端)이 지존(至尊)에 이르오니, 먼저 소자를 다스리시면, 명일 조회에 동반(同伴)으로 더불어 후궁의 방자함을 주달하와, 차후 여차 거조를 막으리이다."

금후 황상의 부탁하심을 좇아 아자를 계책(戒責)고자 하더니, 귀비 전

---

698) 대내(大內) : 대전(大殿). 임금이 거처하는 궁전.

어로 분기 충출하고, 가내 점점 산란할 맹조(萌兆)임을 한하더니, 문득
아자의 청죄함을 보매 더욱 분노가 발하여 진목대질(瞋目大叱) 왈,

"남아의 제가지도(齊家之道)는 치국평천하지본(治國平天下之本)이라.
이제 탄자(彈子)만한 집을 다스리지 못하여, 여자의 작난(作亂)이 처첩
(妻妾)으로 연(緣)하여 가내 소요하니, 필망오가(必亡吾家)하리니 어이
통한치 않으리오. 내 전일 경계 이런 일에 이름이거늘, 불초자 아비 말
을 홍모(鴻毛)같이 들어 옥주를 무고히 박대하여, 귀비 위엄이 매양 여
차하실진대, 결단코 불초자를 죽여 대의멸친(大義滅親)699)하여 가내를
진정(鎭定)하고 편친께 불효를 덜리니, 아비를 원치 말라."

설파의 병부를 밀어 내치라 하니, 태부인이 정색 왈,

"손아와 옥주의 금슬은 모르거니와 추호(秋毫)700) 박대함이 없고, 섬
호(纖毫)701)도 불경함이 없거늘, 귀비낭랑이 그릇 듣고 이리 벼르시나,
무죄한 자식을 질책하는다?"

손아를 명하여 좌의 오르라 하니, 금후 날호여 모전에 고 왈,

"소자 아자를 대하와 제가 잘 하기를 경계함이 한 두 번이 아니로되,
불초자(不肖子) 아비 앎을 홍모(鴻毛)702)같이 하와, 공주를 박대하여,
필경 집을 엎치고, 문호를 필망(必亡)하올지라. 가국(家國)을 어지럽힌
자식은 대의멸친(大義滅親)이 응당하오니, 원컨대 자위는 물우성녀(勿
憂聖慮)하소서. 이런 일에 소려(消慮)하심을 원하나이다."

태부인이 정색 왈,

---

699) 대의멸친(大義滅親) : 큰 도리를 지키기 위하여 부모나 형제도 돌아보지 않음.
700) 추호(秋毫) : ①가을철에 털갈이하여 새로 돋아난 짐승의 가는 털. ②매우 적
　　거나 조금인 것을 비유적으로 이르는 말.
701) 섬호(纖毫) : ①매우 가느다란 털. ②썩 작은 사물을 비유적으로 이르는 말.
702) 홍모(鴻毛) : 기러기의 털이라는 뜻으로, 매우 가벼운 사물을 이르는 말.

"듣기 지질한703) 일은 천아의 처첩난(妻妾亂)이라. 부부 금슬 후박은 천위(天威)도 임의치 못하나니, 금슬 후박으로 문호(門戶) 망하여 자식을 천살(擅殺)704)하는 불근인정(不近人情)은 내 일찍 듣지 못한 바라. 종용한 가내 천아의 처첩으로 인하여 날로 소요(騷擾) 산란(散亂)하니, 노모 년급팔순(年及八旬)에 고금사적을 박남(博覽)하였으나, 이런 가란이 어디 있으리오. 네 일찍 천아의 부명 봉승치 않음을 책하며 네 어미 사(赦)하라 하는 손아를 종시 사(赦)치 않으니, 위 먼저 그른 후 자식을 교회(敎誨)하랴?"

언미(言未)에 정색(正色) 장엄(莊嚴)함이 장부 위풍에 미진치 않으니, 금후 돈수 사죄하여 아자의 사명(赦命)을 내리올 바를 고하고, 아자를 돌아보아 가로되,

"네 나의 성품을 알리니, 자교로 좇아 사(赦)하나니, 차후 공주로 화락하여 어지러운 일이 없으면 용납함을 얻으려니와, 불연즉 문양궁 협문을 막고 그곳에 엄수(嚴囚)하여 면전에 용납지 못하리니, 부자의 살아서 얼굴 봄이 금일 뿐이리니, 장차 어찌할다?"

부마 황황전율하여 부지소향(不知所向)이라. 이에 고두 백배 왈,

"엄교 이에 이르시니 불감역명(不敢逆命)하오리니 두 번 그름이 없으리이다."

언필에 감루(感淚) 종횡(縱橫)하여 엄읍유체(掩泣流涕)705)하니, 완순한 거동과 두려워하는 예모가 부모의 마음을 녹이는지라. 금후 가만히 탄복하여 심리에 자식 잘 두었음을 스스로 치하하고, 자기 말씀이 과도

---

703) 지질하다 : 싫증이 날 만큼 지루하다.
704) 천살(擅殺) : 사람을 거리낌 없이 함부로 죽임.
705) 엄읍유체(掩泣流涕) : 얼굴을 가리고 욺.

하여 아자의 마음을 상케 함을, 만심 애련하여 다시 이르대,

"귀비 주사를 천정에 고치 못하리라."

병부 복수(伏受) 유유(唯唯)하여706) 엄교대로 함을 고하더라. 원래 부마가 부공의 엄려하신 중 자애 타별(他別)하신 줄 아는 고로, 부자가 산 얼굴 봄이 금일뿐이라 하시는 말씀에, 효자의 간담이 찢어지니, 폭루(暴淚)707) 내림을 면치 못하여, 광수(廣袖)에 방타(滂沱)하니, 의의(依依)히708) 유아 같음을 보매, 부자의 친(親)으로써 어찌 애련지심(愛憐之心)이 없으리오. 좌우 감읍(感泣)함을 마지아니하더라.

시시의 진부인이 주찬을 성비하여 상궁을 관대하여 돌려보내고, 태부인이 혀 차 가로되,

"성혼 기년(幾年)에 여자 염치로써 금슬 후박을 일컬어 위세로써 구가를 꺽지르려 하니, 감히 겨루든 못하려니와 신자의 원민(冤悶)함이 가하통(痛恨)치 않으랴?"

하더라.

금후 소이주왈(笑而奏曰),

"공주 하가하던 날로부터 이런 일이 있을까 소자 마음을 놓지 못하더니이다. 아자는 오히려 귀비 애서(愛壻)로 두호(斗護)하려니와, 삼부(三婦)의 이후 근심이 적지 않으니 은우함을 이기지 못할소이다."

태부인은 분개함을 이기지 못하나, 진부인은 오직 존전(尊前)에 시좌하여 홍수(紅袖)를 단정히 꽂아, 노함도 없고 근심함도 없어 사기 안안하되, 귀비 불현함과 공주의 선치 못함을 개탄하여, 불평함을 마지않더라.

---

706) 유유(唯唯)하다 : 시키는 대로 순종하다.
707) 폭루(暴淚) : 갑자기 폭포수처럼 쏟아지는 눈물.
708) 의의(依依)하다 : 부드럽고 약하다.

이때 병부 부전에 엄책을 듣잡고, 외헌에 나와 그윽이 생각하되,

"내 문양으로 더불어 부부지락을 이루지 않으려 결단하였더니, 비홍 (臂紅)이 그저 있기로 핑계 좋아 박명(薄命)을 자랑하니, 내 또 엄전에 용납지 못할 자식이 되었으니, 인자(人子) 사지(死地)라도 불감역명(不 敢逆命)이라. 시속(時俗) 경박자 창루주사(娼樓酒肆)에 왕래하여 창기도 유정하나니 있으니, 문양이 비록 음비(淫鄙)하나 만승의 끼치신 골육이 라. 천창(賤娼)보다 나을 바 있으나, 김귀비의 십삭 태교함이 그 오직 불인(不仁)하리오. 내 마음을 이미 정하여 공주로 부부 윤의(倫義)를 차 리는 가운데나, 요악한 곳에 과혹치 않음이 마땅하니, 이만 쉬운 일에 부자의 천륜을 끊으려 하시는 망극한 책교를 들으리오."

이처럼 주의를 정하고, 통쾌한 의사 이에 미처는 괴롭고 분한 것을 참 고 이날 혼정 후 문양궁에 이르니, 이때 공주 부마 이를 줄은 천만 의외 라. 최녀로 더불어 심회 울울하여 산호판(珊瑚版)에 구슬 바둑을 벌이고 승부를 다투더니, 부마의 이름을 보고 제궁이 놀라 물러나고, 공주 일어 나 맞거늘 부마 눈을 기울여 좌우를 이시히[709] 보다가, 공주와 최상궁 을 증념(憎念)하는 분노를 풀고자 하여, 짐짓 핑계를 얻어 최녀를 멀리 내치고자 하여, 침연정좌(沈然靜坐)의 공주더러 이르대,

"귀주 비록 연소하시나 체위 존중하거늘 어찌 궁녀로 바둑을 두어 노 주지분(奴主之分)을 없이하리오."

언파에 사창을 열치고 최상궁 이하로 제 궁녀를 다 잡아 내려 계하의 꿇리고, 최상궁을 수죄(數罪) 왈,

"네 궁중에 머리 지어 어른 상궁으로 있어, 반드시 공주의 덕화를 빛 내고 들린 것을 주워 허물을 간함이 옳거늘, 상하 존비를 모르고 희소단

---

709) 이시히 : 한참 동안. 오래도록.

란(喜笑團欒)하여 박혁(博奕) 음주(飮酒)로 소일(消日)하며, 부질없는 혀를 놀려 허무한 말을 대내(大內)의 고하여, 성상이 우(憂)를 증(增)하며, 귀비낭랑 실덕을 도와, 외조(外朝) 대신가(大臣家)에 궁비를 부려 아름답지 않은 부부간 후박을 공치하여710) 세엄(勢嚴)711)을 자세(藉勢)하니712) 너의 죄당사죄(罪當死罪)라. 내 성상의 부리시던 바를 돌아보지 않을진대, 쾌히 한번 다스릴 것이로되, 오히려 공주의 보모(保姆)므로 결책(決責)을 않나니, 금야로부터 궁중을 떠나 네 임의로 다니고 이곳에 있지 말라."

성음이 맹렬하고 위엄이 추상같으니, 궁녀들이 한출첨배(汗出沾背)하고 좌우 물감앙시(勿敢仰視)러라. 공주 대담(大膽)이나 송연(悚然) 수괴(羞愧)하여 능히 말을 못하니, 부마 궁노를 명하여,

"최상궁을 내치되 다시 궁내에 붙이지 말라. 만일 붙인즉 사죄를 면치 못하리라."

공주더러 이르대,

"생이 귀주로 더불어 부부지의로 이곳의 왕래하되, 원간 궁녀의 수를 알지 못하나니 수(數)가 얼마나 하뇨? 대내(大內)로서 나온 즙물(什物)의 사치한 것이 얼마나 있으니까?"

공주 최상궁을 계칙(戒飭)하여 내치를 보고, 마음이 떨어지는 듯분노함을 견디지 못하되, 최상궁이 매양 참고 견디라 하는 고로 악심(惡心)을 쓰리쳐, 온순한 빛을 지어 대 왈,

"국체(國體)713)에 제왕과 공주는 궁녀 수백을 거느리게 하였으나, 첩

---

710) 공치하다 : 비난하다. 헐뜯다.
711) 세엄(勢嚴) : 위세(威勢). 사람을 두렵게 하여 복종하게 하는 힘.
712) 자세(藉勢)하다 : 어떤 권력이나 세력 또는 특수한 조건을 믿고 세도를 부리다.
713) 국체(國體) : 나라의 의전(儀典). 나라의 체면.

에게는 황야께서 공검절차(恭儉節次)714)하라 하시어, 이미 궁실을 제(諸) 공주궁에 반감(半減)하고 궁녀가 백이 넘지 못하니이다. 대내로서 나온 기물(器物)이 있으나 사치함은 업나이다."

부마 백여인 궁녀를 다 면전의 불러 그 진정을 물어, 부모 동기를 따라 여가(閭家)에 살고자 하는 자 있으면, 소원을 좇으련노라 하니, 궁녀들이 부모를 그리는 이도 있으며, 청춘소년에 폐륜을 슬퍼 궁중 호화를 원치 않는 이 많아, 공주를 좇음이 되었으나 실로 원망하는 이 많던지라, 부마의 영을 듣고 환열하여, 각각 부모 동생을 따라 살고자 하는 자가 오십여 인이요, 문양궁 호사를 따르는 이 육십여 인이라. 부마 그 소원을 좇아 패산지물(貝珊之物)과 재백(財帛)을 주어 편히 살라 하고, 또 공주 침전의 진주(珍珠) 발과 수정(水晶) 패산지류(貝珊之類)를 다 떼어 사치를 없이한 후, 무색(無色)한 주렴(珠簾) 기용(器用) 등물(等物)을 두고, 주방에 분부하여 찬품(饌品)을 간략히 하라 영을 내리니, 궁비 등은 그윽이 영행하여 하나, 공주는 사사(事事)에 불열하되 거짓 온화하여 사색치 않으니, 부마 기색을 어찌 모르리오. 날호여 가로되,

"생이 신병이 있어 귀주 하가(下嫁)하신 지 양재(兩載)715)로되, 봉지(鳳池)716)에 늚이 없으니 민민하더니, 근간은 잠깐 차성(差成)하매 비로소 이성(二姓)의 친(親)을 이루고자 하나니, 그윽이 생각한즉, 음공(陰功)이 두터운 후 경사가 있기를 바랄 것이요, 궁중 여러 시녀 폐륜함이 청춘소년에 비상지원(飛霜之怨)717)이 미칠지라. 적불선(積不善)이니,

---

714) 공검절차(恭儉節次) : 공손하고 검소하며 절약하여 남보다 씀씀이를 줄임.
715) 양재(兩載) : 2년. 두 해.
716) 봉지(鳳池) : '봉황이 노는 연못'이란 뜻으로 여기서는 '부부의 침실'을 뜻하는 말.
717) 비상지원(飛霜之怨) : '오월비상지원(五月飛霜之苑)을 줄인 말' 곧 여자가 원한을 품으면 5월(여름)에도 서리가 내린다는 말. 한 여인이 왕에게 깊은 원한을

차고(此故)로 정원(情願)을 들어 여염(閭閻)살이[718]로 내어 보내었나니, 귀주는 복경(福慶)이 호호(浩浩)하기를 위하여 생의 처사를 괴이히 여기지 마실지어다."

공주 들으매 여러 일월에 초사(焦思)하던 심장에 기쁜 정신이 황홀하여, 스스로 걷잡기 어려우니 최상궁 내침도 애달음이 잊혀져, 자연 아험(娥臉)[719]이 열리고 미우(眉宇) 펴이매, 천교함태(千嬌含態)[720]하여 대 왈,

"군자의 적선음덕(積善陰德)이 이 같으시어 미천한 궁녀의 원(願)을 좇아 즐겁게 하시니, 첩(妾)이 비록 총명하지 못하고 덕이 업으나 군자의 후덕을 무릅써 길이 안락(安樂)을 누리리니 어찌 궁녀 등을 보냄을 막으리까? 다만 첩이 금야에 요적(寥寂)하므로 보모와 박혁(博奕)을 함이었거늘, 군자 최상궁을 구축(驅逐)하심을 한 조각 인정 없이 하시니, 이는 도리어 과도하신가 하나이다."

부마 빈미(嚬眉) 왈,

"귀주 최씨 향한 정이 지극하시나, 내 불명하나 최씨를 아나니, 그 상모 반드시 선종(善終)치 못할 것이요, 마음이 간특하여 공주 곁에 있어는 유해함이 많으며, 존비를 모르기로 내 머무르지 말고자 하나니, 귀주는 생의 말을 그릇 알지 마소서."

공주 최상궁 떠남이 자모(慈母)를 떠남 같으나 가만히 불러 오려 하는 고로 다시 제기치 않으니, 부마 또 가로되,

"귀주 금일 자정(慈庭)의 기별(寄別)하던 말을 알아 계시니까?"

품었더니 오월인데도 서리가 내렸다는 데에서 유래한다.

718) 여염(閭閻)살이. 백성의 살림집이 많이 모여 있는 도회지나 촌락에서 살아감. — 살이; '어떤 일에 종사하거나 어디에 기거하여 사는 생활'의 뜻을 더하는 접미사

719) 아험(娥臉) : 아름다운 뺨, 고운 얼굴. *'험(臉)'의 본음은 '검'임.

720) 천교함태(千嬌含態) : 온갖 아양을 떨며 아리따운 태도를 지음.

공주 단상궁 왔던 줄을 알되 짐짓 모르는 체하고 대 왈,

"금일 대내 궁비 온 일 없으니 모르나이다."

부마 차게 웃고 가로되,

"생이 귀비 위세로 협제(脅制)하는 욕을 들으니 한심하고 놀라움을 이기지 못하나니, 귀비 수중에 들어 죽을까 겁(怯)함이 아니라, 성상의 일월지명으로 귀비의 방자함을 모르시니, 귀비 악사 점점 더하여 한갓 오가(吾家)를 업신여길 뿐 아니라, 외조(外朝)에 작해할까 크게 근심하나니, 공주는 사정에 가려 허물을 모르려니와, 생이 어찌 부부간에 기임이721) 있으리오. 생이 신병으로 내당 유정(有情)이 박(薄)한 연고요, 박대함이 없거늘, 귀비 궁인을 보내어 공주의 비홍 있음을 일컬어 위세로 저히니722), 생이 비록 용렬(庸劣)하나 귀비 수중에 들지 않는 재상이라. 반드시 방자함을 천정에 주달(奏達)하렸더니, 대인이 여차여차 하시니 그치거니와, 부부 후박은 귀비 아니라 천위(天威)라도 임의로 못하나니, 귀비 나의 위풍을 모르고, 공주의 비홍을 보고 놀라, 자정(慈庭)의 위엄으로 저히기를 어린 아이같이 하거니와, 일정(一定) 나 정천흥의 목숨이 하늘에 달렸고 김귀비께 있지 않으리니, 공주는 후일 입궐하여 귀비께 오늘 말을 전하고 방자치 말라 할지어다. 생이 금야의 이름은 공주에게 정이 있음이요, 귀비 명을 준봉(遵奉)함이 아니니, 모름지기 모비(母妃)를 어질게 간하여, 서어(齟齬)한 말로 침노치 말게 하라."

언파의 노기등등하니, 공주 심중에 분기 가득하나 능히 발악지 못하고 척연 탄식 왈,

"낭랑이 첩을 위하여 사사(事事)에 비구(悲苟)723)하시니, 궁비 와전으

---

721) 기이다 : 숨기다. 속이다.
722) 저히다 : 겁주다. 위협하다.

로 존고께 전함이나 구태여 구가를 업신여김이 아니요, 공근겸손(恭謹
謙遜)하는 바니 외조(外朝)에 유해(有害)함이 없을 것이오니, 군자의 말
씀이 너무 과하시어 첩이 유감하도소이다. 반자(半子)[724]의 의(義)가
조금도 없어이다."

부마 정색 왈,

"공주 생(生)으로 귀비의 사위라 하고 반자의 의를 일컬으나, 생이 본
디 여염가(閭閻家)로 반자의 의를 두나, 금전여서(禁殿女壻)로는 아니 하
나니, 어찌 귀비께 반자지의(半子之義)를 두리오. 오늘은 당당이 참았거
니와, 차후 다시 귀비 말씀이 해연한즉 죽기로써 부부지의를 끊으리라."

말로 좇아 사기(辭氣) 엄렬(嚴烈)하니, 공주 행혀 부마의 은정을 얻지
못할까 두려, 온순 정좌러니, 부마 야심함을 일컬어 촉을 물리고, 상요
의 나아가 공주로 은애를 끼치니, 일호 사족 부녀의 태 없어, 남후의 증
분(憎憤)이 경각에 박차 버리고 싶되 겨우 강인이러니, 계성(鷄聲)에 나
가려 하니, 공주 부마의 뜻을 모르고 사상하던 정리로 합근하매 귀중함
이 비할 데 없는지라. 금슬의 정을 알수록 타인을 더욱 시기하여 윤·양·
이와 운영을 아울러 없애고자 하는지라. 공교한 악사 아니 미친 곳이 없
어 도리어 번민하고, 부마는 해연함이 측량없더니, 계성이 잦으매 일어
나 관소(盥梳)하고 나가되, 씩씩하여 전일 흔연함이 없으니, 공주 저허
하고 모비의 전도(顚倒)함을 애달라 하더라.

차시 최상궁이

---

723) 비구(悲苟) : 슬프고 구차함.
724) 반자(半子) : 늑반자지명(半子之名). '아들이나 다름없이 여긴다'는 뜻으로 '사
　　위'를 달리 이르는 말.

명주보월빙 권지이십칠

  차시 최상궁이 부마의 구축함을 만나 주방(廚房)에서 밤을 지내고, 명조에 후원 문으로 가만히 궁에 오니, 공주 깃거 좌우를 당부하고, 최녀를 곁에 두어 부마의 은애를 독당(獨當)하기를 도모하고, 비홍 없음을 흔희하여 농장지사(弄璋之事)725) 있음을 죄오더라.

  차설 옥누항 윤부에서 위태부인과 유씨 모녀 정·진 이소저의 옥리(獄裏)에서 자진(自盡)하여 죽기를 죄오고, 어사와 직사를 향하여 포악이 아니 미친 곳이 없어, 혈육지신(血肉之身)인즉 능히 견디지 못할 것이로되, 어사 곤계 갈수록 효순하여 추호도 원망을 않으나, 위·유 주야 이를 갈고 팔을 뽑내어 정·진을 아울러 조부인 씨를 없애고자 하는 바에, 소유씨 어사를 상사하던 정이 바뀌어, 절로 더불어 인연을 맺을 길이 없으매, 미움이 구수(仇讐) 된지라. 태부인의 강포(強暴) 시험(猜險)으로도, 어사의 고집을 돌이키지 못하여 유씨의 금슬을 권치 못하고, 미워함이 일일층가(日日層加)하여 혈육이 상하는 중장을 더하니, 어사는 충천장기(衝天壯氣)로 산악을 넘뛸 듯한 기상이니 그리 상치 아니하되, 직사는 적상한 병이 나 식음을 내리지 못하여, 베개에 잠겨 옥골이 수약

---

725) 농장지사(弄璋之事) : 늑농장지경(弄璋之慶). 아들을 낳는 경사. 예전에, 중국에서 아들을 낳으면 구슬을 장난감으로 주었다는 데서 유래한다.

(瘦弱)하되, 추밀이 일분 기렴함726)이 없고, 갈수록 인사불성(人事不省)
이 되어 해춘누에 머리를 박고 있으니, 추밀원 공사는 석추밀 등 동류가
처결하더라.

신묘랑이 운영의 일로 평남후의 금선(錦扇) 옥초(玉貂)를 도적한 죄
로, 위사(衛士)가 잡든 못하나, 보옥암을 헐고 제자 등을 쫓아 내치고
재물이 다 흩어지니, 운영을 삼키고자 하나, 아직 저의 자취를 감추려,
매양 윤부에 와 경아의 침실에 잠겨 위씨와 유씨 모녀 숙질로 흉사를 꾀
하되, 어사 곤계와 정·진·하·장 등을 가벼이 죽이지 못할 줄 알고
때를 엿보더라. 유씨는 묘랑과 꾀를 행하되 범사 암합(暗合)치 못함을
차탄하여, 자기 금은을 수없이 허비하여 양녀의 복록을 빌고, 직사 죽기
를 원하거늘, 장녀는 홍안박명(紅顏薄命)이 극진하여 석상서의 행로(行
路)같이 여김이 점점 더하고, 차녀는 촉지에 간 지 사오 춘추에 소식을
모르니, 모녀의 지극한 정리(情理)로써 서신도 통치 못하니, 심화(心火)
성하여 독한 분기 직사에게 몰려, 악착 포려(暴戾)한 일이 많은지라.

천신이 윤직사의 대효지성(大孝之誠)을 가만한 가운데 보호하여 명
(命)이 끊어짐은 없으나, 청상(淸爽)한 위풍이 위위(危危)하되 뉘 구하
리오. 어사도 기괴한 천역을 감당하고, 가중 형세 망극한 바의 추밀의
상성(喪性)함과 구파의 헤픈 웃음과 미친 형상이 망측하니, 어사 직사더
러 왈,

"계부의 환후가 누월(累月)이 되도록 조금도 나으심이 없고, 구조모
실성(失性)이 날로 심하니, 약석(藥石)으로 고치고자 하나, 계부(季父)
전(前)에 약석 두 자를 드놓지727) 못하고, 구조모는 효험이 없으니, 계

---

726) 기렴하다 : 보살피다. 유의하다.
727) 드놓다 : 말하다. 발설하다.

부와 구조모 집을 떠나시게 하고 구하고자 하나니 현제 뜻이 어떠하
뇨?"

직사 대 왈,

"대인과 구조모 환후가 심상치 않으시니, 아등이 주야 시호(侍護)코자
하되 능히 좋은 계교 없는지라. 가중을 떠나 차성(差成)하실 줄 모르거
니와, 원간 옮으실 계교 없으니 초황(焦遑)하이다."

어사 왈,

"우리 자질의 마음으로써 이측(離側)함이 결울하나, 우형(愚兄)이 정
형과 의논하고 평안한 곳으로 옮으시게 하리라."

직사 창연(愴然)하나, 먼저 구파를 옮기고자, 태부인께 고하되,

"구조모 당황한 거동이 층가(層加)하니, 소손 등이 약석으로 고치고자
하나 효험이 없으니, 차라리 절강으로 보내어 그 질자 등이 모시게 하려
하나이다."

위·유는 구파가 없을수록 좋아하는지라. 쉬이 보냄을 허하거늘, 어
사 배사(拜辭) 수명(受命)하고 위의를 차릴 새, 어사 탄식 왈,

"구조모 자손이 없고 우리 형제만 믿어 계시더니, 어찌 절강으로 가시
게 하리오. 옥화산에 가 별당을 얻어 머무시게 하고, 거짓 절강으로 가
다 칭하고, 오가 변고는 표문이 모르지 않으니 새로이 기일 것 없고, 우
리 왕래하여 의약을 극진히 한즉 차도(差度)를 바랄까 하노라."

직사도 그리 생각하나 자기 집 허물을 표숙(表叔)과 군종(群從)이 아
는 것을 슬피 여기더라.

구파를 절강으로 보내는 체하고 가만히 심복 노자로 약속하고, 구파
를 교자의 올려 절강으로 행함을 이르니, 구파 실없는 웃음이 연속하여
태부인께 하직 할 줄도 모르고 한갓 어림장이라. 추밀이 역시 구파나 다
르지 않아 이별한데 주견(主見)이 없더라. 직사는 부공(父公)의 거동을

초조하고, 위·유는 추밀의 상성(喪性)함을 추호도 생각지 않고, 구파의 멀리 가는 것만 다행하되, 거짓 위문하고, '차병(差病)하여 오기를 기다리노라' 하더라.

어사 곤계 구파를 교자에 올리고, 조모와 추밀께 고 왈,

"소자 등이 직사(職事)에 매여 임의로 천리(千里) 발섭(發涉)을 못하오니, 강외(江外)에 송별이나 하고 오리이다."

태부인이 허하니, 어사 곤계 구파의 교자를 앞세워 옥화산으로 가, 먼저 외헌(外軒)에 이르러 표숙을 보고 별당을 빌리라 하니, 조공 등이 허하거늘, 처소에 편히 머물게 하고 모친께 소유를 자세히 고하니, 조부인이 듣는 말마다 아름답지 않고 구파의 병을 염려하여 맞으나, 병세 가장 괴이한지라. 만사에 슬퍼 옥루 방방하니, 어사 곤계 민망하여 호언으로 위로하고, 어사 구파의 맥후(脈候)를 살펴 당제(當劑)[728] 수십 첩(貼)을 지어 모친께 드려 구호하심을 고하니, 조부인이 탄식 왈,

"여등이 서모를 이곳의 두고 가니 내 구호는 당부치 않아도 하려니와, 너희 위태한 곳에 있어 사생을 모르니 염려를 어디에 비하리오."

어사 형제 호언으로 위로하여 물려(勿慮)하심을 고하니, 부인이 직사의 손을 잡고 어루만져 왈,

"광아는 기운이 태산 같거니와, 너는 섬약(纖弱)하니, 의형이 환탈하여, 간장이 미어지는[729] 듯하니, 어느 때에나 평안하리오."

어사 형제 재삼 관위(款慰)하고 정·진 양인의 갇힘은 고치 않으니 부인이 모르더라.

---

728) 당제(當劑) : 어떤 병에 딱 들어맞는 약.

729) 미어지다 : ①팽팽한 가죽이나 종이 따위가 해어져서 구멍이 나다. ②가득 차서 터질 듯하다. ③(비유적으로) 가슴이 찢어질 듯이 심한 고통이나 슬픔을 느끼다.

이에 하직고 옥누항에 돌아와 구파 송별함을 고하였더니, 수삼일 후 구파 데려 갔던 노자 등이 와 고하되,

"구랑(娘)이 밤인즉 인가에 머물고 낮인즉 수로로 가더니, 한 떼 강도를 만나 행량(行糧)을 빼앗기고 구파의 종적을 모르오니 사죄를 청하나이다."

위·유 양인이 청파에 영희(榮喜)하여 일호 경동함이 없으니, 추밀은 오직 혼(魂) 없는 사람 같더라.

원래 구파의 질자는 조승상 여서(女壻)요, 기품이 아름다우니 어사 곤계 가장 친절하더라.

이때 말을 이렇듯 내고 옥화산에 자로 출입하여 의약으로 구호하니, 구파 옥누항에 있을 제는 현혼단(眩昏丹)730)을 아니 먹는 날이 없으니 약을 쓰나 무효하더니, 이곳에 오매 점점 효험이 기특하며 실없는 웃음이 없고, 진정한 사람이 되어, 어사 곤계 귀중한 마음이 일어나고, 옥누항에서 하던 일을 채 깨닫지 못하고, 이곳에 공연이 온 줄 괴이하여 하나, 조부인이 구태여 이르지 아니하고 극진히 구호만 하니, 점점 완인(完人)이 되고, 직사의 병은 점점 깊어 진미성찬(珍味盛饌)이 비위 거슬려 내리지 못하고 위위하니, 부인이 만사에 슬퍼 눈물을 흘리고, 참연(慘然) 비열(悲咽), 왈,

"하일(何日) 하시(何時)에 존고의 감동하심을 얻어 모자고식(母子姑息)이 화락하며, 나는 호화로움이 반석 같거니와, 현부 등은 위험한 가중에 옥보방신(玉步芳身)731)을 어찌 지탱하는고."

---

730) 현혼단(眩昏丹) : 정신을 흐리게 하는 요약(妖藥). 도봉잠의 일종.
731) 옥보방신(玉步芳身) : 귀한 분의 걸음걸이와 몸이란 뜻으로, 남의 건강을 비유적으로 이르는 말.

말로 좇아 비읍(悲泣)하니, 조공 등이 간간이 위로하고, 정·진 등의 자닝한732) 정사를 알건마는 모르는 듯, 좋도록 하더라.

차설, 소유씨 음일간험(淫佚姦險)733)함이 유(類)다른 바로, 윤어사 풍채를 황혹(恍惑)734)하여 제삼 부실이 되었다가, 어사의 신명으로 그 상모 선종(善終)치 못 할지라, 모르는 체하더니, 소유씨 어사의 박대를 감심하여 헛되이 윤부의 명호(名號)로 청춘을 공송(空送)할 뜻이 없어, 점점 미움이 원수 같아서, 즉시 죽이고 개가(改嫁)할 뜻이 있으니, 신묘랑으로 더불어 의논하여, 묘랑도 길인이 아님을 알고 음욕을 참아 종용이 있을 줄은 생각 밖이니, 거짓 이르되,

"빈도 소저를 추점(推占)한즉 팔자 대길하나 윤가로는 연분이 부족하니, 남녀 행신(行身)이 다르나, 소저의 재용(才容) 기질(氣質)로 어찌 화락을 근심하고 윤어사의 박대를 감심하리오. 부부지간에 은애(恩愛) 없으면 구수(仇讐)가 되나니 무슨 일 홍안을 늙히리오. 석(昔)에 진상국부인(陳相國夫人)735)이 다섯 번 개가(改嫁)하였나니, 소저는 상량(商量)하여 달리 전정을 빛내고 어여쁜 낭군을 얻어 유정(有情)하소서."

소유씨 청파에 누수여우(淚水如雨)하여 왈,

"내 차마 못함은 오문이 대대명문(代代名門)으로 백형(伯兄) 등이 일호

---

732) 자닝하다 : 애처롭고 불쌍하여 차마 보기 어렵다.
733) 음일간험(淫佚姦險) : 몹시 음란하고 방탕하며 간악하고 음험함.
734) 황혹(惶惑) : 황홀하여 정신을 차리지 못함.
735) 진상국부인(陳相國夫人) : 중국 전한(前漢) 혜제(惠帝) 때의 좌승상(左丞相) 진평(陳平)의 아내 장씨(張氏). 그녀는 부잣집 딸이었으나 박복하여 다섯 번이나 시집을 갔지만, 그때마다 남편이 갑자기 죽어 아무도 그녀에게 장가들려 하지 않았다. 당시 가난한 총각이었던 진평이 그녀를 아내로 맞아, 부(富)를 얻고 출세하여 벼슬이 상국(相國)에 이르렀다.

(一毫) 비례를 않으니, 서어한 말로 하였다가 도리어 불평할까 하노라."

묘랑이 이 말을 듣고 가만히 귀에 대고 이르대,

"소저의 말씀은 청한(淸閑)하거니와, 윤어사 부디 소저를 해하고 정·진 이 부인으로 화락코자 하나니, 어찌 모르느뇨? 인생이 백세(百歲) 아니라, 청춘세월 긴긴 날에 청등야우(靑燈夜雨)에 한숨으로 지내리오. 빈도가 소저를 위하여 여러 가지 사량(思量)하나니 결단하소서. 일대 풍류랑을 가리리다. 소저 비록 화촉지례(華燭之禮)를 이루나 몸이 규수(閨秀)로 그저 있고, 구애할 바 없으니, 부모 동기를 기망(欺罔)하고자 하면, 빈도 주선하여 소저 일신이 영귀하게 하리이다."

유씨 머리를 숙여 탄식 왈,

"내 십사 청춘에 윤가의 온 지 기년(朞年)이니 너무 급한가 하노라. 사부의 정을 감사하거니와 잠깐 사세(事勢)를 보아 결단코자 하노라."

묘랑이 웃으며 왈,

"소저 청춘이 늦지 않음을 믿으나, 윤어사의 마음이 금석 같으니 속절없이 거리끼지 마소서."

유씨 능히 대답지 못하여서, 유부인이 다다라 묘랑의 말을 듣고 길이 탄 왈,

"사부의 지휘 질녀를 위함이나, 질아가 윤문에 속현(續絃)한 지 칠팔삭에, 비록 박대하나 일신이 안여평석(晏如平席)하거늘, 가부의 사사 은애 부족함을 슬퍼하여 실절함은 청한(淸閑)하지 못한지라. 아직 후사(後事)가 되어 감을 보아 행함이 옳을까 하노라."

묘랑이 소왈,

"부인 말씀이 청결하시나 윤어사는 고집이 타류와 다르고, 홀홀한 일월이 백구과극(白駒過隙)[736]하여, 헛되이 윤어사를 지키리오. 그으는 가운데 묘한 계교와 신기한 꾀로 전정(前程)을 빛나게 하소서."

유부인이 비록 극악하나 자못 총명한지라. 질녀의 위인이 마침내 음욕을 참고 있지 않을 줄 알고, 범사 헤아림이 암험(暗險)하여, 타문의 차라리 개적하여 보내고 동심모의(同心謀議)하여 어사를 서룻고자737) 뜻이 이시므로, 웃고 왈,

"사부는 진실로 천신(天神)이라. 장래사(將來事)를 모를 것이 없으니, 벌써 질아의 팔자가 윤가에 연분이 없음이니, 신세를 측은히 여겨 좋도록 하라."

묘랑이 배사 수명하고 음흉한 의논이 밀밀하니, 유씨 모녀 부정(不貞)함을 알건마는, 타문 세가(勢家)에 개적(改籍)하여 부디 어사를 해코자 함이요, 묘랑은 암자를 헐었기로 금은을 다 잃었으니, 다시 은금을 징색하나 윤부 형세 점점 감(減)하여 간핍(艱乏)하니, 유부인이 묘랑의 말인즉 신청(信聽)치 않음이 없어 가사가 탕진키에 미치니, 매양 은이 날 데 없어, 묘랑이 생각하되, 소유씨의 교용염태(巧容艶態) 홀란(惚爛)함을 풍류남자 호색한(好色漢)이면 누구나 대혹(大惑)할지라. 이에 금은을 얻고 중매코자 하니, 마땅한 곳을 가리더니, 일이 공교하여 장사왕 간은 제실지친(帝室至親)이요, 초왕의 아우라. 금년 삼십에 왕비 주시 죽은데 일점 골육이 없어, 바야흐로 재취코자 명문벌열(名門閥閱)에 구하되, 왕의 위인이 포려시험(暴戾猜險)하고 용력이 과인하여, 장안 사서인이 부귀는 부러워하나 위인을 저허738) 허혼할 이 없더니, 초왕이 귀국하고 장사왕이 본국에 가지 못하여, 왕이 절색 미아를 구함으로, 궁녀 중에도 암합(暗合)한 이가 없으니, 왕의 보모 연상궁이 내사(內事)를 총단(總斷)

---

736) 백구과극(白駒過隙) : 흰 망아지가 빨리 달리는 것을 문틈으로 본다는 뜻으로, 인생이나 세월이 덧없이 짧음을 이르는 말.
737) 서룻다 : 거두어 치우다. 정돈하다.
738) 저허하다 : 두려워하다. 꺼리다. 염려하다.

하는지라. 신묘랑이 장사왕을 만나 팔자를 물으매, 추점하고 불길한 줄 알되, 거짓 만복(萬福)을 이르고, 인하여 서화문 밖 주점에 한 규수를 구경하니, 과연 침어낙안지용(沈魚落雁之容)739)이요, 폐월 수화지태(閉月羞花之態)740)라. 겸하여 안모(顏貌)에 귀복이 어리었다 하고, 만고에 기특한 인물임을 자랑하니, 왕이 대희하여 근본을 물으니, 대 왈,

"청주 유처사의 여자로 일찍 부모를 여의고 친척이 없어 의뢰무탁(依賴無託)741)함으로, 주모의 얻어 기름이 되었으나 백행(百行) 사덕(四德)이 기특하다 하니, 전하가 정궁(正宮)으로 맞으시어 침전에 깃들이소서742)."

연상궁이 깃거 장사왕을 보아 유소저를 데려올 것을 당부하고, 묘랑을 후대하니, 대 왈,

"주모 유소저를 사랑하나 전하 위엄으로 얻으려 한즉 어렵지 않을 것이요, 주모의 생도가 빈한하니 전하께서 후덕을 드리우소서."

한데, 연상궁이 깃거, 묘랑을 궁중에 머물게 하고 이 말로써 갖추어 고하니, 왕이 다시 묘랑을 불러 면전에 이르니, 묘랑이 합장배무(合掌拜舞)하며 만복을 칭(稱)하고, 만구응순(萬口應順)하여 기리는 말이 유수(流水) 같으니, 왕이 색용(色容)이 절세함을 듣고 흠모하여, 보지 아니

---

739) 침어낙안지용(沈魚落雁之容) : 미인을 보고 물 위에서 놀던 물고기가 부끄러워서 물속 깊이 숨고 하늘 높이 날던 기러기가 부끄러워서 땅으로 떨어질 만큼, 아름다운 여인의 용모를 비유적으로 이르는 말. ≪장자≫ 〈제물론(齊物論)〉에 나온다.

740) 폐월수화지태(閉月羞花之態) : 꽃도 부끄러워하고 달도 숨을 만큼 여인의 얼굴과 맵시가 매우 아름답다는 것을 비유적으로 이르는 말.

741) 의뢰무탁(依賴無託) : 의지할 데가 없음.

742) 깃들이다 : ①주로 조류가 보금자리를 만들어 그 속에 들어 살다. ②사람이나 건물 따위가 어디에 살거나 그곳에 자리 잡다.

하여서 혈혈약녀(孑孑弱女)로 자닝함과 기묘함을 황혹(恍惑)하고, 황금
일천 냥을 주어 묘랑더러 가로되,

"법사가 금을 주모를 주고 길일을 가려 규녀를 보내면, 제 영화로울
뿐 아니라, 중매한 공을 만금으로 표하리라."

묘랑이 흔열(欣悅)하여 수명하니, 왕이 재삼 부탁하고 주모의 허락을
재촉하니, 묘랑이 감언이어(甘言利語)로 대혹(大惑)하게 하고, 궁녀로
더불어 서화문 밖에 오니, 주모(酒母)라 하는 자는 비영이니, 서화문 밖
빈집에서 미리 맞추어 요악한 꾀를 정하였으니, 어찌 의심되게 하리오.
묘랑이 궁녀와 한가지로 이르러 주모를 보고 왕의 덕화를 칭송하니, 주
모 허(許)하고 길일을 가릴 새, 묘랑이 거짓 추점(推占)하는 체하여 일
경(一更)743) 후쯤에야 길일을 정하고, 비영이 호주성찬(壺酒盛饌)으로
궁녀를 접대하니, 왕이 일백금(一百金)으로 그 공을 상(賞)하고, 또 후
히 상사(賞賜)하리라 하니, 비영이 바삐 옥누항으로 오니라. 묘랑이 급
히 옥누항에 와 유씨 숙질을 보고 장사왕의 말을 전하고, 왕의 신채 풍
용이 절륜(絶倫)함을 일컬어, 한낱 빈희(嬪姬)도 없음을 이르니, 소저의
평생이 유광(有光)할러이다.

소유씨 교아 음흉 간교함으로 어사의 인봉(麟鳳) 같은 기질로 화락치
못함을 골똘하더니744), 장사왕의 부귀 풍류를 흠앙하여 영희(榮喜)하
고, 유부인은 질녀의 음악(淫惡)을 상사(常事)745)라 하여 왕궁으로 보내
고, 조각을 타 작변하려 하므로, 모녀숙질이 묘랑으로 무릎을 연(連)하

---

743) 일경(一更) : 2시간 쯤 되는 시간. 경(更)은 일몰부터 일출까지 하룻밤을 다섯
　　　으로 나누어 부르는 시간의 이름으로, 밤 7시부터 시작하여 두 시간씩 나누어
　　　각각 초경, 이경, 삼경, 사경, 오경이라고 이른다.
744) 골똘하다 : 한 가지 일에 온 정신을 쏟아 딴 생각이 없다.
745) 상사(常事) : 대수롭지 않게 흔히 있는 일.

여 흉모비계(凶謀秘計) 무한하되, 소유씨 개적함은 태부인도 모르고, 유씨 모녀와 세월·비영·묘랑 등이 도모하더라.

묘랑이 일일(日日) 장사왕께 현알하고, 길일이 가까우니, 왕이 흔희하여 왈,

"유씨를 취하여 암합(暗合)할진대 마땅히 법사의 공을 갚으리라."

묘랑이 깃거 가로되,

"빈도 구혼하여줌이 많으니, 유소저는 만고를 기울여도 희한한 길상이니, 전하가 유소저를 취하시면, 자손이 창성하고 부귀 융흡(隆洽)하리니, 어찌 한갓 천승국모(千乘國母)의 상격(相格)이리까?"

왕이 또 불궤지심(不軌之心)746)을 품은 것이라, 묘랑의 요언에 깃거 수염을 어루만져 가로되,

"법사의 유씨 칭양함은 너무 과도하거니와, 복록지상(福祿之相)이 실로 그 같을진대 어찌 영행치 않으리오."

묘랑이 유씨를 못내 일컫고, 문득 상급을 징색(徵色)하니, 왕이 보화를 아끼지 않아 묘랑의 욕심을 채우고, 길일이 가까워오되 유씨의 근본도 모르고, 입장기구(入丈器具)를 차려 빈희(嬪姬)로 취한 후, 재용(才容)이 현숙한즉 정궁을 정하려 하더라.

길일이 다다르니, 신묘랑이 유부인과 상의하여 소유씨 시녀 금계로 여의개용단(如意改容丹)을 먹이고 축원하니, 금계 변하여 소유씨의 교염절색(嬌艶絶色)이 되는지라. 유부인이 금계를 당부하여,

"네 주인이 광천의 박대를 슬퍼 인륜을 폐하고, 산수간(山水間)에 은신하려 하니, 거거(哥哥)와 질자(姪子) 등이 들으면 가두고 내어 보내지 않을 것이요, 여차즉 질녀는 죽을지라. 숙질의 의로 청춘 요사(夭死)함

---

746) 불궤지심(不軌之心) : 반역을 꾀하는 마음.

을 보지 못하여, 너로 하여금 개용단을 먹여 질녀의 대신을 삼고, 범사
를 네게 맡겨 산사로 보내려 하나니, 네 불과 하류(下流) 차환(叉鬟)747)
이거늘, 팔자 조화 존귀한 명부(命婦) 되리니, 내 지휘대로 하고 조금도
어기오지 말라. 네 몸에 크게 유익하고 부귀 복록이 장구하리라. 오늘부
터 질아의 옷을 입고 광천을 받들어 건즐(巾櫛)을 소임하고, 존고를 섬
기라."

금계 본디 간사 요악하나 무식 천녀(賤女)라. 꿀같이 달래는 말을 과
망(過望)히 알고 흔흔 사례하고, 소유씨의 봉관(鳳冠) 옥패(玉佩) 수의
(繡衣)를 갖추어, 대신 소임(所任)을 하더라.

차시 묘랑이 소유씨를 데리고 서화문 밖으로 나올 새, 유씨 처연 비창
하여 상리(相離)하는 눈물이 방방하여 가로되,

"너를 혼인을 이루어 광천의 박대 태심하여, 홍안박명의 슬픔을 주야
보다가, 이제 법사의 중매(仲媒)로 취가(娶嫁)하니, 너의 전정이 영귀하
기를 주(主)함이나, 숙질의 이정(離情)이 유유하고, 금계로 너의 몸을
대신하나니, 혹 너로 알고 가중이 애지(愛之)하리니, 부녀 천륜은 단
(斷)할지라. 일이 정도가 아니나, 금계 비록 일시 약을 먹어 네 모양이
되나, 어찌 장구하리오. 온갖 일을 묘랑과 의논할 것이니, 천지 귀신 밖
에 알 리 없거니와, 영형748)은 너의 행사를 알아도 책하지 않을 것이
니, 타일 서신 왕래에 정사를 고하고, 모녀의 지자지애(至慈至愛)를 펴
게 하라."

소유씨 나감을 깃거하는 중 윤어사의 천일지풍(天日之風)을 잊지 못

---

747) 차환(叉鬟) : 주인을 가까이에서 모시는 젊은 계집종
748) 영형 : 영씨 형님. 유교아의 모친을 이름. 유부인과 유교아의 아버지 유금오가
　　　친 남매간이기 때문에 유교아의 모는 유부인의 올케 곧 형님이 된다. 성씨는
　　　영씨다.

하며, 영웅군자를 버리고 졸연히 개적(改籍)함을 슬퍼 체읍 왈,

"소질이 형세 마지못하여 법사의 지휘로 개적하고, 숙모의 지교(指敎) 하심을 좇으나, 스스로 부끄러움이 적으리까? 윤광천의 풍채를 혹하여 셋째 부실을 혐의치 않고, 숙모를 모셔 일택지상(一宅之上)에서 평생을 즐길까 하더니, 윤생의 잔인박행(殘忍薄行)이 오기(吳起)[749]보다 심한 지라. 부부지락을 이룰 길 없어, 백형(伯兄) 사형(四兄)에게 고치 못하고, 실절(失節)한 몸이 되니, 마음이 베는 듯, 전혀 원수 광천 적자(賊者)로 말미암아 이에 미치니, 당차지시(當此之時)하여는 윤광천을 칼로 지르고 돌로 빻아 쇄신분골(碎身粉骨)[750]하고 싶은지라. 장사왕궁에 가 천방백계(千方百計)로 광천 적추(賊酋)를 죽이고 말리이다."

유씨 어루만져 위로하여 가로되,

"사세(事勢)를 보아 광천의 원수 갚기를 계교하리라."

하고, 세월은 보모(保姆)라 하고 비영은 유모(乳母)라 하여, 행례시 (行禮時) 실례치 말라 하고, 시비 양난 등을 변용단(變容丹)을 먹여 안연 (晏然)이 문을 나니, 행사(行事)가 음비천루(淫鄙賤陋)함을 오히려 깨닫지 못하고 양양 자득하니, 천살무석(千殺無惜)이요, 만사유경(萬死猶輕)의 음부찰녀(淫婦刹女)라. 묘랑은 공중으로 서화문을 나 빈 집에 이르러 유씨를 방중에 들이고, 회면단(回面丹)을 먹여 본형을 내고 단장을

---

749) 오기(吳起) : 중국 전국 시대(戰國時代)의 병법가(B.C.440~B.C.381). '오기살 처(吳起殺妻)'의 고사로 유명하다. 즉, 오기가 노(魯)나라에서 관직생활을 하던 때, 제(齊)나라가 침공해오자, 노나라가 그를 장수로 임명하여 제를 막게 하려다가, 그의 처(妻)가 제나라 사람인 것을 알고 임명을 주저하자, 처를 죽이고 노나라 장수가 되어 제를 무찌른 일이 있다. 저서에 병법서 ≪오자(吳子)≫가 있다.

750) 쇄신분골(碎身粉骨) : 늑분골쇄신. 몸을 부수고 뼈를 가루로 만듦. 참혹하게 죽음을 맞거나, 어떤 일을 위해 온몸을 바쳐 노력함을 이르는 말.

황홀히 하니, 왕이 행례시에 장읍불배(長揖不拜)하여 예필에 유씨를 익히 보매, 과연 천고절색(千古絶色)이라. 세월 비영은 하직하고 돌아갈새, 왕이 유씨와 야심 후 상요에 나아가니, 비홍이 단사 찍은 듯함을 보고, 운우지락을 흐뭇이 풀어 한을 펴매, 음란한 행사가 천태만상이라. 유씨 다만 맺힌 한이 있어, 가슴 가운데 돌같이 뭉친 바는 왕이 비록 화류(花柳)의 풍채 있으나, 윤어사의 만고무쌍(萬古無雙)한 척탕(滌蕩)한 풍류(風流) 신광(身光)에 비할진대, 우주(宇宙) 사이는 앙망(仰望)이나 하려니와, 소양(霄壤)751)이 불모(不侔)752)하니, 천불급만부당(千不及萬不當)753)이라.

윤어사와 화락치 못한 한이 미사지전(未死之前)754)에 풀리기 어려운지라. 자연 비창(悲愴)함을 참지 못하니, 왕은 그 망친(亡親)을 생각하여 슬퍼함인가 하여, 좋은 말로 위로하고, 크게 침혹하여 수유불니(須臾不離)하니, 교아가 인하여 왕궁에 머물며 간악한 정태(情態)를 감추고 인심을 취합고자 하므로, 온유낭정(溫柔朗情)한 빛을 지어 궁중에 덕을 아니 베푸는 곳이 없어, 왕을 섬기매 승순함을 극진히 하여, 천교만태(千嬌萬態)를 지어 호탕방일(豪宕放逸)한 탕자를 장리(掌裏)에 잠그니, 왕이 탐혹과애(耽惑過愛)하고, 현숙함으로 알아 결(決)하여 정비(正妃)를 책봉하고, 쉬이 귀국하려 하더라.

차설 요비(妖婢) 세월 비영이 왕궁에 엄류(掩留)한 지 순여(旬餘)에 왕의 교아를 후대함과 부귀함이 극하니, 유씨께 하례하고 부인의 기다릴

---

751) 소양(霄壤) : '천지(天地)'를 달리 이르는 말. 높은 하늘과 넓은 땅이라는 뜻.
752) 불모(不侔) : 형상이나 생각 따위가 서로 같지 않고 차이가 있음.
753) 천불급만부당(千不及萬不當) : 전혀 수준에 미치지 못하고 사리에 맞지 않음.
754) 미사지전(未死之前) : 살아생전(--生前). 이 세상에 살아 있는 동안. 죽기 전.

바를 이르고 돌아가려 하여 하직하니, 왕이 없는 때 교아가 만편정서(滿篇情書)를 부치고, 궁중의 물 같은 보배를 숙모께 보내니, 세월 등이 돌아와 교아의 일생이 영귀함을 고하고, 서간과 보화를 드리니, 유씨 모녀 금은 사랑이 유(類)다른지라. 교아의 음흉함을 차탄(嗟歎) 흠선(欽羨)하여 양비(兩婢)를 당부 왈,

"불출구외(不出口外)하라."

하고, 서간을 본 후 즉시 소화하고, 위태부인께 교아의 개적함을 영영 사색치 않아, 금계로써 대신을 삼으니, 위흉이 비록 궁흉 극악이나 유씨 꾀를 모르고, 금계로써 소유씨로 알아 사랑하고, 금계는 봉관화리(鳳冠花履)의 명부직첩(命婦職牒)을 가져 금루화당(金樓華堂)에 부귀 극하니, 천지께 사례하고 주인의 개적함을 몰라, 산수간에 오유(遨遊)하는 신세를 우습게 여겨, 혜오대,

"우리 소저 주군의 박대를 슬퍼하나, 규문의 자취 불가(佛家)의 무륜(無倫)을 달게 여기니, 측량치 못할 일이로다. 하늘이 나에게 복을 주심이라. 주군이 날을 소저로 알고 종시 박대하나, 나는 병 삼지 않으리라."

의사 이에 미처는 전일 소유씨처럼 울적함이 없어 사기 태연하니, 태부인은 곡절도 모르고 유씨더러 묻되,

"혹자 광천이 소부의 어짊을 알고 대접이 전과 다른가?"

하니, 유씨 탄식 대 왈,

"광천의 질아 박대는 갈수록 태심하니, 근간에 어찌 화(和)하리까마는, 질아가 관대히 생각하여 효봉함이니이다."

태부인이 더욱 자닝히 여겨 어사의 박정을 통완하되, 하릴없어, 유씨 왈,

"정·진 등을 연원정에 가두매 자진키를 바람이거늘, 천흥이 보호하기를 여린 옥같이 하여, 정·진 이녀가 우리를 미워하매 무슨 일을 못하리오. 차라리 정·진 이녀를 정당 누처(陋處)로 옮겨 흉한 의사를 못하

게 하리라."

하고, 세월·비영으로 정·진 이소저를 벽화정에 옮겨 가두라 하니, 비영 등이 연원정에 이르매 정·진 이 소저 누옥에 갇힌 지 팔삭이라. 비록 두루 돌아보는 이 있어 위회(慰懷)하나, 위·유 오히려 어사의 연원정 왕래는 전연(全然)이 모르더라.

정·진 이 소저 비록 남후 등의 우애로 옥중 아사지환(餓死之患)은 면하나, 일기(日氣) 설한(雪寒)에 천금약질이 냉옥 한기를 견디기 어렵되, 숙렬의 철옥심장(鐵玉心腸)과 하해지량(河海之量)으로 참누(慘陋)755)를 물외(物外)에 던지고 살기를 위주 하되, 진소저는 첨약한756) 옥부방신(玉膚芳身)으로 자기 신누(身陋)757)와 불초(不肖)를 슬퍼 실로 유사지심(有死之心)758)하고 무생지기(無生之氣)759)라. 또한 만삭(滿朔)한 가운데 심지(心志) 여러 가지로, 백병(百病)이 교침(交侵)하니 작수(勺水)를 내리지 못하고 종일 신음에 명재조석(命在朝夕)이니, 정숙렬의 관홍비절(寬弘悲絶)760)로 위로(慰勞)하고 구호(救護)하여 피차 의지하여 일월을 보내더니, 홀연 태부인 명으로 벽화정에 옮기를 재촉하니 어찌 거역하리오. 즉시 홍선 등을 거느려 옮고자 하나 진소저 촌보를 옮길 기운이 없는지라. 정숙렬이 참절(慘絶)함을 이기지 못하여 친히 진소저를 붙들어 후원 거친 길로 걸어 나올 새, 그 사이 지지(遲遲)하매 태부인 재촉이 성화 같아서, 세월 비영이 구박하여 가라 하니, 걸음마다 재촉하여

---

755) 참누(慘陋) : 이루 말할 수 없을 정도로 비참하고 더러운 죄명.
756) 첨약하다 : 사람의 기품이 여리고 약하다.
757) 신누(身陋) : 억울하게 자기 몸에 씌워진 더러운 죄명.
758) 유사지심(有死之心) : 오직 죽겠다는 생각뿐임.
759) 무생지기(無生之氣) : 살겠다는 생각이 전혀 없음.
760) 관홍비절(寬弘悲絶) : 더할 나위 없이 큰 슬픔

진소저 엄엄(奄奄)함을[761] 보되 조금도 측은함이 없으니, 이 또 위·유의 포악을 응시하여 난 간흉(姦凶)한 비자(婢子)러라.

정·진 이 소저 겨우 벽화정의 이르매, 삼간초옥(三間草屋)이 황량(荒凉) 누추(陋醜)하여 측[762]함이 연원정에 세 번 더한지라. 홍선 등 비자가 각각 주인을 붙들고 실성체읍 왈,

"이곳은 연원정에서 더욱 누추하되 엄한(嚴寒)을 당하여 지탱할 길이 없는지라. 소비 등은 사생이 불관하거니와, 양위 소저의 천금귀체(千金貴體)로 어찌 보전하시리까?"

숙렬은 시비의 말을 금지하고 진소저는 기운이 엄색(奄塞)하니 명재경각(命在頃刻)이라.

이때 유씨 누상에서 정·진 등의 벽화정에 옴을 보니, 섬요(纖腰) 전과 달라 수태(受胎)하였음을 알지라. 누옥간고(陋獄艱苦)에 오히려 윤가 골육을 끼쳤음을 헤아리매, 더욱 통한하여 빨리 태부인께 고하되,

"첩은 바이[763] 몰랐더니 정·진의 기색이 만삭(滿朔)함이 현저하니, 악종(惡種)이 점점 퍼져 간당의 세(勢)가 태산 같으리니, 정녀는 사광(師曠)의 총명이 있어 백계(百計)를 모책(謀策)해도 서어(齟齬)히 하수(下手)키 어렵거니와, 진녀는 연약하여 위태하니 이때에 죽임이 쉬울지라. 존고는 여차여차하여 진녀를 제 침소로 가게 하소서. 또 정·진 이녀의 죄상이 만사무석(萬死無惜)이로되 관전(寬典)을 드리웠더니, 진녀의 병이 위급하다 하니 특별이 침소로 가 조섭(調攝)하고 회과자책(悔過自責)하라 하소서."

---

761) 엄엄(奄奄)하다 : 숨이 곧 끊어지려 하거나 매우 약한 상태에 있다.

762) 측하다 : 누추하고 음산(陰散)하여 마음에 께름칙한 구석이 있다.

763) 바이 : 아주 전혀.

위노 그대로 하니, 이 소저 명을 듣고 흉모를 짐작하여, 정숙렬이 손을 잡고 가로되,

"존당이 은혜로 현제로 침소로 가게 하시니 유죄무죄 간 누얼이 한심하거늘, 죄명(罪名)을 신설(伸雪)764)치 못하고, 도리에 불가하니 현제 마음이 황구(惶懼)하리로다."

진씨 답지 못하여서, 위태 친히 와 참엄(斬嚴)765)한 노기 사람을 즉살(卽殺)766)할 듯한지라. 진소저 놀람은 이르도 말고 홍선 등이 사갈(蛇蝎)을 만난 듯, 아무리 할 줄 모르더니, 세월 비영 등이 이르러 숙렬을 시비 일인만 주어 벽화정에 가두고, 진씨는 채영각에 떼어놓으니, 숙렬이 진씨의 손을 놓고 홍선으로 더불어 옥의 들 새, 태부인이 침금도 주지 않으니 여러 시아가 동거함을 애걸하되, 위흉이 다 몰아 내치고 문을 잠그고 정당으로 가니, 숙렬은 자기 고초를 슬퍼 않아 진소저를 크게 우려하고, 구할 계교 없어 천도의 살피심을 바랄 뿐이러라. 옥중에 찬바람이 골절(骨節)에 사무치고, 세설(細雪)이 자옥이 쌓이니 한 덩이 얼음이라. 홍선이 떨기를 견디지 못하여 죽을 거동이라. 숙렬이 참연하여 홍선의 손을 잡고 탄 왈,

"네 비록 청의하류(靑衣下類)나 아시로 호치생장(豪侈生長)하여, 이런 참난(慘難)에 날을 좇아 죽을 거동이니, '백인(伯仁)이 유아이새(由我而死)라'767). 네 날로 말미암아 환난 중 좇다가 죽으면 내 너를 죽이나

---

764) 신설(伸雪) : =신원설치(伸冤雪恥). 가슴에 맺힌 원한을 풀어 버리고 창피스러운 일을 씻어 버림.

765) 참엄(斬嚴) : 말, 태도, 규칙, 따위가 무서울 정도로 매우 엄하고 철저함.

766) 즉살(卽殺) : 그 자리에서 바로 죽임.

767) 백인(伯仁)이 유아이새(由我而死)라 : 백인(伯仁; 중국 동진東晋 사람 주의周顗)은 나로 인해 죽었다'는 뜻으로, 직접적으로 사람을 죽이지는 않았지만 죽은 사람에 대해 자신이 적극적으로 구하지 않은 책임이 있음을 안타까워하거

다르랴. 원간 마음을 정한즉 겉이 정하나니, 이같이 진정치 못함이 마음을 잡지 못한 연고라.”

홍선이 소저의 염려함을 민망하여 마음을 단단히 정하고 떨기를 진정하나, 찬바람이 뼈에 사무치니 노주 서로 붙들어 의상으로 가리오고, 깔았던 거적으로 구멍을 막아 잠깐 진정하나, 오직 진소저의 사생을 염려하더라.

어시에 진소저 세월 비영 등의 구박으로 아득한 기운을 겨우 수습하여, 침소에 와 한번 누우매 반생반사(半生半死)하여 눈을 뜨지 못하고, 허한(虛汗)이 무수히 흐르니, 시녀 등이 좌우로 구호하며, 태부인 흥계는 모르고 실로 조병(調病)하라 하민가 깃거하되, 숙렬의 옥리(獄裏) 고초와 한기를 더욱 염려하더라.

숙렬의 모든 비자가 홍선으로 옥중에 한가지로 못 들어가 장신(藏身)할 데가 없어, 소저의 곳에서 생계를 근심하니, 진소저 혼혼 중이나 숙렬을 떠나니 의지를 잃음 같아서, 사세를 헤아리니 살 길이 없는지라. 촌장(寸腸)768)이 사라지더니769), 하·장 이 소저 겨우 틈을 얻어 채영각에 와, 진소저 거동을 보고 탄성(歎聲) 체읍오열(涕泣嗚咽)함을 마지 않으니, 하소저 길이 탄 왈,

“소제 저저(姐姐) 등을 상견코자 함이 헐치 아니하되 마음대로 못하나니 저저가 허물치 않으시려니와, 누월 옥중에 부지(扶持)하심은 남후 거거 등의 우애지덕(友愛之德)이라. 더욱 숙렬 저저의 무상이 여길 바 많으니, 어느 낯으로 저저 등을 보리오.”

나, 어떤 사건에 간접적으로 연관되어 있는 것을 비유적으로 나타낸 말. 「진서(晉書)」 열전(列傳), 주의(周顗) 조(條)에 나오는 말.

768) 촌장(寸腸) : 마디마디의 창자.

769) 사라지다 : 스러지다. 불기운이 약해져서 꺼지다. 불에 타 사라지다.

언파에 상연수루(傷然垂淚)하니, 진소저 만단정회(萬端情懷)를 펴고자
하나, 기색이 엄엄하여 수작을 이루지 못하는지라. 슬픔을 금억(禁抑)치
못하고, 숙렬의 고초를 느끼나 일호 원망함이 없어, 동촉(洞屬)한 성효
가 천지를 감동할 것이로되, 위·유의 포악은 갈수록 더하고, 어사 곤계
(昆季)와 하·장·정·진을 아울러 멸코자 하는지라.

정·진 이 소저는 오히려 옥중 고초를 겪으나, 하·장은 일일 수죄
층가하니, 장소저는 철옥의 견고함으로 능히 견디나, 하소저는 화란여
생(禍亂餘生)으로 기질의 연약함이 버들의 힘없음 같은지라. 이인이 보
채기에 만신이 시진(澌盡)하고, 촌장이 재 되며, 누천리 애각(涯角)에
사친지회(思親之懷)를 이기지 못하니, 점점 화용이 촉루(髑髏)770)되어
우화등선(羽化登仙)할 듯하되, 위·유는 일분 구애함이 있으리오. 직사
의 은정을 엄적(掩迹)하여 일시도 사침의 가지 못하게 하고, 날마다 비
홍을 상고하니, 직사 조모와 양모의 심지 이러함을 보고, 신혼성정(晨昏
省定) 때에 만나나, 남의 부녀를 대함 같이 눈 듦이 없고, 참혹히 보챔
을 추연하나 사색이 단정하니, 유씨 도리어 그 박정을 의아하더라.

유씨 공교한 꾀를 이루고 하·장 이인을 불러 이르되,

"진씨 유죄무죄 간 너의 금장(襟丈)771)이니 정리로 한번 나아가 위문
하고 오라."

하·장 이 소저 존고의 말씀을 의아하나 진소저를 보고자 마음이 급
한 고로, 수명하여 채영각에 가 반기고, 슬픈 회포 무궁하나 긴 설화를
펴지 못하고, 서로 눈물이 흐를 뿐이라. 경아와 세월 비영이 합장 뒤에

---

770) 촉루(髑髏) : 죽은 사람의 살이 썩고 남은 앙상한 뼈. 몹시 여위어 살이 빠진
    사람을 비유적으로 이르는 말. =해골(骸骨).
771) 금장(襟丈) : 동서(同壻). 주로 혼인한 여성이 시아주버니나 시동생 등 남편 형
    제들의 아내들 이르는 말로 쓰인다.

서 엿들으나 한 말을 잡을 모책이 없어, 도리어 무미히 돌아와 하·장·진 삼인의 비애(悲哀)만 전하니, 유씨 소왈,

"요녀 등이 너희가 엿봄을 알고 한담이 없음이라. 이 조각을 타 존고와 네 부친을 혼동하여 진녀를 죽이고, 하·장 이녀로 정·진 양가의 원수 되게 하리라."

경애 웃고 가로되,

"모친 지혜(智慧)는 진유자(陳孺子)772)의 위니, 조모 등이 어이 속지 않으리까?"

유씨 웃고 비영 등으로 두어 가지 옷을 말아 하·장 이소저에게 보내어, 진소저와 정회나 펴며 이 옷을 지었다가, 찾는 때에 바치라 하니, 하·장 이 소저 의려(疑慮) 백출(百出)하되, 임의로 못하여, 채영각에 머물러 별단 묘맥을 그윽이 두려워하나, 심사 안안치 못하더라.

유씨 세월 비영을 개용단을 먹여 하·장 양소저의 얼굴을 비러 독약한 복773)씩 주어 태부인과 추밀께 이리이리 하라 하니, 위태 취침치 않았으매 유씨 경아로 추밀을 청하여 '태부인 요적(寥寂)하심을 위로하고 가소서' 한대, 위흥은 추밀의 수고를 말린즉, 경애 우겨 추밀을 청래(請來)하더니, 문득 하·장 이 소저 홍군취삼(紅裙翠衫)으로 이르러, 안연(晏然) 정좌(正坐)에 문득 추연히 탄식 낙루(落淚)하니, 위흥은 진정 하·장으로 알고 눈을 독히 떠 정성(正聲) 왈,

"오늘 무슨 슬픔이 저토록 하여 내 면전에서 여차 하느뇨?"

하·장이 애읍 유체하니 유씨 왈,

---

772) 진유자(陳孺子) : 진평(陳平). ? - BC178. 중국 한(漢)나라 때 정치가. 한 고조 유방(劉邦)을 도와 여섯 번이나 기발한 꾀를 내, 천하를 평정케 하였다.
773) 복 : 약의 분량을 나타내는 단위. 한 번 먹을 분량을 이른다.

"그대 비록 척비(慽悲)함이 이신들 존전의 여차함이 경근지례(敬謹之禮) 아니라, 아지못게라! 무슨 사고 잇느뇨?"

하·장이 주루(珠淚)를 드리워 가로되,

"소첩 등이 입문 기년(幾年)에 존당 구고 양춘 혜택을 입사와 천만세(千萬歲)를 갈진성효(竭盡誠孝)하와 모실까 하였사옵더니, 오늘 흉인의 광패지설(狂悖之說)이 산비(山卑)774)하와 아무리 할 줄 모르옵나니, 소첩이 화란지제(禍亂之際)에 죽음이 반듯하거늘, 평남후의 구활지덕(救活之德)으로 일명이 보전하고, 양부모 은양지정(恩養之情)으로 동포골육(同胞骨肉) 같사오니, 소첩 등이 차마 정·진의 말을 내어 죄 위에 죄를 더으리까마는, 일이 중대코 흉참하와 시러곰775) 아뢰나이다. 소첩이 진형을 보오니 누월 옥리의 고초로 위악한 거동을 보고, 비창(悲愴)하옵더니, 진형이 문득 독약 두 봉을 주며 당부하되, 이 약을 사람을 먹인즉, 즉사치 않아 여러 일월에 장부(臟腑) 스러지고 일신에 창괴(瘡塊)776) 성하여 필경은 칠규(七竅)로 피를 흘리고 죽나니, 비밀히 하여 존당 숙당의 쓰면 옥리(獄裏) 곤욕을 설한(雪寒)하고 대사를 계교하리라 하옵거늘, 소첩 등이 송구하와 급히 오니이다."

장씨 이어 가로되,

"이런 무근지설(無根之說)을 허무하기에 이르도록 하리요."

하며, 품 사이로 좇아 약봉을 내어 놓으니, 추밀이 전 같으면 어찌 의심하리오마는, 요약에 잠겨 위·유의 지휘대로만 하니, 태부인이 불량한 눈을 홀난(惚亂)이 떠 혼동 왈,

---

774) 산비(山卑) : '태산이 오히려 낮다.'는 말로, 어떤 것이 태산보다도 높고 큰 것을 비유적으로 표현한 말. ≒산비해박(山卑海薄).

775) 시러곰 : 능히. 하여금. 이에.

776) 창괴(瘡塊) : 종기 따위로 생긴 고름 덩어리. ≒농괴(膿塊).

"정·진 이녀가 백악이 구비하여, 생각 밖 모계(謀計)로 윤가를 멸하고 음분(淫奔)하려 함이라. 광천을 불러 약을 뵈고 물시(勿施)치 말라."

유씨 손벽치며 발악 왈,

"두 요괴 년이 간부로 우리를 해코자 하다가 발각 나 가둠이 관전(寬典)을 씀이거늘, 도리어 독약으로 사람을 가르쳐 우리 존고 모자를 멸코자 하니, 요악함이 매달(妹妲)777)에 지난지라. 비록 금평후와 낙양후의 안면을 구애(拘碍)하나, 금일 일은 사치 못하리라."

이인이 일어서 가로되,

"숙숙이 차사를 들으시매 정·진은 무죄하고, 우리로 무근지설(無根之說)을 한다 하리니, 구태여 우리 이르더라 마소서."

언파의 물러가니, 추밀의 효순함으로 하·장의 형상을 목도하매, 경탄(驚歎) 왈,

"소자 사친지도(事親之道)가 불경불엄(不敬不嚴)하와, 정·진을 다스리지 못한 연고로, 새로이 강상(綱常)을 범함이 한심하나, 정·진의 소행이 적실(的實)한즉 죄당주륙(罪當誅戮)이니, 남이 알까 두렵소이다."

태부인이 분분(紛紛)히778) 대로 왈,

"정·진 이녀를 벌써 죽여 없이 할 것을, 그 부형의 안면을 보아 사(赦)하여 요녀의 작변이 종종(種種)한지라. 네 정·진을 그저 둔즉 노모 다스리리라."

추밀이 울울불락 왈,

"저의 악사 전후 사죄(死罪)오나, 실로 정윤보의 안면을 아니 보지 못

---

777) 매달(妹妲) : 중국 하(夏)의 마지막 황제 걸(桀)의 비(妃)인 매희(妹喜)와 주(周)의 마지막 황제 주(紂)의 비(妃) 달기(妲己)를 함께 이르는 말. 둘 다 포악한 여성의 대표적 인물로 꼽힌다.

778) 분분(紛紛)히 : 떠들썩하고 뒤숭숭하게.

할 것이요, 사서(士庶)에 전파할수록 가사(家事)가 더 수치하온지라, 의논하여 다스리로소이다."

위흉이 우레 같은 소리로 어사를 부르니, 어사 곤계 혼정 후 백화헌에서 새끼 꼬아 태모의 찾기를 등대하나, 융동(隆冬)에 소공(所供)[779]이 부실(不實)하여 거친 재강[780]과 속죽(粟粥)[781]을 우마(牛馬)나 먹을 것을 주고, 일호(一毫) 기인즉, 식상을 점고하여 비자를 중치하고, 식반인즉 반드시 얼음 되기를 기다려 올리고, 백화헌에 한 가지 불을 넣지 않으니, 방이 빙산(氷山) 같아서 직사의 병이 점점 더하니, 어사 우려하여 환약(丸藥)으로 구호하나, 토혈증(吐血症)이 더하고 시진(澌盡)할[782] 듯하니, 이날도 회포 간고하여 꼬던 새끼를 놓고, 어사 직사의 손을 주물러 자기 일신 아픈 것보다 더하여 슬피 탄식하더니, 시녀의 명으로 부르니, 무슨 사고 있음을 짐작하고, 의관을 정히 하여 경희전에 들어가니, 위흉이 사창을 열치고 손뼉을 두드려 고성 분노 왈,

"광천 불초는 요괴로운 정·진 이녀를 숙녀로 알아, 연원정에 가둠을 원망하고 노모를 구수(仇讐)같이 하니, 행악이 점점 더하여 독약을 가져 우리 모자를 죽이고, 유현부를 죽이려 동심 모의하니, 차사가 조금도 희미한바 아니요, 강악(强惡)이 길어졌으니 분명이 다스리지 못할다?"

인하여 두 봉 약쌈을 뵈며 정·진을 죽이고자 하는 거동이 독사 같은지라. 어사 조모의 말을 듣기를 채 못하여서 만심이 차악하여, 정·진이 소저 위한 정이 비상하고 하·장 등이 약변(藥變)을 주(奏)할 재 아닌 줄 알고, 가변을 차탄하며, 정·진의 팔자를 탄하고, 분산(分産)이

---

779) 소공(所供) : 물건이나 음식 따위를 줌.
780) 재강 : 술을 거르고 남은 찌끼. 늑술비지·술재강·술찌끼.
781) 속죽(粟粥) : 조를 넣어 쑨 죽.
782) 시진(澌盡)하다 : 기운이 빠져 죽을 듯하다.

무사치 못할까, 여러 가지 회포 심내 요요(擾擾)한지라. 면관 청죄하여, 정·진의 죄 주륙이 당연하오나, 공후의 여아요, 명사(命士)[783]의 정실이니, 일을 종용이 사실(查實)하고, 적실히 살핀 후 죽여 타인의 비소(誹笑)와 윤·정·진·하·장 오가(五家)에 요란한 시비 없게 함을 고하고, 어느 곳에서 진씨 독약을 주며, 흉계를 모의한고 물으니, 위흉이 분노 막힐 듯하며, 유씨 혀 차고 이르대,

"정·진 등의 행사는 절절(節節)이[784] 분함은 이르지도 말고, 명가여자 그대도록 흉참할 줄 알리오. 연원정 비자의 말을 들으니 만삭중(滿朔中)이라. 존고 진씨의 병세 비경(非輕)함을 들으시고, 존당이 채영각에 옮기시니, 진씨 괴이한 약을 가져 여차여차 하더라 하니, 존고의 진노하심이니라."

어사 숙모의 말로 좇아 연원정 옮기미 계교임을 지기하고, 사기(事機) 구할 계교 없음을 차석하여, 숙녀 철부를 아깝게 마침을 차석(嗟惜)하더니, 추밀 왈,

"전일 정·진이 무고지사(誣告之事)로 존당을 해코자 한 죄 만사무석(萬死無惜)이로되, 오히려 귀신의 조화 같아서 혹자 애매한가 하더니, 오늘 독약을 가져 흉계를 쓰니, 하·장도 인심이라 크게 놀랍게 여겨 이렇듯 하니, 죄악이 관영(貫盈)한지라. 진씨 만일 독약을 주지 않았으면, 하·장이 어찌 일분이나 허언으로 정·진을 해하고, 골육동기(骨肉同氣) 같던 의를 상하리오. 금번 사(事)는 물시(勿施)치 못할 것이요, 그저 묻어 두지 못할 것이니, 비록 법부에 고장은 않으나, 정·진 양공을 청하여 각각 그 죄를 이르고, 하·장의 독약 말을 일러 종용이 사상(死喪)

---

783) 명사(命士) : 관작(官爵)을 받은 선비.
784) 절절(節節)이 : 마디마디마다.

함이 옳을까 하노라.”

어사 계부의 논을 들으니 더욱 한심 경해하여, 다만 차악할 뿐이요, 계부의 불명을 크게 슬퍼 추연하니, 위흥이 앉을락 누울락 하며 눈을 부릅뜨고 통흉(痛胸)하여, 좌우 시아로 채영각에 가 진소저를 잡아 오라 하니, 추밀 왈,

“매양 차녀의 죄를 묻어 둘 길 없으니 이공을 청하여 처결(處決)할지라 모친은 과도히 노(怒)치 마소서.”

태부인이 대로 왈,

“네 비록 진광과 정연을 청하나, 정천흥 염치없는 놈이 사정으로 인하여 제 누의를 칭원(稱冤)하니, 반드시 너를 한하고 저를 애매함으로 미루어 일명을 용서하기를 구하리니, 네 강단이 없어 그놈들의 말을 곧이 들을지라. 노모 스스로 처치하리니 너는 구태여 아른 체 말라”

추밀이 요약을 먹은 후 심정이 아득 무식하고, 벌써 두 눈이 감겨 앉았으니, 유씨 직사를 불러,

“추밀을 모셔 해춘누의 가 쉬게 하라.”

하니, 직사 내루의 온즉, 형의 대죄함과 조모의 거동이 괴이하되 감히 묻지 못하고, 바삐 야야를 붙들어 해춘루로 올 새, 추밀이 희미히 모친께 고 왈,

“날이 밝은 후 정·진의 죄를 그 부형과 의논할 것이니 밤은 그만 두소서.”

하고, 인하여 어사더러 ‘부질없이 대죄치 말라’ 하고, 침전으로 돌아가니, 직사 요석(褥席)785)을 바로하고, 병장(屛帳)을 두른 후 경희전으

---

785) 요석(-席) : 궁중에서 ‘요’를 이르던 말. 요; 침구의 하나. 사람이 앉거나 누울 때 바닥에 깐다.

로 나오니, 바야흐로 유씨 위흉을 도도아 진씨를 죽이려 결단하였는지라. 위흉의 시험함이 엄동 극한을 돌아보지 않고, 친히 청사의 나앉아 난간을 두드리며 진씨를 잡아 들이라 재촉하니, 어사 꾸러 애걸하고 기운이 손상함을 고한대, 태흉이 질왈,

"너 같은 불초자는 한미 시살하는 진녀를 두호하는다? 동모하여 날을 죽이라 부촉함이라."

하니, 직사 조모의 말을 들으매 더욱 한심하여, 하·장으로 진씨의 죄 층가(層加)함을 더욱 차악하나, 하·장 이인의 위인이 결단코 허언으로 진씨를 모해치 않을 것이요, 진씨 강상대죄를 범할 리는 만무한지라. 벌써 개용단으로 하·장의 얼굴을 빌어 진씨 해함을 명명이 지기하되, 조모의 형색이 진씨를 죽이고야 말려 하는지라. 가변을 망극하여 읍간(泣諫)코자 하더니, 문득 진소저 모든 시녀에게 붙들려 엄엄(奄奄)한 형색으로 계하(階下)에 다다르니, 직사 몸을 일어 맞아 멀리 서 있는지라. 태흉이 계전에 불을 난만(爛漫)이 켜고, 흉목으로 진씨를 보건대, 백년(白蓮) 용안(容顔)에 흐트러진 머리, 기려한 태도와 묘묘한 기질이 승절(勝絶)하여, 혈기 감하였으니 수정으로 새긴 듯, 시름하는 아미(蛾眉) 일만수기(一萬愁氣)786)를 띠었으니, 효성쌍안(曉星雙眼)에 어른거리는787) 색태, 한 조각 비박(鄙薄)함이 없으니, 음일흉사(淫佚凶邪)는 이르지도 말고, 추호(秋毫) 부정지사(不貞之事) 있다 함은, 천인(千人)이 보아도 만만(萬萬) 몽외(夢外)라. 누월 옥중 고초에 만삭하였으니, 여러 가지 증후(症候)가 위황(危慌)하여 즉각에 죽을 듯하니, 석목간장(石木肝腸)이라도 진소저 거동을 볼진대 자닝할 것이로되, 위·유의 간흉은

---

786) 일만수기(一萬愁氣) : 일만 가지나 되는 근심.
787) 어른거리다 : 어른어른하다. 눈부시다.

무한히 사나워, 서릇어788) 없애기만 죄오니, 수죄(數罪) 왈,

"요인이 초에 정녀로 우리 모자를 무고히 해코자 함은 주륙을 당함이 옳거늘, 관전을 드리워 일명을 꾸였더니789), 만삭함을 듣고 옥리에 분산함을 측은히 여겨 가까이 옮겨 분산코자 하였더니, 난망지은(難忘之恩)을 생각지 않고, 도리어 불측한 흉사로 독약을 가져 우리를 죽이려 '여차여차 하더라' 하니, 아지못게라! 우리 모자 요괴 년으로 무슨 원수관대 이리 해코자 하느뇨?"

하고, 약 쌈을 놓고, 보라 하니, 소저 아예790) 채영각에 옮을 제 변괴 날 줄은 뜻하였으나, 하룻밤을 지내지 않아 하·장 양인을 만나 반기는 정을 펴지 못하여서, 이런 변고를 만나니, 자기 실 같은 일명을 일각에 마치게 할 줄은 모르지 않았으나, 참연 비절한 바는, 분산치 못하고, 죄명을 신설치 못하여 죽음이, 천년이 가도 불멸(不滅)할 슬픔이라. 자기 팔자 갖추 험난하여 천고누덕(千古陋德)을 당하니, 명도(命途)를 탄하나 흩어진 정신을 정하여, 청죄 왈,

"소첩이 윤문의 입승하와 존당 제인께 한 일도 믿으심을 어찌 못하다가, 천고에 없는 변란으로 천일지하(天日之下)에 서지 못할 죄인이 되어, 구구히 투생하옵더니, 천만 생각 밖 죄명을 당하오니, 이것이 다, 첩의 불초한 죄라, 누구를 한하리까마는, 하·장 이인이 첩의 곳의 이르러 일야를 지내지 못하고, 정회를 펴지 못하는 중, 한 때 떠남이 없사와 옷을 그저 짓던 바니, 첩이 비록 독약으로 궁흉한 계교를 지휘한들 분신(分身)하는 술이 없는 후는, 미처 정당에 이르지 못하리니, 하·장을 불

---

788) 서릇다 : 거두어 치우다. 정리하다. 없애다. 죽이다.
789) 꾸이다 : 남에게 다음에 받기로 하고 돈이나 물건 따위를 빌려 주다.
790) 아예 : 일시적이거나 부분적이 아니라 전적으로. 또는 순전하게.

러 대면하시어, 첩이 당당이 범죄함이 있은즉 어찌 살기를 바라리까?"

옥성낭음(玉聲朗音)이 경열(哽咽)하여 극한빙설(極寒氷雪)에 촉풍(觸風)[791]이 자옥하니, 어사는 진소저 거동을 보매 비록 장부웅심이나 애상참연(哀傷慘然)함이 자기 몸으로 대하고자 하고, 직사는 십분과려(十分過慮)[792]하여 조모께 애걸 왈,

"진수(嫂)의 말로 보건대, 하·장 이인이 채영각을 떠남이 없사오니, 일로 보건대 애매한가 하나이다. 더욱 진수의 현효함이 이런 흉계는 않을 듯하오니, 반드시 하·장 등이 수수를 잡음[793]인가 하니, 하·장을 엄치(嚴治)하고 수수를 다스리소서. 하물며 환후 위중한데다 수태(受胎) 만삭이니, 십악대죄(十惡大罪)[794]라도 분산 전은 관전을 드리우나이다."

태고(太姑)[795] 더욱 대로 왈,

"광천이 모의하고 우리 모자를 해코자 하거늘, 너조차 하·장을 의심하고, 동심하여 우리를 해하고 진녀를 구코자 하나, 맹세하여 듣지 않으리로다."

언파의 노기 등등하니, 어사는 말이 나지 않아 머리를 숙이고, 직사는 추연장탄(惆然長歎)에 누수여우(淚水如雨)하여 왈,

"소손이 비록 성효 천박한들 이리 흉참한 의사로 천지간 죄인이 되리까? 태모 의심이 너무 심하시니 가변을 슬퍼하나이다."

---

791) 촉풍(觸風) : 찬바람을 쐼. 또는 몸에 쏘이는 찬바람.
792) 십분과려(十分過慮) : 매우 과도하게 염려함.
793) 잡다 : 여기서는 '죽이다'의 뜻.
794) 십악대죄(十惡大罪) : 조선 시대에, 대명률(大明律)에 정한 열 가지 큰 죄. 모반죄(謀反罪), 모대역죄(謀大逆罪), 모반죄(謀叛罪), 악역죄(惡逆罪), 부도죄(不道罪), 대불경죄(大不敬罪), 불효죄(不孝罪), 불목죄(不睦罪), 불의죄(不義罪), 내란죄(內亂罪)를 이른다.
795) 태고(太姑) : 태부인(太夫人)을 달리 이른 말.

태흥이 대로하여 친히 철편을 들고 나리다라 직사를 짓두드리니, 직사 애걸 왈,

"태모 소손을 죽이실지라도 반드시 법대로 치실지니, 몸소 잇비[796] 마시고, 진수의 애매함을 밝혀 요인을 다스리소서."

태흥이 직사의 운고[797]를 풀어헤쳐 손에 감고, 설상에 굴리며 머리부터 내리 두드리니, 흉패한 거동이 고대 사람을 죽일 거동이니, 어사 참지 못하여 빌어 왈,

"정·진의 죄 분산 후 죽여도 마땅하거늘, 희제는 무죄한데 심한 설상에 몸소 잇비 하시리까? 원컨대 식노(息怒)하소서."

직사 토혈하며 엄색(奄塞)하니, 어사 붙들어 서재에 가려더니, 태흥이 직사는 나가고 어사는 있으라 하니, 어사 마지못하여 당하에 서있더니, 차시 하·장 이소저 진씨의 잡혀감을 보고 망측한 변괴 있음을 짐작하고 놀랍고 차악하여, 진소저 뒤를 좇아오더니, 태흥의 거동이 흉측히 날치는지라. 정신이 아득하여 눈물을 흘리고 가만히 탄식 왈,

"정·진으로 골육 동기 같거늘, 다시 그 위인이 족히 군자 숙녀의 스승이라. 어찌 이런 변고를 당하는고!"

하고, 태흥이 청상에 오른 후, 잠이(簪珥)를 빼고 청죄하니, 위태 하·장을 미워함이 구수(仇讐) 같은지라. 문득 꾸짖어 물으니,

하·장이 청죄 왈,

"소첩 등이 혼정 후 존당에 그림자도 아니 옴은 진형의 아는 바로, 여차 괴변이 나오니, 천하에 바꿀 수 없는 것은 그 용모이거늘, 소첩 등을

---

796) 잇브다 : '고단하다'의 옛말.
797) 운고 : 운(雲)고. 구름 같이 곱게 튼 상투. *고 : 상투를 틀 때 머리털을 고리 처럼 되도록 감아 넘긴 것. ≒상투.

죽이시나 사양치 않으리이다.”

태흥이 지흉(至凶)할지언정, 유씨의 영오하기는 믿지 못하니, 하·장의 침중 단일함을 크게 의혹하여, 세월 비영 등이 개용단을 먹고 저지른 줄은 몰라, 양비(攘臂)[798] 대매(大罵) 왈,

“너의 요괴로움은 진녀보다 더하도다. 반드시 광천에게 미움을 받을까 두려함이냐? 진녀를 다스린 후 여등의 죄를 더하리라.”

유씨 양안을 독히 떠 하·장 이인을 숙시(熟視)타가 정색 노왈,

“네 처음과 나중을 각각 하여 꾸밈이 여차 하뇨? 그대 채영각에서 움직임이 없은즉, 아까 독약을 가지고 존전에 여차여차 한 자는 그 뉘란 말고? 광천을 두려 요악히 발명하나, 처치는 그저 아니 있으리라.”

하니, 하·장이 어이없어 척연 수루(垂淚)하고, 다만 청죄 뿐이라.

태흥이 하·장을 즐퇴(叱退) 하되, 하·장 이소저 진씨의 원억함을 폭백하고, 진씨와 같이 죄를 당코자 애걸하니, 능히 계교 없어 착급하더니, 태흥이 건장한 시노를 가려 진소저를 붙들어 중계에 세우고, 머리를 풀어 헤쳐 손에 쥐고 난두에 매달라 하니, 진소저 벌써 만신이 저리고 정신이 혼미한지라. 하·장 이소저 애걸하여 만삭 중 치죄(治罪) 않기를 고한즉, 태흥이 분노하여 유씨를 돌아보아,

“요녀들이 이리 성당하여 구하니, 하·장 이녀를 협실의 가도고, 진녀를 처치한 후 또 다스리리라.”

유씨 승명하여 하·장을 협실에 가두고, 태흥이 진씨의 운발을 난두(欄頭)의 매어 달고, 철편을 어사를 주어 집장(執杖)하여 죽이라 하니, 어사 이 경상을 목도하여 조모의 흉패지설을 들으니, 어이없어 소저의 참혹한 거동을 대하여 철석간장이라도 녹을지라. 어찌 집장할 뜻이 있

---

798) 양비(攘臂) : 소매를 걷어 올림.

으리오. 낯빛을 고치고 절하여 고하되,

"진씨의 죄는 만사무석이오나, 복중에 윤가의 골육을 끼쳐 만월 하였으니, 잉부는 사죄라도 그 분산 전은 다스리지 않아, 국가 중수(重囚)라도 그 낳기를 기다려 다스리옵나니, 조모는 성한 노를 늦추사, 그 분산 후 죽이심이 가할까 하나이다. 소손이 추호도 정·진 등을 아낌이 아니오니, 분산 후 저의 죄상이 적실할진대, 한 그릇 짐수(鴆水)[799]로 죽이심이 옳사오니, 어찌 장하(杖下)에 마치며, 구태여 소손으로써 집장하라 하시나니까?"

위태 어사의 말을 듣고 대로대분(大怒大憤)하여 칼을 들어 난간을 두드리며 통곡 왈,

"흉한 놈이 정·진 이녀와 동심 합력하여 날을 죽이려 하는 심용(心用)이라."

하며 방성통곡하니, 어사 차경을 목도하니, 한심 차악하여 차라리 대치 말 것이라 하여 묵묵무언이러니, 위흉이 또 이르대,

"정·진 이녀가 날을 죽이려 도모하나, 아직 저희의 해를 입지 않았으되, 수의 부부와 노모 어느 때 독수(毒手)를 만날 줄 알리오. 다스리는 도리 없는 즉 요녀들이 윤가를 아주 멸망하리라."

하더라.

---

799) 짐수(鴆水) : 짐독(鴆毒)을 섞은 물. 짐독(鴆毒); 짐새의 깃에 있는 맹렬한 독. 짐새(鴆-); 중국 남방 광둥(廣東)에서 사는, 독이 있는 새로 몸의 길이는 21~25cm이며, 뱀을 잡아먹는데, 온몸에 독이 있어 배설물이나 깃이 잠긴 음식물을 먹으면 즉사한다고 한다.

명주보월빙 권지이십팔

어시에 위태부인이 어사의 집장 않으려 함을 보고, 대로 대분하여 칼을 빼어 손의 들고 청사를 두드리며, 통곡 왈,

"흉한 놈이 정·진 요녀와 동심하여 날을 죽이려 하니, 내 어찌 저희 손에 죽으리오. 쾌히 한 칼에 목숨을 마쳐, 광천 부부의 마음을 즐겁게 하리라."

하고, 언파의 짐짓 가슴을 지르려 하니, 어사 황황망극(遑遑罔極)[800] 하여 청상(廳上)의 치달아 칼을 앗으려 하니, 부인이 칼자루를 잡고 거짓 죽으려 하는 형상을 하고, 어사는 날을 잡아 체읍행류(涕泣行流)[801] 왈,

"소손이 비록 불초 무상하오나, 어찌 정·진 등과 동심하와 태모를 해할 의사 있으리까? 소손이 진씨를 아끼는 일이 아니라, 골육을 생산치 못하고 죽임이 있은즉, 윤씨의 골육이 불인(不仁)한 어미로 말미암아 세상의 나지 못하고 마침이 참연하고, 법전이 간부(姦夫) 음통(陰通)하여 유태(有胎)한 자식이라도, 십삭(十朔)이 차기를 기다려, 분산 후 늎(律)을 행하옵나니, 대모 생각지 않으시고, 소손을 증분(憎憤)하시어 이런 망극한 거조를 행하시나니까?"

위태 진력하여 칼을 앗아 가슴을 지르려 분분이 서두는 체하니, 어사 칼을 두 손으로 붙들어 막으려 할 제, 날랜 칼히 어사의 십지(十指) 옥수를 상해와 붉은 피 돌저802) 흐르되, 위태 심중에 쟁그라이803) 여기고 조금도 놀라지 않으니, 유씨 비로소 태부인 쥔 칼을 빼고 어사를 대하여, 정색 책왈,

"인자(人子)804)가 존당 명을 수화(水火)라도 거스르지 않음이 옳거늘, 진씨 분산 전에 처치함이 불가하나, 존고 한번 뜻을 정하시면 고치지 않는 줄 네 또 모르지 않으리니, 어찌 존명을 받들지 아니하여, 이런 망극한 거조를 하시게 하리오."

어사 숙모의 요악한 거동을 보면 아니꼽기를 이기지 못하니, 자기 입을 연즉 과격한 성도를 참지 못하니, 차라리 대답지 않으려 묵묵무언이라. 태부인이 익익대곡(益益大哭)805) 왈,

"이제 만일 진녀를 죽이지 않아 죄를 물시하고 다스리지 않으면, 윤가를 아주 멸망하리니, 나의 처치 너무 준급하나, 기실은 장래를 깊이 염려함이라. 광천이 진실로 내 말을 듣지 않아 집장을 어려이 여기면, 내 스스로 죽어 참화를 보지 않으리라."

어사 조모의 마음이 자기 집장하여 진씨를 죽이지 않은즉, 태부인이 죽기를 그음하여, 망극한 거조를 고칠 리 없으니, 차라리 정·진 등을 죽여 저버린 사람이 될지언정, 조모의 자문(自刎)하는 변괴는 없게 하려하여, 추연 탄식하고, 태부인께 고 왈,

"소손이 집장하여 진씨를 죽이려니와, 골육이 세상의 나지 못하고 사

---

802) 돌지다 : 도랑지다. 물 따위가 도랑을 이루어 흐르다. *돌; '도랑'의 옛말.
803) 쟁그랍다 : 남의 실패를 시원하게 여기며 고소해하다.
804) 인자(人子) : 사람의 자식. 또는 누군가의 아들이 된 사람.
805) 익익대곡(益益大哭) : 더욱 더 크게 욺.

오나온806) 어미의 죄로 인하여 복중에서 스러지게 되오니, 참연하오나 태모의 거조가 인자의 차마 보지 못할 바라, 이만 쉬운 일을 어찌 만홀 하리까?"

태고(太姑)가 가장 깃거, 즉시 시녀로 진씨의 얼굴을 가리우고, 금의 (錦衣)와 나상(羅裳)을 추어올려 옥각(玉脚)을 들어내매, 어사 이미 마음을 굳게 잡아, 스스로 오기(吳起)807) 같은 사람 되기를 기약하고, 철편을 들어 조모의 호령을 준봉하니. 매 끝이 닿는 곳마다 붉은 피 낭자하게 흐르되, 진소저 반생반사 중이나, 뜻 잡기를 생철같이 하여 일성을 부동하니, 태고(太姑)가 매매마다 고찰할 뿐 아니라, 어사 본디 구정을 가벼이 여기는 용력이 있음으로, 무심히 매를 드는 바에 타인의 진력하여 치는 것에 지난지라. 수십장에 미처는 소저의 옥각이 칼로 썰며 창으로 쑤신 듯, 한 조각 성한 곳이 없으나, 소저 몸을 움직임이 없이 매여 달렸더니, 문득 두어 번 느끼는 소리에 인하여 엄홀(奄忽)하니, 좌우 시녀 양낭의 무리 위·유의 심복이 아닌 후는, 소저를 위하여 참연함을 형상치 못하여 눈물을 흘리되, 위흉과 유씨 모녀 조금도 측은함이 없어, 경아는 연신 웃고, 왈,

"사람이 천일지하(天日之下)의 차마 못할 노릇을 하고 부귀를 누리기를 기약하니, 하늘이 높으시나 살피심은 소소(昭昭)한지라, 이미 독약을 정씨 얻어 내다 하니, 전후 간상을 직고함이 옳거늘, 스스로 독당하여

---

806) 사오납다 : 나쁘다. 열등하다.
807) 오기(吳起) : B.C.440~B.C.381. 중국 전국 시대(戰國時代)의 병법가(兵法家). '오기살처(吳起殺妻)'의 고사로 유명하다. 즉, 오기가 노(魯)나라에서 관직생활을 하던 때, 제(齊)나라가 침공해오자, 노나라가 그를 장수로 임명하여 제를 막게 하려다가, 그의 처(妻)가 제나라 사람인 것을 알고 임명을 주저하자, 처를 죽이고 노나라 장수가 되어 제를 무찌른 일이 있다. 저서에 병법서 ≪오자(吳子)≫가 있다.

장책을 받을지언정 동류(同類)에게 미룸이 없으니, 과연 모질고 이상한 별종(別種)이로다.”

태고가 매를 더할 적마다 전후 말을 바로 이르라 하되, 진씨 일언을 부답하니, 유씨 세월로 하여금 죽었는가 보라 하니, 세월이 나아가 가리온 보(褓)를 들고 살핀즉, 이미 인사를 버리고 만신이 얼음 같아졌으니, 생도 없는지라. 이에 죽었음을 고한데, 태고 그 쉬이 마침을 시원하여, 유씨로 촉을 잡히고 난두에 나와 그 죽음이 적실한가 보니, 진소저 옥면이 찬 재 같고, 만신이 얼음 같아서 희미한 소리도 없이 완연한 주검이라.

태고 소왈,

“이만하면 죽을 년이 그대도록 요약하여, 간계를 도모함이 궁극하기에 미치니, 생각할수록 분해한지라. 이제는 진녀를 죽였으니 정녀를 마저 죽여 걸린 한이 없게 하리라.”

유녀, 정소저는 각별 다른 계교로 죽이려 함으로, 이에 풀어 왈,

“정씨의 죄관즉, 천살무석(千殺無惜)이거니와, 진씨 입을 열지 않았으니, 아직 그만하여 두소서.”

위흉이 유녀의 말인즉 아니 듣는 말이 없는 고로 그리 여기고, 진씨의 시신을 끌어 내치려 하니, 유녀 ‘진씨 채 죽지 않았는가?’ 의심하여 이르되,

“진씨의 시신을 아직 채영각에 두었다가, 다시 생환함이 있는가 보아, 명일 진가로 보내소서.”

위태 옳이 여겨 세월 비영으로 진씨의 시신을 끌고 채영각에 가 지키다가, 다시 소생함이 있는가 보라.

어사 비로소 철편을 던지고 눈을 들어 진씨를 보니, 완연한 시신이라. 통절비창(痛切悲愴)808) 함이 일만 창검이 일신을 지르는 듯하니, 자기 손으로 옥인을 마침이 미사지전(未死之前)에 잊기 어려울 바로되, 진씨

의 상모가 결단코 이칠청년(二七靑年)809)에 누설(縲絏)810) 중 참사(慘
死)할 박복상(薄福相)이 아니요, 향복다남자(享福多男子)811)할 귀격(貴
格)이라. 일시 엄홀하였으나, 아주 죽든 않았는가. 일분 믿음이 있어,
소저의 유랑 시녀를 불러 왈,

"네 주인이 새도록 깨지 못하여 아주 죽거든, 효신에 모셔 진부로 돌
아가라."

유랑 시녀 등이 멀리서 어사가 집장하여 소저의 혈육이 상함을 보매,
심신이 미어지는 듯하더니, 소저 아주 운명함을 일러 진부로 돌아가라
함을 듣고, 망극 통원(痛寃)하여 체읍 수명하고, 일시에 소저를 붙들어
채영각에 돌아가니, 어사 참절비통하나 안색을 강인하여 태부인 취침하
심을 청하고, 밖으로 나가니, 유녀 경아를 돌아보고, 소왈,

"광천의 세차고 굳음이 천금미처(千金美妻)를 제 손으로 두드려 절명
함을 보되, 존고를 원망치 않고 사색이 태연자약(泰然自若)하여 비척하
는 바 없으니, 이러함을 볼 적마다 나의 근심이 더욱 깊음은, 가벼이 해
하기 어려움이라. 그 역량(力量)이 창해(蒼海) 같고, 백사(百事) 다 신능
(神能)하여 사람이 미칠 바 아니니, 조씨와 숙숙의 생한바 하나도 용상
(庸常)치 않으니, 가히 통한치 않으랴."

경애 또한 어사의 어려움을 일컫고, 태흉이 유녀더러, 왈,

"하 · 장 이녀가 처음 진녀의 죄를 묻지 않아 일일이 이르고, 아까는
그리 떼침은 어찌오? 가히 요악치 않으랴?"

유녀 웃고, 세월 비영으로 하 · 장의 얼굴이 되어 혼동함을 고하니, 위

---

808) 통절비창(痛切悲愴) : 뼈에 사무치도록 슬픔.
809) 이칠청년(二七靑年) : 열네 살의 젊은 나이.
810) 누설(縲絏) : 포승줄로 묶음. 감옥살이를 함.
811) 향복다남자(享福多男子) : 여러 아들을 두고 복을 누림.

노 칭찬 왈,

"현부의 신기묘책이 진유자(陳孺子)[812]의 위라. 어찌 광천의 형제와 정·하·장 삼녀를 없애지 못할까 근심하리오."

하더라.

유녀 야심함으로 경아로 더불어 각각 침소로 돌아가고, 태흉도 취침하니라.

어사 백화헌의 나오니, 직사 바야흐로 막힌 것이 깨었거늘, 어사 집수 왈,

"적상(積傷)한 병이 깁거늘, 부질없이 촉범하여 책벌(責罰)을 받자오니, 어찌 혈육이 상함을 생각지 않았느뇨?"

직사 바삐 일어나 앉아 물어 왈,

"진수 아직 보전하시니까?"

어사 탄 왈,

"우형이 진씨를 분산(分産)까지나 살리고자 하여 말씀을 아뢰었더니, 뜻을 이루든 못하고 일장 분노를 도도아, 발검(拔劍) 자문(自刎)하고자 하시니, 가변이 이에 미친 후는 처자를 어찌 아끼리오. 명령을 순수(順受)하여 진씨를 아까 철편으로 처 죽이고 나왔나니, 그 죄명이 애매함은 백옥무하(白玉無瑕)함을 모르지 아니하나, 대모 매양 정·진으로써 심려를 많이 허비하시니, 이제 진씨는 마쳤거니와, 정씨를 마저 죽이라 하시면, 사양치 않고 박살하여 대모의 뜻을 영합하고, 내 또 세상을 하직하여 가변의 흉참함을 보지 말고자 하되, 차마 못함은 자위를 저버리옵지 못함이라. 자정이 천만 비회를 관억하시어, 여러 세월에 한없는 곡경

---

812) 진유자(陳孺子) : 진평(陳平). 중국 한(漢)나라 때 정치가. 한 고조 유방(劉邦) 을 도와 여섯 번이나 기발한 꾀를 내, 천하를 평정케 하였다.

을 견디심은 우리 형제를 위함이시거늘, 아등은 자정의 참절하신 정사를 돌아보지 않고, 지레 죽기를 구하니, 불효 죄인이 될 뿐 아니라, 조선 향화를 영(領)할813) 이 없으니, 이로써 목숨을 끊지 못하나, 너와 내한 차례 대변을 당하여, 불효중죄(不孝重罪)에 걸림을 면치 못하리라."

직사 문파(聞罷)에 면색이 여토(如土)하고 봉안에 청루(淸淚) 삼삼하여 왈,

"아지못게이다!814) 수수(嫂嫂) 진실로 운명하신가? 소제 수수의 맥후를 살피미 비록 미안하오나, 급화지시(急禍之時)의 권도(權道) 없지 못하리니, 한번 봄이 어떠하니까?"

어사 왈,

"진씨의 생사를 다시 의논치 말고, 일향(一向) 시신이라 칭하여, 바삐 진가로 보내라."

직사 형장의 뜻을 알고, 채영각에 이르니, 여러 시녀 좌우에서 체읍하고, 소저의 시신을 나금(羅衾)으로 덮어 상상(床上)에 버려두었으니, 직사 시아로 촉을 전후의 잡히고 상하에 꿇어 수수의 맥후를 살피니, 비록 엄홀하여 인사를 모르고 만신이 얼음 같으나, 아주 절명치 않은 줄 알되, 세월 비영이 곁에 있음으로, 짐짓 즉시 나와 이르되,

"수수의 맥후를 보니 운명하신 지 오래된지라. 여등이 어찌 수족(手足)을 거두지 않았느뇨?"

진소저의 유랑과 시아가 이 말을 듣고 아주 바랄 것이 없음을 망극하여, 가슴을 두드리며 일시에 통곡한데, 직사가 울기를 엄금하고 외헌에

---

813) 영(領)하다 : 제사 따위를 이어 받아 모시다.

814) 아지못게이다! : '아지못게라!'의 존칭형. '알지 못하겠습니다.'의 뜻을 갖는 독립어로 관용적으로 쓰이고 있는 말.

나와 어사를 보고 왈,

"수수의 맥후를 살피니 아주 운명하신 바 없고, 하물며 복록(福祿)이 완전할 상격(相格)이시니 청년에 원사(冤死)치 않으실지라. 이제 저 모양으로 진부로 보내면, 그 부형의 참연함이 어떠하리까? 차라리 진부로 보냄을 고하고, 가만히 강정으로 모셔 가, 극진히 구호하여 잠깐 소성하신 후, 화산에 나아가 자정을 모심이 마땅할까 하나이다."

어사 빈미(嚬眉) 왈,

"현제의 말이 비록 유리(有利)하나, 진씨를 강정에 두고 구구(區區)히 왕래하여 태모를 기망(欺罔)하리오?"

직사 왈,

"만사 하늘에 달렸으니, 인력으로 면할 바 아니라. 현마 어찌 하리까? 성인도 권도를 쓰신 바 있으니, 형장은 물우(勿憂)하소서."

어사 왈,

"현제의 말이 그르지 않으나, 대모와 숙모의 기찰(譏察)815)이 심상치 않으시니, 강정에 감을 어찌 모르시리오."

직사 왈,

"진수를 의심 없는 시신으로 알아 계시니, 다시 살필 리 없으리니, 부질없는 염려를 마시고 바삐 강정으로 옮기소서."

어사 마지못하여 심복 노자 사오인으로 치여(輀輿)816)를 만들어, 진소저의 시신을 실어 강정으로 옮길 새, 벌써 효고(曉鼓) 동하거늘, 형제 관소(盥梳)하고 내헌에 들어가 태부인과 추밀 부부께 문안하고, 진씨의 시신을 진부로 돌려보냄을 고하니, 추밀이 대경 왈,

---

815) 기찰(譏察) : 행동 따위를 넌지시 살핌.
816) 치여(輀輿) : 상여(喪輿).

"진씨 비록 죄과 호대(浩大)하나, 그 부형을 청하여 밝히 이르고 치죄하려 하였더니, 어찌 벌써 죽이니까? 일이 이미 이에 미쳤으니, 저 집이 반드시 그 딸의 죄악을 모르고 우리집을 원망함이 적지 않으리로다."

유녀 혀 차고 이르대,

"작야의 존고 노기 엄렬하시어, 진씨의 죄를 다스리지 못하시면 스스로 세상은 잊어 가변을 모르고자 하시니, 첩이 또한 간할 말이 없어 진씨의 마침을 목도하되, 능히 구치 못 하이다."

추밀이 만심 불쾌하나 사이지차(事已至此)하니, 그 시신이나 자기 집에서 염장(殮葬)코자 하니, 직사 고 왈,

"진수의 죄과 호대하니, 진공이 비록 사정이 참연하나 구태여 원망할 리 없으리이다."

하니, 추밀이 주견이 없는 사람이 되어, 몽룡이 이르대,

"나는 차마 진후를 대할 낯이 없으니, 네 스스로 진씨의 죄를 이르고, 그 시신을 돌아 보내라."

어사 수명이퇴(受命而退)하나 추밀의 그릇 됨이 나날이 더함을 불승차악(不勝嗟愕)하더라.

진소저 엄홀하여 계명이 되도록 깨지 못하니, 세월 비영이 분명 죽음으로 알아 위·유에게 고하니, 어사 다행하여 유랑 시녀로 하여금 소저의 시신을 치여에 올리고, 노자 등으로 메여 집 문을 나니, 시녀 양낭 등이 뒤를 따라 일시의 방성대곡(放聲大哭)하여 비루천항(悲淚千行)이라. 노자 등이 곡성을 금하고 강정으로 향하니, 시아 등이 가로되,

"어사 상공이 소저의 시신을 취운산 본부로 모시라 하여 계시거늘, 그대 등이 어찌 다른 데로 가느뇨?"

시노(侍奴) 왈,

"어사 상공이 강정(江亭)으로 모시라 하실 뿐 아니라, 그대 등의 요란

함을 금하고 필경을 보라 하시니, 아등의 소견인즉, 부인이 아직 운명치 않으신가 하노라."

유랑 시녀 등이 체읍 왈,

"소저 벌써 운명하신 지 오래인지라, 이제 바랄 것이 없거늘, 주군이 어찌 강정으로 옮기라 하신고? 알지 못할 일이로다."

이리 이르며 강정으로 나오니, 어사 벌써 강정에 나와 방사를 수리하고, 노복과 비자를 당부하여 진씨의 나옴을 불출구외(不出口外)하라 하고, 소저의 시신을 친히 붙들어 방중에 누이고 약을 연속하여 입에 드리오니, 이슥한[817] 후, 소저 숨을 내쉬고 일신에 온기 풍화(豊和)한지라.

어사 혹자 살리지 못할까 참연한 회포 심두(心頭)에 맹얼(萌蘖)하더니[818], 문득 생도(生道)에 이름을 불승희열하여, 유랑으로 하여금 손으로 부인 복부를 어루만져 태휘(胎候) 안온한가 보라 하니, 유랑이 오라도록 소저의 복부를 어루만지다가, 태휘 평안함을 고하니 어사 행심하고, 시녀 등의 환희함이 하늘에 오를 듯하되, 소저 다만 혼혼(昏昏)하여 인사를 차리지 못하고, 좌우에 사람이 있으며 없음을 모르는지라. 어사 반일을 곁에서 구호하여 정성이 아니 미친 곳이 없으며, 의술이 신기하여 고황(膏肓)의 깊이 든 질양(疾恙)이라도 고칠 바거늘, 천신이 다 한 가지로 진소저의 성심숙덕(聖心淑德)을 살펴, 복록을 장원케 하시니, 위·유 어찌 감히 죽이리오.

어사 날이 저물도록 있지 못하여 옥누항으로 돌아올 새, 유랑 시녀를 당부하여 일시도 떠나지 말고 재삼 구호함을 이르고, 본부의 돌아오매,

---

817) 이슥하다 : 시간이 얼마간 오래 지나다. 밤이 꽤 깊다.
818) 맹얼(萌蘖)하다 : 맹얼(萌蘖)하다. 싹트다. 어떤 생각이나 일이 일어나기 시작하다.

차일 맞추어 정병부와 진태우 등이 윤부에 이르러 바로 별원 문을 지나 연원정에 나아간즉, 옥중이 황연이 비어 정·진 이 소저와 시녀 등의 그림자도 없으니, 정부마 대경하여 진태우를 돌아보아 왈,

"작일 소제 신기 불안하여 이곳의 오지 못하였더니, 그 사이 양매 옥중을 비우고 다른 곳으로 옮았으니, 이 반드시 좋은 일이 아니요, 불측한 화를 만남이니, 어찌 염려롭지 않으리오."

진태우 등이 병부같이 윤부에 자주 왕래치 못함은, 위·유를 괴로이 여겨 스스로 사정을 존절(撙節)하였더니[819], 이제 연원정을 마저 옮아, 간 바를 알지 못하니, 그 사생을 미가복(未可卜)[820]이라, 놀랍고 차악함을 이기지 못하여, 눈물을 머금어 왈,

"창백은 종매(從妹)를 자주 와 보거니와, 아등은 비편하여 소매를 자주 와 보지 못하고, 금일은 천만 구차(苟且)를 참고 와 보고자 하였더니, 옥중이 황연이 비었으니, 죄루(罪累)를 신설하고 각각 침소로 돌아감이 아니요, 큰 곡절이 있음이라. 아무려나 사원 형제를 보고, 소매 등의 거처를 물으리라."

언파에 병부와 제진이 일시에 백화헌에 이르니, 어사 바야흐로 강정에서 갓 돌아와 내당에 들어가지 못하였는지라. 병부와 제진이 당에 올라 한훤(寒暄) 파(罷)에 병부 문 왈,

"금일 연원정의 가 소매 등을 보고자 하였더니, 생각지 않은 양매 그림자도 없으니, 그 어찐 일고?"

어사 비록 언변이 유여하나, 자가 집 변고를 참괴하여 유유 답왈,

---

819) 존절(撙節)하다 : 알맞게 절제하다.
820) 미가복(未可卜) : '점칠 수도 없다'는 말로, 어떤 일을 알 수 없거나, 짐작할 수조차도 없음을 나타낸 말.

"실인 등이 다 만삭지중(滿朔之中)이라 누옥냉지(陋獄冷地)에 오래 두어 분산치 못할 것이므로, 존당이 허하시어 각각 사실에 있고자 하시되, 실인 등이 죄명을 신백(伸白)지 못하였으므로, 염의(廉義)821)에 안안(晏晏)치 못하여, 영매는 벽화당의 옮기고, 진씨는 피우로 금조의 강정으로 가나라."

병부 윤부에 자주 왕래하나 벽화정이란 곳을 모르고, 어사의 기색이 자못 불쾌함을 보고, 조심경안광(照心鏡眼光)822)이 어찌 모르리오. 반드시 큰 사고 있음을 짐작하고 거짓 미소 왈,

"영존당이 관인후덕을 드리오시어 소매 등의 죄를 신설(伸雪)키 전에 각각 침처(寢處)에 있기를 허하시니, 저희의 감은각골(感恩刻骨)할 바이거니와, 이미 죽기를 허치 않을진대 아주 친정에 돌아 보내시어 더러운 자취 청택(淸宅)에 머무르지 않으심이 마땅하니, 사원이 어찌 이런 말씀을 고치 않았느뇨?"

어사 미급답에 제진이 먼저 일어나며 왈,

"아등은 급히 가 소매를 보고자 하나니, 사원과 종용히 담화치 못하니, 후일 다시 오리라."

어사 문득 빈미(嚬眉) 왈,

"영매 질양이 사생을 정치 못한 것이로되, 소제 믿는 바는 그 상모가 박복치 않음이라. 의치(醫治)를 힘써 하여 회두(回頭)함을 바라나니, 형등은 아직 영매를 운산으로 데려 가지 말라."

병부 왈,

"운산이 사지(死地) 아니요, 강정이 낙토(樂土) 아니라. 숙당 내외 소

---

821) 염의(廉義) : 염치와 의리를 아울러 이르는 말.
822) 조심경안광(照心鏡眼光) : 상대방의 마음을 비추는 거울과 같은 눈빛.

매를 잊지 못하심이 신상의 질환을 이루실지라. 이때에 데려가 그 병을
구호하고, 인하여 운산에서 골육을 분산함이 옳으니, 어찌 데려가지 말
라 하느뇨?”

어사 미소 왈,

“형의 말이 비록 옳으나, 영매 등의 거취는 소제의 손에 있으니, 스스
로 임의치 못할지라, 아직 강정에 머무르는 것이 해롭지 않으니, 급히
데려가지 말라.”

진태우 답왈,

“여자의 거취는 가부에게 있거니와, 강정에 외로이 있어 병이 위중하
니, 동기지정으로써 데려다가 구호함이 괴이치 아니니, 사원은 고집치
말라.”

언파에 제진이 다 강정으로 가고, 병부 고요히 어사를 대하여 소매 보
기를 청하니, 어사 이윽히 잠잠하여 말이 없다가, 양구(良久) 후 탄 왈,

“소제 집 변고는 갈수록 이상하여, 존당과 숙당이 실인(室人) 등의 누
옥 간고를 측은하시어, 각각 옛 당사에 편히 머물기를 허하여 계시거늘,
그 사이 괴이한 일이 있어, 하·장 이수의 얼굴을 비러 존당과 계부 면
전의 여차여차 영매 등의 죄악을 고하니, 조모 진씨를 먼저 다스려 적실
한 진가(眞假)를 핵실코자 하시더니, 진씨 문득 엄홀하니 존당이 죽음으
로 아시어 진부로 보내라 하시니, 사제 의논이 여차여차하여 진씨를 강
정의 머물게 하여, 병이 차성한 후 화산에 나아가 자정을 시봉케 함을
이르니, 그 말이 또한 사리 온당한지라, 진씨를 아직 구완치 못하고, 영
매는 처소 존당 침전 뒤에 있으니, 들어감이 비편하여 금일은 못보고 가
리니, 타일 침소로 옮은 후 다시 와 보소서.”

병부 청파에 만심 차악하나, 진소저 이곳을 벗어남을 다행하되, 숙렬
매제의 사생이 아무리 될 줄 몰라 추연이 양항루(兩行淚) 떨어짐을 면치

못하여, 어사의 손을 잡고, 장탄 왈,

"사원의 회포는 듣지 않아 알 바요, 전후 변란을 들을 적마다 한심하여 하나니, 소매 등이 명도 궁험하여 사람이 견디지 못할 경계를 많이 당하나, 혹자 하늘이 매자 등의 성행 사덕을 살피시어 누명을 신설케 하시면, 오히려 천일을 보려니와, 불연즉 누설 중 죄인으로 마칠 따름이라. 만사 인력의 미칠 바 아니니 현마 어찌 하리오마는, 나의 견뎌 참지 못하는 바는, 소매 등의 옥이 맑고 얼음이 티 없는 행실로 애매히 환난을 만남을 슬퍼하나니, 인자가 범사에 존당 명을 순수하는 것이 옳거니와, 이러한 때 또한 권도(權道)823)와 곡례(曲禮)824) 없지 않으리오? 사원이 남의 당부를 기다리지 않아 족히 신능한 처변이 있으려니와, 처자를 불관(不關)이 여겨 그 사생을 여념(慮念)치 않은 후는, 소매 등이 살길이 아득한지라. 사원은 모름지기 재삼 생각하여 인명의 중대함과 복중의 골육이 온전히 세상에 나게 하라."

어사 추연 사례 왈,

"소제 구태여 한설(閑說)을 않거니와 어찌 무심하리까?"

직사 나갔다가 들어와 병부를 보고 수삼일 보지 못함을 이르매, 병부 새로이 양매의 화란을 차석한데, 직사 탄식 왈,

"인심이 불가측(不可測)이라 하·장이 어찌 양수(兩嫂)를 해함이 이에 미친고? 소제 한심함을 이기지 못하나이다."

병부 잠소 왈,

"사빈의 명달함으로 어찌 하매와 장부인을 모르느뇨? 이는 간인이 흉

---

823) 권도(權道) : 목적 달성을 위하여 그때그때의 형편에 따라 임기응변으로 일을 처리하는 방도.
824) 곡례(曲禮) : 예식이나 행사의 몸가짐 따위에 대한 자세한 예절.

계를 행하여 하매로 하여금 우리 집과 원수를 맺어 결의지정(結義之情)을 베려 함이나, 이 또한 하매를 없이하려 하는 밀모(密謀)라. 사빈이 어찌 모르는 체하고 말이 여차하뇨?"

직사 하·장의 애매함을 모르지 않으나, 짐짓 하·장에게 미루어 조모와 양모의 허물을 가리고자 함이러니, 병부의 말이 자기 집 변고를 보는 듯이 이르니, 다시 할 말이 없어 다만 탄 왈,

"하·장의 불인무상(不仁無常)함은 수씨(嫂氏)의 액화(厄禍)를 응하여 모해할 당류라. 천하에 바꾸기 어려운 것은 사람의 외모 성음이라. 하·장이 존당 면전(面前)에서 독약을 드리고 여차여차 하였으니, 일로 좇아 양수(兩嫂)의 죄루(罪累) 점점 더하니, 소제 불행이 괴이한 사람을 모아 동기를 해하니, 이 도시 소제의 불엄함이라. 대인할 낯이 업도소이다."

병부 직사의 진정이 아님을 지기하고 미소 왈,

"사빈은 천하의 바꾸기 어려운 것은 사람의 전형(典型)이라 하거니와, 나는 벌써 괴이한 일과 요괴로운 거동을 많이 보았으니, 간정을 모르리오. 장부인의 품정(品定)825)은 외인이 모르거니와, 하매는 여중군자(女中君子)요, 인중성현(人中聖賢)이라. 한갓 금장(襟丈)으로 이르지 말고, 하류천비(下類賤婢)라도 허무한 일로 죄루를 지어 주지 않으리니, 사빈은 타일을 두고 보라. 간인이 '고삐 길면 밟히는'826) 환(患)이 쉬827) 오리라."

언파에 숙렬을 볼 길이 없고 하소저도 보기 어려워 소매를 떨쳐 돌아

---

825) 품정(品定) : 품질이나 우열을 가려서 판정함.
826) 고삐 길면 밟힌다 : 나쁜 일을 아무리 남모르게 한다고 해도 오래 두고 여러 번 계속하면 결국에는 들키고 만다는 것을 비유적으로 이르는 말. 늑꼬리가 길면 밟힌다.
827) 쉬 : '쉬이'의 준말. ①멀지 아니한 가까운 장래에. ②어렵거나 힘들지 아니하게.

가나, 참연한 사색을 감추지 못하니, 어사 형제 회포 자못 어지럽고, 화변이 아무지경에 미칠 줄 몰라, 공구지심(恐懼之心)이 일시 방하(放下)치 못하여, 오직 성효를 다하여 태부인과 추밀 부부의 명령을 순수할 따름이요, 진소저를 강정에 두었음을 아주 숨기니, 가중 상하가 알 리 없는지라.

태흥과 유녀 진씨를 아주 짓두드려 마친 줄로 알아 대희하는 중, 하·장을 처음은 바른대로 고하고 나중은 안면을 구애하여 발명(發明)828)함으로써 핑계하여, 수죄함을 못 견디도록 하니, 하씨는 입이 써 대답지 않으나, 장씨는 죽기를 그음하여 발명하니, 유녀 더욱 밉게 여겨 바삐 서릇고자 하더라.

이때 진태우 등이 강정의 나가 누이를 보매 일명이 끊어지지 않았으나, 형색이 위위(危危)하고, 인사를 차리지 못하여 거거 등을 보나 반가운 줄 모르니, 진태우 등이 경악(驚愕) 비도(悲悼)함을 마지않아, 그 손을 잡고 시녀더러 소저를 이렇게까지 한 연고를 물으니, 시녀 등이 전후 원상(冤傷)829)을 다 아뢰고자 하나, 어사와 소저를 두려 감히 바른대로 고치 못하고, 몽롱이 대답하되, 부인이 천금 약질로 누월 옥리간고(獄裏艱苦)를 이기지 못하여 병세 위악한 중, 작야 풍한에 촉상(觸傷)하여 문득 엄홀하시매, 아주 별세하신 줄로 알아, 본부로 보내라 하던 줄 대강 고하니, 제진이 다 소매의 누월 옥리 고초를 참연하여 수루(垂淚)함을 면치 못하고, 위태의 극악을 분완하여, 한림 진경이 서안을 쳐 왈,

"윤수 미친 것이 위태 흉인을 간(諫)치 못하고 허다 변괴를 이루며, 숙녀 철부를 참화에 몰아넣어 바삐 없애고자 하니, 세상에 어찌 이런 궁

---

828) 발명(發明) : 죄나 잘못이 없음을 말하여 밝힘. 또는 그런 말.
829) 원상(冤傷) : 억울하게 죄를 씌워 사람을 해침.

흉한 자가 있으리오. 아등이 매제를 구호하여 살아나면 오히려 함구하려니와, 만일 아매를 구치 못하면 추밀로부터 위태830)란 것까지, 한 차례 한을 풀어 원수를 갚고 말리라."

진태우 매제의 위악함을 보매 참절(慘切)함을 형상치 못하나, 한림의 과격한 말을 듣고 정색 책 왈,

"윤추밀은 대인의 친우이시고, 태부인은 추밀의 모부인이라, 우리 가벼이 질욕치 못하리니, 어찌 사정이 참연함과 일시 분을 참지 못하여 말을 삼가지 않느뇨? 다만 누이의 병세 살기를 기필치 못하니, 동기지정에 통박(痛迫)함을 참을 뿐이라."

제진이 태우의 말을 옳이 여기고, 소저의 병세 위태함을 염려하여 오래도록 곁에 있으되, 소제 아무런 줄 모르니, 제진이 소리를 이어 소저를 부르며 약음(藥飮)을 연하여 떠 넣더니, 이윽고 소저 양안을 떠 좌우를 살피다가 도로 감으며 길이 탄식하니, 진태우 이르대,

"현매는 우형 등의 왔음을 아는다? 어찌 한 소리 반가움을 이르지 아니하고 부모 존후를 묻지 않느뇨?"

소저 정신이 혼미한 중이나, 철편에 맞은 곳이 아프기를 모양치 831) 못하여, 위태의 모질이 날뛰는 거동이 오히려 안저(眼底)에 버러832), 자기의 면사(免死)함을 괴이히 여기며, 강정의 왔음을 알지 못하여, 제거거(諸哥哥)의 소리를 들으나 꿈인가 의심하여 눈을 들어보고, 문득 눈물을 나리오니, 유랑이 가로되,

"부인이 정신을 수습하실진대, 제상공(諸相公)을 보고 반기시는 빛이

---

830) 위태 : '위태부인'을 달리 이른 말.
831) 모양하다 : 형용하다. 말이나 글, 몸짓 따위로 사물이나 사람의 모양을 나타내다.
832) 벌다 : 벌여 있다. 늘어서다.

없으시니까?"

소저 목 안 소리로 이르되,

"내 정신이 어찌 된지, 나의 누운 곳이 아무 덴 줄 모르며, 제 거거의 소리를 들으나 상시(常時)인 줄 깨닫지 못하니, 아니 꿈에 넋을 인하여 제 거거를 봄인가, 어미는 어찌 제 거거 오심을 이르느뇨?"

진태우 왈,

"현매 정신이 아득하나, 우형의 왔음을 모르고 꿈인가 의심하느뇨? 사원이 현매 피우로 강정의 있음을 이르거늘, 우형 등이 나왔노라."

소저 비로소 거거 등의 소리 분명함을 알고 눈물을 뿌리며 말을 못하니, 제진이 더욱 비절하여 눈물을 흘리며 운산으로 돌아감을 이르니, 소저 척연 왈,

"소매 불초하여 문호를 첨욕(添辱)함이 많고, 부모께 불효 비경(非輕)한지라. 일신이 괴롭고 슬픔이 극하여 살았음이 죽음만 같지 못한지라, 윤군이 이리 옮겼을진대 윤군더러 이르지 않고 운산으로 가지 못하리니, 원(願) 거거는 소매를 버린 이로 아시어 염려치 마시고, 부모께 성려(聖慮)에 거리끼지[833] 마심을 고하소서."

태우 수루(垂淚) 왈,

"너의 성심 사덕으로써 남의 없는 화액에 빠질 줄 알았으리요. 대인과 자정이 너의 액화를 아시면 크게 우려하실 것이므로 바로 고치 못하나, 오래 보지 못하심을 크게 슬퍼하시니 우형 등의 민박하는 바라. 너는 모름지기 마음을 상해오지 말고 병을 조호(調護)하라."

소저 주루(珠淚)를 금치 못하여 말을 못하더니, 날이 저물매 태우 제제(諸弟)는 돌려보내고, 자기는 머물러 소매의 병을 극진히 구호하며,

---

833) 거리끼다 : 일이 마음에 걸려서 꺼림칙하게 생각되다.

고인의 '나룻 그을리는 우애'834)를 따르더라.

이후 제진이 날마다 강정의 이르러 소저를 보매, 어사 틈을 타면 자주
와 진씨의 병을 살펴 약음(藥飮)835)을 극진히 하니, 소저의 위질이 점
점 차성하여 월여에 이르러는 완연 평상하니, 누월 신고하던 질양이 일
시에 스러져836), 설부옥골(雪膚玉骨)에 윤염(潤艶)한 광채 나날이 더하
되, 신루(身累)를 부끄러워하여 죽음을 일컫고 강정에 머물러 존당을 기
망하니, 필경이 어떠할꼬? 근심이 일심에 맹얼(萌蘖)하니837), 어사 기
색을 스치고 더욱 애석(哀惜)하여, 매양 좋은 말로 위로하며 분산(分産)
후 화산으로 옮기기를 이르더라.

차시 유교아, 장사왕의 은총을 입어 금슬지락이 흡연하니, 음부의 욕
심이 미진함이 없으되, 윤어사와 화락치 못하고 왕이 또 연곡(輦轂)838)
에 있지 못하여 귀국하매, 교아가 숙모께 하직하는 글을 부쳐 연연하고,
금오 부부께는 고치 못하니, 이는 부모를 두려워함이 아니라 그 거거를
괴로이 여김이라. 유씨 만단 회포를 베풀어 이별하는 답간(答簡)을 신묘
랑을 통해 보내고, 교아는 장사로 내려간 후 묘랑이 왕래할 때 서신을
부치려 하더라.

---

834) 고인의 나룻 그을니는 우애 : 唐의 이적(李勣)이 누이의 병구완으로 손수 미음
　　을 쑤다가 수염을 태운 고사, 곧 자죽분수(煮粥焚鬚)를 이르는 말. '형제 특히
　　남매간의 우애가 두터움'을 비유하여 이르는 말.
835) 약음(藥飮) : 약과 음식을 아울러 이르는 말.
836) 스러지다 : 형체나 현상 따위가 차차 희미해지면서 없어지다.
837) 맹얼(萌蘖)하다 : 움트다. 싹트다. 어떤 생각이나 감정, 현상 따위가 처음 생겨
　　나다.
838) 연곡(輦轂) : '임금이 타는 수레'라는 뜻으로 임금이 거주하며 통치행위를 하고
　　있는 왕도(王都) 또는 황도(皇都)를 달리 이르는 말.

장사왕이 귀국하여 교아로 국모를 삼고 은총이 나날이 더하니, 교아가 만심이 풀어져 부모를 생각지 않고 즐김을 다하나, 매양 윤어사의 선풍옥골을 사상(思想)하니, 일이 이미 이에 미친 후는 하릴없어 가만히 해코자 하더라.

어시에 정부에서 윤·양 두 부인이 잉태 사오 삭이로되, 태부인과 금후 부부 오히려 알지 못하되, 문양은 금은을 흩어 인심을 취합하매, 윤·양의 행지를 낱낱이 앎으로 이 인의 잉태함을 듣고, 자기 부마의 강작(强作)하는 바를 인하여 이성지친을 이루나, 마음과 같이 화락함을 얻지 못하니, 분앙(憤怏)함이 비할 곳이 없더니, 윤·양 등이 또 잉태하여 점점 세엄(勢嚴)이 태산 같을 바를 생각하매, 애달프고 미움이 고대[839] 죽이지 못함을 한하나, 십분 강작하여 온순한 빛으로 사람을 우대하고, 안으로 시호지심(豺虎之心)을 품어, 최상궁으로 더불어 주사모탁(晝思暮度)[840]하여 윤·양 등을 해하려 하며, 현기 등을 보면 삼킬 듯이 미우나 거짓 혈심으로 사랑하는 기색을 중회(衆會) 중에 나토니, 모두 현철함을 칭찬하되, 병부 그 요악함을 꿰뚫는지라, 점점 증념하나, 부훈의 엄하심을 두려 부부 정의 완전하니, 문득 태후(胎候)가 있어 수월이 되었으니, 공주 만심 환열하고 궁중이 진동하며, 귀비 여아의 잉태한 소식을 듣고 대희하여, 수륙진찬(水陸珍饌)이 종일부절(終日不絶)하여 궐문으로부터 문양궁에 이었으니, 금후 부부와 태부인이 역시 행열하여 부마의 자녀 창성할 바를 기뻐하되, 부마는 조금도 깃거함이 없고 가장 불행히 여기더라.

---

839) 고대 : 바로 곧.
840) 주사모탁(晝思暮度) : 밤낮으로 깊이 생각하고 헤아림. ≒ 주사야탁(晝思夜度).

차시 태자비 처음으로 황손을 탄생하시니, 상이 대희하시고 만조백료(滿朝百寮)가 다 경사를 하례하여 미말낭관(微末郎官)841)과 선조구신(先朝舊臣)이 다 진하(進賀)에 참예하니, 상이 천하에 대사(大赦)하실새, 병부 김후의 손가락을 베어 감추고 있은 지 세월이 오래고, 하공을 구하여 환쇄(還刷)842)하고자 하되 길운을 만나지 못한 후는, 자기 힘으로 천의를 돌이키지 못할지라. 참기를 오래하더니, 차시를 당하여 국가에서 천하에 은사(恩赦)를 행하시니, 조각을 타 하가를 신설하고 김국구와 초왕 등을 쾌히 다스리고자 하여, 일일은 천정에 종용이 근시(近侍)함을 타 부복 주왈,

"태손이 탄생하시매 국가의 대경이 이 밖에 또 없사올지라. 이제 천하에 대사(大赦)하시니 찬적죄쉬(竄謫罪囚) 다 환쇄할 시절이라, 촉지 죄적인(罪謫人) 하진도 은사를 입어 고토에 돌아오리까?"

상이 변색하시어 왈,

"경은 식리재상(識理宰相)으로 사리 개명하고 예의 통철하거늘, 하진은 당당한 역신의 아비요, 제 또 범역(犯逆)함이 없지 않으니, 진실로 목숨을 지금 살려 둘 바 아니거늘, 짐이 특은(特恩)으로 촉지(蜀地)의 찬적하였더니, 어찌 환쇄(還刷)키를 다시 이르리오."

병부 부복 문파의 일어나 배수(拜手) 왈,

"신이 불학무식하오나 법규를 잠깐 아옵나니, 어찌 역적으로써 은사를 입게 하리까마는, 하진은 실로 충량지신이요, 하원경 등은 학리군자(學理君子)라. 폐하께서 신하의 현부(賢否)를 살피지 못하시어 원억한

---

841) 미말낭관(微末郎官) : 정오품 통덕랑 이하의 당하관에 속하는 하급관리들. 낭관(郎官); 조선 시대에, 정오품 통덕랑 이하의 당하관을 통틀어 이르던 말.
842) 환쇄(還刷) : 늑쇄환(刷還). ①조선 시대에, 외국에서 유랑하는 동포를 데리고 돌아오던 일 ②먼 곳에 유배 보냈던 죄인을 죄를 사(赦)하여 불러들임.

죄로 애매하온 여러 인명을 마치시니, 신이 원경 등의 원사(冤死)를 참연하오며, 폐하의 실덕을 애달아 하옵나니, 신이 하가의 원굴(冤屈)하옴과 김탁과 초왕 등의 간악함을 안 지 오래되, 일찍 주달치 않음은 간당의 행지(行止)를 채 보고자 함이로소이다."

상이 경왈,

"김국구는 일찍 국사에 간예함이 없고, 초왕은 짐의 지친(至親)이라. 벌써 귀국하였으니 무슨 궁흉(窮凶)함이 있으며, 지어(至於) 원경 등은 혼야(昏夜)에 칼을 들어 짐을 해코자 함을 짐이 친히 보았나니, 어찌 애매타 하느뇨?"

병부 우주(又奏) 왈,

"성상 일월지명(日月之明)으로 하가의 궁원(窮冤)을 비추지 못하시니, 이 또 하진의 명도 궁험하옴이라, 어찌 국가를 원하리까? 신이 동치(童穉)로 연기(年紀) 이륙(二六)이 겨우 지났으되, 신부(臣父)가 하진으로 지심친우(知心親友)라. 신의 부가 원경 등의 원사하옴을 참통하오며, 하진이 그때 하남을 순무하여 돌아오지 못하여 나명(拿命)이 급하시니 죽음이 반듯한 고로, 신의 부와 윤수가 공언(公言)으로 천정에 주달하와 하진을 구하오매 폐하께서 불허하시고, 초왕과 김후의 당(黨)이 하진을 극률(極律)로 죽일 의논이 급하오니, 신이 잠깐 아부(我父)의 말을 듣자오매 하진이 '질악(嫉惡)을 여수(如讐)하고'843), 직절(直節)이 융융(融融)하여, 권문세가의 방자교오(放恣驕傲)하는 유를 과도히 배척하옴으로, 김탁과 초왕의 불법지사를 논핵(論劾)하오니, 현인군자는 하진의 직절을 칭찬하오나, 간당 소인은 저마다 눈을 흘겨 없애고자 함으로, 초왕과 김탁이 간당을 모아 하진을 함정의 몰아넣으니, 폐하께서 신하의 선

843) 질악여수(嫉惡如讐) : 악(惡)을 미워하기를 원수 같이 함.

악을 모르시고 안으로 귀비의 참소를 믿으시매, 충신열사가 속절없이 참화에 빠진지라. 신이 연소하오나 폐하의 실덕하심을 탄하고 김후 등의 심용(心用)을 통완하와 모년 모일 야에 김후의 집의 들어가오니, 만뢰구적(萬籟俱寂)하옵고, 김후 두어 서동으로 첫잠844)이 깊었거늘, 불문곡직(不問曲直)하옵고 방중에 들어가 벽상의 걸린 철편을 내려 김후를 결둔(決臀)하오니, 김후 놀라 깨어 만신을 떨고 인사를 차리지 못 하옵는지라. 신이 거짓 김후를 속여 여차여차 이르고 죽임으로 벼르니, 김후의 허박(虛薄)함이 인귀(人鬼)를 분변치 못하고, 신(臣)을 진정(眞正) 천신으로 알아 전후 악사를 일일이 복초하되, 초왕과 김탁이 하진 부자를 부디 죽이려 하와, 원경 등 삼형제 입직한 때를 타, 혼야에 초왕이 여의개용단(如意改容丹)845)을 먹어 원경의 얼굴이 되고, 환관 오환과 두선으로써 다 개용단을 먹어 원상·원보가 되어, 각각 비수를 품어 용상하(龍床下)에 돌입하여 천안이 친찰(親察)하시게 한 후, 도망하여 자취를 감추니, 폐하께서 간당의 흉모를 모르시고 원경 등을 엄형 추문하시니, 원상은 연기 유충하고 품질이 첨약(-弱)하여846) 먼저 죽되, 원경·원보는 오히려 죽지 않아 대리시(大理寺)847)에 내리시되, 흉인이 행여 죽이지 못할까 두려, 독약을 차에 화하여 옥리로 양인을 먹여, 시각(時刻)에 입사(立死)848)하온지라. 이 말씀을 김후의 입으로 다 이르옵거늘, 신이 연소 과격하므로 분해 하옴이 고대 김후를 죽이고자 하다가,

---

844) 첫잠 : 막 곤하게 든 잠.

845) 여의개용단(如意改容丹) : 자기 마음대로 얼굴을 바꿀 수 있다는 요약(妖藥).

846) 첨약(-弱)하다 : 사람의 기품이 여리고 약하다.

847) 대리시(大理寺) : 고려 시대에, 형옥(刑獄)을 맡아보던 관아. 성종 14년(995)에 전옥서를 고친 것으로, 문종 때에 다시 전옥서로 고쳤다.

848) 입사(立死) : 그 자리에서 바로 죽음. 늑즉사(卽死).

고쳐 헤아리오매 김후를 살려 두어야 하가 신원이 될지라. 그러므로 신이 그 때 증험을 두고자 하와 김후의 좌수 모지(-指)849)를 베어 낭중의 넣고, 저더러 하진을 살리라 이르옵고 돌아오되, 신부(臣父)의 엄하옴을 두려 감히 차사를 이르지 못하옵고, 신이 경악에 출입하온 지 세재 오년이라, 성은의 융중(隆重)하심이 일신에 넘치고 초방부귀(椒房富貴)850)를 겸하오니, 숙야(夙夜) 우구하와 갑사올 바를 알지 못하와, 다만 견마(犬馬)의 힘을 다하려 하오니, 폐해 김탁과 초왕을 일처에 잡아들여 간정을 핵실하소서.”

상이 병부의 허다 주사(奏辭)를 들으시매 천안이 경동하시어 오래 묵연하시더니, 어수(御手)로 용상을 쳐, 가라사대,

“짐이 대위(大位)예 모림(冒臨)한 지 오래되, 일찍 사람의 얼굴 변하는 약이 있음을 듣지 못하였더니, 초왕과 김탁의 간흉이 이렇게까지 함은 생각지 않은 바라. 경이 하가의 지원을 신백(伸白)고자 간상(奸狀)을 명찰함이 있으니, 사람의 생각지 못할 의사라. 명일 조회에 김후의 손가락 없음을 물으리니, 그때에 탁이 반드시 칭탁(稱託)하리니, 경이 조각을 타 만조 가운데 김탁의 소위를 일일이 주하라. 짐이 우선 김탁을 추문하고 초(楚)에 위사(衛士)를 보내어 초왕을 잡아 면질(面質)케 하리라.”

병부 사은 왈,

“폐하의 일월지명(日月之明)으로 부운(浮雲)이 옹폐(壅蔽)함을 벗으시고, 충량(忠良)이 원사함을 면하오니, 국가의 홍복이오며, 신이 불행이 김귀비의 생(生)한 바 문양을 위처(爲妻)하오니 어찌 불행치 않으리까?

---

849) 모지(-指) : 무지(拇指). 엄지손가락.
850) 초방부귀(椒房富貴) : 임금의 부마(駙馬)로서의 부귀. 초방(椒房)은 왕비가 거처하는 궁전을 뜻함.

하원경 등이 모역(謀逆)한가 의심하심도 귀비의 참언을 신청하심이니, 귀비의 방자함이 외조(外朝)와 국사의 간예함이 크게 불길한 징조(徵兆)라. 복원 폐하는 차후 후궁의 방자함이 없게 하소서."

상이 병부의 위인을 깊이 믿으시니, 김국구와 초왕의 작변을 통해하시어, 초왕을 사사(賜死)하려 하시니 일월지광(日月之光)을 다시 보리러라. 병부 아시로부터 능려(凌厲)하여 김후를 속여 손가락을 베어 깊이 치부(置簿)851)하였음을 들으시고, 신기히 여기사 왈,

"경이 초왕과 김탁을 간당이라 함은 옳거니와, 귀비로써 국사에 참예한다 하나, 짐이 한갓 후궁을 이르지 말고 정궁이라도 외조의 간예한 바 없고, 지어(至於) 김귀비는 천성이 온순하여 국구의 불인을 담지 않았으니 어찌 문양의 사오나움을 의심하리오. 경이 문양이 하가 전 백미인과 열 부인을 두었어도 감히 만승지녀라 하여 겨룰 바 없으나, 경은 문양을 중대하여 짐의(朕意)를 저버리지 말라."

병부 배사이퇴(拜謝而退)하매 날이 저물어 운산으로 가지 못하여, 경부에서 밤을 지내고 명일 조회의 참예할새, 명일 만세황야 문화전에 옥좌를 여시고 만조 문무의 조하를 받으실 새, 백관이 아홀(牙笏)과 오사(烏紗)로 반항(班行)이 정정제제(整整齊齊)하니, 상운(祥雲) 서애(瑞靄) 용루(龍樓)에 어리고 홍광(紅光) 자무(紫霧) 옥좌를 둘렀으니, 요천순일(堯天舜日)852)의 태평기상(太平氣像)을 볼지라. 상이 옥음을 나리와 가라사대,

"원손(元孫)이 처음으로 나매 국가대경이 이 밖에 없으니, 천하에 대

---

851) 치부(置簿) : ①금전이나 물건 따위가 들어오고 나감을 기록함. 또는 그런 장부. ②마음속으로 그러하다고 보거나 여김. ③물건 따위를 잘 간직하여 둠.
852) 요천순일(堯天舜日) : 유가에서 이상적인 왕도정치가 이루어졌던 시대라고 하는 중국의 요(堯)・순(舜) 임금의 시절이란 뜻으로, '태평한 시절'을 말한다.

사(大赦)하고 갑과(甲科)853)를 정하여 인재를 초탁(超擢)하리니 중외(中外)의 포고하라.”

제신이 제성(齊聲) 치하하고 만세를 부르더라.

상이 이부총재 김후를 탑전(榻前)의 부르시어 이르시되,

“경이 이부천관(吏部天官)의 중임으로 용인치정(用人治政)에 공평함을 취하리니, 현인이 향리에 곤둔(困遁)함이 없게 하라.”

김후 배복 수명하매, 긴 의복과 너른 소매 손을 덮었으매 자세히 보이지 않는지라. 상이 필연과 조희를 주어 가라사대,

“비록 문미한천(門微寒賤)854)한 유(類)나 재덕이 가작할진대855) 가히 쓰리니, 경이 그 마땅한 자의 성명을 써 들이라.”

김후 성의를 깨닫지 못하고 즉시 필연을 나와 저의 연인지가(連姻之家)856)와 원족류(遠族類)에 학행(學行)이 있는 자 십여 인을 써 올리니, 상이 유의하여 살피시매 과연 김후의 좌수 엄지가락857)이 없는지라. 이에 문 왈,

“경의 부모 구존(俱存)하니 수지(手指)를 단할 리 없으되, 어찌 좌수 엄지가락이 없느뇨?”

김후 황망이 대 왈,

“신이 우연이 칼을 쓰다가 실수하여 엄지가락을 베인 바 되니이다.”

---

853) 갑과(甲科) : 조선 시대에, 과거 합격자를 성적에 따라 나누던 세 등급 가운데 첫째 등급. 정원은 세 명으로, 일등인 장원랑(壯元郞)은 종6품, 이등인 방안(榜眼)과 삼등인 탐화랑(探花郞)은 각각 정7품의 품계를 받았다.

854) 문미한천(門微寒賤) : 문벌이 미약하거나, 가난하거나 신분이 천하거나 함.

855) 가작하다 : 가지런하다. 갖추다. 구비하다.

856) 연인지가(連姻之家) : 인척(姻戚). 혼인에 의해 맺어진 친척.

857) 엄지가락 : 엄지손가락. 앞에서 정천흥이 김후의 손가락을 벤 것은 ‘모지’ 곧 ‘엄지손가락’임.

언미파(言未罷)에 서녘 반항(班行)에 일위 재상이 금포를 떨치고 옥대를 도도아858) 단지(段地)859)에 배복(拜伏) 왈,

"신이 천위지척(天威咫尺)에 사람으로 더불어 쟁단(爭端)함이 경순하는 도리 아니오나, 김후의 칼 쓰다가 손이 상하다 함은 많이 기군(欺君)하옵는지라, 신이 그 곡절을 명정하와 간당이 성주(聖主) 기망한 죄를 아시게 하리이다."

언주파의 김후를 향하여 문 왈,

"공이 기군함을 능사(能事)로 알거니와 공의 손가락 베인 곡절이 심상치 않으니, 아지못게라! 공이 진실로 칼 쓰다가 어느 곳에서 손가락을 베이며, 또 공의 신상에 불평한 곳이 업더냐?"

김후 천만 의외에 손가락 베인 일이 나타나게 되었음을 경악하여, 자세히 살피니, 이 곳 평남후 정병부라. 정색 답왈,

"그대 무슨 일로 나의 손가락 없는 곡절을 묻느뇨? 생이 석년(昔年)에 가친 수석(壽席)을 당하여 미녀를 모아 검무(劍舞)를 시작할 제, 생이 우연이 창기로 검무하다가 날랜 칼날이 그릇 생의 좌수 모지를 베이니, 그 때 술이 취하여 손이 상함을 모르고, 술이 깬 후 비로소 아픔을 이기지 못하여 여러 달 신고하였나니, 어찌 기군한다 지목하느뇨?"

병부 백안숙시(白眼熟視)860) 왈,

"공의 말 같을진대 손가락 베인 것을 간사하였는가?"

김후 왈,

"정신이 당황한 가운데 잃었으니, 그대 말이 어찌 알고자 하느뇨?"

---

858) 도도다 : '돋우다'의 옛말.

859) 단지(段地) : ①층이진 땅. ②계단 아래.

860) 백안숙시(白眼熟視) : 업신여기거나 냉대하여 흘겨보는 눈으로 오랫동안 바라봄.

병부 여성 책왈,

"천일이 재상하고 신명이 재방(在傍)하니, 사람의 차마 못할 악사를 행하여, 현인을 함정에 몰아넣고 안연이 일생을 즐김을 구하나, 나 정천흥의 삼촌설(三寸舌)이 병들지 않았고, 공의 베인 손가락이 생의 요하(腰下) 낭중(囊中)에 감춰진 지 하마 육칠재(六七載)라. 공이 비록 구변(口辯)이 능하여 공교로이 꾸미기를 잘 하나, 차사는 발명치 못하리라. 모년 월일의 하가가 참화를 만나매 그 때 생이 십이 세 동치(童穉)로되, 공(公) 등의 행사를 분완 통해하여, 월야에 공의 자는 서헌(書軒)에 들어가 철편으로 공을 결둔하니, 공이 잠결에 놀라 인귀(人鬼)를 분변치 못하고 살기를 빌거늘, 생이 여차여차 수죄하니 공의 악사를 호발(毫髮)도 은닉지 않아, 하공이 영엄(令嚴)과 초왕을 논핵함으로 크게 혐원을 품어, 초왕과 환관 오환이 변용하는 약을 먹어 하원경 등의 모양이 되어, 각각 비수를 끼고 성상을 격동하매, 천노(天怒) 일시의 진첩(震疊)하시어 애매한 원경 등을 엄형하시니, 원상은 나이 어린 고로 독형을 이기지 못하여 죽고, 원경·원보는 죽지 않으매, 초왕과 영엄이 의논하여 약으로써 옥리를 속여 원경 등을 먹여 일각에 참사하며, 원광의 비상함을 밉게 여겨 거짓 인신지상(人臣之相)이 아니라 하여 십일세 동치를 하옥함과, 하공을 부디 죽이려 하던 일을 일일이 복초하고, 공이 날더러 언필칭(言畢稱) '천신'이라 하여, '지난 일은 그릇하였으나 하진이나 살릴 것이니 일명을 빌리라 두 손을 비비며 체읍(涕泣) 애걸(哀乞)하거늘' 생이 차마 죽이지 못하여 나올 제, 개과천선함을 이르고, 좌수 모지를 베어 증험을 삼으며, 공의 입에 분즙(糞汁)을 난만이 뿌리고 돌아왔더니, 이제 성상의 하문하심을 인하여 내도히 꾸미려 하매, 생이 분연하여 곡절을 설파하나니, 그대 소장(蘇張)[861]의 구변(口辯)이 있으나 이 정천흥의 입을 막지 못하리니, 부질없이 천위지하의 기군지죄(欺君之罪)를 더하지 말고, 전후 악사를 생더러 이를 적같이 세세히 아뢰라. 내 공의 손가락을 돌려보내나니, 살아서는 다시 이을 도리 없거니와 사후에 관에 넣게 자손을 맡기라."

언파의 낭중의 손가락 넣은 것을 내어 김후의 앞에 던지니, 김후 병부의 말을 들으매 간담이 떨어지고 심장이 뛰노라 능히 발명할 말을 못하고 면여토색(面如土色)하니, 만조 문무 병부의 말을 듣고 김후의 기색을 보매, 김후의 당이 아닌 후는 하가의 신설이 두렷하고 병부의 행사를 신기히 여기고, 김후의 당은 다 놀라 한한(寒汗)862)이 첨의(沾衣)하고, 소년 명사는 김후의 참욕(慘辱) 봄과 병부의 능활함을 쟁그라이863) 여겨 미미한 웃음을 띠었더라.

천안(天顏)이 대소하시고 작용을 기괴(奇怪)히 여기시나, 초왕과 국구의 불인흉패(不仁凶悖)함을 통해하시며, 금후는 아자의 작용을 어이없어 충천호일(衝天豪逸)한 기운을 장축(藏縮)지 못함을 근심하며, 낙양후 삼곤계 쾌히 여겨 서로 돌아보고 웃음을 머금었더라.

차시 김국구, 본성이 흉험시포(凶險猜暴)하고 대담대악이라, 대로 분분하여 출반 주왈,

"노신이 폐하의 총우하시는 은권을 입사와 부귀 일신에 과의(過矣)라. 매양 화를 두려워하옵더니, 금일 정천흥의 맹랑한 말로 모함함을 만나오니, 이 다른 까닭이 아니라, 천흥이 문양공주로 금슬이 불합하여, 명분은 부부나 실제는 구적(仇敵)이라. 신의 부자와 귀비를 없애고, 공주

---

861) 소장(蘇張) : 중국 전국 시대의 세객(說客)인 소진(蘇秦)과 장의(張儀)를 아울러 이르는 말.
862) 한한(寒汗) : 찬 땀. 식은땀. 몹시 긴장하거나 놀랐을 때 흐르는 땀.
863) 쟁그라이 : 속이 시원하고 고소하게.

를 죽여 제 마음에 거리낀 것이 없게 하고, 처첩으로 화락할 의사라. 복원(伏願) 폐하는 명찰하시어 신의 아들로 하여금 원굴(冤屈)함이 없게 하시며, 천하에 변용하는 약이 있다 함은 일찍 듣잡지 못한 바이오니, 천흥의 변용지설(變容之說)은 다 허무(虛無)한 수작(酬酌)이라. 폐하, 천흥 같은 흉휼지인(凶譎之人)으로 병권을 맡기시면, 국가가 점점 병들리이다."

병부 국구의 주사를 듣고 비록 통완하나, 군전에 간대로 쟁단(爭端)864)을 못하여, 다만 성명 처치를 기다리고 다시 말을 않으며, 김후는 발명치 못하니, 상이 귀비를 총애하시는 바나 일월지명이 돌아오신지라. 국구의 무상함을 통해하시어 옥색이 엄렬하여 가라사대,

"천흥의 말이 명정하여 일분 그름이 없고, 김후의 수지(手指) 벤 것이 천흥의 낭대(囊袋) 중에 있으니, 발명할 말이 없는지라. 모름지기 바로 아뢰어 하원경 등의 원억한 참사(慘死)를 신백(伸白)게 하라."

김후 면여토색(面如土色)하여 불능주답(不能奏答)하니, 김탁이 성의를 스치매 분완함을 이기지 못하여, 여성(厲聲) 주왈,

"노신이 삼조(三朝)에 수은(受恩)하와 우충(愚忠)이 몸을 죽여 나라에 갚사올 마음이 있고, 폐하 성덕이 일월로 쟁휘(爭輝)함을 바라옵거늘, 어찌 충량(忠良)을 살해하여 성주의 실덕을 도우리까? 이제 폐하께서 정천흥 역자(逆子)의 흉휼지언을 믿으시어 신을 의심하시니, 신이 죽어 묻힐 땅이 없도소이다."

상이 국구를 양구 찰시에 정성 왈,

"짐이 경을 골경지신(骨骾之臣)으로 하여, 혹 무례하나 삼조의 구신임을 가애(可愛)하여 허물치 아니하더니, 어찌 차마 불의악사(不義惡事)를

---

864) 쟁단(爭端) : 서로 말끝을 잡아 다툼.

하며, 저 천흥이 연소하나 주석(柱石) 고굉지신(股肱之臣)이라. 하고(何故)로 국가를 병들게 하리오. 한갓 경의 미워함으로써 간대로 사람을 해치지 못하리니, 괴이한 말 말고 물러가라."

인하여, 핍박하여 궐외의 내치시고, 김후를 재촉하시어 전전악사(前前惡事)를 직고(直告)하라 하시니, 김후 황망이 면관청죄(免冠請罪) 왈,

"신이 본디 정신이 모황(暮荒)865)하와 아침에 한 바를 나조해866) 기억치 못하오니, 정천흥이 신을 함해(陷害)하오나, 신이 실로 그런 액경을 지낸 바 없사오니, 성상이 정확(鼎鑊)과 부월(斧鉞)로 저히시나 능히 주할 바 업도소이다."

정병부 부복 주왈,

"김후 간흉하와 저의 전전 악사를 은닉하오니, 먼저 두선과 오확을 형차(刑次) 준문(峻問)하시고, 버거 김후를 추문(推問)하소서."

상이 즉시 형위를 베푸시고 두선과 오확을 정하(庭下)에 꿀리시니, 김후 금포오사(錦袍烏紗)를 벗고 속절없이 정하(庭下)의 죄수 되니, 독형을 밧지 않아서 아주 죽을 듯, 일신을 떨어 아무리 할 줄 모르니, 제신이 주왈,

"김후의 거동이 작죄 분명하오나, 이 다 초왕과 김탁의 흉험하온 연고오니, 신 등은 바로 김탁을 저주미 마땅할까 하나이다."

상 왈,

"오확 두선을 엄문하여 복초를 받은 후 김후와 대면 질정케 하리니, 김탁은 아직 날회라."

하시니 제신이 감히 재청(再請)치 못 하더라.

---

865) 모황(暮荒) : 어둡고 거칠어 정신을 차리지 못함.
866) 나조해 : 저녁에. 나조ㅎ; 저녁.

이에 오확과 두선을 먼저 올려 엄문하시니, 양인이 천만 의외에 정병부의 주사로 좇아 초왕과 김국구의 과악(過惡)이 들어나고, 저희 먼저 형벌을 받아 사생을 정(定)치 못하니, 심신이 경월(驚越)하는 중, 만조문무 정정제제(整整齊齊)하고 흉장한 나졸은 붉은 매와 넓은 곤장을 가져 전후좌우에 버러867), 독한 형장을 더하니, 불과수차(不過數次)에 적혈이 땅에 고이고 피육(皮肉)이 미란(靡爛)한지라. 양환(兩宦)이 능히 견디지 못하여 개개(個個)히 초사를 올리니, 대개 왈,

"하진이 천성이 강렬하여 환관의 무리와 훈척(勳戚) 재렬(宰列)의 불의한 자가 있은즉, 세세히 살펴 천정에 밝혀 아뢰니, 외조의 불인(不仁)한 유(類)와 환관의 무리 다 하진을 미워하여 눈을 기울여 해코자 하더니, 맞추어 초왕 전하와 국구 김탁의 가르침을 받아, 모년 모야에 '여의개용단'이란 약을 먹어, 초왕은 학사 하원경이 되고, 소신 등은 하한림 하직사가 되어, 비수를 번득여 천심을 격동하고, 급급히 자취를 감추어 외면회단(外面回丹)이란 약을 먹어 본형을 내고, 죄를 하한림 삼인에게 미루어, 천노(天怒) 일시에 진첩하시니, 하원경은 유년을 넘었으나 직사 원삼은 독형을 이기지 못하여 죽고, 하학사와 한림은 죽지 않았거늘, 초왕과 김국구 독약으로 옥리를 주어, 양인을 먹여 급히 서릇으니, 소신 등은 초왕과 국구의 행계를 볼 뿐이요, 시키는 일은 거스르지 못하나, 괴이한 동요를 지어 하상서 역모를 꾀한다 퍼뜨려, 천심을 격동하옴은 국구 귀비낭랑을 촉(囑)함이니이다."

하였더라. 상이 어람(御覽)키를 다 못하여서 용미(龍眉)에 천노(天怒) 진첩하시어, 어수로 용상을 쳐, 가라사대,

"천사무석(千死無惜)이오 만사유경(萬死猶輕)이라. 초왕과 김탁의 불

---

867) 버러 : 벌여 서 있어. 늘어서 있어.

인궁흉(不仁窮凶)함으로 하원경 등이 참사하되, 짐이 불명하여 살피지 못하였으니, 하진을 보매 어찌 부끄럽지 않으리오."

제신이 오확 등의 초사를 들으매 원경 등의 신원이 명백함을 깃거하며, 또 천어(天語)의 순순(恂恂)하심을 듣잡고, 일시에 주 왈,

"하원경 등이 본디 개세군자(蓋世君子)라. 대역부도의 흉참지사는 만만 불가하오대, 성상이 그 때 원경 등의 발검(拔劍) 돌입함을 천안(天眼)이 친찰(親察)하시어, 일야지내(一夜之內)에 설국(設鞫) 엄문(嚴問)하시니, 원상이 먼저 죽고, 원경 형제 또 옥중에서 급급히 죽사오니, 신등이 미처 구하지 못 하였삽더니, 금일 오·두 양인(兩人)의 초사를 보오매, 원경 등의 애매히 비명참사(非命慘死)함은 인심에 비절(悲絶)하올 바라, 간당의 흉험한 죄과를 의논하오매 살인자사(殺人者死)868)는 한고조(漢高祖)869)의 약법삼장(約法三章)870)에도 면치 못하였으니, 초왕과 김탁을 일처(一處)에 대면하온 후, 죽여 후세 난신역자(亂臣逆子)를 징계(懲戒)하소서."

상이 윤종(允從)하시고 김후를 형위(刑威)에 올려 엄문하시더라.

---

868) 살인자사(殺人者死) : 사람을 죽인 자는 사형에 처한다.
869) 한고조(漢高祖) : 중국 한(漢)나라의 제1대 황제(B.C.247~B.C.195). 성은 유(劉). 이름은 방(邦). 자는 계(季). 시호는 고황제(高皇帝). 고조는 묘호. 진씨 황이 죽은 다음해 항우와 합세하여 진(秦)나라를 멸망시켰다. 그 뒤 해하(垓下)의 싸움에서 항우를 대파하여 중국을 통일하고 제위에 올랐다. 재위 기간은 기원전 206~기원전 195년이다.
870) 약법삼장(約法三章) : 중국 한(漢)나라 고조가 진(秦)나라 군사를 격파하고 함양(咸陽)에 들어가서 지방의 유력자들과 약속한 세 조항의 법. 곧 ①사람을 살해한 자는 사형에 처하고, ②사람을 상해하거나 남의 물건을 훔친 자는 처벌하며, ③그 밖의 모든 진나라의 법은 폐지한다는 내용이다.

명주보월빙 권지이십구

  화설 만세황야 김후를 형위(刑威)에 올려 엄문하시니, 김후 한 매를
받지 않아서 개개 복초하매, 병부의 주사로 어긋나지 않고, 지금까지 병
부의 수죄 질타함을 모르고, 분명 귀신으로 알던 바에 다다라는 전상 전
하 제인이 그윽이 함소하고, 상이 또한 기괴히 여기시며 병부의 신능(神
能)함을 칭찬하시어, 제신더러 가라사대,

  "정천흥이 십삼 동치(童穉)로 하가를 위하여 천문만호(千門萬戶)를 넘
어 김후를 질타하고, 그 악의 근본을 알매 그 수지(手指)를 베어 간수하
엿다가[871], 이제 하가를 신백하고 간당이 죄과에 나아가게 하니, 사사
에 신능한지라. 만일 짐이 천흥의 일깨움이 아니런들 하원경 등의 원혼
을 위로치 못하고, 하진으로 하여금 마침내 촉지에 내쳐 후세 참덕(慙
德)이 될 뻔하였도다."

  제신이 성교의 마땅하심을 하례하여 병부의 신능을 칭복하되, 금후
각모(角帽)를 숙여 그윽이 불안한 색이 있더라. 상이 이의 위사(衛士)를
발하여 초왕을 나래(拿來)하라 하시고, 오환과 두선을 초왕으로 대면 후
죽이려 대리시에 내리오시고, 김탁 부자도 일체로 가두어 초왕의 오기

---

871) 간수하다 : 건사하다. 물건 따위를 잘 보호하거나 보관하다.

를 기다려 한가지로 죄에 복(伏)하라 하시고, 하원경 등은 애매함이 일
월같으니 삼인을 다 경상작차(卿相爵次)[872]로 추증(追贈)하시고, 예관
을 보내시어 치제(致祭)하여 천양하(泉壤下)의 원백(冤魄)을 위로하라
하시고, 전임 예부상서 하진은 촉지에 여러 해를 찬적하매, 국가(國家)
가 충량을 많이 저버림이 있으니, 특별이 참지정사 정국공을 봉하여 촉
에 사(使)를 보내어 급히 상경하라 하시고, 뉘우치는 뜻을 뵈시며, 각
읍 주현(州縣)에 하조(下詔)하시어 하공의 행거를 호송하라 하시니, 만
조가 성덕을 칭하(稱賀)하더라.

죄인을 하옥하고 천문의 결사를 마치매, 사관이 봉명하여 촉으로 향
하고, 만조(滿朝) 다 퇴궐하매, 상이 금평후 부자를 머물게 하여 날이
어둡도록 초왕과 김탁 다스릴 일을 의논하시며, 공주의 일생이 온전케
하라 하시어, 왈,

"문양이 김탁의 외손이나 짐의 여아라. 그 외조의 불인을 담지 않았으
니, 경이 대접을 등한이 말지어다."

병부 계수재배 사은에 주왈,

"초왕이 면모에 반역이 나타나고 위인이 흉험하여, 그 심지를 다 이르
기 어려운지라. 금번 위관이 사명(詞命)[873]을 전하오나, 결단하여 오지
않으리니, 이미 위사를 따라오지 않으면 반역이 급하리이다."

상이 경 왈,

"초왕이 위사를 따라오지 않으면 어찌 하리오."

병부 대주 왈,

---

872) 경상작차(卿相爵次) : 육경(六卿)과 삼상(三相)의 작위(爵位). 육경(六卿); 육조
　　판서. 삼상(三相); 영의정, 좌의정, 우의정.
873) 사명(詞命) : 임금의 명령.

"차사 어렵지 아니하오니, 한 차례 병혁으로 문죄 하리이다."

상 왈,

"짐이 경을 두었으니 초왕이 비록 반하나 무슨 근심이 있으리오. 경은 짐의 믿는 바를 저버리지 말라."

부마 돈수하고 일모(日暮)에 파하여 궐문을 나니, 상이 김귀비를 총행(寵幸)하시나 국구와 동심하여 하가를 참간(讒干)함을 미안하시어 북궁에 옮기시니, 귀비 일마다 정부마를 원(怨)하더라.

금후 병부로 더불어 집의 돌아오니, 태부인이 밤들도록 취침치 않고, 진부인이 낙양후의 전어로 좇아, 하공의 신설이 쾌하며 병부의 신능함을 듣고, 영주 소저의 신세를 위하여 하문이 쉬이 상경할 바를 더욱 행희하여, 태부인께 연유를 고하여 기쁨을 이기지 못하더니, 금후 태원전에 들어와 모부인께 뵈옵고 일일지내 존후를 묻자오며, 병부 제제로 시좌하니, 태부인이 급히 문 왈,

"하가의 신원을 천흥이 밝히다 하니 이제는 하공이 쉬이 환경할지라. 어찌 기쁘지 아니하리오."

금후 대 왈,

"하씨의 원억을 신명이 거의 살피실지라. 금일 쾌히 신백하오니, 천도의 무심치 않은 바를 알되, 사재(死者) 부생(復生)치 못하니, 원경 등의 참사함이 어찌 비절치 않으리까? 천흥이 하문을 신설함은 그름이 없으나, 전자(前者)에 동치소아(童穉小兒)로 재상을 질욕 난타하고, 그 수지를 뱀은 생각지 못한 바요, 군전에서 김후를 꾸짖어 어린 기운을 장축(藏縮)지 못하오니, 소자 도리어 깃거 아니하나이다."

태부인이 소왈,

"천흥의 재모는 고금에 무적(無敵)이라. 하문의 지원극통을 천도가 무심치 않으시려니와, 원간 천흥의 능려함 곧 아니면, 오늘날 신설하기 쉽

지 아니하리라."

하더라.

야심하매 태부인이 취침하니, 금후 병부와 시랑을 거느려 외헌의 나와, 가로되,

"하형이 사(使)를 좇아 쉬이 상경하리니, 비록 옥누항 고택이 있으나, 원경 등의 수적(手迹)이 많으니, 화란에 상한 사람이 새로이 과상(過傷)할지라. 차라리 진부와 오가(吾家) 사이의 일좌 가사(家舍)를 세워 하공의 복거지지(伏居之地)를 정케 하리니, 여등은 진심하여 하부에서 상경 전 가사를 이루게 하라."

병부 대 왈,

"하교 마땅하시나, 일기 엄한(嚴寒)하여 가역(家役)이 쉽지 아니하오리니, 별원이 광활하여 하연숙(緣叔) 가솔이 족히 머물 것이요, 빈 터가 무궁하니 타일 가사를 지으려 하여도 어렵지 않은지라. 부질없이 가택(家宅)을 이루지 말고, 바로 별원에 머무심이 마땅하니이다."

금후 점두(點頭)874)하고, 명일 노복을 급히 촉의 보내어 하공 부자에게 서간을 부치고, 바로 오가(吾家) 별원으로 옴을 청하더라.

이러구러 명년 신정(新正)이 되매, 정부에 세알(歲謁)875)하는 빈객이 부절여류(不絕如流)하되, 숙렬과 하소저는 태부인께 문후하는 서간도 부침이 없으니, 숙렬은 벽화정 누옥에서 만단 곡경으로 지내므로 본부를 통치 못하고, 하소저는 위태와 유씨의 보챔이 잠시도 여가(餘暇)가 없으므로, 양부모와 순태부인께 문후하는 비자를 부리지 못하니, 순태부인이 신석(晨夕)에 잊지 못하여, 신세 아무리 될 줄 몰라 타루비상(墮

---

874) 점두(點頭) : 승낙하거나 옳다는 뜻으로 머리를 약간 끄덕임.
875) 세알(歲謁) : 세배(歲拜)

淚悲傷)함을 마지않으니, 금후 부자가 호언(好言) 관위(款慰)하되 숙렬
의 화액은 고치 아니하더라.

차시 운남공주 운영이 경선궁에 돌아와 두문불출하여, 다시 정부에
갈 의사를 못하고 신세를 슬퍼하며, 저희 전후 행사를 부끄러워 참황수
괴(慙惶羞愧)함이 대인할 낯이 없어 하니, 경선공주 그 개과책선함을 깃
거, 무애함을 친생같이 하여, 운영을 정가의 보내고자 아니하더니, 순태
부인의 관인후덕이 미세한 대라도 능히 참지 못하는지라. 운영이 비록
음일무상(淫佚無常)하나 개과천선하여 선도에 나아갔음을 깃거, 이에
즉시 데려오고, 병부를 권하여 이미 얻은 바를 버리지 말라 하니, 병부
조금도 뜻이 없으나, 부훈과 태모의 권유하심을 좇아, 일삭에 두어 순
(順)876) 고문(叩門)함이877) 있으니, 운영이 병부의 은정을 입으매 대희
하여, 소성의 낮음을 한치 않아, 윤·양·이 삼부인 성덕 혜화를 감은
하며, 태부인이 저의 전정을 제도함을 불승감덕(不勝感德)하여 하니, 원
간 천성이 지독 간흉은 아니라. 인연이 기괴하여 정병부를 만리에 따름
이 또한 운영의 작용 뿐 아니라, 귀신의 시킴이나, 본국을 생각지 않으
며 부모를 사념(思念)치 않으니, 진정(眞正) 이적(夷狄)의 무리로 다름
이 없더라.

어시에 문양공주 잉태 삼삭에 팔진경장(八珍瓊漿)878)이 무미(無味)하

---

876) 순(順) : '차례'의 뜻을 더하는 접미사.
877) 고문(叩門)하다 : 남을 찾아가서 문을 두드리다.
878) 팔진경장(八珍瓊漿) : 팔진지미(八珍之味)와 옥액경장(玉液瓊漿)을 함께 이르는
    말로, 아주 잘 차린 음식상에나 갖춘다고 하는 여덟 가지 진귀한 음식과, 맑고
    고운 빛깔과 좋은 향을 갖추어 신선들이 마신다고 하는 술을 뜻한다. *팔진지
    미는 순모(淳母), 순오(淳熬), 포장(炮牂), 포돈(炮豚), 도진(擣珍), 오(熬), 지
    (漬), 간료(肝膋)를 이르기도 하고 용간(龍肝), 봉수(鳳髓), 토태(兎胎), 이미
    (鯉尾), 악적(鶚炙), 웅장(熊掌), 성순(猩脣), 수락(酥酪)을 이르기도 한다.

여, 종일달야(終日達夜)토록 궁중이 진동하여 차리는 것이 다 공주의 찬
선이라. 한번 움직이매 무수 궁애 그 몸을 붙들고, 누우매 침금을 편히
하여 일분도 공주의 수고를 허비치 않으니, 이 반드시 태휘 안온하여 순
삭(旬朔)879) 후 분산할 것이로되, 조물(造物)880)이 희(戱)를 지어 공주
의 너무 교오자존(交惡自尊)을 오지(惡之)하거니, 어찌 복중골육을 무사
히 생산하리오. 정월 상원일(上元日)에 공주 입궐하여 제후께 배알하고,
북궁에 이르러 모비를 반기고 돌아왔더니, 풍한에 촉상(觸傷)하여 수일
을 신음하더니, 문득 복통이 중(重)하매 궁중이 진경하여 바삐 천궐(天
闕)에 주달(奏達)하며, 부마께 고하니, 상이 경려(驚慮)하시어 정·오
이왕으로 의녀를 거느려 공주의 병을 보라 하시니, 이왕이 봉교(奉敎)하
여, 의녀를 거느려 문양궁의 이르러 진맥하매, 병세 가장 위중한지라.
초조(焦燥) 황황(遑遑)하더니, 마침내 안태(安胎)치 못하고 사산(死産)하
매, 병세 위악하여 자주 혼절(昏絶)하여, 사람의 출입을 모르고, 정신이
혼혼하여 사생이 가려(可慮)라. 궁중(宮中) 부중(府中)이 진경(震驚)하여
주야 대변(對變)하는 중이나, 정·오 이왕이 여러 의녀로 병세를 논증하
여 약음을 극진히 하되, 조금도 차도 없으니, 최상궁이 흉계를 생각고,
가만히 최형을 불러 전일 장후길의 거처 없음과, 이제 윤·양·이 삼인
이 안여반석(安如磐石)함을 이르고, '이제 공주의 질환을 인하여 행계하
려 하나니, 거거는 목인(木人)과 매골(埋骨)을 갖추어 오라' 하니, 최형
이 순순 응낙하고 돌아가 즉시 광구(廣求)하여, 요예지물(妖穢之物)을
얻어 가만히 보내니, 사기(事機) 비밀하여 알 리 없는지라.
　최녀 허다 요예지물(妖穢之物)881)을 가져 공주의 침전 전후좌우에 묻

---

879) 순삭(旬朔) : 열 달.
880) 조물(造物) : 조물주(造物主). 우주의 만물을 만들고 다스리는 신.

으며 축사(祝辭)를 만들어 넣으니, 원래 윤·양·이 삼인의 필적을 공주 얻어 두었으므로, 최녀 윤부인 자체를 모떠 축사를 윤부인이 주장한 듯이 하고, 공주 정신이 나은 때 차계(此計)를 일러, 정·오 이왕을 공동 (恐動)[882]하라 하니, 공주 안태(安胎)함을 얻지 못하매, 애달프고 아까움을 이기지 못하여 식음을 물리치고 상요(床褥)에 몸을 부렸더니[883], 최녀의 헌계(獻計)함을 듣고 깃거, 즉시 괴이한 섬어(譫語)[884]와 놀라는 거동이 가장 기괴하여, 목인이 창검을 들고 자기를 지른다 하여 쑤어리며[885], 혹 모비(母妃)를 불러 자기 위태함을 구하라 하여, 한 술 물을 목의 나리오지 못하고 병세 위중하여 인사를 모르는 체하니, 상이 경녀 (驚慮)하시고 정·오 이왕이 문양궁을 떠나지 못하여 구호함을 지성으로 하되, 조금도 낫지 못하니, 궁중과 궐정이 진동하며, 금후 매양 병부를 명하여 공주의 병을 구호하라 하고, 금후 친히 제자로 더불어 공주를 문병하고, 정·오 양왕을 대하여 공주의 병을 염려하나, 병부는 공주의 사생을 불관이 여겨 후한 뜻이 없으나, 부훈(父訓)을 두려 문병함을 은근이 하더니, 공주 새로이 괴이한 병이 첨가하여, 섬어의 요악함과 거동의 공교함이 군자의 정씨(正視)할 바 아니라. 그 심폐를 살피고 밝은 안광이 침실을 장목시지(長目視之)하매, 요기(妖氣) 가득하였으니, 반드시 무고사(巫蠱事)를 시험함인 줄 알매, 분완통해(憤惋痛駭)하나 구태여 말을 않더니, 정·오 이왕이 공주의 섬어를 듣고 경아하여 부마더러 왈,

---

881) 요예지물(妖穢之物) : 무속(巫俗)에서 방자를 할 때 쓰는 해골(骸骨)이나 인형 (人形) 따위의 요사스럽고 흉측한 물건.
882) 공동(恐動) : 위험한 말을 하여 두려워하게 함.
883) 부리다 : ①사람의 등에 지거나 자동차나 배 따위에 실었던 것을 내려놓다. ②기력이 없어 몸을 침대 따위에 누인 채로 거동을 못하고 누어있다.
884) 섬어(譫語) : 잠꼬대. 헛소리.
885) 쑤어리다 : 시부렁거리다. 쓸데없는 말을 자꾸 지껄이다.

"문양의 병이 가장 괴이하니 과인의 뜻은 침석을 옮기고 술사(術士)를 드려 망기(望氣)[886]함이 가할까 하노라."

부마 빈미(顰眉) 양구(良久)에 날호여 왈,

"허약한 기운에 섬어를 그치지 못하거니와, 양위 전하가 구태여 술사를 드려 망기코자 하실진대, 소생이 수불명(雖不明)이나 이만 괴사(怪事)는 짐작하나니, 소생이 차처(此處)에 연일 있었으되 구태여 불길한 기운이 없더니, 근일 요사(妖邪)한 기운(氣運) 침전을 둘렀고, 공주의 병이 요괴롭기를 면치 못하고, 궁중의 변괴 없지 않으니 불행이 적지 않도소이다."

정·오 이왕이 부마의 말을 듣고 경동 왈,

"창백의 조심경 안광으로 침전에 반드시 요악한 기운이 있음을 살필지라. 원래 문양이 낙태 후 별증(別症)을 얻어 이 같으니 어찌 흉참한 곳에 한 때나 있으리오."

하고 궁아를 명하여 소양각이란 집을 수리하여 병장(屛帳)을 겹겹이 두른 후, 공주 침상을 옮겨 소양각에 안둔하고, 궁아들로 공주를 잠깐 지키라 하고, 부마의 소매를 이끌어 공주 침전에 망기(望氣)하라 하니, 부마 잠소(潛笑)하고 궁비로 좌우 벽틈을 파 보니, 문득 괴이한 매골과 무수한 목인이 다 창검을 들었으며, 또 축사가 들었는지라. 정·오 이왕이 무수한 요예지물을 보고 만심차악(滿心嗟愕)하며, 또 축사를 보니 자획이 비상하고 사의 흉참하여, 천지신명께 빌어 명 끊기를 청하고, 그 복중 골육을 낙태하여 한낱 골육이 없기를 빌었는지라.

이왕이 대경 대로하여 성시를 쓰지 않아 다만 삼인이 지성 축원하여

---

886) 망기(望氣) : 무속(巫俗)에서 술사(術士)가 어떤 곳에 서려있는 기운을 살펴 사악(邪惡)한 물건 따위를 찾아 없애는 것.

공주 죽임을 일컬었으니, 의심된 설화 반드시 윤·양·이 같아서, 적인 사이 미움을 일렀으니, 오왕이 더욱 분분하여 신색이 찬 재 같고, 노목 (怒目)이 진녈(震裂)하여 축사를 부마 앞에 던져 왈,

"궁중의 여차 변괴 있으되 창백이 알지 못하고, 문양은 제 마음이 현숙함으로 사람을 의심함이 없다가, 하마 무고사(巫蠱事)에 마칠 뻔하니 어찌 놀랍지 않으리오."

병부 정색 답 왈,

"소생이 불명하여 궁중의 요예지사(妖穢之事)[887] 일어나니 불승경해 (不勝驚駭)하거니와, 근본을 이를진대 죄명이 아무 곳의 미칠 줄 모르니, 양 왕 전해 공주의 질환을 염려하실진대, 궁내 변고는 소생이 자연 처치하리니, 과도히 놀라지 마소서. 축사의 공교함이 공주의 사태(死胎)를 청하여 진명(盡命)함을 빈축(頻祝)하였으나, 요예지물을 무던 지 오래지 않음을 소생이 지기(知機)하나니, 공주의 낙태 전의는 요사지기(妖邪之氣) 없더니, 근일 불길한 기운이 둘렀으니, 어찌 의심이 없으리까?"

양 왕이 부마의 경동치 아님을 보고, 필연 공주의 사생을 불관이 앎을 지기하매, 심리(心裏)의 불쾌하나, 부마의 위인이 가볍지 않은 고로, 다만 축사를 거두어 궁녀를 맡기고, 부마더러 정색 고 왈,

"창백이 여차 변괴지사를 보나 안연(晏然) 물시(勿視)하니, 이는 간인의 뜻을 기름이라. 문양이 수불인(雖不仁)이나 만세야야(萬歲爺爺)의 사랑하시는 공주로, 외람이 군에게 하가하매 멸시함은 하가 전부터 지기(知機)한 바나, 이제 여차 요악한 일이 그 몸에 미치나 조금도 경동함이

---

887) 요예지사(妖穢之事) : 무속(巫俗)에서 해골(骸骨)이나 인형(人形) 따위의 요사스럽고 흉측한 물건을 가지고 행하는 방자행위. *방자; 남이 못되거나 재앙을 받도록 귀신에게 빌어 저주하거나 그런 방술(方術)을 쓰는 행위.

없으니, 이는 황녀를 경시함이라. 문양이 수암용(雖暗庸)이나 제후의 교애(嬌愛)하시는 성은 가운데 생장하여, 일찍 그 몸에 불평한 일이 없다가, 군가의 하가하여 일이년(一二年)이 되지 않아서 이 같은 일이 층출(層出)하되, 저의 마음을 미루어 타인을 의심치 않거니와, 군의 도리는 여염(閭閻) 여자라도 가히 허실을 물어 간정을 핵실함이 옳거늘, 하물며 황녀(皇女)이겠는가! 군이 문양의 사생을 불관이 알아 여차할진대, 차는 문양을 멸대함은 이르지도 말고, 황명의 순순(恂恂)하심을 저버림이니, 고어의 왈, '님군이 주시는 바는 견마(犬馬)라도 공경한다' 하였나니, 문양이 수악(雖惡)이라도, 군가의 칠거지죄(七去之罪)888) 없을진대 그렇지 못하리니, 이 어찌 군명을 홍모(鴻毛)같이 함이 아니리오. 군은 가히 사정을 절차치 못하여 여차함이나, 과인 형제는 황명을 받들어 동기를 구호하매, 그 병이 사생에 가까우니 동기지정에 참연하거든, 하물며 황야의 성려(聖慮)하심이 숙취옥탑(宿就玉榻)889)의 편치 못하심을 생각건대, 그 병을 나누지 못함을 한하거늘, 여차 변고를 어찌 괄시하리요마는, 오히려 소소(小小) 가사(家事)니 군의 처치를 보려 하였더니, 군이 조금도 경념(驚念)치 않으니, 과인 등이 가히 천정의 주달하여 죄명자(罪名者)를 법률로 다스려 후인을 징계하리라."

설파의 오왕이 미우에 노기(怒氣) 열숙(烈肅)하고 말씀이 준절하니, 좌우 궁녀 막감앙시(莫敢仰視)라. 병부 고요히 염슬(斂膝)하여 오왕의 허다 말씀을 들으매, 그윽이 그 위인의 불명함을 우습게 여기나, 말씀이

---

888) 칠거지죄(七去之罪) : 예전에, 아내를 내쫓을 수 있는 이유가 되었던 일곱 가지 죄. ①시부모에게 불손함, ②자식이 없음, ③행실이 음탕함, ④투기함, ⑤몹쓸 병을 지님, ⑥말이 지나치게 많음, ⑦도둑질을 함. 따위이다.

889) 숙취옥탑(宿就玉榻) : '옥으로 꾸민 침상에 나가 잠을 잔다는 뜻'으로 '임금의 잠자리'를 말함.

강렬하고 기운이 추상같음을 보매, 다만 정색 사사(謝辭) 왈,

"소생이 불명무식(不明無識)하여 오늘날 양위 전하의 허다한 말씀이 자당감쉬(自當甘受)나, '군명을 홍모같이 한다' 하심과, '공주의 사생을 불관이 여긴다' 하심은 의외라. 공주의 병세 초(初)에는 그렇지 않더니, 근일 증세 크게 공교(工巧)하니 괴이(怪異)히 여기던 바라. 이제 요괴로운 무고사를 파내었으나, 이는 소생의 집 적은 일이라, 어찌 천정에 번득890)하리오. 소생이 비록 용우불명하나 이만 일은 처치할 만하고, 공주 수존(雖尊)이나 하가(下嫁)하여 필부의 문의 돌아오매, 만승의 세(勢)와 천승의 교(驕)를 부리지 못하리니, 금일 양위 대왕의 지교(指敎) 의외 아니시랴? 무고사로써 부디 천문의 주달코자 하실진대 소생이 어찌 말리리꼬?"

언종(言終)에 좌우 궁노를 명하여 요예지물을 소화하라 하고, 소양각의 나아가 공주의 병을 구호하되, 무고사를 언두에 일컫지 않고, 비로소 공주의 맥후를 보니, 사태(死胎) 후 심녀를 과히 하여, 원기 실낱같았을지언정, 구태여 고항의 위질(危疾)이 아니요, 요사의 침범한 증세 아니라. 이에 자가(自家) 의사(意思)로 십여 첩 약을 지어 먼저 수삼(數三)복891)을 시험하니, 약효 신기하여 공주의 질통(疾痛)하던 바 많이 감하나, 공주 짐짓 정·오 이왕을 격동코자 하여 한결같이 고통하니, 부마는 괴롭고 증분하여 소매를 떨쳐 상부의 돌아와, 일일 한 때씩 왕래하니, 정·오 이왕이 주야로 머물러 궁중에서 구호하더라.

부마 스스로 괴로움을 이기지 못하고, 경소저 산월이 임하였으나 공주

---

890) 번득 : 물체 따위에 반사된 큰 빛이 잠깐 나타나는 모양
891) 복 : 약의 분량을 나타내는 단위. 한 번 먹을 분량을 이른다.

의 우환의 분주하여 가보지 못하고, 경경(耿耿)한 염려를 놓지 못하더라.

차시 경소저 잉태 십 삭이 차매, 정월 십순일(拾旬日)892)에 일개 영
자를 생하니, 기골이 석대하여 용린(龍麟)의 새끼요, 백옥 같은 용화(容
華)라. 버들 같은 눈썹과 추수사일(秋水斜日)893)이 일월(日月)을 수장
(收藏)하고, 강산정기(江山精氣)는 미우팔채(眉宇八彩)894)의 온전하였
으니, 남전(藍田)895)의 백옥(白玉)이 티끌을 벗고, 해상의 금까마귀896)
부상(扶桑)897)을 엿보는 듯, 구각(軀殼)898)이 장실(壯實)하고, 산실에
이향(異香)이 분비(紛霏)하니, 경공 부부 만심 환열하여 여아를 구호하
며 손아를 어루만져 사랑이 만금의 비(比)치 못하더라.

경씨 산 후 병이 없으니, 경공이 깃거하나 짐짓 병부에게 여아의 생남
함을 통치 않으니, 병부 소식을 몰라 궁금해 하더니, 일일은 겨우 틈을
타 경부에 이르니 경공이 내루에 청한데, 병부 내헌에 이르러 악부모께
배견하고 근간 존후를 묻자온 후, 돌아 경시랑더러 문 왈,

"영매 산월이 금월이로되 소식이 없으니 지금 분산치 않았느냐?"

경시랑이 그 바삐 알려함을 믿게 여겨, 짐짓 탄식 왈,

"소매 금월 십순(拾旬)에 순산하나, 이목구비 삼기지 아니하고, 남녀

---

892) 십순일(拾旬日) : 10일.
893) 추수사일(秋水斜日) : 가을 물 속에 비친 해. 여기서는 신생아 눈을 비유적으
　　　로 표현한 말.
894) 미우팔채(眉宇八彩) : 여덟 가지 색깔의 눈썹.
895) 남전(藍田) : 중국(中國) 섬서성(陝西省)에 있는 산 이름으로 옥의 명산지.
896) 금까마귀 : '해'를 달리 이르는 말. 태양 속에 세 개의 발을 가진 까마귀가 있
　　　다는 전설에서 유래한다.
897) 부상(扶桑) : 해가 뜨는 동쪽 바다.
898) 구각(軀殼) : 몸의 껍질이라는 뜻으로, 온몸의 형체 또는 몸뚱이의 윤곽을 정
　　　신에 상대하여 이르는 말.

도 채 알지 못하는 육괴(肉塊)를 낳았으니, 볼 적마다 놀랍고 차악할 뿐
아니라, 소매 차경을 보고 경심(驚心)하여 식음을 물리치고 병이 중하
니, 대인과 자위 창백에게 전함이 무안타 하시어 생산함을 지금 이르지
않으시니, 인가의 그런 괴이한 것이 날 줄 알았으리요."

병부 문파의 주순(朱脣)이 열리며 옥치(玉齒) 찬연(燦然) 왈,

"비록 육괴(肉塊)라도 이 정창백의 골육이니, 제 아비 천륜자애 없지
않을 것이요, 천유는 보기 싫다 할지라도 내게는 통함이 옳은지라. 아무
려나 들어가 그 육괴를 보리라."

하고 한가히 웃어 조금도 곧이 아니들으니, 경시랑이 소왈,

"창백이 오언(吾言)을 믿지 않으나, 이제 들어가 그 육괴를 본즉, 부
자 천륜지정이나 놀라 자빠지리라."

병부는 함소무언(含笑無言)이요, 경공 부부는 병부의 거동을 보려 말
을 않더니, 병부 웃고 일어나 왈,

"천유 날과 한가지로 영매 침소의 가, 신생아의 이목구비를 내 가르쳐
보게 하려니와, 눈이 있으되 태산을 알아보지 못함이로다."

시랑이 소왈,

"나는 그 육괴를 눈이 시도록 보았으니, 군은 모름지기 뜻을 굳게 하
여 부자 상견하라."

병부 웃고 소저 침소에 이르러 한번 기침하고 지게를 여니, 소저 침병
에 의지하였다가 병부를 보고 일어나 맞으니, 병부 바삐 청좌하고 눈을
들어 신생아를 보니, 한낱 천리기린(千里駏驎)[899]이요, 해상일월(海上
日月)이라. 영형발췌(英形拔萃)하여 이씨의 생아(生兒)와 한 판의 박은

---

899) 천리기린(千里駏驎) : 하루에 천 리를 달릴 수 있을 정도로 빠르고 좋은 말. 기
    린(駏驎); 천리마(千里馬).

듯하되, 찬연이 고은 빗과 특이함은 승한 듯한지라. 병부 희출망외(喜出
望外)하여 사랑함을 마지않다가, 경씨를 돌아보니, 소저 팔자춘산(八字
春山)900)을 낮추고 옥수를 길이 꽂아 염슬단좌(斂膝端坐)하니 광염이
아스라하고901) 염질(艶質)이 작작(綽綽)하여902), 남산(南山)이 의희(依
俙)한데903) 제월(霽月)이 교교(皎皎)한 듯, 고수(高秀)한 색광이 봄날이
다사하되 혜풍(惠風)이 한가한 듯, 산후 일분 수패(瘦敗)함이 없으니,
견권지정(繾綣之情)이 불가형언(不可形言)이라. 어이 돌아가 요악한 공
주의 병을 볼 의사 있으리오. 차야를 또 경부에서 지내니, 시야(是夜)에
일장 분란(紛亂)이 일어나, 윤·양·이 삼인이 풍진낙척(風塵落坫)904)
이 되니 시하사(是何事)오? 석남하회(釋覽下回)하라.

  어시에 최녀 흉계를 행하여 죄를 윤·양·이 등에게 미루고자 하더
니, 부마 스스로 요사(妖邪)를 파내고 공주의 병을 구호할지언정, 무고
사를 거들지 않으니, 분한(憤恨) 착급(着急)하여 일계를 행할 새, 차시
공주 부마의 신약을 먹어 병이 나날이 차경에 있으나, 짐짓 정·오 이왕
을 머물러 병세 가감(加減)이 없다 하고, 최녀 가만히 시아로 윤부인 시
아 녹섬과 양부인 시아 영교를 부르니, 양인이 공주와 최녀의 흉휼(凶
譎)에 감겨 그 이르는 말이면 사지라도 불감역명(不敢逆命)이라. 이의
이르니 최녀 팔진성찬(八珍盛饌)을 내어 포복(飽腹)토록 먹이니, 이녀가
사사 칭복 왈,

---

900) 팔자춘산(八字春山) : 화장한 눈썹.
901) 아스라하다 : 끝이 없다.
902) 작작(綽綽)하다 : 빠듯하지 아니하고 넉넉하다.
903) 의희(依俙)하다 : 어렴풋하다.
904) 풍진낙척(風塵落坫) : 티끌이 바람에 날려 척박한 땅에 떨어짐.

"옥주의 애인성덕이 우리 같은 천류(賤流)에 지극하시니, 아등의 바람이 주인에 세 번 더한지라. 천도 옥주낭랑의 성심숙덕을 살피지 않으시어 낙태 환휘 위독하시니, 초전하는 근심이 부모에 더한지라. 몸소 이르러 옥주낭랑의 체후를 묻자올 것이로되, 주인이 엄하여 임의로 다니지 못하게 하매, 한갓 죄를 헤아릴 뿐이러니, 금일 상궁의 소명을 인하여 겨우 이르렀더니, 이렇듯 관대(款待)하시니 불승감격(不勝感激)이로소이다."

최녀 흔연 왈,

"내 윤·양 양부인 성정을 스치니, 교오질독(驕傲疾毒)하여 시녀 양낭배를 은혜로 거느리지 않으며, 우리 옥주낭랑은 봄날에 마른 풀을 불태움 같은 성덕(聖德)이, 홀로 궁중을 이르지 말고 도중행걸(道中行乞)의 류(類)라도 참연하시어, 금은필백을 아끼지 아니하시나니, 적선음공을 천지 살피시어 슬하 장옥(璋玉)[905]이 선선(詵詵)하실 바로되, 정문에 하가하시어 잉태 삼사 삭에 힘힘이 악인의 독수에 마침내 안태(安胎)치 못하시니, 어찌 애달지 않으며, 옥주의 환휘 사경의 있으니 어찌 차악치 않으리오. 옥주의 성휘 가복하시는 날이면 유죄자(有罪者) 죽어 아깝지 않거니와, 그 중 원억히 불인지주(不仁之主)의 연좌로 자닝한 비배(婢輩) 다 죽을지라, 어찌 참혹치 않으리오. 금일 내 그대네를 청하여 일만장(一萬丈) 굴형[906]을 벗고, 백옥선간의 즐거움을 지휘코자 함이니, 그대네 만일 윤·양 두 부인으로 비주지의(婢主之義)를 완전코자 할진대, 그대네 이십도 못한 나이에 참형지하에 원혼이 되리니, 모름지기 나의 지휘를 좇으면 몸이 부귀하여 고루화각에 능라로 일신을 감싸고, 팔진

---

905) 장옥(璋玉) : '자식'을 달리 이르는 말.
906) 굴형 : 구렁. 움쑥하게 파인 땅.

성찬을 염어(厭飫)하리니 그 이해(利害) 어떠하뇨?"

녹섬 영교 문파(聞罷)에 두 눈이 두렷하여 왈,

"사람의 원하는바 제 몸이 즐겁고자 하나니, 상궁이 무슨 재주로 아등의 일생을 편케 하시리오? 우리 주인이 구태여 질독(嫉毒)치 않으니 우리 어찐 고로 참형에 마치리라 하시느뇨?"

최녀 소왈,

"내 그대로써 총명(聰明) 달리(達理)한가 하였더니 어찌 이다지도 집미(執迷)907)하뇨? 윤·양·이 삼부인이 스스로 비복을 다스리지 않아, 도위 노야를 꾀와 미운 비자를 골육(骨肉)이 미란(糜爛)토록 중형을 더하나니, 그대 등이 주인의 무상함을 몰랐도다. 어제 옥주 침전에 요예지물을 파내고 축사를 보니, 윤부인 수적이니, 윤·양·이 삼부인이 동심모의한 일이라. 정·오 양 전하가 옥주 환휘 가복(可復)하신 후, 윤·양·이 삼부인 시녀를 남으니 없이 다 잡아 궐정에 들어가 추문하리니, 삼부인과 동심모의하던 시녀 양낭배는 죄당주륙(罪當誅戮)이거니와, 그대 등은 동심치 않았을 것이로되, 천위지척(天威咫尺)908)에 형벌이 극(極)하거든, 어대 가 애매타 발명하리오. 속절없이 청춘에 마치리니, 모름지기 주인의 사생을 염려치 말고, 내 지휘를 좇아 대공을 이룰진대, 우리 옥주낭랑이 그대 등의 일생을 제도하시리니, 그 이해(利害) 장차 하여(何如)오?"

말끝에 황금 오백냥을 내어 이녀를 나눠 주니, 양인이 차언을 듣고 황금을 보니, 비록 제 머리를 베어도 상궁의 말을 받들고자 하니, 하물며

---

907) 집미(執迷) : 고집이 세어 갈팡질팡함.
908) 천위지척(天威咫尺) : 천자의 위엄이 지척에 있다는 뜻으로, 임금과 매우 가까운 곳 또는 제왕의 앞을 이르는 말

공주 침전에 요예지물을 파내고, 축사가 정·오 양 왕이 가진 바 되어 간정(奸情)을 엄문(嚴問)하는 지경이면, 참형(斬刑)을 면치 못할지라. 놀라 혼백이 날아날지라, 이에 이르되,

"진실로 상궁의 말 같을진대 아등이 어찌 죽기를 감심하리오. 상궁의 높은 의논과 어질게 지교하심을 받들어 행코자 하나니, 빨리 지교하소서."

최녀 칭선 왈,

"현재(賢哉)며 영물(靈物)이라. 그대 등이 이해(利害)를 통하여 사오나온 주인을 버리고 어진 곳의 나아오고자 하니, 어찌 써 아름답지 않으리오. 녹낭자는 금야에 여차여차 하고, 영낭자는 한 쌈 약봉을 가져 양부인 협사(篋笥)에 넣고, 뭇는 때의 여차여차 주하면, 타일 부귀를 형상키 어려우리라."

녹섬 영교 소왈,

"상궁의 지교하신 바를 마지못하여 하려니와 아등이 대죄를 행하고 능히 무사하리까?"

최녀 왈,

"그대 등이 비록 죄명이 중대하나, 옥주 지성으로 살려내실 것이니, 모름지기 염려치 말라."

인하여 감언미어로 꾀오며, 금은필백으로 그 마음을 어리오니, 양녀가 언언이 낙종하고, 영교 최녀의 준바 약쌈을 가져 양부인 침소의 이르니, 부인은 정당에 있고 좌우 아무도 없는지라. 대희하여 협사에 약을 넣되 동류도 알 리 없고, 녹섬은 최상궁의 지휘대로 개용단을 먹고 궁비 세향 되기를 축원하니, 경각에 키 크고 허리 퍼진 녹섬이 변하여 세향의 요요작작(姚姚灼灼)한 모습과 일분 다름이 없는지라. 최상궁이 녹섬의 속옷 고름에 수금낭(繡錦囊)을 채와 외면회단을 넣어주고, 제일 독약을 주어 이리이리 하라 하니, 녹섬이 일일청종(一一聽從)하고 식청(食廳)으

로 가니, 이날 공주 최녀와 맞춘 일이 있음으로 식청의 으뜸 궁비 세향을 불러 왈,

"네 나의 유질(有疾)함으로써 주야 일각도 쉬지 못하였으니, 금일은 내 기운이 잠깐 나은지라, 모름지기 물러가 쉬고 나의 찾기를 등대하라."

세향이 대 왈,

"옥주의 환휘 위중하시니, 소비 등이 신명께 축원하여 천신(賤身)으로 대코자 하오나 능히 믿지 못하옵거늘, 어찌 물러가 쉬리까?"

공주 재삼 위로하고 물러가 편히 자고 명효(明曉)에 대후(待候)하라 하니, 세향이 또한 일신이 시진(澌盡)할 듯하므로, 즉시 물러 제 방으로 돌아가 깊이 잠드니, 식청 궁비 등이 무심하여 세향이 변한 줄 모르고 진정 세향만 여기더라.

녹섬이 야심한 후 일기(一器) 미음을 받들어 공주 앞에 놓으니, 공주의 사부 한상궁은 천성이 질직(質直)함으로, 공주와 최녀의 간계를 모르고 가로되,

"옥주 세향을 가 자라 하시되, 향의 충심이 동촉(洞屬)하여 가 자지 못하고, 또 미음을 받들어 진음(進飮)하심을 청하니, 원 옥주는 두어 번 철음(啜飮)하소서."

공주 한상궁에게 붙들려 일어나 가로되,

"사식지념(事食之念)이 없으되 사부의 권함과 세향의 정성을 매몰치 못하리로다."

언파에 두어 번 마시는 체하다가 문득 엄홀하니 한상궁은 아무런 줄 모르고 황황하여 바삐 정·오 이왕께 고하라 하고, 가(假) 세향은 거짓 달아나는 체하니, 궁비 등이 고성 왈,

"세향이 옥주의 엄홀하심을 보고 문득 달아나니 쾌히 잡으라."

여러 궁비 따라가 세향을 잡은지라. 이러 굴 사이 정·오 이 왕이 바

삐 들어와 연고를 무른대, 한상궁이 맞아 본 바로 대하니, 이왕이 친히 공주를 붙들어 해독약을 쓰고, 미죽을 가져오라 하여 땅에 엎치니 푸른 불이 일어나는지라. 이왕이 대로하여 고성 분분(忿憤) 왈,

"세향 간비 등의 죄당만사(罪當萬死)라 어찌 일시(一時)인들 지완(遲緩)하리오. 궁노를 명하여 형장기구(刑杖器具)를 차리고, 세향을 잡아 복초를 바든 후 죽이라."

하더니, 정언간의 진짜 세향이 궁중이 요란함을 보고 놀라, 소양각의 이르러 오왕의 분분함과, 제 얼굴이 된 궁비를 정하(庭下)에 꿀렸음을 보고, 불승차악하여 아무리 할 줄 모르니, 오왕이 눈을 들어 보매, 서녘 난하(欄下)에 또 세향이 있음을 보고, 경해(驚駭) 막측(莫測)하여 궁비를 명하여 '아까 달아나려 하던 세향을 놓지 마라,' '섞이지 않게 하라.' 하고, 방중의 들어가니, 원래 공주 죽음을 마시지 않았으므로 거짓 해독하는 약을 먹어 정신을 차리는 체한지라. 양 왕이 깃거 공주를 대하여 세향의 분신(分身)함을 이른데, 공주 거짓 혼미한 소리로 이르대,

"세향을 물러가 자라 하였으니 나올 리 없고, 한 몸이 나뉘어 두 세향이 될 리 만무하니, 세사(世事) 난측(難測)이라. 필유묘맥(必有妙脈)하리니, 바삐 저주어 간정을 사핵(査覈)하소서."

양 왕이 점두하고 궁비를 신칙(申飭)하여 공주를 모시라 하고, 외궁에 나아가 세향을 긴긴히 동이고 엄문 왈,

"여등이 어찌 흉계를 내어 옥주를 해함이 필연 지촉(指囑)한 자가 있으리니, 모름지기 일사(一事)를 은닉지 말고 전전악사를 직초하라."

세향이 어지러이 발명하되, 이왕이 대로하여 사예(司隸)를 호령하여 일장의 피육이 후란케 치니, 녹섬이 거짓 크게 울고 가로되,

"하늘이 아주를 돕지 아니시어 패망함을 이루니, 인력으로 할 바 아니

라 어찌 참형을 받고 악사를 기이리까? 원컨대 진정을 고하리이다.”

양왕이 즉시 날회라 하여, 지필을 주며 일변 부마와 정시랑을 청하니, 이때 부마는 경부의 가고 시랑이 부공을 시침하였다가, 문양궁으로 좇아 궁노가 이르러 정·오 이 왕 말씀으로 궁중의 변괴 있으니 한가지로 다스리믈 이르는지라, 금후 왈,

“여형이 없으니 네 빨리 가보고 오라.”

시랑이 수명하여 궁의 이르니, 정·오 이 왕이 바야흐로 형위를 베풀고 궁비를 결박하여 초사를 밧는지라. 시랑이 당의 올라 공주의 병후를 묻잡고, 부마의 나갔음을 전하니, 정·오 이왕이 궁중 변고를 이르고 가(假) 세향의 초사를 재촉하니, 유유지지(儒儒遲遲)[909]하다가, 이윽고 초사(招辭)가 오르매, 하였으되,

“천비는 궁비 세향이 아니라 평남후 원비 윤부인 비자 녹섬이라. 병부 노야가 우리 부인께 은정이 중하시고, 존당 구고의 자애 일신에 온전하여 양·이 두 부인이 계시나 서로 화우하여, ‘황영(皇英)의 고사(故事)’[910]를 법하여 백년을 즐길까 하더니, 의외 공주 하가하시매, 황녀의 존함과 왕희의 부귀를 겸하여 성명이 공주로 부마 노야의 상원위를 삼으시매, 항상 앙앙하여 양·이 두 부인으로 더불어 성상(聖上)을 각골 원망하여, 매양 고요한 밤을 당하면 피차 공주를 죽여 설분함을 원하되, 좋은 기틀이 없어 여러 일월을 지내더니, 우연이 옥주의 사부 한상궁을 사귀시어 가장 친밀하실 뿐 아니라, 한상궁이 옥주를 원망하여 부디 해코자 하매, 양·이 두 부인이 각각 친당에 고하여 요예지물을 수없이 얻어 오시매,

---

909) 유유지지(儒儒遲遲) : 어떤 일에 딱 잘라 결정을 내리지 못하고 어물어물하며 질질 끌기만 함.
910) 황영(皇英)의 고사(故事) : 중국 요(堯)임금의 두 딸인 아황(娥皇)과 여영(女英)이 함께 순(舜)에게 시집 가, 서로 화목하며 순임금을 섬겼던 일.

주모 친히 축사를 쓰시고 목인과 매골을 한상궁을 주어 옥주 침전 좌우에 묻으매, 효험이 신기하여 무고사를 행한 사오일에 옥주 낙태하시고 병후 위악하시니, 윤·양·이 삼부인이 환환희희(歡歡喜喜)하시어 공주의 기세하심을 바라시더니, 부마 노야 친히 요예지물을 파내시고 악사 발각하니, 주모 대경하시어 양·이 두 부인을 청하여 의논하시니, 이부인이 여의개용단(如意改容丹)과 외면회단(外面回丹)이란 약을 얻어 아주(我主)를 주어 왈, '시녀류(侍女類)에 영리한 자로 개용단을 먹여, 궁녀의 얼굴이 되어 여차여차 독약을 공주의 진식하는 미죽의 타 시험한즉, 공주 능히 사지 못할 것이요, 한상궁이 범사를 내응할 것이니, 성사한 연후에 면회단(面回丹)을 먹어 본형을 들어내면 알 리 없으리라.' 하시니, 부인이 과연하시어 독약을 얻고자 하시니, 양부인이 수일을 두루 구하여 괴이(怪異)한 약을 얻어, 더러는 자기 협사(篋笥)에 두시고, 더러는 가져와 먼저 한상궁에게 통하여 공주를 없이하라 하니, 아주(我主) 대희하시어 소비로 여의개용단을 먹여 세향이 되니, 독약을 금낭의 넣어주며 당부하거늘, 소비 수명하여 상궁의 곳에 와 행사함이 사죄(死罪)오나, 이는 주인의 일신을 안한(安閑)코자 함이요, 한상궁이 내응(內應)함이니, 구태여 소비의 죄 아니니, 양위 전하는 명찰지(明察之)하시어 초로일명(草露一命)을 용서하소서."

하였더라. 정·오 이 왕이 남파(覽罷)에 양안(兩眼)이 둥글며 면색(面色)이 여토(如土)하여 왈,

"네 세향이 아닐진대 즉각에 본형을 내라."

녹섬이 금낭에서 외면회단을 내어 삼키매, 문득 연약 미려하던 세향이 변하여 장실흉험(壯實凶險)한 녹섬이 되는지라. 이왕이 녹섬을 보지 못하였는지라 시랑을 돌아보아 왈,

"궁중의 여차 변괴 층출(層出)하니, 경악(驚愕) 상심(喪心)할지라. 녹

섬의 초사(招辭) 분명하여 다시 물을 것이 없거니와 다만 윤부인께 저 비자(婢子)가 있음이 옳으냐?"

시랑이 녹섬의 초사를 보매 의괴할 차, 궁인이 변하여 녹섬이 되니 윤·양·이 삼부인의 액회(厄會) 기괴(奇怪)함을 차악(嗟愕) 한심(寒心)하고, 가변을 탄식하여, 답 왈,

"녹섬이 윤수(嫂)의 비자(婢子)임이 맞거니와, 금야에 사람이 생각지 못할 변괴를 이루어 죄과를 자기 주인에게 씌우니, 극악한 의사라. 금야에 마침 사곤(舍昆)이 나가고 가엄이 취침하신 후니, 간비를 소생이 홀로 다스리지 못하려니와 양 대왕이 재좌(在坐)하신 곳에서 잠깐 다스려 간정을 핵실하리이다."

정왕이 미급답(未及答)에 오왕이 정색 왈,

"군이 비록 여차하나 차녀(次女)가 벌써 직초(直招)하였으니 다시 물을 것이 없고, 문양의 침전에 저주사(詛呪事)가 흉참하여 차녀의 초사가 아니라도 문양을 해할 이 적인(敵人)[911]밖에 나지 않으리니, 어찌 의심이 없으리오마는, 영형(令兄)이 매양 종용이 처치함을 이르고, 과인 등이 간여치 말았으면 하니, 문양이 비록 과인의 동기나 죽청이 그 가장(家長)이라, 범사 그 장악에 있으니, 고(孤)[912]는 외인이라, 그 가사에 아른 체함이 불가하여, 영형의 처치를 기다릴 따름이러니, 또 생각지 않은 요녀(妖女)가 문양을 죽이고자 하니, 과인 등이 종내 함구할진대, 문양이 마칠 것이요, 성상이 과인 등을 명하시어 문양을 구병하라 하신 명을 어기오지 못하리니, 이 일이 비록 규내 작변이나 자못 중대하여 왕희(王姬)를 죽이려 하니, 천정의 주달하여 성명의 처분을 보리니, 군은 일

---

911) 적인(敵人) : ①원수. ②남편의 다른 아내, 곧 자기 이외의 남편의 처(妻)나 첩(妾).
912) 고(孤) : 예전에, 왕이나 제후가 자기를 낮추어 이르던 일인칭 대명사.

편 되게 차사를 허언으로 치우지 말고, 명일 천정에 주(奏)하려니와, 영백(令伯)이 만일 가제(家齊)를 숙연이 하였을진대, 투부(妬婦)의 장난이 이에 미치리오. 고(孤)가 창백을 명달한 군자로 알았더니 일로 볼진대 불명치 아니랴?"

시랑이 숙연이 염슬 답 왈,

"대왕 등이 녹섬 간비의 초사를 깊이 믿으시니, 소생이 어찌 시비를 분간하리까마는, 가수(家嫂) 등의 위인이 성녀숙완(聖女淑婉)의 제일좌(第一座)를 사양치 않음 즉하니, 남에서 별로 어진 일은 못하시나, 불의 악사는 행여도 아니하실지라. 간비의 허망한 초사를 좇아 일분도 의심이 일어나지 않으니, 소생이 불명하나 간비의 심지를 거의 사무칠지라, 한번 엄히 다스려 실상을 알고자 하더니, 오왕 전하가 다시 다스릴 것이 없음을 이르시니, 소생이 또한 우기지 못하나니, 돌아가 가친(家親)께 이 변(變)을 고하고, 명일 사곤이 돌아온 후, 서로 의논하여 천정에 주달케 하소서."

언파에 몸을 일으켜 상부로 돌아가니, 양 왕이 다시 머물지 않고, 녹섬을 하옥하고, 한상궁이 본디 충근(忠謹) 혜일(慧逸)함을 모르지 아니하되, 녹섬의 초사 중에 난지라, 이 왕이 서로 돌아보아 왈,

"천장수심(千丈水深)은 알아도 한 사람의 심폐(心肺)는 알기 어렵다[913] 함이, 정히 이를 이름이로다. 한씨 충직하고 지식이 유여함을 황야가 기특히 여기시어 문양의 사부를 삼았더니 어찌 도리어 문양을 해할 줄 뜻하였으리요. 일찍이 하옥하여 명일 천문의 결사를 봄이 옳도다."

---

913) 천장수심(千丈水深)은 알아도 한 사람의 심폐(心肺)는 알기 어렵다 : 천 길 물 속은 알아도 한 길 사람의 마음속은 알기 어렵다는 뜻으로, 사람의 속마음을 알기란 매우 힘듦을 비유적으로 이르는 말.

이에 하령(下令)하여 한상궁을 칼 씌워 하옥하라 하니, 한씨 소양각에서 공주를 붙들어 구호하다가 하옥하라 함을 듣고, 불승차악(不勝嗟愕)하여 공주께 함루 하직 왈,

"첩이 옥주를 오세로부터 보호하여 외람히 옥주의 사부를 봉하시니, 제후의 성은을 입사온 지 여러 일월이라. 마침내 옥주를 보익하여 평생을 마칠까 하였더니, 은혜를 갚지 못하고 낙미지액(落眉之厄)914)을 만나니 어찌 원억치 아니하리까마는, 첩의 마음은 천신이 살피시려니와, 옥주는 적인(敵人)의 화를 깃거 마시고, 인덕을 힘쓸지니이다."

공주 더욱 불열(不悅)하나, 거짓 한씨를 붙들고 오열 비읍하여, 진정으로 슬퍼하며, 후일 무사히 만나기를 이르고, 애매함을 탄식하니, 한씨 공주의 내외 같지 않음을 탄하여 다시 말을 않고 급급히 하옥되니, 궁중이 탕화(湯火) 같아서 한씨의 하옥과 녹섬의 초사를 놀라지 않는 이가 없으되, 공주와 최녀는 윤·양·이와 한씨를 아울러 제거함을 환희하고, 한씨의 예의 동작이 범사를 의장(議長)915)하여 공주를 권간(勸諫)하매 예도에 맞갖고916), 동류를 거느리매 법도를 지키니, 공주 증분하고, 최씨 시오(猜惡)하던지라. 공주 그 생사를 불관이 여김을 알고 짐짓 해하니, 윤·양·이 삼부인은 이르도 말고, 한상궁이 또 어찌 원억(冤抑)치 않으리오.

최씨 월옥하여 녹섬을 데려오려 하므로, 가만히 남의(男衣)로 인가 노복의 모양을 하여 손에 주호(酒壺)를 들고 옥밖에 이르니, 녹섬을 가둔 옥이 한상궁 갇힌 옥과 사오간 사이라. 혹자 한씨 알가 가만히 옥리 등

---

914) 낙미지액(落眉之厄) : 눈앞에 닥친 재앙.
915) 의장(議長) : 어떤 집단의 일을 맡아서 처리하는 직무를 맡은 사람.
916) 맞갖다 : 마음이나 입맛에 꼭 맞다.

을 이끌어 귀에 대고 이르되,

"금야에 하옥한 바 녹섬은 나의 지친이러니 괴이한 화를 만나시니, 어찌 참연치 않으리오. 군은 모름지기 녹섬으로 하여금 식음(食飮)을 끊게 말아 옥 안에 아사함이 없게 하라."

언파에 주호를 내어 옥리(獄裏)를 나눠 먹이니 무식한 옥리 어찌 간계를 알리오. 다만 술이 향기롭고 과품이 아름다움을 깃거 흔연 접구하여 거우르니, 채 그릇을 물리지 못하여서 정신이 혼혼하고 벙긋벙긋 하다가 능히 말을 못하고 각각 쓰러지니, 즉시 녹섬의 가도인 옥문을 열고 녹섬을 붙들어 메운 칼을 벗기고 귀에 대고 왈,

"나는 과연 최상궁이러니, 그대의 부질없이 하옥하여 고초할 바를 민울하여, 옥리 등을 말 못하는 약을 먹이매 다 쓰러지므로 그대를 구하나니, 그대 궁의 있는 여러 궁비 총중(叢中)에 말이 많을 것이니, 여기서 바로 나의 거거(哥哥) 최관인 집을 찾아가 남의(男衣)를 개착하고 깊이 숨어있을진대 의심할 이 없고, 사세를 보아가며 평생을 즐겁게 하리니 모름지기 은신하라."

녹섬이 희출망외(喜出望外)하여 최녀를 하직하고 궁문을 나 한참을 행하여 최형의 집에 이르니, 형이 제 누이 일을 다 아는 고로 녹섬을 그윽한 당사에 감추고 남의로 개복하게 하니, 사람이 혹 볼 이 있어도 그 여자임을 모르더라.

정시랑이 본부에 돌아와 부공 침전에 감히 들어가지 못하여 지게 밖에서 지정이더니[917], 이윽고 금후 시랑의 왔음을 알고 명하여 입실하라 하니, 시랑이 비로소 방에 들어가 전후수말을 갖추 고하니, 금후 청파에 경해 차악하여, 길이 탄 왈,

---

917) 지정이다 : 서성이다. 지체하다.

"공주 하가하던 날부터 윤·양·이 삼부의 신세 불평함을 짐작하였거니와, 녹섬의 작변이 그대도록 함은 생각지 못하며, 요악한 비자를 일찍이 없애지 못하여, 괴이한 변괴를 이루니 어찌 통해치 않으리오. 여형은 경부의 가노라 하더니, 지금 오지 않아 정·오 이왕의 노기를 비추어 천정에 주달을 지류(遲留)할 길이 없으니, 내 비록 윤·양·이 삼부(三婦)의 백일무하(白日無瑕)[918]함을 알되, 이미 간비의 초사가 이 같은 후는 구구히 삼부의 애매함을 일러 천문에 고치 말기를 다투지 못할 것이요, 정·오 이 왕이 하는 대로 두어 성상의 처치를 보아, 만일 삼부가 사화(死禍)를 면치 못하거든 진정을 주하여 지성 간구(懇求)하려니와, 도시(都是)[919] 명야(命也)며, 천야(天也)라. 탄하며 슬퍼할 바 아니로되, 내 집이 숙녀철부(淑女哲婦)를 보전치 못하니 어찌 한스럽지 않으리오."

시랑이 고왈,

"정·오 이왕의 거동이 분분하여 진실로 투악(妬惡)함으로, 앎이 있으니 소자 저로 더불어 다툼이 부질없으되, 명조(明朝)에 왕을 보고 천문의 주달을 늦춘 후, 녹섬을 다시 저주어 실상을 알아냄이 옳은가 하나이다."

공이 탄 왈,

"천흥이 성내의 갔으니, 아주 조회를 마치고 돌아오노라 하면, 날이 반오(半午)나 될 것이니, 이 왕이 어찌 여형(汝兄)을 기다리리오. 평명에 입궐하여 문양궁 변고를 다 고하리니, 윤·양·이 삼부의 화액은 누란(累卵)의 급함이 있으리로다."

시랑이 삼수의 복록이 완전지상(完全之相)임을 고하여, 야야(爺爺)를 위로하며 제제(諸弟)로 더불어 자리의 나아가나, 불행코 차악함을 이기

---

918) 백일무하(白日無瑕) : 밝게 빛나는 해처럼 흠이나 티가 없음.
919) 도시(都是) : 도무지. 모두가 다.

지 못하더라.

시시에 최녀 녹섬을 내어 보내고 급급히 돌아와 여복을 도로 입고, 공주를 보아 계교 묘함을 환희하나, 공주 혹자 윤·양·이 등을 죽이지 못할까 하여, 정·오 이 왕을 청하여 함체(含涕) 읍고(泣告) 왈,

"윤·양·이 삼인은 명문 여자라. 일생 화우하여 불호(不好)함을 이루지 말고자 함으로, 소매 몸가짐을 여염(閭閻) 한천(寒賤)한 사람으로 다름이 없게 하고, 가부의 박대를 일편 되게 당하나 적인을 한한 바 없으되, 삼인이 소매의 지성 화우를 감동치 않고, 무고를 행하며, 녹섬을 보내어 소매를 부디 죽여 없애려 하나, 소매는 타인을 한(恨)치 않아 신세를 슬퍼하나니, 양 전하는 비록 일관(一觀)이 통해(痛駭)하실지라도, 일을 자세히 사핵하여 애매한 사람으로써 원억함이 없게 하며, 윤·양·이 등이 다 골육을 끼쳐 자녀 충충(層層)하니, 만일 그 어미가 죄사(罪死)할진대 그 자식을 무엇에 쓰리까? 이는 소매 스스로 그 자식을 함해(陷害)하는 작사(作事)니[920], 비록 나의 기출(己出)이 아니나 정군의 골육이니, 모자 윤상(倫常)이 떳떳한지라, 사랑하는 정이 타일 여러 기출을 둘지라도 현기 등에 지나지 못하리니, 원 양위 왕형은 각별이 사랑하시어 일이 순편하게 하소서."

정왕은 화홍관대한 고로 공주의 어짊을 기특히 여겨, 도위 돌아오거든 의논하여 천정에 고하여, 처치함을 날회고자 하되, 오왕은 윤·양·이의 투악과 녹섬의 작변을 절치 통완하여 바삐 천정에 아뢰려 하매, 정왕이 다투어 병부 돌아옴을 기다려 주달하자 하되 오왕이 불청하니, 공주 오왕의 말을 좋이 여기되, 거짓 어진 체하여 아미(蛾眉)를 공교로이

---

920) 작사(作事) : 일. 꾸며낸 일. 일을 꾸며냄.

찡겨 고 왈,

"정군이 윤·양·이를 중대함이 산비해박(山卑海薄)하여 소매 같은 유(類)는 처첩류(妻妾類)에도 있으며 없음을 모르거늘, 이제 윤·양·이로써 죄루에 몰아넣은즉, 소매를 원수같이 미워할 뿐 아니라, 스스로 참연하여 실성발광하기 쉬우리니, 양 전하는 남자의 호신을 허물치 마시고, 여염간(閭閻間) 여자의 소소 투악을 대수로이921) 천정에 아뢸 일이 아니요, 정군이 크게 불호하리니, 원컨대 양위 왕형은 사람의 절박한 사정을 살피소서."

정왕은 크게 어질게 여기고 오왕은 더욱 그 신세를 자닝히 여겨, 고성 왈,

"정자가 하등지인(何等之人)922)이관데 황녀를 박대하여, 알기를 여시행로(如視行路)923)하고, 요색(妖色)에 침닉(沈溺)하여 황명을 멸시하리오. 과인이 쾌히 천정의 주달하여 요녀를 처치하여 정자의 마음을 끊으리라."

인하여 처음 저주사(詛呪事)의 흉사와 녹섬의 초사를 일일이 소매의 넣고, 앉아 계명을 기다려 새배 북이 동하매 위의를 떨쳐 궐정을 향하니, 정왕은 마지못하여 오왕의 뒤를 따라 입궐하니, 상이 공주의 병을 물으신데, 정왕이 대세(大勢) 나음을 대주하고, 오왕이 축사와 녹섬의 초사를 올리고, 또 주왈(奏曰),

"문양이 금번 낙태 후 병이 사경(死境)에 이름은 다 다른 연고 아니라, 저주의 빌미로 복중 골육을 보전치 못하고, 병이 위악하여 인사를 차리지 못하는 가운데, 거야(去夜)에 여차여차 하는 변이 있사와, 문양

---

921) 대수롭다 : 중요하게 여길 만하다.
922) 하등지인(何等之人) : 어떠한 사람. 무슨 사람.
923) 여시행로(如是行路) : '길가는 사람 보듯 함' 곧, 남보듯 함.

이 하마면 위태할 뻔하였사오니, 녹섬 간비를 잡아 초사를 받아 천정에
주달하나이다."

상이 문파의 경해하시어, 축사와 초사를 어람(御覽) 미필(未畢)에 용
안이 분해하시어, 즉시 형부상서 소주를 패초(牌招)하시어, 초사와 축사
를 주시고, 가라사대,

"짐이 경을 친견함은 문양궁에 여차 변괴 있으니, 짐이 친히 윤·양·
이 삼녀의 비배(婢輩)를 물을 것이로되, 역옥중수(逆獄重囚) 아닌 고로,
국체에 불가하여 경을 맡기나니, 비록 초사 분명하나 이 또한 중대한 일
이니, 경은 윤·양·이 좌우 비복을 엄형 추문하여 일의 진가를 알게
하라."

소형부 배복 수명하고 물러나매, 상이 상궁 백씨로 여러 궁비를 거느
려 취운산에 나아가 삼녀의 협사를 수험(搜驗)하라 하시고, 조회를 받으
실 새, 병부를 가까이 불러 가라사대,

"윤녀와 양·이 이녀의 투악이 이미 윤녀의 비자 녹섬의 초사에 들어
났으니, 죄당주륙(罪當誅戮)이라. 짐이 소주로 하여금 윤·양·이 삼녀
의 시비를 잡아 간정을 핵실하라 하였거니와, 공주의 낙태함과 사병(死
病) 지냄이 전혀 윤녀 등의 작변함이요, 경의 불찰한 연고로다."

병부 경부에서 자고 바로 조참의 들어오니 그사이 또 변괴 있음을 모
르나, 상교로 좇아 거의 짐작할지라. 다만 부복 대 왈,

"신이 밤에 집에 있지 않았삽거니와, 공주의 낙태 후 질환 있음은 성
명의 아심이 오래오니, 금일 새로이 윤·양·이 삼녀의 죄라 하시나니
까? 신수불민(臣雖不敏)이오나, 윤·양 등의 가장이라, 신이 족히 그 시
녀를 다스려 간정을 핵실할 일이거늘, 어찌 형부를 들레924)리까?"

---

924) 들레다 : 야단스럽게 떠들다.

상이 가라사대,

"경이 거야를 집에 있지 않았으니 삼녀의 투악을 모름이 괴이치 않거니와, 원간 경이 공주를 박대하고, 요사(妖邪)를 전총(專寵)함으로 문양으로 하여금 단장(斷腸)을 끼치고, 윤·양·이 삼녀의 방자함을 도움이니 어찌 통한치 않으리오. 문양이 수불인(雖不仁)이나 윤녀만 못함이 없고, 짐수박덕(朕雖薄德)이나 윤·양·이 삼녀의 부형에 미치지 못하진 않으리니, 일녀를 하가하매 그 가히 윤녀 등을 미치지 못하니, 경이 문양을 불관이 여기나 짐의 낯을 볼진대 이러함이 가히 옳으랴? 윤녀의 시아를 짐이 친문할 것이로되, 국체에 불가하여 형부로 다스리게 하였나니 경은 물려(勿慮)하라."

언파의 옥색이 불예(不豫)925)하시니, 병부 송황률률(悚惶慄慄)926)하여 황축(惶蹙)927)함을 이기지 못하여 부복 청죄 왈,

"신이 제가(齊家)를 불엄(不嚴)이 하여 기괴지사(奇怪之事)로 천문을 들레어 형부를 어지럽히오니, 자참황괴(自慚惶愧)928)함을 이기지 못 하리로소이다. 수연(雖然)이나, 신이 일찍 공주를 박대함이 없삽거늘, 불행하온 때를 만나와 여러 처실을 잘 거느리지 못 하였삽거니와, 작야 변고는 실로 오조(烏鳥)929)의 자웅(雌雄)을 분변치 못함 같사와, 애매한 자를 벗기지 못하고 요악한 유(類)를 처치할 도리 없사오니, 오직 천문의 결사(決事)를 바랄 뿐이로소이다."

상이 그 주답(奏答)이 문양을 불쾌히 여김인 줄 아시되, 구태여 병부

---

925) 불예(不豫) : 임금이나 왕비가 편치 않거나 죽음.
926) 송황률률(悚惶慄慄) : 몹시 고맙고도 두려움.
927) 황축(惶蹙) : 지위나 위엄 따위에 눌리어 어찌할 바를 모르고 몸을 움츠리다.
928) 자참황괴(自慚惶愧) : 스스로 부끄럽고 두려워 함.
929) 오조(烏鳥) : 까마귀.

를 책지 않으시고 파조(罷朝)하시니, 병부 물러 바삐 본부로 오니라.

차시 금평후 삼부의 화액을 염려하여 종야불매(終夜不寐)하여 명조에
일어 태원전에 문침(問寢)930)하니, 벌써 진부인이 삼부를 거느려 태부
인께 신성(晨省)하고 금평후를 맞아 좌정하매, 금후 날호여 윤부인더러
문 왈,

"현부의 시녀류(侍女類)에 녹섬이 어딜 가뇨?"

부인이 대 왈,

"거야의 문득 거처를 모르나이다."

금후 탄식하여 가로되,

"녹섬 간비로 인하여 현부 등이 장차 액화를 당할지라. 가내에 요비
(妖婢)를 두었다가 변괴 망측(罔測)하니 어찌 통한치 않으리오."

윤부인이 녹섬의 거처를 몰라 의려하더니, 엄구(嚴舅)의 말씀을 듣자
오매 심신이 경해하나, 사색치 않고 피석 부복하니, 팔자춘산(八字春山)
이 염염(艶艶)한 미우(眉宇)에 주순(朱脣)이 소슬하고931) 보험(酺臉)932)
이 나즉하니933), 천태만광(千態萬光)이 자휘(自輝)하여 이날 더욱 새롭
더라.

---

930) 문침(問寢) : 아침 일찍 부모의 침소에 가서 밤사이의 안부를 묻는 일.

931) 소슬하다 : 솟아 있다. 어떤 것이 기준보다 위로 나온 상태에 있다.

932) 보험(酺臉) : =보검(酺臉). 뺨. *臉의 본음은 '검'이다.

933) 나즉하다 : 나지막하다.

명주보월빙 권지삼십

어시에 금후 윤부인더러 문 왈,

"현부의 시녀 중에 녹섬이 어딜 가뇨?"

부인이 대 왈,

"거야의 문득 거처를 모르나이다."

금후 탄식하여 가로되,

"녹섬 간비로 인하여 현부 등이 장차 화액을 당할지라. 가내에 요비(妖婢)를 두었다가 변이 망측하니 어찌 통한치 않으리오."

윤부인이 녹섬의 거처를 몰라 의려하더니, 엄구의 말씀을 듣자오매 심신이 경해하나, 사색치 않고 피석 부복하였으니, 팔자청산(八字靑山)이 염염(艶艶)한 미우(眉宇)에 수운(愁雲)이 소슬하고, 보험(輔−)이 나즉하며, 천태만광(千態萬光)이 자휘(自輝)하니, 금평후 아부(我婦)의 현숙함으로써 재앙이 많음을 추연(惆然) 불락(不樂)하여 침음무어(沈吟無語)934)하니, 순태부인이 아자(兒子)의 불호한 기색을 보고 역시 차악하여 문 왈,

"녹섬이 간악하나 본디 윤부 시아라. 손부를 앙사(仰事)하니, 비록 고

---

934) 침음무어(沈吟無語) : 속으로 깊이 생각에 잠겨 말이 없음.

인의 위주충심이 없으나, 일야지간(一夜之間)에 무슨 작악(作惡)이 있으리오. 노모 능히 깨닫지 못하니 오아(吾兒)는 밝히 해석하라."

금후 부복하여 전후지사를 고할 새,

"문양의 낙태지사로 인하여 허다 무고를 천흥이 친히 보니, 이 문득 윤·양·이 삼부의 자체(字體)라. 정·오 이 왕이 발분하여 천정에 고코자 하거늘, 해아(孩兒)[935] 만류(挽留)하고 천흥이 조당(阻擋)하여[936] 그쳤더니, 또 작야에 여차여차한 변괴 있어 양 왕이 급히 인흥을 불러 세향을 저주어 복초를 받으니, 곧 녹섬 간비의 음흉함이 백옥무하(白玉無瑕)한 주인과 양·이 이인을 함지갱참(陷之坑塹)[937]하온지라. 정·오 이왕이 이미 천정에 고하려 하오니, 낙미지화(落眉之禍)가 아무 데에 미칠 줄 모를소이다."

태부인과 진부인이 경해차악하여 말을 못하고, 윤·양·이 삼부인이 복수(伏首) 문파(聞罷)에 차악경심하며, 좌중 제인이 상고실색(相顧失色)하더니, 문득 부문이 요요(擾擾)하며 노복의 무리 황황전경(遑遑戰驚)하여 고 왈,

"형부 관차(官差)[938]가 이르러 윤·양·이 삼부인 시아(侍兒) 복첩(僕妾)을 다 잡아가나이다."

태부인이 희허(噫噓) 장탄 왈,

"범사 천야(天也)요, 명야(命也)거니와 삼 소부의 성심숙덕으로 요악질투(妖惡嫉妬)의 매명(罵名)을 취할 줄 알리오. 아지못게라! 나중 처치 어찌 되며 삼소부의 방신(芳身)이 무사하랴?"

---

935) 해아(孩兒) : ①어린아이. ②자녀가 부모에게 '자신'을 지칭하여 이르는 말.
936) 조당(阻擋)하다 : 나아가거나 다가오는 것을 막아서 가리다.
937) 함지갱참(陷之坑塹) : 함정에 빠트림.
938) 관차(官差) : 관아에서 파견하던 군뢰(軍牢), 사령(使令) 따위의 아전.

설파의 추연(惆然) 불락(不樂)하니, 금후 모친의 이 같으심을 절민하여 이성(怡聲) 주왈,

"윤·양·이 삼부는 금세의 숙녀 철부로, 색모 너무 수출(秀出)하여 홍안지해(紅顏之害)939)로 초년이 다험(多險)하오나, 본디 귀복(貴福) 완전지상(完全之相)이오니, 원(願) 자위(慈闈)는 물려(勿慮)하소서,"

윤·양·이 삼 부인이 관잠(冠簪)940)을 탈(脫)하고 하석(下席) 청죄 왈,

"불초 소첩 등이 불혜비박(不慧鄙薄)한 자질(資質)로 성문에 입승하여, 능히 존당께 정성을 다 못하옵고, 은의(恩誼) 부족하와 동렬(同列)을 화목치 못하오며, 비배(婢輩)를 어하(御下)치 못하여, 여차 변란(變亂)이 상생(相生)하오니, 이 다 첩 등의 불미하오미라, 화장하급(禍將何及)941)이리까? 연이나 이로써 존당 성려를 끼치오니, 첩 등의 불효 막대하도소이다."

언파에 사색이 자약하고 옥성이 쇄연하여 일호(一毫) 구겁(懼怯)하며 우수(憂愁)함이 없으니, 존당 구고 더욱 애련하여 왈,

"이 다 가운(家運)의 불리(不利)함이라. '주머니 속에 든 송곳이 오래 끝을 감추지 못한다.'942) 하니, 현부 등의 금일 화액 만날 줄은 짐작한 바라. 새로이 근심하고 놀랄 것이 아니로되, 우리가 복이 없어 숙녀 현부의 재앙이 첩다(疊多)한가 하노라."

불언종시(不言終時)에 형부 관리(官吏)들이 삼당(三堂)의 시아(侍兒)

---

939) 홍안지해(紅顏之害) : 젊고 예쁜 여자가 겪는 시련.
940) 관잠(冠簪) : 여성들이 머리에 쓰거나 꽂는 장신구인 봉관과 비녀.
941) 화장하급(禍將何及) : 재앙이 어지에 미칠지 알지 못함.
942) 주머니 속에 든 송곳이 오래 끝을 감추지 못한다 : 송곳은 주머니에 있어도 밖으로 삐져나와 송곳의 위치를 알 수 있다는 뜻으로, 선하거나 악한 일은 숨기려 하여도 숨겨지지 않고 자연히 드러남을 이르는 말.

를 성화(盛火)같이 재촉하여, 선월정 시녀 등과 이당(二堂) 시녀 수십 인을 잡아가고, 또 김귀비의 사지상궁(事知尙宮)[943] 요씨가 문양궁 최상궁으로 더불어 부중에 이르러 삼부인 협사(篋笥)를 다 뒤니, 윤·이 양인은 각별 의심할 것이 없으되 양부인 협사에서 한 쌈 약봉을 얻으니, 괴이한 약류 십여 환이라. 요·최 이녀 용약(勇躍)·절치(切齒)하여 분분이 돌아가니, 가중이 진경하여 결사(決事) 아무리 될 줄 모르더라.

관리 또 문양궁에 가 녹섬을 찾으니, 지키던 옥리 오히려 술을 깨지 못하였고, 죄인 녹섬이 거처가 없는지라. 모두 놀라 두루 찾으나 종적이 없어, 궁중이 분분하여 모든 옥리를 깨워 물은즉, 말을 못하고 입만 벙긋벙긋하니, 모두 놀라 공주께 고하니, 공주 이르대,

"간인이 죄를 알고 공교로운 꾀로 도망하였으니, 이는 옥졸의 죄 아니라, 설마 어찌하리오. 비록 녹섬이 없으나 그 간정을 핵실함이 무엇이 어려우리오."

최상궁이 이대로 하령하니, 모든 관리 하릴없어 다만 시녀배만 잡아가고, 한상궁은 금자(金紫)[944] 궁희(宮姬)로 다른 비배와 다르매, 제녀의 초사를 받아 율전(律典)을 상고하여 다스리려 하더라.

이때 부마 조참 후 급히 본부로 돌아오니, 형부 관리 삼당 시비를 벌써 잡아간지라. 바로 태원전에 들어가 존당 부모께 뵈올 새, 좌중이 일흥(一興)이 사연(捨然)하여 수운(愁雲)이 참참(參參)하니[945], 태부인이 병부를 보고 척연 함체 왈,

"금일 가변이 층생(層生)하니 삼소부의 전정이 금일 마치리로다."

---

943) 사지상궁(事知尙宮) : 궁의 일에 밝은 간부 상궁.

944) 금자(金紫) : 금인(金印)과 자수(紫綬)라는 뜻으로, 존귀한 사람을 비유적으로 이르는 말.

945) 참참(參參)하다 : 나란히 빽곡하게 들어선 모양.

병부 이성화기(怡聲和氣)로 주왈,

"이 또한 하늘에 달렸을 뿐이라. 화복(禍福)이 관수(關數)하고 인명이 재천하니, 윤·양·이 등이 일시 화를 겪사오나, 사생의 염려 없사오리니, 원 왕모는 성의에 거리끼지 마시어, 소손 등의 불효를 더하지 마소서. 아까 궐중 사어를 듣자오니, 이 다 문양의 작악(作惡)이라, 정·오 이왕이 그 누이의 요악함을 모르고 이 거조가 있사오니, 소손이 비록 간비를 다스려 즉각에 간정을 쾌히 밝히고자 하오나, 간모(奸謀) 불측하오니 아직 함구불언(緘口不言)하여 종시(終始)를 보려 하나이다."

태부인과 진부인은 아연 탄식하고 금후 탄 왈,

"여언(汝言)이 정합오심(正合吾心)이라. 다만 시종을 보아 하리라."

이때 형부상서 소공이 상명을 받자와 형부 아문에 들어와 형위를 베풀고, 관리(官吏)를 발하여 취운산에 가 윤·양·이 삼부인 시비를 잡아 이르니, 형부 청중(廳中)에 좌하고 제녀를 형장에 올릴 새, 설란 모녀와 양·이 두 부인 시아가 다 영교 녹섬의 간악함이 아닌즉, 각각 저의 주인의 성덕을 알지 못하리오. 엄형지하(嚴刑之下)에 기운이 앙앙하고 말씀이 도도하여 한결같이 애매함을 웨지지니946), 옥 같은 다리에 유혈이 돌지하나947) 종시 무복(無服)948)하되, 차례 영교에 미치매, 일장(一杖)을 치지 않아 복초 왈,

"소비는 양부인 시녀라. 과연 삼부인이 타문생출(他門生出)이시나, 정문에 입승(入承)하시매 황영(皇英)의 고사를 인증하여 동렬(同列)이 화목하심이 골육동기 같으시고, 이부인은 안색이 무염(無厭)하시나 피차

---

946) 웨지지다 : 떠들썩하게 외치다. 부르짖다. '웨다'와 '지지다'의 합성어.
947) 돌지하다 : 액체 따위가 방울방울 솟아나오다. 특히 살갗이 터져 피가 돌돌 솟아나오는 것을 이른다.
948) 무복(無服) : 자복(自服)하지 않음.

의합수덕(意合修德)949)하옵다가, 의외 문양옥주 하가하시니 성덕이 임
사(姙似) 같으시나, 윤부인이 처음 당당한 원위를 가졌고, 기린 같은 옥
동을 껴 노야의 중정이 여산약해(如山若海)하시니, 오복이 무흠할 차,
뜻밖에 옥주께 원위를 빼앗기시나 색덕이 겸비하시니, 윤부인이 절치
(切齒)하심은 '유(莠)를 내고 양(良)을 낸 탄(歎)'950)이 있음이라. 일로
인하여 여차여차 설계하시어 옥주를 해코자 틈을 엿더니, 윤부인 시녀
녹섬이 공주 사부 한상궁을 깊이 사귀니, 삼부인이 가만히 청하시어 한
상궁에게 공주 해할 모계를 상의하와, 옥주 잉태하시니 행여 기동(奇童)
을 생하시면 상원(上元)의 기자(奇子)로 종통(宗統)을 영(領)951)케 한즉,
윤부인 아자(兒子)가 무용할까 염려하여, 여차여차 무고를 행하매, 한상
궁이 내응함이 있더니, 과연 증험이 속(速)하여 옥주 즉시 유질하시어
복중 천금 혈육을 수삼 삭이 넘지 못하여서 낙태하시니, 윤·양·이 삼
부인이 불승환희하시더니, 간정이 발각하여 허다 요예지물을 정·오 이
왕과 도위 노야 친히 얻어 내시니, 삼부인이 대경하시어 차라리 바삐 설
계하여 강적을 서릇기952)를 꾀하여, 작야에 녹섬을 개용단을 먹여 궁비
세향이 되어 옥주를 치독(置毒)하려 하더니, 하늘이 불의를 돕지 않아
악사 패루하였사오니, 혜건대 무너지는 집을 한 기동으로 괴지 못할
지라. 천비 영교는 본디 양노야 택상(宅上) 비자라. 주인의 은혜 일신에
젖었사오나, 골절(骨節)이 미란(靡爛)한 형벌을 당하여 어찌 기망하리

---

949) 의합수덕(意合修德) : 뜻을 합하여 덕을 닦음.
950) '유(莠)를 내고 양(良)을 낸 탄(歎)' : '(하늘이) 악한 사람을 내고 또 착한 사람
    을 낸 것을 탄식한다'는 뜻으로, 세상에는 선과 악이 공존한다는 것을 말함.
    양유(良莠) : 좋은 풀과 나쁜 풀, 곧 착한 사람과 악한 사람을 비유적으로 이르
    는 말.
951) 영(領)하다 : 종통이나 제사 따위를 이어 받다.
952) 서릇다 ; 거두어 치우다. 없애다.

까? 마지못하여 진정을 고하옵나니, 복원 노야는 잔명을 어여삐 여기소
서."

하였더라.

형부 초사의 흉참함을 보고 또 약봉을 상고하매, 다시 물을 것이 없어
죄인을 다 하옥하고 영교의 초사와 약봉을 올려, 계사(啓事) 왈,

"죄인의 시녀를 추문하오니 수십 인이 한결같이 불복하오대, 오직 양씨
의 비자 영교 복초하오며 독약을 또한 양씨 협사에서 얻었다 하나이다."

천자 들으시고 불승통해하시어 형부에 하조하시어, '율전(律典)을 상
고하여 죄인을 처결하라' 하시니, 유사(有司)가 율전을 잡아 계사(啓
辭)[953] 왈,

"윤·양·이 삼녀 사족지녀(士族之女)로 투악이 과도하여 방자히 왕
희를 시살(弑殺)코자 하니 죄 중하고 벌이 경하오나, 인명을 상해치 않
았사오니, 자고로 투악은 칠거(七去)의 경계라. 마땅히 구가(舅家)를 이
이(離異)하여 각각 친당에 내치고, 비배(婢輩)는 다만 주인의 명을 좇았
을 따름이라, 저의 죄 아니니 다 방석하고, 녹섬은 자겁(自怯)하여 간
곳이 없사오나, 수악(首惡)을 다스리매 하배는 일체라, 물죄(勿罪)하고,
궁인 한씨는 불충불의(不忠不義)와 반주지죄(叛主之罪) 중하오나, 성은
을 나리오사 감사(減死) 정배(定配)하리로소이다."

상이 의윤(依允)하시어 하조 왈,

"윤·양·이 삼녀 먼저 천흥의 처실이나, 자고로 부마의 처첩이 없으
되, 짐이 특별이 은권을 내리오믄 석년 윤모의 충렬을 생각하고, 차마
기녀의 일생을 공규의 함원치 못하여, 윤녀를 천흥의 원비를 빌렸으니,
또 차마 양·이 양녀를 거절치 못하여 드디어 천흥의 내조를 가음알

---

953) 계사(啓辭) : 논죄(論罪)에 관하여 임금에게 올리던 글.

아954), 황영(皇英)의 고사(故事)를 효칙하라 하였더니, 윤·양·이 삼
녜 교오질투하여 간비(奸婢)를 처결하여 황녀를 시살코자 하며, 그 가부
의 골육이 세상에 나지 못하게 하니, 삼녀의 요음간악(妖淫奸惡)은 여무
(呂武)955)에 심한지라. 간모 발각하매 마땅히 엄히 다스려 후인을 징계
할 것이로되, 특별히 관전(寬典)을 드리워 윤·양·이 삼녀를 다 정가로
절혼하여, 각각 본부로 돌아가 심규(深閨)의 수졸(守卒)함을 허하나니,
중외(中外)는 지실하라."

하시고, 또 한상궁의 금자(金字) 직첩을 앗고 여염에 내치고, 삼녀의
시비를 다 놓으라 하시니, 금평후 할일 없어 수명이퇴(受命而退)하고,
부마 가제 못한 죄를 청하니 상이 '물대(勿待)하라' 하시매, 충천지기로
분앙함을 이기지 못하나, 하릴없어 묵연(黙然)이 퇴(退)하여 본부에 돌
아오니, 황문(黃門)956)이 조서를 받들어 이르렀더라.

이 소식이 윤·양 이부의 이르니, 이때 윤어사 곤계는 항주(杭州)957)
선묘에 가고 없는지라. 위태와 유씨 모녀 불승희열(不勝喜悅)하나, 오히려
살아난 줄 불행하여, 신묘랑을 청하여 각별 설계할 새, 묘랑이 헌계 왈,

"문양공주는 김귀비의 사랑하는 딸이라, 그윽이 헤건대 윤부인 살아
남을 깃거 않으리니, 여차여차하여 윤씨 돌아오는 길에 거교를 바로 북
궁으로 보내면, 귀비 반드시 죽이리니, 이는 남의 힘을 빌려 심복대환
(心腹大患)958)을 덜미라, 어찌 묘치 않으리오."

---

954) 가음알다 : 관장(管掌)하다. 어떤 일을 맡아 다스리다.
955) 여무(呂武) : 중국의 대표적인 여성권력자인 한(漢)나라 고조(高祖)의 황후 여
　　후(呂后) 여치(呂雉?-BC108)와 당(唐)나라 고종의 황후 측천무후(則天武后)
　　무조(武曌 : 624-705).
956) 황문(黃門) : 내시(內侍).
957) 항주(杭州) : 중국 절강성(浙江省) 북부에 있는 도시.
958) 심복대환(心腹大患) : 마음속에 품고 있는 큰 근심.

부인 왈,

"차계 신묘하나 정천흥은 흉휼(凶譎)한 사람이라. 반드시 질녀를 혼자 보내지 않으리니, 정가 부자 중 배행(陪行)하면 어찌 하리오."

경애 소왈,

"소녀 일계 있으니, 부친이 여차여차하여 가 데려 오소서 하여, 구몽숙을 불러 이리이리 하면 일을 이루리이다."

유씨 칭찬 왈,

"여아의 계교 묘하니, 그대로 하리라."

하고 조손모녀(祖孫母女) 밀밀히 의논을 정하고 추밀을 대하여 왈,

"질녀가 출화를 만났다 하니 상공이 친히 가 금평후를 보고 데려오소서."

공이 비록 미혼단에 정명지기를 잃었으나 오히려 질아 등 사랑은 감치 않았는 고로, 그 출화(黜禍) 이이(離異)함을 놀라, 즉시 거교를 수습하고 차환(叉鬟) 양낭배(養娘輩)를 거느려 운산 정부로 가니라.

유씨 또 심복비자로 구몽숙을 불러 이 사연을 이르니, 몽숙의 집이 취운산으로 옥누항 왕래하는 길이라, 신묘랑이 차일 음운(陰雲)을 타고 북궁의 들어가, 귀비를 보고 저의 평생 재주를 자랑하여, 현녀(玄女)959) 낭랑(娘娘) 신서(神書)를 전하던 백원(白猿)960)과 귀곡자(鬼谷子)961)의

---

959) 현녀(玄女) : 중국 상고(上古) 때에 중원 땅에서 황제(黃帝)가 치우(蚩尤)와 싸울 때에 황제에게 병법을 가르쳐 주었다는 신녀(神女).

960) 백원(白猿) : 신녀(神女) 현녀낭랑으로부터 검술을 배우고, 또 현녀의 도움으로 천서(天書)를 얻어 운몽산(雲夢山) 백운동(白雲洞) 석벽에 이를 새겼다가, 상제의 명으로 백운동군(白雲洞君)이 되어 이 천서가 인간세계에 누출되지 않도록 지키는 일을 맡았다는 흰 원숭이. 중국소설 〈평요기(平妖記)〉 1~2회에 나온다.

961) 귀곡자(鬼谷子) : 중국 전국 시대 초나라의 종횡가(縱橫家). 은신하던 지방인 귀곡(鬼谷)를 따서 호로 삼았으며, 도술에 능통하여 따르는 제자가 많았고, ≪귀곡자(鬼谷子)≫ 3권을 지었다고 한다.

신술(神術)을 가져 묘한 재주 아니 미친 곳이 없으니, 귀비 신기히 여김
을 천선(遷善)이 강림(降臨)함같이 하여, 전정을 물으니, 묘랑의 교식지
언(矯飾之言)962)이 현하(懸河)963) 같아서 말씀마다 영힐(佞黠)964)하
고, 또 위·유 양인의 연유(緣由)를 고하고, 여차여차하여 황혼에 윤씨
거교를 북궁으로 데려 오리라 하니, 귀비 깃거 날이 저물기를 기다리더
라.

　차일 윤추밀이 정부에 이르러 질녀를 호행(護行)할 새, 양공이 역시
이른지라. 정부에서 윤·양 이부(二府)는 사이 가깝고, 이부는 임산에
있으니 미처 서신을 통치 못한지라. 부인 여자의 행도 홀로 가지 못하리
니, 시랑 인흥으로 호행하라 하고, 윤·양 이공의 왔음을 알고 금평후
외당에서 양공을 맞아, 피차 참난(慘難)을 이르고, 금후 이르되,

　"문운이 불행하고, 만생이 박복(薄福)하여, 양 현부의 숙자아질(淑姿雅
質)과 성덕재화(聖德才華)로 여차 투악(妬惡)을 실어 이이(離異)함은 실
시여외(實是慮外)라. 식부 등의 재모 너무 수출(秀出)함으로 일시 박명
하나, 본디 수복하원지상(壽福遐遠之相)965)이라. 얼마 하여 부운의 옹
폐(擁蔽)한 것을 쓰리치리요마는, 아직 사정에 자닝한 바는 제손이 강보
해제(襁褓孩提)966)로 자모를 상리(相離)하는 정사가 참연하고, 또 식부
등이 다 유신(有娠)하였으니 어찌 통박(痛迫)지 않으리오."

　추밀이 비록 전일 강명(剛明)을 잃었으나, 역비참연(亦悲慘然)하여 장

---

962) 교식지언(矯飾之言) : 거짓으로 겉만 번지레하게 꾸민 말.
963) 현하(懸河) : 급한 경사를 세차게 흐르는 하천. 현하지변(懸河之辨); 물 흐르듯
　　거침없이 말을 잘함.
964) 영힐(佞黠) : 아첨을 잘하고 교활함.
965) 수복하원지상(壽福遐遠之相) : 수복을 길게 누릴 상모(相貌).
966) 강보해제(襁褓孩提) : 포대기에 싸여 있는 어린아이.

탄 왈,

"소제는 더욱 선형의 수개 자녀를 성취(成娶)하매, 참난(慘難)이 연속하여 질녀의 신세 이에 미치니, 창감(愴感)함을 이기지 못하리로다."

설파에 추연 불락하니, 금후 또한 윤명천의 왕사를 감회하여 척연 함비(含悲) 왈,

"석자에 아등이 동치해제(童穉孩提)를 두어 약혼 정맹(定盟)할 시절에 금일 사가 있을 줄 알았으리요."

양평장이 추연 왈,

"자식이 많으나 정리(情理)는 다 각각이라. 여아 재용덕행이 불미하나 어버이 천륜자애는 각별한 고로, 창백의 용봉지재(龍鳳之才)를 외람이 짝하매, 저의 평생이 쾌할까 하더니, 조물이 다시(多猜)하여 소장지화(蕭墻之禍)967)가 눈썹에 떨어지니, 비록 장부의 웅심이나 저의 청춘 녹발을 심규에 허송함을 어찌 참으리오."

금후 호언으로 관위하고 현기 등 양아를 내어와 양공을 뵈니, 양아가 난지 수세(數歲)에 체형이 석대하니, 옥으로 새긴 기부(肌膚)와 꽃으로 꾸민 살빛이 영형쇄락(英形灑落)하여, 교야(郊野)의 기린(麒麟)이요, 월액유미(月額柳眉)와 넉사주순(-四朱脣)968)이 용봉지재(龍鳳之材)라. 산고옥출(山高玉出)이요 해심출주(海深出珠)니, 정죽청과 윤·양·이의 생아(生兒) 어찌 범범(凡凡)하리오. 양공이 새로이 귀중(貴重) 익애(溺愛)함이 연성지벽(連城之璧)969)과 조승지주(趙城之珠)970)에 비치 못하

---

967) 소장지화(蕭墻之禍) : 궁궐이나 가정 안에서 일어난 변란이나 재앙. '내란'을 비유하는 말로 쓰인다. 소장(蕭墻)은 〈논어(論語)〉 '계씨편(季氏篇)'에 나오는 말로 대궐 앞의 담장을 뜻함.
968) 넉사주순(-四朱脣) : 넉 '사'자('四'字) 모양의 붉은 입술.
969) 연성지벽(連城之璧) : 화씨지벽(和氏之璧)을 달리 이르는 말. 화씨지벽은 전

더라.

금후 제자로 양 공을 모셔있으라 하고 양 공자를 이끌어 내당에 들어가니, 윤·양·이 삼인이 존당 구고와 자매(姉妹) 금장(襟丈)으로 별회 분분하니, 이정(離情)이 상하키 어려운지라. 좌우 날이 늦음을 고하니 삼인이 존당 구고와 자매 금장으로 분수할 새, 태부인이 옥수를 잡고 추연 왈,

"노모 현부 등을 떠나매 안전기화(眼前奇花)를 잃음 같은지라. 여등(汝等)은 오히려 청춘이 저물지 않았으니 타일을 기약하려니와, 노모는 서산낙일(西山落日) 같으니 어찌 슬프지 않으리오? 원하나니 소부(小婦) 등은 방신(芳身)을 보중하여 쉬이 모이기를 바라노라."

삼 부인이 이회(離懷) 악연하여 추파(秋波) 쌍성(雙星)에 누수(淚水) 산산(潸潸)하여971), 성은의 관곡(款曲)하심을 사례하고, 그 사이 성체 안강(安康)하신 즉, 풍운의 길시를 만나 다시 존하의 배현함을 원하나이다. 좌우 불승탄복하고 분수하여 상교(上轎)하매, 일가 제인의 홀연함이 여실중보(如失重寶)하고, 존당구고 차마 떠나지 못하며, 현기 운기 자염 등은 모친 낯을 대고 차마 떠나지 못하여 누수여우(淚水如雨)하니, 삼인이 불승참연하나 본디 천균지량(千鈞之量)이라, 불변안색하고 화성유어

국 때 변화씨(卞和氏)라는 사람이 형산(荊山)에서 돌 위에 봉황이 깃들이는 것을 보고 얻었다는 천하의 이름난 옥을 말하는데, 후대에 진(秦)나라 소양왕(昭襄王)이 이 옥을 탐내, 당시 이 옥을 가지고 있던 조(趙)나라 혜문왕(惠文王)에게 진나라 15개의 성(城)과 바꾸자는 제안을 했다는 데서, '연성지벽(連城之璧)'이라는 이름이 붙게 되었다고 한다.

970) 조승지주(趙城之珠) : 조(趙)나라에 있는 구슬이라는 뜻으로 화씨지벽(和氏之璧)을 이르는 말. 주838)의 연성지벽(連城之璧)과 같은 구슬을 말하고 있으나 그것을 갖고자 하고 아끼는 주체가 진(秦)나라 소양왕(昭襄王)과 조나라 혜문왕(惠文王)이라는 사실이 다르다.

971) 산산(潸潸)하다 : 눈물 빗물 따위가 줄줄 흐르다.

로 자녀를 달래어 각각 유모를 맡기고 쉬이 옴을 이른 후 상교하니, 제아(諸兒)가 울고 좌우 척비하더라.

문득 문양궁으로조차 궁비 이르러 공주 말씀으로 변란을 치위(致慰)하고, 성상이 그릇 요비의 무복(誣服)을 신지(信之)하시며, 변이 자기로 말미암았음을 칭과(稱過)하고 타일 누얼을 신백한 후 다시 일택에 모이기를 일러, 신질(身疾)이 미차(未差)하여 몸소 가 분수(分手)치 못함을 만만 칭사하여, 청문자(聽聞者)로 하여금 감회(感懷)할지라.

삼부인이 흔연이 성덕을 칭사하고 후회를 기약하여 귀체 쉬이 차복함을 일컫더라. 삼당 제 시비 각각 주인을 모셔 돌아가되, 홀로 영교 간 곳이 없으니, 양부인은 거리끼지 않으나, 양공이 간비를 다스리지 못함을 분에(憤恚)하더라. 윤공은 질녀 행거를 거느려 옥누항으로 향하고, 양평장은 여아를 데려 본부로 가고, 시랑은 이부인을 모셔 임산으로 향하니, 아지못게라! '윤부인이 능히 옥누항으로 무사히 돌아간가?' 분석하회하라.

차시 영교 동류로 더불어 방석(放釋)함을 입어 형부 아문을 나 돌아올 새, 혜오대,

"내 최상궁의 달램을 인하여 무복(誣服)하여 삼부인이 출거당하시니 본부 노야가 어찌 날을 다스리지 않으시리요. 가만히 도망하여 공주궁에 가 최상궁을 찾아 공주께 뵈고 부귀를 도모하리라."

하고, 인하여 길에서 몸을 빼어 문양궁의 이르니, 최녀 알고 급히 이끌어 깊이 숨기고, 한상궁이 옥중에 나 공주께 하직할 새 눈물을 뿌려 왈,

"노첩이 비록 고인의 할고지충(割股之忠)972)이 없으나, 일찍 성상과

---

972) 할고지충(割股之忠) : 자신의 넓적다리 살을 도려내어 주인이나 임금을 먹이는

낭랑의 지우(知遇) 성은(聖恩)을 입사와 옥주를 혹양(惑養)하매, 외람이 모녀의 지지 아니 하옵더니, 천만 염외(念外)예 악명을 실어 불의 불충에 처하오니, 유죄무죄 간 법당사죄(法當死罪)라. 부앙천지(俯仰天地)[973] 하여도 원앙(怨怏)을 쌓을 곳이 업도소이다. 연이나 일루잔천(一縷殘喘)[974]을 허하시니, 아무 곳에서나 투생(偸生)하여 누얼을 신설하고 옥주 좌하의 다시 앙사(仰事)함을 바라나니, 복원 옥주는 백행을 수련하시어 마침내 군자의 문에 득죄치 마소서.”

공주 청파에 불열하나, 강인하여 사왈,

“사부의 지교(指敎)를 명심하리니, 사부는 일시 누얼을 슬퍼 말고 아직 황명을 순수하여 편히 머물다가, 다시 모이기를 바라노라.”

한씨 그 외친내소(外親內疏)함을 개탄하고, 여염으로 나가니, 궁희 중 어진 자는 그 위인을 아끼고, 간악한 유는 그 없음을 깃거하더라.

최녀는 한씨 없음을 깃거하고, 차야에 영교를 불러 볼 새, 금화채단(金貨綵緞)을 가져 그 앞에 놓고, 금반옥기(金盤玉器)에 미주 성찬을 갖추어 먹이며, 흔연 칭사 왈,

“금일 윤·양 등을 소제함이 다 그대의 높은 의기와 어진 덕이라. 우리 어찌 천금재보로써 그대의 일생을 제도(濟度)치 않으리오.”

영교 흔연 왈,

“첩이 빙옥 같은 주모를 구확(溝壑)[975]에 밀쳐 형벌을 감심함은, 다 옥주의 애인지덕과 상궁의 후의를 갚고자 함이라. 이제 주인을 버리고

충성.

973) 부앙천지(俯仰天地) : 하늘을 우러러보고 땅을 굽어 봄.
974) 일누잔천(一縷殘喘) : 한 가닥 실오라기처럼 남아 있는 목숨.
975) 구확(溝壑) : 구학(溝壑). 구렁. 움쑥하게 파인 땅. 빠지면 헤어나기 어려운 환경을 비유적으로 이르는 말.

돌아왔으니 상궁은 옥주께 고하여 나의 일생을 제도하소서."

최녀 언언칭지(言言稱之)하고 낙낙(諾諾)히 허락하니, 영교 기쁨을 이기지 못하여 두어 잔 술을 거우르매, 좌석에 구러져976) 일언을 못하고 명이 진하니, 희(噫)라, 영교 이(利)를 탐하며 재물을 사랑하는 고로 빙옥 같은 주인을 사지에 밀침을 태연히 하고, 제 몸에 부귀를 도모하매 상천(上天)이 어찌 벌(罰)을 내리지 않으시리요. 속절없이 일배주(一杯酒)에 명을 마치니, 천도가 어찌 가만한 가운데 보응(報應)이 없다 하리오.

최씨 영교의 죽음을 보고 대희하여 큰 통에 휘몰아 넣어, 이 밤에 후원 문지기를 주고 백금을 주어 멀리 버리고 오라하니, 문리(門吏) 승명하여 멀리 버리니 알 리 없더라.

차시 윤추밀이 질녀를 배행(陪行)하여 본부로 가더니 날이 황혼이라. 횃불을 전후로 벌이고 교자(轎子) 뒤를 따르더니, 문득 구몽숙이 준마를 타고 두어 가동으로 더불어 지나다가, 추밀을 보고 크게 놀라 하마(下馬)하여 뵈옵고, 청하여 왈,

"야기(夜氣) 한랭하거늘 숙부 어찌 야행하시리까? 예서 소질의 집이 머지 아니하고 또 옥누항이 지근(至近)하니, 모든 차환 복배 행거를 족히 모실지라, 원 숙부는 소질의 집에서 금야를 헐숙하시고 평명(平明)에 돌아가소서."

추밀 왈

"사세(事勢) 그러하나 얼마 하여 집에 가리오."

몽숙이 재삼 청류(請留)하니, 이러 굴 사이 교자 멘 놈이 취우(驟雨)같이 치몰아 가는지라. 추밀이 옛 마음이 있으면 어찌 구몽숙 돈견(豚

---

976) 구러지다 : 거꾸러지다. 쓰러지다.

犬)의 말을 신청(信聽)하리오마는, 벌써 요약에 심정이 상하였으니 각별 호의(狐疑) 없어 모든 복부를 분부 왈,

"부인이 유태하였으니 조심하여 가라. 나는 구상공 택상의 머물러 명조의 돌아가리라."

제노(諸奴)가 청령(聽令)하고 가거늘, 추밀이 몽숙을 따라가니, 몽숙이 서당을 쇄소하고 식찬(食饌)을 후히 하여 관대하니, 추밀이 차야를 편히 머물고 명일 돌아가니, 윤씨 무사히 돌아 간가? 어찌 된지 알지 못하리로다.

시시에 윤부 중복(衆僕)이 부인 거교를 풍우같이 달려, 옥누항 길을 버리고 소로로 좇아 북궁을 향하니, 설난 주영 등 삼녀가 놀라 왈,

"이 길은 본부로 가는 길이 아니라. 열위는 옥누항으로 가지 아니하고 어디로 가느뇨?"

중복이 소왈,

"우리 어찌 알리오. 본부 태부인이 이르시대 부인을 모셔 김귀비에게로 가라 하시니, 아등은 다만 명을 순수할 따름이라. 그간 곡절이야 어찌 알리오."

설난 등이 김귀비 세자를 듣고 또 태부인 명이라 하니, 벅벅이 좋지 않은 뜻이라, 아연실색하여 왈,

"열위 말을 들으니 부인을 장차 용담호구(龍潭虎口)에 넣으려 하는도다."

제복(諸僕)이 답왈,

"본부 태부인 명이니 아등이 어찌 위월(違越)하리오."

설파에 취우(驟雨)같이 몰아 북궁으로 가니, 유(乳)·아(兒)977) 등이

---

977) 유(乳)·아(兒) : 유랑(乳娘)과 시아(侍兒).

망망(忙忙)978)이 호읍(號泣)하나 어찌 미치리오. 부인이 교중(轎中)에서 차언을 들으매 필유묘맥(必有妙脈)함을 깨달아, 비록 본부로 갈지라도 조모의 포려(暴戾)함과 숙모의 간악함이 자기를 편히 두지 않을지니, 용담호구에 떨어짐은 일체라. 복궁으로 간다 함을 들으나 구태여 놀람이 없더니, 교부 북궁에 이르러 왔음을 통하니, 귀비 크게 깃거하며, 또 그 성화를 익히 들었으매 한번 구경코자 하여, 청중(廳中)에 촉을 밝히고 궁비로 시립케 한 후 윤씨를 부르니, 윤씨 이에 미처는 하릴없는지라, 설난 등이 부인을 계하의 모셔 이르매, 좌우 궁인이 일시의 이르대,

"전상에 낭랑이 계시니 부인은 만홀(漫忽)치 마소서."

부인이 추파를 흘려 당상을 보니, 과연 귀비 후비의 복색으로 청중의 엄연이 앉아 자가를 장목시지(長目視之)하니, 초월아미(初月蛾眉)979) 작약(綽約)하여 해당일지(海棠一枝)같으나, 양안(兩眼)에 살성(殺星)980) 이 은은하고 거동이 심히 교오(驕傲)하더라. 부인이 일견 첨망에 성안이 나직하고, 옥모 자약하여 가로되,

"첩수미천(妾雖微賤)이나 당당한 사문일맥(士門一脈)으로 경상지녀(卿相之女)며 경상지부(卿相之婦)요, 팔좌(八座)981)의 명부(命婦)982)라. 황후낭랑께 조현하라 한즉, 계전(階前)에 추주등알(趨走登謁)하려니와, 귀비낭랑이 수존(雖尊)이나 만민의 국모 아니시니, 조정 명부를 대접하는 예 이같이 만홀(漫忽)이 못할 것이요, 첩이 또 당하 천인이 아니니 어찌

---

978) 망망(忙忙) : 몹시 걱정하고 두려워함.
979) 초월아미(初月蛾眉) : 초승달과 같은 눈썹.
980) 살성(殺星) : 사람의 운명과 수명을 맡아 그 사람을 빨리 죽게 한다는 흉한 별.
981) 팔좌(八座) : 8개의 국가 주요관직. 곧 중국 수나라・당나라 때에, 좌우 복야와 영(令)과 육상서를 통틀어 이르던 말.
982) 명부(命婦) : 봉작(封爵)을 받은 부인을 통틀어 이르는 말. 내명부와 외명부의 구별이 있었다.

후궁께 하당 배알하리오. 궁희 등은 설사 무식 불통하여 사체를 모를지 언정, 낭랑은 거의 고금 예법을 명찰하시리니, 어찌 사사로이 외조 명부를 핍박하여 능멸함이 이같으리오. 첩수불혜(妾雖不慧)나 낭랑의 실체(失體)하심을 그윽이 불취(不取)하나니, 제궁희는 나의 다언(多言)함을 괴이히 여기지 말고, 낭랑께 고하라."

설파에 옥수를 단정이 꽂고 움직이지 않으니, 귀비와 제궁아가 윤부인을 보건대 세속 홍분미색(紅粉美色)의 류(類) 아니라, 건곤(乾坤)의 수출한 정기를 오로지 품수하였으니, 옥토(玉兔)983)가 동령(東嶺)의 솟으매 서광(瑞光)을 사해(四海)의 흘리는 듯, 선결운빈(鮮潔雲鬢)984)과 월모화안(月貌花顔)이 초세출류(超世出類)하여, 다듬지 않은 옥부촉영(玉膚燭影)985)과 그리지 않은 용수사제(龍鬚蛇蹄)986) 더욱 쇄락(灑落) 수려(秀麗)하여 양협홍순(兩頰紅脣)987)의 연화(蓮花)를 부러워하고, 운환무빈(雲鬢霧鬢)988)의 방택(肪澤)989)을 무가(無加)하였으나 초대(楚臺)990)의 서애(瑞靄) 몽몽(濛濛)991)하고, 왕모도화(王母桃花)992) 일천

---

983) 옥토(玉兔) : 옥토끼. 달을 달리 이르는 말.
984) 선결운빈(鮮潔雲鬢) : 곱고 깨끗하며 구름같이 아름다운 귀밑머리. 귀밑머리 : 이마 한가운데를 중심으로 좌우로 갈라 귀 뒤로 넘겨 땋은 머리.
985) 옥부촉영(玉膚燭影) : 옥처럼 하얀 피부와 촛불의 그림자, 둘 다 인위적으로 다듬어서 만들어진 것이 아니다.
986) 용수사제(龍鬚蛇蹄) : 용의 수염과 뱀의 발굽이란 뜻으로, 그림을 그릴 때 있지도 않은 불필요한 것까지를 그리는 것을 말함.
987) 양협홍순(兩頰紅脣) : 두 뺨과 붉은 입술.
988) 운환무빈(雲鬟霧鬢) : 여자의 탐스러운 쪽 찐 머리와 안개 같은 살쩍(귀밑털)이란 뜻으로, 여자의 잘 단장한 아름다운 머리를 이르는 말.
989) 방택(肪澤) : 기름기. 머리 따위에 기름을 발라 윤기가 나게 함.
990) 초대(楚臺) : 중국 초(楚)나라 양왕(襄王)이 무산신녀(巫山神女)를 만나 운우(雲雨)의 정을 나누는 꿈을 꾸었다는 양대(陽臺).
991) 몽몽(濛濛) : 비, 안개, 연기 따위가 자욱함.

점(一千點)이 기기(奇奇)히 붉었는 듯, 광염(光艶)이 아라하고993) 묘질(妙質)이 작작(綽綽)하여 창졸(倉卒)994)에 어디 고우며 어디 미움을 분별키 어려우니, 일견(一見)에 눈을 옮기기 아까운지라. 사일쌍광(斜日雙光)995)이 나직하고, 단순(丹脣)이 움직이매 두어 조(條) 쇄옥성(碎玉聲)996)을 마치니, 안색이 씩씩하며 차고 매운 거동이 설상한매(雪上寒梅) 같으니, 당상당해(堂上堂下) 막불경앙(莫不敬仰)하고 대경황홀(大驚恍惚)하여, 귀비 역시 놀라고 또한 대로하여 헤아리되, 문양을 천고에 드문 가인(佳人)이라 하였더니, 차인의 천자특용(天姿特容)은 고금에 무적(無敵)하리니, 정부마 이 같은 절염미처(絶艶美妻)를 두고, 또 문양으로 어찌 화락하리오. 만일 차인을 없애지 않으면 아녀의 심복(心腹) 대환(大患)이요, 또 차녀의 방자함이 나를 후궁이라 하여 업신여김이 어찌 통해치 않으리오. 정히 침음(沈吟)하더니 요상궁이 나아와 가로되,

"윤씨 감히 낭랑을 모욕하니 그 죄 불용주(不容誅)라 어찌 처치하리까?"

귀비 왈,

"윤녀의 방자함이 여차하니 가히 냉옥(冷獄)에 가두어 죽여 후환을 끊으리라."

하고 또 윤부인을 향하여 질왈(叱曰),

---

992) 왕모도화(王母桃花) : 중국 신화에 나오는 서왕모(西王母)의 요지(瑤池)에서 기른다는 반도(蟠桃)복숭아 나무의 꽃.

993) 아라하다 :① 아스라하다. 보기에 아슬아슬할 만큼 높거나 까마득하게 멀다. ②아득하다. 보이는 것이나 들리는 것이 희미하고 매우 멀다.

994) 창졸(倉卒) : 미처 어찌할 사이 없이 매우 급작스러움.

995) 사일쌍광(斜日雙光) : 내리뜬 두 눈빛.

996) 쇄옥성(碎玉聲) : 옥을 깨뜨리는 소리라는 뜻으로, 아름다운 목소리를 이르는 말.

"윤가 요녀는 들으라. 오수박덕(吾雖薄德)이나, 성주께 수은하여 직품이 차중(此重)하고, 또 너와 비컨대 연륜소장(年輪少長)이 내도하거늘997) 네 어찌 나의 안전에 교오(驕傲) 방자(放恣)함이 이 같으리오. 초에 성상이 문양공주로써 하가하시매, 자고로 부마의 양처 없거늘, 황상이 천고의 없는 은전을 드리우시어 부마의 여러 처실을 허하시니, 인심에 감은 할 바거늘, 요악 투부(妬婦) 등이 과분함을 모르고, 투기를 방자히 하여 간비로 동심하여 요악으로써 황녀를 죽이려 하며, 교언영색(巧言令色)으로 장부를 잠그며, 가부의 골육이 세상의 나지 않아서 잔해하니, 차는 여무(呂武)998)에 지난 투악이라. 창천이 비록 높으시나 살피심은 소소(昭昭)하여, 악사 발각하나 성은이 오히려 여천하시어, 모든 투부(妬婦)의 대죄를 다 관서(寬恕)하심은 공주의 덕이라. 내 이제 부름은 전후 간상을 묻고자 함이거늘, 전후 성덕을 사례치 않고 자존 방자하여 불공태만(不恭怠慢)한 언사 여차하니, 내 비록 미약(微弱)하나 간악 투부를 결연이 용사(容赦)치 않으리라."

부인이 청파의 통원분에(痛寃憤恚)하나 어찌 즐겨 입을 열어 더러운 말을 대하리오. 고인의 이른 바,

"눈으로는 부정(不正)한 색(色)을 보지 아니하고, 귀로는 부정(不正)한 소리[聲]를 듣지 않는다."999)

하였으니, 다만 못 보며 못 듣는 듯하여 추파(秋波) 미미(微微)하고

---

997) 내도하다 : 크게 다르다. 판이(判異)하다.
998) 여무(呂武) : 중국의 대표적인 여성권력자인 한(漢)나라 고조(高祖)의 황후 여후(呂后) 여치(呂雉?-BC108)와 당(唐)나라 고종의 황후 측천무후(則天武后) 무조(武曌 : 624-705).
999) 원문 "목불시사색(目不視邪色)하고 이불청음성(耳不聽淫聲)이라"를 번역한 말. *사색(邪色); 부정지색(不正之色). *음성(淫聲); 부정지성(不正之聲). 『소학(小學)』〈입교편(立敎篇)〉에 나온다.

홍순(紅脣)이 맥맥하여, 홍수(紅袖)를 정히 꽂고 일언(一言)을 불개(不
開)하니, 귀비 그 견고하고 강렬함을 더욱 대로(大怒)하여, 좌우 궁비를
꾸짖어 속히 윤녀를 석혈(石穴)에 가두라 하니, 요상궁이 승명하여 건장
한 궁비로 부인을 활착하여 후원 냉옥에 가둘새, 설란 등 삼녜 죽기로써
부인을 좇으니, 모든 궁비 어지럽게 두드린대, 귀비 왈,

"차 삼녀는 간녀의 동당(同黨)이라. 한가지로 죽임이 옳으니 어찌 저
희를 놓아 사기(事機)를 누설하리오."

궁비 옳이 여겨 삼비(三婢)를 한가지로 석옥(石玉)에 가두니, 이 석혈
(石穴)은 복궁(北宮) 후원 뒤니, 극히 음침 유벽(幽僻)하여 사람의 자취
닿지 않고, 적은 산 밑을 인연하여 두어 돌구멍이 사람 육칠 인이 용신
(容身)할 만하니, 궐중 소속이 오히려 이 석혈을 모르는 이 많더라. 이
에 윤부인 비주(婢主) 사인을 가두고 혹자 탈신함이 있을까 하여, 쇠로
문을 만들어 긴긴히¹⁰⁰⁰⁾ 봉쇄(封鎖)하고, 돌아와 귀비께 복명하니, 귀
비 불승쾌활(不勝快活)하여 이수가액(以手加額)¹⁰⁰¹⁾ 왈,

"내 위·유 양인의 계교로 윤녀를 소제(掃除)함이 되니 어찌 기쁘지
않으리오."

하고, 윤부 제복(諸僕)과 거교(車輻) 좇았던 시녀를 백금(百金)으로
상사(賞賜)하고, 위·유 양 인에게 금화(金貨) 채단(綵緞)과 천금(千金)
으로 칭사(稱謝)하니, 윤부 차환 복부들이 귀비의 중상(重賞)을 얻으매
흔흔낙낙하여 돌아가 위·유에게 고하니라.

차시 윤부인이 일장 사화(死禍)를 만나 삼비(三婢)로 더불어 힘힘

1000) 긴긴하다 : 매이거나 묶이거나 뭉친 것이 팽팽하거나 단단하다.
1001) 이수가액(以手加額) : 손을 이마에 대거나 얹고 생각함.

히1002) 석옥중수(石玉重囚) 되니, 이 본디 빙자옥골(氷姿玉骨)1003)이
요, 수구(瘦軀)1004) 금심(金心)1005)이라. 어찌 누옥냉지(陋獄冷地)의 괴
로운 경계를 당하여 안연(晏然)하리오. 소시로부터 명운이 다험(多險)하
여 엄정(嚴庭)을 만리 이국의 참별(慘別)하여 궁천극지(窮天極地)1006)한
설움을 서리1007) 담고, 험악한 조모의 포려(暴戾)한 호령은 날로 더하
고 시로 층가하며, 간악한 숙모는 보챔이 시로 더하니, 밥 먹으매 편치
못하고 잠자매 때를 찾지 못하는 기구험난(崎嶇險難)을 갖추 겪어, 하마
터면 옥(玉)이 빻아지고 꽃이 떨어지는 경계를 여러 번 당하나, 명철보신
(明哲保身)하여 신여명(身與命)1008)이 구전(俱全)하여, 천만 곡경 가운데
신의(信義)의 구고와 의기(義氣)의 군자가, '사광(師曠)의 총(聰)'1009)과
이루(離婁)의 명(明)1010)이 아니로되, 윤부 가변을 거울같이 비추어, 호
구낭혈(虎口狼穴)에서 건져내어 구약(舊約)을 성전(成典)하니, 존당 구
고의 양춘혜택이 일신에 젖었고, 가부의 중대 여산(如山)하여 모시(毛
詩)1011)의 관저(關雎)1012)와 당체지화(棠棣之華)1013)를 노래하니, 가히

1002) 힘힘히 : '부질없이'의 옛말.
1003) 빙자옥골(氷姿玉骨) : 얼음처럼 맑고 깨끗한 살결과 옥같이 희고 깨끗한 골
　　　격이라는 뜻으로, 맑고 고결한 풍채를 이르는 말이나, 여기서는 얼음이나 옥
　　　처럼 부서지기 쉬운 연약한 몸을 말한 것임.
1004) 수구(瘦軀) : 빼빼 마른 몸.
1005) 금심(金心) : 쇠같이 단단한 마음.
1006) 궁천극지(窮天極地) : 하늘 끝과 땅 끝에 이를 만큼 큼.
1007) 서리다 : ①국수, 새끼, 실 따위를 헝클어지지 아니하도록 둥그렇게 포개어
　　　감다. ②뱀 따위가 몸을 똬리처럼 둥그렇게 감다.
1008) 신여명(身與命) : 몸과 목숨.
1009) 사광(師曠)의 총(聰) : 사광(師曠)의 총명함. 중국 춘추(春秋) 때 사광이란 사
　　　람이 소리를 잘 분변하여 길흉을 점쳤다는 고사에서 유래한 말.
1010) 이루(離婁)의 명(明) : 이루(離婁)의 밝음. 중국 황제(黃帝) 때 사람인 이루가
　　　눈이 밝았다는 데서 나온 말.

여자 평생이 매몰치 않을 것이요, 슬하에 옥동이 쌍쌍하니 만무일흠(萬無一欠)이라.

연(然)이나, 조물(造物)이 다시(多猜)하여 하늘이 각별 재앙을 나리오시니, 문양공주 만고일악(萬古一惡)[1014]으로 군자 숙녀의 원앙채(鴛鴦債)[1015]를 베어내고 삼생숙채(三生宿債)[1016]를 앗고자 하여 일장화란(一場禍亂)이 이에 미치니, 성상이 이이절혼(離異絶婚)하시매 간영(奸孼)[1017]한 무리 유(類)가 유(類)를 좇아 용사(用事)하니, 어찌 응시(應時)[1018]함이 아니리오.

밖으로 귀비 잇고 안으로 위·유 양인이 협공내응(挾攻內應)하니, 윤 부인 비주(婢主)가 승천입지(昇天入地)[1019]할 재주[1020] 없으니, 어찌 능히 면하리오. 하염없이[1021] 일만 장 구렁에 떨어지나, 자애(慈愛)하는

1011) 모시(毛詩) : '시경(詩經)'을 달리 이르는 말. 중국 한나라 때의 모형이 전하였다고 하여 이렇게 이른다.

1012) 관저(關雎) : 〈시경(詩經)〉 '국풍(國風)' '주남(周南)'의 한 편명(篇名). 군자숙녀의 사랑을 노래한 시.

1013) 당체지화(棠棣之華) : 〈시경(詩經)〉 '소아(小雅)' '당체편(棠棣篇)'의 첫구. '산앵두나무의 꽃'이란 말. 이 시는 형제간의 우애를 노래하고 있다.

1014) 만고일악(萬古一惡) : 세상에 비길 데 없이 악한 사람.

1015) 원앙채(鴛鴦債) : 금실 좋은 부부로 살아가야 할 의무.

1016) 삼생숙채(三生宿債) : 전세 현세 내세에 걸쳐 운명적으로 정해져 있는 인연에 대한 의무.

1017) 간영(奸孼) : 간사하고 모질음.

1018) 응시(應時)하다 : ①때에 맞추다. ②때에 따르다. ③때에 맞추어 생겨나다.

1019) 승천입지(昇天入地) : 하늘로 오르고 땅속으로 들어간다는 뜻으로, 자취를 감추고 없어짐을 이르는 말.

1020) 재주 : ①무엇을 잘할 수 있는 타고난 능력과 슬기. ②어떤 일에 대처하는 방도나 꾀.

1021) 하염없다 : 어떤 행동이나 심리 상태 따위가 자신의 의지와는 상관없이 계속되는 상태이다.

구고와 중대(重待)하는 가부가 전연 모르는지라. 부인이 비록 천균(千鈞)의 무거움과 하해(河海)의 대량(大量)으로 참기를 위주하나, 청춘녹발이 쇠(衰)치 않아서 힘힘히 독수(毒手)에 마쳐 사생존망(死生存亡)을 아릴 길이 없으니, 양가 존전에 불효는 천지의 가득하고, 백년 군자의 지음(知音)은 고분(叩盆)[1022]의 미치며, 무모치아(無母稚兒)의 육아지통(蓼莪之痛)[1023]은 생세에 쌓을 곳이 없는지라. 힘힘히[1024] 농중(籠中)의 간힌 봉황이요, 철망에 걸린 홍곡(鴻鵠)이라. 비록 강하(江河)의 대량(大量)이나, 심사 어찌 안안하리오. 부인이 스스로 명도 다천(多遷)하고[1025] 시운이 불리함을 슬퍼하고, 에분통해(恚憤痛駭)[1026]함이 철골(徹骨)하니, 도리어 만념이 부운 같고 심신이 막막하여, 한번 석옥(石獄)에 방신(芳身)을 버리매, 보험(輔臉)이 적적(寂寂)하고, 단순(丹脣)이 맥맥하니, 설란 등이 붙들어 실성 비읍 왈,

"유유창천(悠悠蒼天)이 우리 선노야(先老爺)와 조부인 성덕광화(聖德光華)로 수삼 자녀를 두시고, 노야가 만리 이국에서 비명원사하시니, 충효절의는 금석(金石)에 박아 만대에 썩지 않으시나, 삼위 자녀는 어찌 복선지리(福善之理)[1027]를 받잡지 못하고, 이 같은 참난(慘難)에 떨어지시니, 부인의 천금약질로 보전함을 바라리까? 비자 등이 부인을 모셔 본부에서 기화(奇禍)를 지냈으나, 태부인과 유부인이 오히려 맥죽(麥粥)

1022) 고분(叩盆) : 고분지통(叩盆之痛). 물동이를 두드리는 슬픔이라는 뜻으로, 아내가 죽은 슬픔을 이르는 말.
1023) 육아지통(蓼莪之痛) : 어버이가 죽어서 봉양하지 못하는 효자의 슬픔을 이르는 말.
1024) 힘힘히 : 부질없이. 쓸데없이.
1025) 다천(多遷)하다 : 여러 번 옮기다. 기복(起伏)이 심하다.
1026) 에분통해(恚憤痛駭) : 몹시 분하고 원통함.
1027) 복선지리(福善之理) : 착한 사람에게 복을 내리는 만물의 이치.

악초(惡草)라도 일일일종(一日一鍾)을 먹이심으로 투생(偸生)하였거니
와, 김귀비는 어떤 악종이관데 무죄한 우리 비주를 이런 누옥의 가두어,
장차 사오일에 일기(一器) 청수(淸水)도 주지 않으니, 이는 세세생생(世
世生生)[1028]에 불공대천지수(不共戴天之讎)라. 사람이 이 같은 앙화를
지으매 나중이 어찌 못되지 않으리오. 아무려나 투생하여 풍운의 길시
를 만나 악인이 멸망하는 거동을 보려하나, 어찌 자생(自生)함을 기약하
리오. 만일 살지 못하면 음혼(陰魂)이 천대(泉臺)의 원귀(寃鬼) 되어 수
인(讎人)의 고기를 너흘리라[1029]."

이렇듯 에분절치(恚憤切齒)하나 능히 망나(網羅)를 벗어날 길이 없어,
수양산(首陽山)[1030]이 아니로되 아사(餓死)함이 즉각에 있는지라. 비주
서로 붙들어 속수무책(束手無策)이러니, 이날 또 저물어 심야 삼경(三
更)이 되니 만뢰(萬籟) 구적(俱寂)한 중, 귀매(鬼魅)의 불과 야수비성(野
獸悲聲)이 처처(悽悽)하여 수회(愁懷)를 더욱 돕는지라. 부인 노주(奴主)
가 서로 대(對)하여 비읍(悲泣)하더니, 문득 석혈 밖에 은은한 인적이
점점 가까이 오며 나직이 불러 왈,

"파랑은 깨었나냐?"

삼녀가 경아하여 혹자 귀비의 부린 사람이 저의 비주를 죽이려 함인
가 하여 더욱 놀라나, 하릴없어 답왈,

"지금 자지 않았거니와 야심 삼경에 어떤 사람이관데 죽어가는 사람
을 부르느뇨?"

그 사람이 왈,

1028) 세세생생(世世生生) : 몇 번이든지 다시 환생하는 일. 또는 그런 때.
1029) 너흘다 : 씹다. 물다. 물어뜯다.
1030) 수양산(首陽山) : 중국 감숙성(甘肅省) 롱서(隴西) 지역에 있는, 백이(伯夷)와
　　　숙제(叔齊)가 굶어죽었다는 산.

"나는 해롭지 않은 사람이라. 본디 악당이 아니니 의심치 말라. 부인
과 제낭자가 무죄히 석혈 냉지에 기아이사(飢餓而死)함을 차마 보지 못
하여 구활할 뜻이 있으되, 이목이 번거함을 두려 금일이야 승간(乘間)하
여 요기(療飢)할 것을 가져왔으나, 문을 봉하였으니 어디로 들이리오?"

설란 등이 차경차희(且驚且喜)[1031]하니 놀람은 귀비의 심복이 음식에
약을 두어 급히 죽이려 함인가 의심함이요, 깃거함은 신명이 보우(保佑)
하여 활인지불(活人之佛)이 금세에 있음인가, 호사난려(胡思亂慮)[1032]
가 일시에 층출(層出)하여 능히 쉬이 대치 못하니, 또 이르대,

"열위는 간당인가 의심치 말라. 나는 귀비 궁인 태섬이라. 일찍 주인
의 불인함을 개탄하되, 그 좌우에 돕는 이 다 간악하여 뇨상궁 최상궁
같은 이도 다 간악하니, 날 같은 말 째 시인(侍人)이 어찌 하리오. 부인
과 그대 등의 참절한 형색을 참연(慘然)하여 약간 진식(進食)할 것을 가
져왔으니 의심치 말고 받으라."

설란 등이 저의 진정임을 깃거 연망이 칭사하고, 진력하여 석문 곁에
적은 구멍을 내니, 겨우 그릇 하나 나들만하더라.

태섬이 먼저 등잔과 기름을 드려 불을 밝힌 후, 미좇아[1033] 큰 그릇
에 좋은 밥과 미찬(美饌) 향다(香茶)를 드리니, 부인 노주 받아 사오일
기갈을 위로하며 차완(茶碗)[1034]을 나와 먹기를 파하매, 부인이 분원이
흉격(胸膈)의 막혀 다만 두어 번 식음한 후 그릇을 물리니, 제녀는 포복
하여 태섬의 여산대은(如山大恩)을 만만 칭사하되, 만일 천일을 다시 보

1031) 차경차희(且驚且喜) : 한편으로 놀라면서 한편으로 기뻐함.
1032) 호사난려(胡思亂慮) : =호사난상(胡事亂想). 이런저런 잡생각을 함. 허튼 생
　　　각을 함.
1033) 미좇아 : 뒤이어.
1034) 차완(茶碗) : 찻종의 하나. 조금 크고 뚜껑이 있다.

거든 후히 갚기를 기약하고, 불연즉 사후 결초(結草)[1035]함을 이르니, 섬이 겸양 칭사하고 돌아갈 새, 피차 언약하여, 밤이 깊거든 식찬(食饌)을 차려 오리니 기다리라 하더라 .

차후 밤마다 두어 시비로 더불어 부인 비주의 식음을 차려오니, 이로써 기갈을 면하나 능히 호구(虎口)를 벗어날 길이 없어 주주야야(晝晝夜夜)에 초사절민(焦思切憫)하더라.

시시의 김귀비 윤씨 비주를 석옥에 가두고 일일 일종(一鍾) 차도 주지 않아 아사(餓死)하기를 죄오며, 또 생각하되, 내 전일 들으니 이씨는 박면흉상(薄面凶相)이라, 천흥이 그 일택에 있을 제는, 여자에게 함원을 끼치지 않으려 함으로, 잠깐 양정(良情)이 있던 것이거니와, 이제 이이 절혼(離異絶婚)하매 또 집이 멀어 통신키 쉽지 못하리니, 다시 염두에 거리끼지 않으려니와, 양녀 요물은 색모 재덕이 윤녀로 더불어 일쌍 구슬이라 하니, 차녀를 마저 잡아 없애지 않은즉, 여아의 전정에 유해하리라 하여, 의사 이에 미치매 가만히 신묘랑으로 상의하니, 묘랑이 소왈,

"이 소임은 빈도의 본사(本事)라. 능히 풍운을 타고 호표(虎豹)와 오조(烏鳥)가 되니, 한갓 경상지가(卿相之家)를 이르지 말고, 구중심궐(九重深闕)도 출입하리니, 일개 양씨 어찌 이 신묘랑의 신출귀몰(神出鬼沒)하는 재주의 벗어나리까?"

귀비 대열(大悅) 왈,

"사부 이 같은 신통으로 양녀를 마저 잡아다가 석혈의 넣어, 윤녀와 한가지로 죽이면 어찌 묘치 않으리오. 아녀(我女) 문양이 복이 높아 사부를 만났으니, 이는 한고조(漢高祖)의 자방(子房)[1036]같으니 어찌 강적

1035) 결초(結草) : =결초보은(結草報恩). '풀을 맺어 은혜를 갚는다'는 말로, 죽어서도 은혜를 잊지 않고 갚음을 이르는 말.

을 소제치 못할까 근심하리오."

묘랑이 차언을 듣고 더욱 신기한 체하여 자존(自尊) 교오(驕傲)함이 측량 없더니, 일일은 월야를 타 양부로 가니, 아지못게라! 양씨 요물에게 잡혀 사생존망(死生存亡)이 어찌 된고?

어시에 양소저 천만 의외에 간비(姦婢)의 허다 모함이 빙설옥결지신(氷雪玉潔之身)[1037)을 만고투부(萬古妬婦)의 악명을 실어 만성(萬姓)의 타비(唾非)[1038)하는 바 되고, 구가로 이이(離異)하여 친당에 돌아갈 새, 존당 구고의 산은해덕(山恩海德)과 가부(家夫)의 여산중정(如山重情)을 끊으며, 슬하유치(膝下幼稚)를 던지고[1039) 돌아가는 심사 여할(如割)하니, 닌닌(轔轔)한[1040) 수레바퀴 한제(漢帝)[1041)의 연(輦)[1042)을 한가지로 못하고, 장신궁(長信宮)[1043)으로 돌아가는 반비(班妃)[1044)로 흡사한지라. 이미 분수(分手)하여 부친을 따라 친당에 돌아오매, 모부인이 신

1036) 자방(子房) : 중국 한나라의 건국공신 장량(張良)의 자(字).

1037) 빙설옥결지신(氷雪玉潔之身) : 어름과 눈과 옥과 같이 티 없이 맑고 깨끗한 몸.

1038) 타비(唾非) : 경멸하여 침 뱉고 비난함.

1039) 던지다 : 버리다.

1040) 닌닌(轔轔)하다 : 수레바퀴가 굴러가며 덜거덕거리다.

1041) 한제(漢帝) : 한성제(漢成帝). 중국 전한(前漢)의 제9대 황제(BC 33∼7 재위). 이름은 유오(劉驁). 원제(元帝)의 아들이다. 사치스러운 생활을 했으며, 술과 여자에 빠져 조비연(趙飛燕)과 조합덕(趙合德)을 총애했다.

1042) 연(輦) : 임금이 거둥할 때 타고 다니던 가마. 옥개(屋蓋)에 붉은 칠을 하고 황금으로 장식하였으며, 둥근기둥 네 개로 작은 집을 지어 올려놓고 사방에 붉은 난간을 달았다.

1043) 장신궁(長信宮) : 중국 한(漢)나라 때 장락궁 안에 있던 궁전. 주로 태후가 살았다.

1044) 반비(班妃) : 중국 한(漢)나라 성제(成帝)의 후궁. 시가(詩歌)를 잘하여 성제의 총애를 받았으나 조비연(趙飛燕)에게 참소를 당하여 장신궁(長信宮)에 유폐되어 부(賦)를 지어 상심을 노래하였다.

을 벗고 중당에 나와 여아를 붙들고 오열비읍(嗚咽悲泣)하며, 제형자매
(弟兄姉妹) 불승분한(不勝憤恨)하니 소제 심회 불락(不樂)하나, 태태(太
太)를 뵈옵고 제형자매로 채수(彩袖)를 연하매, 일단 시름을 물외(物外)
의 던지고 면면(面面)이 반기니, 부인이 탄식 왈,

"여아의 용모 재덕으로 정군 같은 군자를 만나, 피차 부부의 상적함이
지극하여 백년의 화락이 무흠(無欠)하고, 비록 좌우의 적국(敵國)이 있
으나 황영(皇英)의 성사(盛事) 있을까 하였더니, 조물(造物)이 다시(多
猜)하고 여등의 명도 궁험(窮險)하여, 성상이 무고히 신자의 인륜을 희
(戲)지어 문양이 하가(下嫁)하매 환난이 이의 미치니, 어찌 슬프지 않으
리오. 희(噫)라! 아녀의 빙자아질(氷姿雅質)1045)로 청춘 녹발이 쇠(衰)
치 않아서 무고히 심규에 폐륜하여, 소혜(蘇蕙)1046)의 해월년년조군변
(海月年年照君邊)1047)을 느끼고, 독좌장문의(獨坐障門倚)1048) 오경계삼
창(五更鷄三唱)1049)을 슬퍼할지라. 여모(汝母) 긴 날에 너의 단장박명
(斷腸薄命)과 홍수자한(紅袖自恨)1050)을 어찌 보리오."

설파에 엄읍유체(掩泣流涕)하니 양부인이 민망하여 안색을 수련하고
옥모 자약하여 이성(怡聲) 주왈,

"만사 천야요 명야라. 이 다 소녀의 명도 박하고 행사가 불미하옴이

1045) 빙자아질(氷姿雅質) ; 얼음처럼 맑고 깨끗한 자태와 아름다운 자질.
1046) 소혜(蘇蕙) : 중국 동진(東晋) 때 진주자사(秦州刺史) 두도(竇滔)의 아내. 자
(字) 약란(若蘭). 남편에 대한 그리움과 회한을 읊은 회문시(回文詩) 〈직금회
문선기도(織錦回文璇璣圖)〉로 유명하다.
1047) 해월년년조군변(海月年年照君邊) : 바다 위에 뜬 달은 해마다 당신 주변을 비
치네.
1048) 독좌장문의(獨坐障門倚) : 홀로 장지문에 기대 앉아 있노라니.
1049) 오경계삼창(五更鷄三唱) : 새벽닭이 세 번을 우네.
1050) 홍수자한(紅袖自恨) : 젊은 여자의 신세 한탄.

니, 윤부인 성덕과 이씨의 관인한 성덕이 아닌 후, 뉘 소녀의 불미함을 용서하리까? 소녀 이러므로 나의 불미함을 부끄러워할지언정, 수한수원(誰恨誰怨)이리까?"

부인이 청파에 불승애련(不勝哀憐)하며 또 분연 왈,

"인가의 투악한 여자 왕왕이 있어 적국을 해한다 하거니와, 영교 천비 본디 내 집 소속이거늘, 배주(背主) 망은(忘恩)하여 간인을 따라 빙옥 같은 주인을 함해갱참(陷害坑塹)하여 스스로 죄를 두려 도망하니, 어찌 분치 않으리오. 간비(姦婢)를 잡는 날이면 만단(萬端)으로 찢어 후세 불충 간비를 징계하리라."

소저 대 왈,

"영교 간인의 흉중(胸中)에 농락되어 배주(背主)하오니, 이 스스로 망신(亡身)하올지라, 어찌 족히 무식 천비를 개회(介懷)하리까?"

모부인과 제소년이 소저의 여차 성덕(聖德) 재화(才華)를 가지고 평생 계활(計活)이 이렇듯 어지러움을 아끼고 슬퍼하니, 평장이 비록 일세를 안공(眼空)하는[1051] 장부나 여아 사랑은 과도하여, 소수(素袖)[1052]로 여아의 옥수를 잡고, 무빈(霧鬢)을 쓰다듬어 장탄하여 수회(愁懷) 만단(萬端)이나 하니, 식음에 맛이 없어 부부 양인이 석식(夕食)을 불어(不御)[1053]하니, 자녀부(子女婦) 민망하여 재삼 관비(寬悲)하심을 청하고, 양부인이 불효를 민망하여 낭성화어(朗聲和語)로 부모를 위로하여 석식을 파하고, 촉을 밝히매 부인이 야심토록 정당에 모셔 말씀하다가, 각각

1051) 안공(眼空)하다 : 안중(眼中)에 없다. 어떤 것을 안중(眼中)에 두지 않을 만큼 포부가 크다.
1052) 소수(素袖) : 흰 옷소매.
1053) 불어(不御) : 존귀한 사람이 음식 따위를 먹지 않는 것을 높여 이르던 말. 진어(進御)의 반대말.

숙소로 돌아가니, 평장과 부인이 여아를 사침의 보내지 않고 곁에 뉘어 교무(交撫)함이 유하영아(乳下嬰兒) 같으니, 모부인은 회리(懷裏)1054)에 익애(溺愛)하여 모녀의 체체(逮逮)1055)한 정이 타인 모녀에 지나며, 양씨 노래자(老萊子)1056)의 어린 체를 다하여, 모친 유합(乳盒)1057)을 만지며 향시(香顋)1058)를 접하여 아소(兒小)의 태(態)를 다하니, 평장이 근심을 돌려 미소 왈,

"노부 여아로써 범사의 노성(老成)한가 여겼더니, 금일 보건대 미거(未擧)함이 많도다. 공연이 투부 악명을 실어 구가에 영출하나, 사색이 태연함을 괴이히 여겼더니, 자모에게 이런 어린 체를 함으로 만념을 잊음이로다."

부인이 역소하고, 소저 미소 대 왈,

"대인과 태태 어찌 생각지 못하시나이까? 소녀는 비록 구가에 실의(失意)하오나, 친측에 돌아오매 부모형제 반석 같아서 각별 슬픔이 없으니, 신세 박명한 가운데나 오히려 마음을 위로하려니와, 윤부인은 친측에 돌아가매 '명수유소귀(名雖有所歸)나 실즉무소귀(實卽無所歸)'1059)

1054) 회리(懷裏) : 마음속. 품속.
1055) 체체(逮逮) : 마음에 잊지 못하여 연연해 함.
1056) 노래자(老萊子) : 중국 춘추 시대 초나라의 은사(隱士). 70세에 어린아이 옷을 입고 어린애 장난을 하여 늙은 부모를 위안하였다고 한다. 저서에 ≪노래자≫ 15편이 있다.
1057) 유합(乳盒) : 젖가슴. 유방(乳房).
1058) 향시(香顋) : 향기로운 뺨.
1059) 명수유소귀(名雖有所歸)나 실즉무소귀(實卽無所歸)라 : 명목상으로는 비록 돌아갈 곳이 있으나, 실제로는 돌아갈 곳이 없음. '돌아갈 곳(所歸)'은 돌아가 의지할 수 있는 곳으로, 부모 형제 친척이 있는 곳을 말함. '돌아갈 곳이 없음(無所歸)'는 유교에서 아내를 출거(黜去)할 수 없는 세 가지 경우, 곧 삼불거(三不去)의 하나에 해당한다.

라. 한번 구문(舅門)을 하직하매 빙옥방신(氷玉芳身)이 다시 호구(虎口)의 떨어지니, 윤가 허다 변고는 실로 남이 알까 두려운지라. 일찍 당(堂) 위에 부모 계시지 않으시고, 윤추밀이 비록 질녀를 사랑하나 본디 휴휴장부(休休丈夫)[1060]라, 가중(家中) 세쇄지사(細瑣之事)를 어찌 알리까? 위태부인 험난과 유부인 간악함이 어찌 그 약질을 잘 보전케 하리까? 이른바 용의 굴혈을 떠나매 범의 구멍에 다다름이라. 위태함이 누란(累卵)에 있으니 소녀로 비컨대 우락(憂樂)이 내도하온지라. 숙녀 현완(賢婉)으로 명이 궁박함이 이에 미치오니, 소녀의 비박한 기질로 일시 액경을 슬퍼하면 천도 어찌 외오[1061] 여기지 않으시리까?"

부인이 탄 왈,

"천도 어찌 이같이 고르지 않으신고? 비록 보지 않았으나 윤씨는 예문덕가(禮門德家)의 현부모(賢父母) 생출(生出)이라. 그 색용(色容) 품질(稟質)이 범범속녀(凡凡俗女)와 같으리오마는, 윤회보응(輪回報應)이 불명(不明)하심이로다."

평장은 예의군자라 위·유 양인이 간험함을 이르지 않으나, 윤명천의 충효대절과 그 적덕여음이 자녀에게 믿지 못하여, 수삼 자녀의 화액이 비상함을 개탄하며, 여아의 심사를 어여삐 여겨 종야 연애하여 전전불매(輾轉不寐)러라.

차후 양부인이 화조월석(花朝月夕)에 형제자매로 부모슬하에서 학낭소어(謔浪笑語)[1062]로 부모의 비회를 잊으시게 하니, 도리어 자신의 계활(計活)을 잊었더라.

1060) 휴휴장부(休休丈夫) : 사소한 일에 얽매이지 않아 도량이 크고 마음이 편한 대장부.
1061) 외오 : 그릇. 잘못.
1062) 학낭소어(謔浪笑語) : 실없는 말로 희롱하고 익살을 부리며 우스운 이야기를 함.

부인이 연일 사침을 찾지 아니하더니 일일은 석식을 파하매, 문득 심신이 곤뇌하고 기운이 불평한지라. 망망(惘惘)[1063]이 즐기지 않아 화미(華眉)를 찡기고 왈,

"소녀 신상이 불평하오니, 금일 사침에 돌아가 혈숙(歇宿)고자 하나이다."

부모 염려하여 허하니, 부인이 혼정 후 유모 시비 등을 거느려 침소의 돌아와 촉을 밝히고, 단의홍군(單衣紅裙)으로 침병에 의지하여 유미(柳眉)를 영빈(顰嚬)[1064]하고 단순(丹脣)이 맥맥하여 즐기지 아니하더니, 이윽고 모든 제형이 이르러 열좌(列坐)하매, 제인이 가로되,

"아자[1065]에 들으니 소고(小姑) 신상이 불평하여 사침에 돌아오다 하니 병심이 반드시 적막할 줄 알고 이르니이다."

양씨 왈,

"우연이 미양으로 심사 곤뇌하나 본디 대단치 않고, 또 소년 혈기 방강(方强)하니 족히 사생에 염려는 없을지라. 제형이 침수를 폐하고 심야에 수고로이 이르시니 후의 감사하여이다."

제인이 흔연 칭사하고 한담할 새, 좌우로 호주 성찬과 향다를 나와 제 부인이 진음 할 새, 양부인이 평일 일작(一勺) 불음(不飲)이라. 금일 신기 불평함과 제인의 권함으로 일 배 향온(香醞)을 거우르매, 경각에 주기 편편하여 일도(一道)[1066] 상운(祥雲)이 팔광(八光)[1067]을 가리오니, 홍백 모란이 다투어 피어난 듯, 광염이 촉하의 바애니[1068], 쇄락한 태

1063) 망망(惘惘) : 낙심하여 멍한 모양.
1064) 영빈(顰嚬) : 괴로이 찡그림.
1065) 아자 : 아까. 조금 전.
1066) 일도(一道) : 한 가지 길. 여기서는 '한 줄'의 뜻.
1067) 팔광(八光) : 눈썹의 광채. 팔(八)은 눈썹의 모양을 나타냄.
1068) 바애다 : 빛나다. (눈이) 부시다.

도 천승만배(千勝萬倍)1069)라. 제부인이 크게 기이히 여기고 불승애경
(不勝愛敬)하여 잠소 농왈,

"아름답다 부인이여, 반드시 월전(月殿)에 임자 없고 광한궁(廣寒
宮)1070)이 비었으리로다. 정병부 어떤 사람이관데 무슨 복으로 이 같은
절대숙완(絶代淑婉)으로 흠없이 화락을 이루리오. 과연 소고의 용안이
너무 수출(秀出)함으로 조물의 시기를 만남이라. 아지못게라! 윤부인이
만고 무쌍 절염임을 들었거니와, 문양공주 윤·양·이 삼인을 전제(剪
除)하매 그 행실(行實)이 사덕에 벗어났으니 다시 의논치 말고, 그 외모
색광(色光)이 능히 부인을 미치랴? 불연즉 정병부 절염가인을 잃고 금
슬(琴瑟)의 화(和)와 종고(鐘鼓)의 낙(樂)이 불합함을 묻지 않아 알소이
다."

양씨 청파에 정색 왈,

"부인의 단묵(端默)함이 예도의 으뜸이라. 금일 언담(言談)의 부창(婦
唱)1071)됨을 삼가지 않으시나이까? 비컨대 연조(燕鳥)가 아름다우나 난
봉(鸞鳳)과 다르고, 계화(桂花) 아름다우나 부용(芙蓉)과 쟁선(爭先)치
못하나니, 저 문양공주 본디 황가지엽(皇家枝葉)으로 용자봉손(龍子鳳
孫)이니 여염속녀(閻閻俗女)와 같으리까? 월녀(越女)1072) 서시(西
施)1073) 비록 아름다우나 묘복박덕(眇福薄德)1074)하니 족히 일러 부질

1069) 천승만바(千勝萬倍) ; 천 배 만 배나 더 뛰어나다.
1070) 광한궁(廣寒宮) : 광한전(廣寒殿). 달 속에 있다는, 항아(姮娥)가 사는 가상의
궁전.
1071) 부창(婦唱) : '아내의 말이 성(盛)하다'는 뜻으로 부창부수(夫唱婦隨)의 도리
에 어긋난다는 말.
1072) 월녀(越女) : ①중국 춘추시대에 월(越)나라의 여자. ②월(越)나라에 미녀가
많다는 데서, '미인'을 일컫는 말로도 쓰임.
1073) 서시(西施) : 중국 춘추 시대 월나라의 미인. 오나라에 패한 월나라 왕 구천

없고, 맹광(孟光)1075)과 황씨(黃氏)1076) 있으나 양홍(梁鴻)1077)과 제갈
무후(諸葛武侯)1078)의 수미(秀美)함으로도 금슬(琴瑟)이 불합치 아니하
였으니, 이에 부부 후박(厚薄)이 있을 것이라 괴이한 말씀을 하여 정대
함을 생각지 아니하시나이까? 속담에 왈, '주언(晝言)은 문조(聞鳥)하고
야언(夜言)은 문서(聞鼠)한다'1079) 하니, 혹자 불현자(不賢者)가 앎이
되면 불측한 일이 있을까 두리나니, 원컨대 제형은 '언필찰(言必察)하고
행필신(行必愼)'1080) 하소서."

　설파의 안색이 화평하고 말씀이 정대(正大)하여 예도에 일호 착만(錯
漫)1081)함이 없는지라. 제부인이 불승탄복하여 탄지(歎之) 칭선(稱善) 왈,
"기재(奇哉)며 현재(賢哉)라. 천고(千古)의 한낱 성녀(聖女)요, 금세의
독보(獨步) 숙녀로소니, 아등은 앙망불급(仰望不及)하리니, 어찌 한갓

　　이 서시를 부차에게 보내어 부차가 그 용모에 빠져 있는 사이에 오나라를 멸
　　망시켰다.
1074)　묘복박덕(眇福薄德) : 복이 적고 덕이 엷음.
1075)　맹광(孟光) : 후한 때 사람 양홍(梁鴻)의 처. 추녀였으나 남편의 뜻을 잘 섬겨
　　현처로 이름이 알려졌고, 고사 거안제미(擧案齊眉)로 유명하다.
1076)　황씨(黃氏) : 중국 삼국시대 촉의 정치가 제갈량의 처. 용모는 몹시 추(醜)녀
　　였으나 재주가 뛰어났다고 한다.
1077)　양홍(梁鴻) : 중국 후한(後漢) 때의 은사(隱士). 처 맹광(孟光)의 고사(故事)
　　'거안제미(擧案齊眉)'로 유명하다.
1078)　제갈무후(諸葛武侯) : 181~234. 중국 삼국 시대 촉한의 정치가. 자(字)는 공
　　명(孔明). 시호는 충무(忠武). 뛰어난 군사 전략가로, 유비를 도와 오(吳)나라
　　와 연합하여 조조(曹操)의 위(魏)나라 군사를 대파하고 파촉(巴蜀)을 얻어 촉
　　한을 세웠다. 유비가 죽은 후에 무향후(武鄕侯)로서 남방의 만족(蠻族)을 정
　　벌하고, 위나라 사마의와 대전 중에 병사하였다.
1079)　'주언(晝言)은 문조(聞鳥)하고 야언(夜言)은 문서(聞鼠)한다' : 낮말은 새가 듣
　　고 밤말은 쥐가 듣는다. 아무도 안 듣는 데서라도 말조심해야 한다는 말.
1080)　'언필찰(言必察) 행필신(行必愼)' : 말은 반드시 잘 살펴서 하고 행동은 반드
　　시 삼가 하여 신중히 하여야 한다.
1081)　착만(錯漫) : 어긋나고 산만함.

동기지정(同氣之情) 뿐이리오. 금일지언(今日之言)을 중심명지(中心銘之)[1082]하여 평생에 스승 삼으리라.”

부인이 잠소 칭선 왈,

“제형이 마침내 속태(俗態)를 면치 못하여 동거지간의 이같이 과례(過禮)를 행하시니 평일 우애하시던 정이 아니로소이다.”

제부인이 소왈,

“‘아창지가(我唱之歌)를 군(君)이 화(和)한다’[1083] 함은 정히 이를 이름이로다.”

언파에 일장을 낭소(朗笑)하고, 이윽히 한담하다가 이미 야심하매, 원산(遠山)의 미월(微月)이 몽롱하여, 창오(蒼梧)[1084]에 진(盡)코자 하니, 제인이 야심함을 깨달아 각각 일쌍 소시아(小侍兒)로 홍심(紅心)[1085]을 잡혀 앞을 인도하고, 제부인이 채수를 이끌어 일시에 돌아가니, 부인이 난두(欄頭)에 나와 송별하고, 이윽히 배회하다가 실중에 돌아와 정히 취침코자 하더니, 문득 음풍이 사기(使氣)[1086]하며 비운(飛雲)이 참참(慘慘)하더니, 한 괴이한 짐승이 창을 열치고 달려드니, 크기는 큰 개만 하고 호표의 모양이로되 나래 있는지라. 모든 시녀 무망중(無妄中)에 대경하여 미처 벗은 의복을 거두지 못하며, 일시에 창황망조(惝怳罔措)[1087]하니, 각별 그 짐승이 다른 사람을 해치 않고, 바로 달려들어 독한 눈을

1082) 중심명지(中心銘之) : 마음 가운데에 새김.

1083) ‘아창지가(我唱之歌)를 군(君)이 화(和)한다’ : 내가 부를 노래를 그대가 부른다는 뜻으로, 내가 할 말을 상대방이 하는 경우를 이르는 말.

1084) 창오(蒼梧) : 창오산(蒼梧山). 중국 광서성(廣西省) 창오현(蒼梧縣)에 있는 산이름. 순(舜)임금이 죽었다고 전해지는 곳.

1085) 홍심(紅心) : 남포등이나 초 따위의 심지(心-).

1086) 사기(使氣) : 자기의 혈기대로 기세를 부림.

1087) 창황망조(惝怳罔措) : 너무 당황하거나 급하여 어찌할 줄을 모르고 갈팡질팡함.

번득이며 나래를 펼쳐, 양부인을 가벼이 활착하여 문을 밀치고 운외(雲外)에 표등(飄登)1088)하니, 제녀가 실색하여 일시의 애고 소리하며 창황히 정당의 고할 새, 이중에 허황다겁(虛荒多怯)한 자는 엎어져 기절할 이 많더라.

유랑 시비 크게 울며 정당에 고하니, 이렇게 굴 사이에 상하내외(上下內外) 진동하며, 차환 복부 미처 자지 않은 유(類)는 큰 매와 긴 창을 들고 내달으며, 자던 유(類)는 졸음이 몽롱하여 꿈 가운데 옷을 거두며, 이를 아우르지1089) 못하게 떨기를 마지않으며, 소당(小黨) 미약(微弱)은 범이 들었다 하매 무서워 울기를 마지않으니, 상하내외가 성진천지(聲震天地)1090)하는지라. 양공 부부와 제생 등이 몽리(夢裏)에 대경하여 겨우 의복을 수습하고 보보전경(步步顚傾)1091)하여 황황히 내달아 보니, 효월(曉月)이 희미한데 공중에 음풍이 참참(慘慘)한 가운데, 과연 나는 호표 소저를 후려 공중에 올랐으니, 다만 삽삽한1092) 홍군(紅裙)이 편편(翩翩)이 날릴 따름이라. 공의 부부와 제부인이며 상하노소가 한가지로 앙첨관망(仰瞻觀望)하고 실색경혼(失色驚魂)하여 돈족실성(頓足失性)하며, 다만 그 가는 곳을 바라보며 애고1093)할 사이에, 벌써 비풍(悲風)이 애애한 가운데 간 곳이 없는지라. 상하가 일시의 통곡하니, 소리 천지의 진동하며 야월(夜月)이 무광(無光)하더라.

평장은 실성 엄읍(掩泣)1094)하고 부인은 한번 울매 세 번 여아를 불

1088) 표등(飄登) : 솟구쳐 오름.
1089) 아우르다 : 다물다. 여럿을 모아 한 덩어리나 한 판이 되게 하다.
1090) 성진천지(聲震天地) : 소리가 천지를 진동함.
1091) 보보전경(步步顚傾) : 걸음마다 엎어지고 자빠짐.
1092) 삽삽하다 : 부드럽다.
1093) 애고 : 애고. '아이고'의 준말. 탄식하거나 기막힐 때 내는 소리.
1094) 엄읍(掩泣) : 얼굴을 가리고 욺.

러 자주 혼절하니, 제 생과 제 소년 제 부인이 역시 차악 상도(傷悼)하여 능히 부모를 위로할 말이 없는지라. 양구(良久) 애읍(哀泣)에 비로소 비회를 금억하여 부모를 붙들어, 당중의 들어가 위로 왈,

"금야 호환은 천고의 비상(非常) 해악(駭愕)한 변이라, 경성(京城) 장안(長安)에 호표 시랑의 무리 출입함이 희한한 변괴요, 허다 주문갑제(朱門甲第)1095)에 부디 우리 택중(宅中)에 돌입하여 소매를 잡아가니, 이 적지 않은 변이라, 세사난측(世事難測)이로소이다. 연이나 밝는 날 정부에 기별하고 노복을 흩어 매자(妹者)의 거처를 심방함이 늦지 아니하옵고, 하물며 사자(死者)는 불가부생(不可復生)이라 하오니, 대인과 자위 이같이 과상하실진대, 소매 천성대효로 유명간(幽明間) 불효를 느끼오리니, 복원(伏願) 부모는 비회를 관억하시어 소자 등의 민박하온 정사를 살피소서."

공은 누수 만면하여 말이 없고, 부인은 유체 왈,

"여아(女兒) 자유(自幼)로 생어부귀(生於富貴)하고 장어호치(長於豪侈)하여 일찍 발자취 계정(階庭)을 임(臨)치 않으니, 청수미질(淸秀美質)로 무인심야의 호환을 만나시니, 짐승이 미처 해치 않아서 여아 어찌 지레 죽지 않았으리오. 희라! 여아 차라리 시명(時命)이 부박(浮薄)하여 천명으로 죽었으면, 모녀의 정리 비록 통박하나 그 향혼옥골(香魂玉骨)을 풍진(風塵)에 장(葬)하리니, 이같이 참달비상(慘怛悲傷)1096)함에 낫지 않으랴! 여모 미사지전(未死之前)에 단장지곡(斷腸之曲)과 역리통(逆理痛)1097)을 어찌 견디리오."

1095) 주문갑제(朱門甲第) : 붉은 대문을 단, 크게 잘 지은 집이란 뜻으로, 높은 벼슬아치가 사는 집을 이르는 말.
1096) 참달비상(慘怛悲傷) : 참혹하고 놀랍고 슬픔.
1097) 역리통(逆理痛) : 순리(順理)를 거스르는 일을 당한 슬픔이란 말로, 자식을

설파에 실성애호(失性哀號)하여 자주 혼도(昏倒)하나 제자가 하릴없고, 제사금장(娣姒襟丈)[1098]이 평일 소고(小姑)의 성덕 재화로 흉변참사(凶變慘死)하여 한 조각 백골도 풍진(風塵)에 장(葬)치 못하니, 각골 통도하여 상고오읍(相顧嗚泣)이러니, 이러 굴 사이 동방이 이미 밝아오고 계성(鷄聲)이 자자니, 평장이 모든 복부(僕夫) 아역(衙役)을 채정(採定)하여 사처(四處)로 흩어, 부인 존망을 알아오면 천금을 상하리라 하고 금백(金帛)을 주어 보내니, 중복이 역비감읍(亦悲感泣)하여 사처로 흩어져 찾으나 마침내 경리화(鏡裏花)[1099]와 수중월(水中月)[1100] 같으니, 묘랑이 요술로 후려, 심궁(深宮) 북원(北苑) 석혈(石穴) 냉옥(冷獄)에 갇힌 양부인을 어데 가 찾으리오. 양부의 허다 가정(家丁)과 복부(僕夫)들이 수월을 추심(推尋)하다가 헛되이 공환(空還)하니라.

또 취운산 정부에 복부를 보내어 야래(夜來) 변고를 통하고, 상사를 다스리고자 하나 정병부의 의논을 몰라, 정부에 기별하여 병부로 상의한 후 발상(發喪)하려 하니, '의논이 어찌 된가?' 하회를 석남(釋覽)하라.

잃은 부모의 슬픔을 말함.
1098) 제사금장(娣姒襟丈) : 형제의 아내들의 손위 손아래의 여러 동서(同壻)들. '제(娣)'는 손아래 동서, '사(姒)'는 손위 동서, 금장(襟丈) 손위·손아래 구분 없이 동서를 이르는 말.
1099) 경리화(鏡裏花) : '거울 속에 비친 꽃'이란 뜻으로 상상 속에만 있고 현실에는 존재하지 않는 것을 비유로 일컫는 말.
1100) 수중월(水中月) : '물속에 비친 달'이란 뜻으로 실제로 잡아보거나 만져볼 수 없는 것을 비유로 이르는 말.

최길용

문학박사
전북대학교 겸임교수
전북대학교 인문학연구소 전임연구원

● 논 문
〈연작형고소설연구〉외 50여편

● 저 서
『조선조연작소설연구』 등 13종

현대어본 명주보월빙 **3**

초판 인쇄   2014년 4월 20일
초판 발행   2014년 4월 30일

역   주| 최길용
펴 낸 이| 하운근
펴 낸 곳| 學古房

주   소| 서울시 은평구 대조동 213-5 우편번호 122-843
전   화| (02)353-9907   편집부(02)353-9908
팩   스| (02)386-8308
홈페이지| http://hakgobang.co.kr/
전자우편| hakgobang@naver.com,   hakgobang@chol.com
등록번호| 제311-1994-000001호

ISBN   978-89-6071-386-4   94810
         978-89-6071-383-3   (세트)

값 : 19,000원

이 도서의 국립중앙도서관 출판시도서목록(CIP)은 서지정보유통지원시스템 홈페이지
(http://seoji.nl.go.kr)와 국가자료공동목록시스템(http://www.nl.go.kr/kolisnet)에서 이용하실 수
있습니다.(CIP제어번호: CIP2014014234)